SKANDAR

スカンダーと裏切りのトライアル

A・F・ステッドマン

金原瑞人・西田佳子［訳］

潮出版社

SKANDAR

スカンダーと裏切りのトライアル

N
W
E
S
浅瀬《あさせ》の湖
水のゾーン
水上マーケット
孵《ふ》化場《かじょう》
漁師《りょうし》の浜辺《はまべ》
評議《ひょうぎ》会《かい》広《ひろ》場《ば》
光の洞窟《どうくつ》
鏡《かがみ》の崖《がけ》
土のゾーン
不休《ふきゅう》の山
荒野
アイルランド
イングランド
島
ウエールズ
アフィントンの
白いユニコーン

島の地図

荒野《こうや》
溶岩《ようがん》の鉢《はち》
火のゾーン
競技場《きょうぎじょう》
オアシス
エアリー
段畑《だんばた》の渓谷《けいこく》
フォーポイント
風のゾーン
空の森

For my mum, Helen –
who showed me how to dream

Skandar and the Chaos Trials
by A.F. Steadman

Japanese translation rights arranged with Simon & Schuster UK Ltd
1st Floor, 222 Gray's Inn Road, London, WC1X 8HB
A CBS Company through Japan UNI Agency, Inc., Tokyo

CONTENTS

Prologue

プロローグ

ニーナ・カザマ首長は、孵化場《ふかじょう》が受けたダメージを検分《けんぶん》しにやってきた。

彼女《かのじょ》は知らない。

レックス・マニング教官《きょうかん》がそのとなりにいる。崖《がけ》から顔をだした太陽に照《て》らされて、銀色のユニコーンがまばゆく輝《かがや》く。

彼《かれ》はなにも知らない。

五人の衛兵《えいへい》が、孵化場の草におおわれた斜面《しゃめん》にできた裂《さ》け目《め》を、胸《むね》を張《は》って見守っている。

彼らは気づいていない。

衛兵たちに通されて、島で最《もっと》も重要《じゅうよう》なふたりのライダーが孵化場に近づく。

だれひとり、察知《さっち》していない。


カザマ首長が孵化場の内部をのぞきこむ。シルヴァー・サークルの新代表となったレックス・マニングも、それに倣《なら》う。

ふたりは目を疑《うたが》うだろう。


カザマ首長はまばたきをして、内部の暗さに目を慣《な》らした。「どういうこと？　次の夏至《げし》に孵化する卵《たまご》が並《なら》んでいるはずなのに、ひとつもない」しかし、ここは衛兵たちに守られていて、外部からの攻撃《こうげき》を受けることはありえない。

すべてがむだだったことに、まだだれも気づいていない。


カザマ首長は、亀裂《きれつ》をあわてて掘《ほ》りひろげ、中に入った。レックスも続《つづ》く。

卵の台座《だいざ》が並んでいるだけで、卵はない。

手をのばしても、そこにあるのは薄《うす》い空気だけ。

疑惑《ぎわく》が生まれた。

最初《さいしょ》に思いついたのはレックスだ。ニーナ・カザマはレックスの顔色をみて、はっと息をのんだ。ふたりは、しんとした孵化場内部に足音を響《ひび》かせながら、ひとつ下の階層《かいそう》に向かった。

ユニコーンの卵はない。

さらにその下の階層へ。

卵はない。

下へ、下へ。大昔からある小山の最深部《さいしんぶ》へおりていく。

卵はひとつもない。

ふたりはようやく理解《りかい》した。

今後十三年間、ここでユニコーンが孵化することはない。

ライダーも生まれない。一世代ぶんのライダーたちが芽《め》を摘《つ》まれた。

ふたりは崖の上に立った。眼下《がんか》では、鏡《かがみ》の崖に波が打ちよせ、砕《くだ》けている。

「だれにも知られてはならないわ」ニーナがいった。「約束《やくそく》して！」

「卵をみつけよう」レックスがいう。「ふたりでみつけるんだ」

しかし、現実《げんじつ》の重みがふたりにずっしりとのしかかっていた。

孵化場に卵がない。

SALLY'S SANDWICHES

第1章
サリーのサンドイッチ

スカンダー・スミスはスカンダレル・ラックを探《さが》していた。血に飢《う》えたユニコーンの居場所《いばしょ》がわからなくなることなどありえない、という人もいるだろう。しかし、そういう人たちは、エアリーでの訓練《くんれん》三年目のユニコーンをみたことがないにちがいない。夏のあいだに、フレッジリングのユニコーンたちの態度《たいど》はひどいものになり、スカンダーの目からみても、ライダーの手に負える状態《じょうたい》ではなくなってしまっていた。スカンダレル・ラックも例外《れいがい》ではない。

夏休みの最終日《さいしゅうび》だった。明日から訓練が再開《さいかい》される。スカンダーは朝からずっとスカンダレルを探していた。片手《かたて》にはシェコニ工房《こうぼう》で作られた鞍《くら》を持ち、もう一方の手には手綱《たづな》を巻《ま》きつけて歩きまわっていた。そしていま、エアリーの丘《おか》に腰《こし》をおろし、腹立《はらだ》ちまぎれに草をつかんで引きぬいた。この夏のあいだ、スカンダレルが姿《すがた》を消すことは何度もあった。どこにいっているのかわからない。しかし今日は、四人組でフォーポイントにいき、ランチをとることになっている。

　タイミングをはかったかのように、ボビー・ブルーナがファルコンズ・ロースに乗り、すごい勢《いきお》いで丘を駆《か》けおりてきた。くたびれたライダーズ・ジャケットの袖《そで》をまくっているので、変異《へんい》によって手首から肘《ひじ》にかけて生えそろった羽根があらわになっている。

　ファルコンはスカンダーに向かってまっすぐ走ってくる。ボビーはそのスピードをゆるめさせるのが一瞬遅《いっしゅんおそ》かったようだ。ボビーの唇《くちびる》にゆがんだ笑《え》みが浮《う》かぶと同時に、スカンダーが驚《おどろ》いて立ちあがった。つまり、ボビーはわざとやったのだ。

「スカンダレルはみつかったの？　気の使い手くん」スカンダーが青い顔をしていることなど気にもかけず、ボビーは挑《いど》むように話しかけた。

　あぶないことはやめろ――スカンダーはそういおうとしたが、思い直した。もうすぐランチタイムだ。空腹《くうふく》なときのボビーは機嫌《きげん》が悪い。

ため息をついて答えた。「いや、みつからない。今日はきみたち三人ででかけてくれよ」

「だけど、ランチのあとであんたのお姉さんに会うことになってるんだよ。銀の要塞《ようさい》の外で」ボビーが手綱をおろしてやったので、ファルコンは通りかかったウサギを捕《つか》まえた。

　ウサギの骨《ほね》が砕《くだ》ける音をきいて、スカンダーは顔をゆがめた。

　ボビーは平気な顔をしている。「もういかないと、ランチにありつけないよ。あたしのみつけた店、すっごくおいしいんだから！　早くしないと満員《まんいん》になっちゃう」

「店の名前、まだ教えてくれないんだね」

「サプライズってことで」ボビーはごまかした。「あれ？　めずらしいね、あの子が遅《おく》れてくるなんて」

　やってきたのは、レッド・ナイト・ディライトに乗ったミッチェル・ヘンダーソンだ。レッドはユニコーンというより悪魔《あくま》みたいな風貌《ふうぼう》をしている。たてがみやしっぽ、それだけでなく目とひづめも、真っ赤に燃《も》えている。しかしその姿はスカンダーの目に入っていなかった。そのとなりを、スカンダレル・ラックが楽しそうに走ってきたからだ。

「どこにいってたんだよ！」スカンダーは安堵《あんど》と怒《いか》りが半々の思いでそういうと、スカンダレルの漆黒《しっこく》の首に抱《だ》きついた。スカンダレルはうれしそうに首を振《ふ》りあげた。気の元素《げんそ》の白い炎《ほのお》が日《ひ》差《ざ》しを受け、角の下でぱっと輝《かがや》く。再会《さいかい》の喜《よろこ》びが、スカンダーとスカンダレルの絆《きずな》を震《ふる》わせる。

　しかし、スカンダーは少しがっかりしていた。きのうはつやつやしていたスカンダレルの黒い毛が、今日は土埃《つちぼこり》にまみれていたからだ。

「スカンダレルってば、なんでこんなに汚《よご》れてるの？」ボビーがいうと、ファルコンがさっとわきによけた。ファルコンは汚れるのが大きらいなのだ。

「話のじゃまをして申《もう》し訳《わけ》ないんだけどさ」ミッチェルが皮肉めかしていった。「ぼくのこと、だれも心配してくれないわけ？」

どういうわけか、ミッチェルの緑色のジャケットからファスナーが完全《かんぜん》に消えている。前が開いてしまって、褐色《かっしょく》の肌《はだ》がみえている。

ボビーが鼻を鳴らした。

「笑《わら》うなよ、ロバータ。警告《けいこく》しておく」

「なにがあったんだよ？」スカンダーが穏《おだ》やかにたずねた。

ミッチェルはため息をついた。炎に変異した髪《かみ》が大きくうねる。「レッドだよ。この夏ずっと、いろんなものに火をつけまくってて、いまはぼくまでターゲットにされてるんだ」

スカンダーは眉《まゆ》をひそめた。「けど、ミッチェルにけがをさせようと思ってるわけじゃないよね？」たしかに、最近《さいきん》の四人組のユニコーンたちの態度はひどい。しかも、日に日に悪化している。だからといって、自分のライダーを故意《こい》に傷《きず》つけようとは思っていないはずだ。

「じゃあ、ぼくがＴシャツを脱《ぬ》いできたのはなんでだと思う？」ミッチェルはいらだちをあらわにしていった。「ぼくが暑がりだからとでも思った？」

「いや……」スカンダーが横に目をやると、ボビーが自分の手を噛《か》んで笑いをこらえようとしていた。「どうしてだい？」

「このジャケットのファスナーのまわりの生地《きじ》を、レッドが燃やしちゃったんだ。だからこのとおり、ジャケットの前は開いたまんまだよ」ミッチェルは熱弁《ねつべん》を振るった。「それからＴシャツも燃やしちゃってさ。別《べつ》のシャツに着《き》替《か》えようと思ったら、それにも火をつけた。絆からは、レッドがこの状況《じょうきょう》をひたすら楽しんでるってことが伝《つた》わってくる。ぼくが上半身裸《はだか》になったら、ようやく火をつけるのをやめてくれたんだ！」

「レッドがミッチェルのズボンを狙《ねら》わないといいけどね」ボビーがスカンダーに耳打ちする。スカンダーは笑いを噛《か》み殺《ころ》した。

「なにをひそひそ話してるんだよ？」ミッチェルがいう。

ボビーはすぐに真顔になった。「いいから、ランチにいこうよ。もう予定の時間を過《す》ぎてるよ。フローはケンナと別《わか》れてすぐ、フォーポイントにきてくれるって。それと、吟遊詩人《ぎんゆうしじん》の鍛冶《かじ》職人《しょくにん》も呼《よ》んどいた」

ミッチェルが目をみひらいた。「ジェイミーもくるって？　最悪《さいあく》なことになるぞ」ぼろぼろのジャケットを指差《ゆびさ》した。ジャケットの合わせが風を受けて大きく開き、火の元素のピンバッジがきらめいた。

スカンダーはあることを思いついた。「スカンダレルの手綱を体に巻きつけてみたらどうかな」そういって、手綱をミッチェルに渡《わた》す。「少なくとも前を閉《し》めたままにしておけるし」

ミッチェルは納得《なっとく》のいかない顔で青いロープをみたが、どうやら現実《げんじつ》に気づいたようだ。ランチにいきたければそうするしかない。遅刻《ちこく》は大きらいだ。

「新しい流行になるかもね」ボビーがふざけた口調でいった。

「うるさいな」ミッチェルはいい返し、ロープを腰に巻きつけた。

スカンダーはスカンダレルにまたがり、仲間《なかま》たちのあとを追うように、エアリーの丘を下っていった。目指すはフォーポイントの商店街《しょうてんがい》。赤、青、緑、黄に彩《いろど》られたツリーハウスをみると、心が明るくなった。スカンダーがネスリングだった年、元素の魔法《まほう》が島を破壊《はかい》しようとしたが、その後、ツリーハウスの多くは修復《しゅうふく》されていた。遠くに目をやると、銀の要塞の塔《とう》も復活《ふっかつ》して、空を突《つ》きさすようにそびえているのがみえた。

とはいえ、島の建物《たてもの》の多くはまだ壊《こわ》れたままだ。スカンダー自身も、六月に起こったいろんなことのせいで心に受けた傷がまだ完全には癒《い》えていなかった。夏至《げし》のあの日、島はいまにも瓦解《がかい》するところだった。シルヴァー・サークルが野生のユニコーンを殺《ころ》していた結果《けっか》、島の魔法がバランスを失《うしな》ったせいだ。スカンダーとボビーとフローとミッチェルが力を合わせ、最初《さいしょ》のライダーと野生のユニコーンの女王から骨の杖《つえ》を手に入れて、あやういところで島を救《すく》うことができた。しかし、そのときスカンダーは、どんな最悪な想像《そうぞう》さえしのぐような、恐《おそ》ろしい悪夢《あくむ》をみることになった。ケンナが野生のユニコーンと偽《にせ》の絆で結《むす》ばれていたのだ。偽の絆を作ったのはウィーヴァー――スカンダーとケンナの母親だった。

厳格《げんかく》でみんなに恐れられてはいるが、公平な目を持ったカザマ首長は、ケンナと野生のユニコーンとの今後の関係《かんけい》についての裁定《さいてい》が下されるまでは、ケンナがスカンダーといっしょにいることを許《ゆる》した。初《はじ》めのうち、スカンダーはいい面だけをみようとした。ケンナがエアリーで暮《く》らしているよ、と父さんに手紙を書けるのがうれしかった。しかし、あの騒《さわ》ぎが落ち着いてくると、姉の心臓《しんぞう》をからめとるようにしてつながれた偽の絆のことが心配になり始めた。そこで、本来ケンナと結ばれるはずだったユニコーンのことを調べ始めた。メンダーの夢《ゆめ》にでてきた、まだら模《も》様《よう》のある灰色《はいいろ》のユニコーンだ。カザマ首長の裁定はなかなか下されない。そうして時間がたつうちに、あのユニコーンをケンナと結びつける方法《ほうほう》はないものかと考えるようになった。

「なにかあった？　めずらしく真剣《しんけん》に考えてるじゃない」ボビーがいって、乗っている灰色のファルコンをスカンダレルの横に並《なら》べた。

「なんでわかるの？」

「眉間《みけん》にしわができてる」ボビーには騒々《そうぞう》しいところがあるが、他人の——特《とく》にスカンダーの——気持ちを知りたいときは、黙《だま》ってその人を観察《かんさつ》するタイプだ。

「姉さんのこと」スカンダーはシンプルに答えた。ケンナと運命のユニコーンとを結びつけることについては、まだだれにもなにも話せない。もっと情報《じょうほう》が必要《ひつよう》だ。

「ニーナがぐずぐずしてるから！」ボビーは感情《かんじょう》をあらわにした。「そういうとこ、風の使い手らしくないよね。さっさと決めればいいのに！　あれこれしつこく調べて、なにがわかるっていうの？　ウィーヴァーがケンナの鞍袋《くらぶくろ》に隠《かく》れてる、とでも思ってんのかな」

シルヴァー・サークルの本部である銀の要塞でケンナについての調査《ちょうさ》が始まったときから、ボビーは怒りを抑《おさ》えきれない様子だった。フローが、シルヴァー・サークルの新しい代表であるレックス・マニングのことを、父親のドリアン・マニングよりずっといい人だとほめると、そのたびにボビーはふんと鼻を鳴らす。

「そんなにほめるほどのこと？」最後《さいご》には手厳《てきび》しくこういった。「レックスのお父さんは、もう少しで島を破滅《はめつ》させるところだったんだよ。自分が野生のユニコーンを殺してたくせに、その罪《つみ》をあたしたちになすりつけようとした」

スカンダーも、ケンナが銀の要塞で調べられていることは気に入らなかった。シルヴァー・サークルは、銀のユニコーンと結びついた特別《とくべつ》なライダーの集まりだ。島で最《もっと》も強い力を持った組《そ》織《しき》でもある。何世紀《なんせいき》も前から、シルヴァー・サークルと気の使い手たちはライバル関係にあった。

「銀の要塞は、今回の調査をするにはいちばん安全なところなのよ」フローがいった。「ケンナのためにも、島全体のためにも。野生のユニコーンの魔法で受けた傷は決して治《なお》らない。そうでしょ？」

調査が始まって一か月あまりがたったいまは、スカンダーは納得していた。フローのいうとおりだとわかったからだ。ケンナは銀の要塞にしょっちゅう呼びだされているが、悪いことが起こっているようにはみえない。ウィーヴァーに会っていたときのことや、偽の絆について尋問《じんもん》されたり、元素の魔法を使ってみるよう頼《たの》まれたりするだけだという。衛兵《えいへい》たちが見張《みは》っているので、ケンナはユニコーンに乗ることができない。許されているのは、野生のユニコーンの首に片手を置《お》くことだけだ。いまのところ、火花ひとつ起こすこともできずにいるそうだ。

「ねえ」肩《かた》を並べて進みながら、ボビーがスカンダーにいった。「ケンナは長いことウィーヴァーといっしょにいたわけでしょ。そのときケンナがなにをしてたか、考えたことある？」ふだんに比《くら》べると自信《じしん》のなさそうな、おずおずとした話しかただった。

「ケンナがいうには、話はほとんどしなかったんだって。ウィーヴァーは絆を作ることに神経《しんけい》を集中させてたから」スカンダーはこわばった表情《ひょうじょう》でいった。「ぼくはケンナの言葉を信《しん》じる」

「まあ、あたしも信じる。けど、エリカ・エヴァーハートは自分が娘《むすめ》とユニコーンを絆で結びつけたくせに、その娘を解放《かいほう》して、エアリーで暮らさせることにしたわけだよね。なんで？　そんなのウィーヴァーらしくない」

「そうだね」スカンダーは暗い気持ちで答えた。「ウィーヴァーらしくない。けど、ケンナは知ってることを全部話してくれた。それはまちがいないよ。ウィーヴァーがどんなに邪悪《じゃあく》な存在《そんざい》かってことを、いまならよくわかってるだろうし。ケンナの望《のぞ》みは、ユニコーンのライダーとしてエアリーで訓練を受けること。ぼくたちみんなと同じなんだ」

だけど、野生のユニコーンに乗るなんて、だれひとり想像もしなかったことだ。

ボビーが指差した。「こっち！」

三人は商店街からはずれ、木立の中に入っていった。あちこちの大枝《おおえ》の上に、さまざまなレストランがある。リラックスしておしゃべりを楽しむ人々の声や、ナイフとフォークがかちゃかちゃいう音がきこえる。漂《ただよ》ってくるいいにおいのせいで、口の中に唾《つば》がわいてきた。アイランド・タコスという店の前を通ったとき、スカンダーのおなかが鳴った。しかし、店はほかにもいろいろある。ピザ、カレー、タパス、ファラフェル［中東風のコロッケ］、ラーメン、ジャークチキン、それにパンケーキもある。

頭上からきこえるおしゃべりが急に小さくなった。なにかを畏《おそ》れるかのような、緊張感《きんちょうかん》が伝わってくる。

「銀のユニコーンのライダーだ！」

「オル・シェコニの娘だぞ！」

「あのユニコーンをみろよ。銀色に輝いてる！」

フロー・シェコニがやってきたらしい。シルヴァー・ブレードが銀の輝きを放ちながら、狭《せま》い小道を進んでくる。銀のユニコーンは数が少なく、島では大きな力を持っている。ブレードが魔法を呼びだしそこねたことは一度もない。目立ちたくないと本人がいくら思っていても、銀のユニコーンのライダーであるフローは、どうしても注目を浴《あ》びてしまうのだ。

フローは最初にスカンダーと目を合わせ、だいじょうぶよというようにほほえんだ。「ケンナのこと、安心して。銀の要塞にケンナを送っていったとき、レックスがいってたの。審問《しんもん》は今日が最後になりそうだって」

スカンダーの胸《むね》に希望《きぼう》が広がった。シルヴァー・サークルの代表者が代わったことで、状況は前よりよくなったのかもしれない。

フローの視線《しせん》がミッチェルに移《うつ》った。ミッチェルはスカンダレルの手綱をジャケットの上からぐるぐる巻いている。フローはスカンダーに視線をもどして、いったいなんなの、というように、片方《かたほう》の眉をつりあげた。

スカンダーはくすくす笑った。「あとで話すよ」

ブレードがスカンダレルのうしろを歩き始めた。フローは深く息を吸《す》いこんだ。「ああ、いいにおい！　母さんがいつもいってる。島と本土とのあいだに決まりができてから、島の食べ物は格段《かくだん》においしくなったって」

スカンダーはスカンダレルの翼《つばさ》の上に身を乗りだして、木の幹《みき》にくくりつけてあるメニューをみた。なんだか気おくれしてしまう。食べたことのない料理《りょうり》の名前ばかりが並んでいるせいだ。それは、自分が本土出身だから。それに、子どもの頃《ころ》は外食するお金もなかった。

スカンダーがほとんどきいたこともないような料理の名前を次々にあげながら、フローとミッチェルとボビーがおしゃべりしている。スカンダーはスカンダレルのたてがみに手櫛《てぐし》を通した。黒いユニコーンの体から、ごろごろという低《ひく》い音がきこえた。おなかが鳴っているのだ。振動《しんどう》がスカンダーの脚《あし》に伝わってくる。そのとき、料理の名前をあまり知らないことが気にならなくなった。スカンダレルにとってはどうでもいいことなんだから。

「あれって、吟遊詩人の鍛冶職人じゃない？」ボビーの大きな声をきいて、スカンダーは顔をあげた。

「その呼びかたはやめてくれよ」ジェイミーがぶつくさいいながら近づいてきた。

「ジェイミー、ずいぶんおめかししてるのね」フローがいった。

ポケットにがちゃがちゃした道具がたくさん入っている、いつもの革《かわ》のエプロンをしていないだけでなく、炉《ろ》から舞《ま》いあがる灰の汚れもついていない。着ているのは、襟《えり》のついた緑色のシャツ。

「そうかい？　ありがとう」ジェイミーは心ここにあらずといった様子でいうと、金褐色《きんかっしょく》の髪を手でかきあげた。左右で色のちがう――片方が緑色、片方が茶色だ――目がミッチェルをとらえていた。ミッチェルはレッドの背中《せなか》からおりようとして、途中《とちゅう》で動けなくなっている。

「手を貸《か》そうか？」ジェイミーは唇にかすかな笑みを浮かべて声をかけた。

ミッチェルはタイティン工房の鞍をつかんで地面に飛《と》びおりた。「あ、いや、その、平気だよ。まったく、問題ないから」つっかえながらそういうと、ずりおちかけていた茶色の眼鏡《めがね》を押《お》しもどし、ジャケットの前を必死《ひっし》に合わせようとした。

ジェイミーの目が、ミッチェルの腰に巻かれた青いロープをとらえた。

ミッチェルの炎の髪がいっそう明るく燃えた。「えっと、いや、話せば長くなる。これはレッドのせいで――」

「ジャジャーーン！」ボビーが叫《さけ》んだ。一同は、サリーのジューシーなサンドイッチという名前の店の前にきたところだった。ボビーは木の幹にかかげられたメニューを指差し、にこにこ笑っている。フローとスカンダーはわけがわからず、顔をみあわせた。

ミッチェルが怒りの声をあげる。「ランチパーティーだとかいって突然《とつぜん》呼びだしておいて、なんだよ？　身なりを整える暇《ひま》もなく駆けつけたっていうのに、ただのサンドイッチ屋だなんて！」

「ミッチェル、ここはただのサンドイッチ屋じゃないよ。サリーの店はサンドイッチ専門《せんもん》のレストランなんだ」ボビーはうっとりした目でメニューをみつめた。

「サリーの店は最高《さいこう》だよな」ジェイミーがボビーに味方した。「おれ、じつはしょっちゅうきてるんだ」

「まあ、サンドイッチそのものには不満《ふまん》はないよ」ミッチェルはあわてていった。

スカンダーとフローもユニコーンからおりて、メニューをみた。

九月のメニュー

サリーのジューシーなサンドイッチ

水のゾーンから、マグロとアンチョビ・マヨネーズ
土のゾーンから、ミックスベジタブル・デラックス
火のゾーンから、スパイシーチキンとベーコン
風のゾーンから、エビのワサビ風味

今月のサンドイッチ
ボビー・ブルーナの非常事《ひじょうじ》態用《たいよう》サンドイッチ

すべてのサンドイッチは、風のゾーンの焼《や》きたてパンで作っています。
パンは黒パンと白パンがあり、それぞれヒマワリの種《たね》入り・種なしを選《えら》べます。

「嘘《うそ》だろ」スカンダーはもう笑いだしていた。

「よくサリーがこんなことをしてくれたわね。ボビー、どんな手を使ったの？」フローはボビーがサリーを脅《おど》すかなにかしたのではないかと思っているようだ。なにしろ、ボビーの作る非常事態用サンドイッチは、四人組のなかでは有名なのだ。パンに塗《ぬ》るのはバター、チーズ、ラズベリージャム、マーマイト［ビールをつくる過程《かてい》でできる酵母《こうぼ》を原料《げんりょう》にした発酵《はっこう》食品。発酵臭《しゅう》と独特《どくとく》の風味が特徴《とくちょう》］。

ミッチェルは口をあんぐり開けた。「けどさ、ボビーのサンドイッチは体に悪いっていうか」

「サリーがいうには、大人気なんだって」ボビーは誇《ほこ》らしそうにいった。「ほら、いくよ！」ライダーが来店したときのために店が用意した金属《きんぞく》のリングにファルコンの手綱をかけて、はしごを二段《だん》飛ばしでのぼっていく。仲間たちもあとに続《つづ》いた。

ツリーハウスの中にはカウンターがあり、その奥《おく》に女性《じょせい》がひとり立っていた。「あらあら、今月のサンドイッチの作者じゃないの」四人組をみて、サリーは優《やさ》しい声でいった。黒い巻《ま》き毛《げ》の女性で、虹色《にじいろ》のエプロンをして、淡《あわ》いピンク色の顔に笑みを浮かべている。

「ハーイ、サリー！」ボビーがつま先立ちで飛びはねる。琥珀色《こはくいろ》の肌もつやつやと輝いて、とてもうれしそうだ。「非常事態用サンドイッチを五人前、お願《ねが》いね」

「うーん、ボビー、ぼくはマヨネーズのやつがいいな」スカンダーがすかさずいった。

「ぼくは火のゾーンのチキンサンドがいい」ミッチェルもいう。

「わたしはエビのやつがいいな」フローは申し訳なさそうにいった。

サリーが軽く舌《した》打《う》ちした。「みんな、せっかくのチャンスを逃《のが》すつもり？　非常事態用サンドイッチは売り上げがトップなのよ」

「けど、リピーターはいないよな、きっと」ミッチェルがスカンダーにいった

結局《けっきょく》、ジェイミーがボビーのサンドイッチを注文することになった。ただし、今後は吟遊詩人の鍛冶職人と呼ばないこと、という条件《じょうけん》つきだ。ジェイミーは両親と同じ吟遊詩人になりたくないと昔から思っていたが、この六月に真実の歌を歌ったところだった。

　このサンドイッチ屋が人気の店だというのは明らかだった。入るとすぐに、ファルコン担当《たんとう》の鍛冶職人リースがいた。その体を押しのけるようにして中に入っていくボビーに、リースは不機《ふき》嫌《げん》そうな声であいさつした。レッド担当の鍛冶職人と同じで、リースもこれまでに四人のライダーのアーマーを作ってきた。ただ、このふたりはジェイミーとはちがって、フレッジリングと友だちづきあいをしたいとは思っていない。

　外のベランダに並べられたテーブルもほとんど埋《う》まっていて、ひとつしか空きがなかった。特に騒がしいグループに目を留《と》めて、ジェイミーが手を振る。すると、そこにいた若《わか》い女性が手にサンドイッチを持ったままやってきた。明るいブロンドの髪をポニーテールにまとめている。

「クララだよ」ジェイミーは尊敬《そんけい》をこめてみんなに紹介《しょうかい》した。「カザマ首長のユニコーン担当の鍛冶職人なんだ」

　しかしクララの視線はミッチェルに釘付《くぎづ》けだった。「それ、どうしたの？」焼けこげたジャケ

ットを指差した。

恥《は》ずかしそうにしているミッチェルの代わりに、ジェイミーがいった。「ミッチェルはエアリーのフレッジリングだよ」

「へえ、三年目なの。ニーナのカオス・トライアルの序盤《じょばん》がどんなだったか、目撃《もくげき》してないってわけね。ライトニング・ミステイクが荒《あ》れに荒れてて、アーマーをつけさせるのもひと苦労《くろう》だった」

「つまり、こういうのはよくあるってこと？」ミッチェルは決まり悪そうにきいた。

「そのとおり」クララは答えた。

「ユニコーンが好《す》き勝手《かって》にどこかにいっちゃうのは？」スカンダーが小声できいた。

「よくあることとはいえないけど、心配いらないわ」

「ファルコンは全然《ぜんぜん》変わらないよ」ボビーがいった。「これまでどおり、パーフェクト」

「自慢《じまん》はよくないわよ、ボビー」フローがたしなめた。

「ニーナは最近なにをやってるんだ？」ジェイミーが心配そうにいった。

「ユニコーンと同じよ」クララはため息をついた。「毎日何時間か姿を消す。けど、訓練のためじゃない。だって、アーマーを身につけずにでかけるから。なのにライトニングはへとへとになって帰ってくるし、ニーナは落ちこんだ様子で帰ってくる」

「どうしたんだろう」スカンダーはそういいながら、ケンナのことを考えていた。ケンナの今後がどうなるのかも気になる。

「わからない」クララは肩をすくめた。エプロンのポケットに入れた仕事道具が金属音《きんぞくおん》をたてる。フローのほうをみていった。「あなたのお父さんがニーナと話をしようとしてるんだけど、ニーナがそれを避《さ》けてるの」

フローの父親のオル・シェコニは、島で一番の馬具職人だ。スカンダーと同じく、ニーナもシェコニ工房の鞍を使っている。

「ニーナがいつまでもこんな感じだと、今年のカオスカップへの参加資格《さんかしかく》が得られないことになる」クララの口調からはいらだちが感じられた。「わたしたち、ハットトリックを狙うはずなのに。前人未到《ぜんじんみとう》の大偉業《だいいぎょう》をなしとげるはずなのに！」

スカンダーは胃《い》がきりきりする思いだった。カオスカップ三連勝《れんしょう》目前までいった首長は、ニーナのほかにもうひとりいる。エリカ・エヴァーハートだ。ユニコーンはブラッドムーン・エクウィノクス。しかし、ブラッドムーンはレース中に死に、エリカは野生のユニコーンと闇《やみ》の絆を結び、ウィーヴァーになった。

「スカー、だいじょうぶ？」フローがそっと問いかけた。ほかのみんなはまだクララと話している。「明日からの訓練のことが不安《ふあん》なの？　ミッチェルが断言《だんげん》してるわ。教官《きょうかん》たちがカオス・トライアルについて詳《くわ》しく話してくれるだろうって」

「まあ、少しはね」スカンダーはそう答えたが、本当は、少しどころではなかった。フレッジリングたちはみな、三年目の訓練がどんなに大変《たいへん》なものなのか、少しでも多くの情報を得ようと躍《やっ》起《き》になっている。特に、ネスリングたちにとっての模擬《もぎ》レースと同じように、フレッジリングたちはカオス・トライアルを通過《つうか》しなければ、エアリーに残《のこ》ることができない。ハヤブサ隊《たい》の先輩《せんぱい》の情報によると、三年生のこのカオス・トライアルは元素のゾーンで行われるという。具体的《ぐたいてき》な場所は毎年変わるので、会場を下見したり準備《じゅんび》したりということはできない。

　もちろん、だからといってミッチェルの調査意欲《いよく》がそがれたりはしない。夏のあいだずっと、去年のカオス・トライアルのことを調べていた。ただ、資料《しりょう》の調査を終えたあと、ルーキーやプレッズに実際《じっさい》の体験談《たいけんだん》を話してもらおうとしたものの、先輩たちのほとんどは、あまりその話をしたがらなかった。トラウマになっているのかもしれない、とフローは思った。ボビーの意見はちがう。先輩たちは、将来《しょうらい》カオスカップで戦《たたか》うかもしれない後輩《こうはい》たちに自分たちの持っている情報を明かしたくないんじゃないか、と考えたのだ。スカンダーにとっては、正直どうでもよかった。自分なりに調べていることがほかにあったからだ。

「ちょっとクレイグと話をしてくるよ」ベランダの奥のほうにクレイグの姿がみえたので、スカンダーはそういった。

　クレイグはチャプター・オブ・カオスという書店の主だ。気の使い手たちの味方でもある。以《い》前《ぜん》、気の元素は違法《いほう》だと宣言《せんげん》され、気のユニコーンたちが殺された。クレイグは残されたライダーたちから話をきいて、気の元素に関《かん》するいろんなことを知っていた。それに、ケンナと運命のユニコーンを結びつけてやりたいというスカンダーの秘《ひ》めた願いを知っている唯《ゆい》一《いつ》の人間でもあった。

もうすぐクレイグのところにたどりつく、というとき、壊れていくエアリーの中にケンナが姿を現《あらわ》したときの記《き》憶《おく》が脳《のう》裏《り》によみがえってきて、スカンダーは動けなくなった。どうして嘘ばかりついていたの、と責《せ》められた。本当は気の使い手だったなんて、ともいわれた。そして母親の話になった。スカンダーは、自分がメンダーだと説《せつ》明《めい》しようとした。メンダーとは、ライダーと、本来結ばれるべきだった運命のユニコーンとを、夢の中でみつけて結びつけることができる、気の使い手だ。ケンナと結ばれるべきだった、まだら模様の野生のユニコーンの夢をみたことも、話そうとした。しかし、すべては手《て》遅《おく》れだった。あのときのケンナの、遠くをみるような目つきを思いだすと、それだけで胸がぎゅっと苦しくなる。もうケンナは別《べつ》人《じん》になってしまって、自分のところへは永《えい》遠《えん》にもどってきてくれない――そう思わせられる表情だった。

そのあとは、ケンナに心から謝《あやま》った。ケンナは、自分のユニコーンがほしいという気持ちをどうしても抑えきれなかったので、シルヴァー・サークルの代表のドリアン・マニングとともに島にやってきたのだと話してくれた。しかし結局はマニングの支《し》配《はい》下《か》から逃れ、母親であるウィーヴァーにきかされた話を信じてしまったとのこと。すべての過《あやま》ちが明らかになったことで、スカンダーとケンナはようやく互《たが》いを許し合うことができたのだ。

「これ、なにがはさまってるんだ？」テーブルに近づいてきたスカンダーの姿に気づいて、クレイグがいった。パンのあいだからはみだしたジャムとマーマイトをじっとみている。

クレイグの声をきいて、スカンダーは我《われ》に返った。くすくす笑って答える。「知らないほうがいいよ」

「ケンナはどうしてる？」クレイグはスカンダーにきいて、椅子《いす》を勧《すす》めた。

「また銀の要塞に呼ばれてる」スカンダーは深い息をついた。「なにかわかった？」

クレイグは首を横に振った。ひとつにまとめた髪が揺《ゆ》れる。「いままでいろんな気の使い手と話したが、偽の絆について知ってる人はひとりもいなかった。当然《とうぜん》、偽の絆を断《た》ち切《き》れるかどうかなんて、だれも知らない。運命の絆を断ち切ろうとしたライダーもいない。絆で結ばれたユニコーンを殺すのは、何世紀も前から法律《ほうりつ》で禁《きん》じられてるからな。野生のユニコーンを殺したらどんなに恐ろしいことが起こるか、みんなよくわかってるし」

そのとき、おえっ、という声がきこえた。

ミッチェルがそれをきいて大笑《おおわら》いする。「だからいったじゃないか！」

ジェイミーが非常事態用サンドイッチをひと口食べたところだった。

「わたしは……あとで食べようかな」クレイグはそういってその場をごまかし、立ちあがった。「引《ひ》き続《つづ》き調査をしておくよ。だがきみのほうも、この問題にどこまでつきあう覚悟《かくご》があるのか、考えておいてくれ。ケンナはあの野生のユニコーンを愛《あい》してる、そうだよな？」クレイグの褐色の目がスカンダーの目をのぞきこむ。

「うん。だけど、ぼく……そもそもぼくが口をだしていいのかどうかもわからないんだ」スカンダーは力なくいった。「結局、ケンナの扱《あつか》いがどうなるかってことなんだよね。とにかく、ケンナには無事《ぶじ》でいてほしい」

「無事イコール幸福ってわけじゃないんだぞ」クレイグがいった。「スカンダー、それをおぼえておくといい」

四人組は、シダレカンバの道のいちばん奥のところでケンナ・スミスを待っていた。そこに着いてまだ何分もたたないうちに、スカンダレルとレッドがいっしょになって、近くの大枝を焼きおとした。そのすぐ下にいたファルコンが怒《おこ》って甲高《かんだか》い声をあげる。体を震わせ、完璧《かんぺき》に手入れされたたてがみから灰を払《はら》いおとしたとき、銀の要塞の入り口の盾《たて》が開いた。

ライダーがひとり、現れた。うしろには野生のユニコーン。

スカンダーはゴショーク・フュアリーと目を合わせた。にらみあいはわずかな時間しか続かなかった。スカンダーがまばたきをして目をそらしたからだ。九月の昼下がりだというのに、妙《みょう》な寒けをおぼえた。野生のユニコーンの目は、どこまでも広がる闇と、死によって終わることのない苦しみをたたえていた。ゴショーク・フュアリーは生きながら死ぬ運命を背負《せお》っているのだ。太《ふと》っ腹《ばら》で元気いっぱいなスカンダーの姉は、このユニコーンと結ばれている。

ハッチリングの年のスカンダレルと同じように、この野生のユニコーンも、生まれてほんの数か月だというのに馬くらいの大きさになっていた。しかし、共通点《きょうつうてん》はそれだけだ。スカンダレルの角は真っ黒だし、体毛も光沢《こうたく》のある黒。ゴショーク・フェアリーの角は幽霊《ゆうれい》みたいに透《す》けている。体毛はハチミツ色で、すでに薄《うす》くなりかけているし、体の動きもにぶい。エアリーでの訓練を二年にわたって受けてきたスカンダレルは筋肉隆々《きんにくりゅうりゅう》で、翼には完璧な羽根が生えそろい、みるからに力強い。ところがゴショークの体はやせこけて、ところどころに骨が浮いてみえる。背中には椎骨《ついこつ》が浮いて、小さなこぶが並んでいるかのようだ。細い肋骨《ろっこつ》が五本、歩くたびに上下する。前足をあげると、大腿骨《だいたいこつ》までがうっすらみえるほどだ。翼の羽根の一部はすでに抜《ぬ》けおちて、なめし革《がわ》のように乾燥《かんそう》した皮膚《ひふ》がのぞいている。堂々《どうどう》たる肉食の鳥の翼というより、大きなコウモリの翼のようだ。

　ゴショーク・フェアリーは永遠に野生のユニコーンなのだ。ライダーと絆で結ばれているとはいえ、それは偽の絆であって、運命の絆ではない。ゴショークにも運命のライダーがいたはずなのに、そのライダーは、十三歳《さい》の夏至の日に孵化場《ふかじょう》にくることができなかった。そしてケンナも、別のユニコーンと結ばれるはずだった。灰色のまだら模様のユニコーンは、いまも荒野《こうや》をさまよっている。

　ケンナがスカンダーにほほえみかけた。そのとき、アガサ・エヴァーハートの言葉がスカンダーの脳裏をかすめた。偽の絆のせいでエリカがどうなったか、しっかりみておきなさい。五つの属性《ぞくせい》を持ったせいで、五つの方向に引《ひ》っ張《ば》られている。五つのやりかたで、ユニコーンの力を受《う》け継《つ》ぐことになるのだ。

　スカンダーはずっと前から、ケンナが島にくることを夢みていた。きょうだいふたりそろってユニコーンライダーになり、カオスカップに出場するんだ、と。でも、ケンナが危険《きけん》人物だとみなされて、島に受け入れられなかったらどうなる？　エアリーから追放されたら？　そのとき、ぼくはどうしたらいいんだろう。

　考えると怖《こわ》くなった。そしてまた、まだはっきりとした形をなしていない計画について考え始めた。ケンナの未来《みらい》を変えることはできないだろうか。今夜はスカンダレルの厩舎《きゅうしゃ》で寝《ね》よう。メンダーの夢をみて、まだら模様のユニコーンを探す。ケンナの運命のユニコーンが無事かどうかを確《たし》かめたい。

　無事ではあるだろうけど、念《ねん》のため。

WILD MUTATION

第2章

野生の変《へん》異《い》

その日の夜、スカンダーはスカンダレルの厩舎《きゅうしゃ》に入った。スカンダレルが片目《かため》を開ける。その目は、赤とも黒ともつかない色に光っていた。警告《けいこく》のサインだ。絆《きずな》からもいらだちが伝《つた》わってくる。寝《ね》ているところを起こされたから、不機嫌《ふきげん》なんだろう。

「ねえ、いっしょに寝ていいかな？」最近《さいきん》まで、スカンダレルの翼《つばさ》の下で寝るときに、許可《きょか》を求《もと》めることはなかった。でもいまは、許可が必要《ひつよう》だ。この夏のあいだに何度か、厩舎では自分ひとりで過《す》ごしたいと思うスカンダレルに、炎《ほのお》や冷《つめ》たい烈《れつ》風《ぷう》を浴《あ》びせかけられたことがある。しかし今夜のスカンダレルは、黙《だま》って黒い羽根をふくらませただけだった。「まあ、どうしてもっていうならかまわないよ」とでもいっているようだ。そして巨《きょ》大《だい》な翼の一方を持ちあげ、スカンダーをその下に招《まね》きいれた。

「スカンダレル、最近はどうかしたのか？」スカンダーは小声でききながら、スカンダレルの脇腹《わきばら》をなでた。

スカンダレルは喉《のど》を低《ひく》く鳴《な》らした。混乱《こんらん》した気持ちが絆を通して伝わってくる。スカンダーはスカンダレルの脇腹に頭をもたせかけ、ユニコーンの呼吸音《こきゅうおん》をききながら、カザマ首長の鍛冶職人《かじしょくにん》のいっていた、〝フレッジリングのユニコーンにはよくあること〟という言葉を思い返し、不安《ふあん》を鎮《しず》めようとした。

まもなく、ユニコーンとライダーは眠《ねむ》りに落ち、メンダーの夢《ゆめ》が始まった。

メンダーの夢をみるのがうまくなってきた。夢の中にいるケンナにぶつかることなく近づける。自分のものではない白い手が目に入った瞬間《しゅんかん》、するりと身をかわしてとなりにすわった。ふたりはツリーハウスのベランダに腰《こし》かけて、足をぶらぶらさせた。エアリーのどこかだ。視線《しせん》をあげると、頭上が緑でおおわれている。これまでの経験《けいけん》から、夢の場所は、現実《げんじつ》世界でライダーがいる場所と一致《いっち》することがわかっていた。スカンダーはすぐにその場を離《はな》れた。メンダーの夢をみる目的《もくてき》は、ケンナの様子を探《さぐ》るためじゃない。

絆に心臓《しんぞう》を引《ひ》っ張《ば》られるような感覚《かんかく》がある。この一か月ほど、スカンダーとスカンダレルはこれを何度も繰《く》り返《かえ》してきたので、荒野《こうや》にのびている輝《かがや》く絆に目をやらなくても、その存在《そんざい》を感じることができた。

白い絆に触《ふ》れ、それに沿《そ》って走っていくと、なにかにぶつかった。

彼女《かのじょ》はどこにいる？

夢の中で、スカンダーはケンナの運命のユニコーンに出会った。そのとき、灰色《はいいろ》のまだら模様《もよう》のユニコーンが、メンダーの夢の中でいつも発する質問《しつもん》を投げかけてきた。

どこにいる？

スカンダーは相手を落ち着かせるために、ケンナの顔を思《おも》い浮《う》かべようとした。しかし――

殺《ころ》す。血。孤独《こどく》。怒《いか》り。

そんなメッセージが伝わってきた。体が震《ふる》える。まだら模様のユニコーンは、今日はいつも以《い》上《じょう》に怒《おこ》っている。スカンダーの精神《せいしん》が葛藤《かっとう》していた。自分の肉体を離れてしまいたい。そうして、ユニコーンの感情《かんじょう》と自分の感情とを切り離してしまいたい。恐《おそ》ろしいほどの憤怒《ふんぬ》が襲《おそ》ってくる。闇《やみ》が濃《こ》くなって、視界《しかい》がぼやける。そして、痛《いた》みが走った。胸《むね》が焼《や》けるように熱《あつ》い。頭がずきずきする。夢の中に長くいすぎたようだ。いつもそうなのだ。必死《ひっし》に声をあげた。

「スカー？」

だれかに揺《ゆ》すぶられて夢から覚《さ》め、ユニコーンの永遠《えいえん》に終わらない苦しみから救《すく》いだされた。

ケンナが立っていた。褐色《かっしょく》の髪《かみ》はもつれ、青白い顔には心配そうな表情《ひょうじょう》が浮かんでいる。スカンダーは反射的《はんしゃてき》に手を差《さ》しだした。小さい頃《ころ》にやっていたのと同じだ。ケンナもためらうことなくその手を握《にぎ》ってくれる。ぎゅっと抱《だ》き合《あ》うと、胸と頭の痛みは消えていった。ケンナからはマーゲート［イングランド南東部ケント州にある海沿《うみぞ》いの街《まち》］の潮《しお》と、エアリーのマツの木立のにおいがした。まるで家にいるみたいだ。

「悪い夢をみてたの？」

スカンダーはうなずいた。そうだ、悪夢《あくむ》ということにしよう。最近特《とく》に恐ろしい夢をみるようになった、と。いまはまだ、メンダーの夢のことをケンナに話したくない。去年、スカンダーがケンナの運命のユニコーンがでてくる夢をみたことは、ケンナも知っている。しかし、いまもその夢をみていることや、その夢をみると肉体的《にくたいてき》な苦痛《くつう》があることは、まだ知らない。

「どうしてこんなところに？」スカンダーは話題を変《か》えた。

「ゴショークの様子をみにきたの。あんたもくる？」ケンナのどこかいたずらっぽい口調が気になったが、スカンダーはついていくことにした。カーブした道沿いに厩舎が並《なら》んでいる。つるされたランタンが、ドアの奥《おく》にいるユニコーンたちの角を照《て》らしている。ケンナとふたりきりになれるのがうれしかった。そういうチャンスはあまりない。特にいまは、ケンナは水の元素《げんそ》の教官《きょうかん》が住むツリーハウスで寝起《ねお》きするよう命じられているからだ。

低い鼻息や甲高《かんだか》い鳴き声をききながら、ゴショークの厩舎に近づいた。それは、エアリーで最《もっと》も強い二頭のユニコーンの厩舎にはさまれている。一頭はセレスティアル・シーバード。水の元素の教官、ペルセポネ・オサリヴァン教官のユニコーンだ。もう一頭はシルヴァー・ソーサレス、レックス・マニングのユニコーン。レックス・マニングはシルヴァー・サークルの新代表になっただけでなく、最近、エアリーの風の元素の教官にも任命《にんめい》された。

フローによると、レックスは、シルヴァー・サークルの代表とエアリーの教官とを兼任《けんにん》する最初《さいしょ》のライダーになったことを、そんなに特別《とくべつ》なことと騒《さわ》ぎたててほしくないと思っているらしい。そう思うのは父親のことと関係《かんけい》があるんじゃないか、とスカンダーは思った。父親のドリアン・マニングは、去年、多くの野生のユニコーンを捕《つか》まえて殺した張本人《ちょうほんにん》なのだ。彼《かれ》はできるだけたくさんの野生のユニコーンを殺すつもりだった。メンダーの力があれば、孵化場《ふかじょう》の扉《とびら》から閉《し》めだされた気の元素のライダーたちと、本来結《むす》ばれるはずだったユニコーンたちとのあいだに絆を作ることができる。しかし、肝心《かんじん》のユニコーンたちがいなくなれば、メンダーにもどうすることもできない。

ケンナはゴショークの厩舎のドアに近づき、かんぬきをはずすと、スカンダレルの好《す》きなジェリーベイビー［赤ちゃんの形をしたフルーツ味のグミ。色ごとに名前と性格《せいかく》が決まっている］をゴショークに与《あた》えようとした。スカンダーはどきりとした。野生のユニコーンとケンナを触れ合わせていいんだろうか。まだ危険《きけん》だ。いや、たぶん、これからもずっと危険だ。ゴショークは、ケンナが死んだあとも生《い》き続《つづ》けるだろう。ゴショークとケンナを結ぶのは、偽《にせ》の絆だ。スカンダーが死ねばスカンダレルも死ぬが、それとはちがうのだ。さっきみたばかりのメンダーの夢を思いだして、気持ちを落ち着けようとした。ケンナの運命のユニコーンは、まだ荒野で無事《ぶじ》に生きている。

「なんで？　ゴショークは食べてくれない」ケンナはそういって、父さんが送ってくれたジェリーベイビーを、黒いズボンのポケットに入れた。ケンナが着ているのは、公式なライダーのユニフォームだ。黒のショートブーツ、黒のTシャツ、黒のズボン。しかし、エアリーの一員になることを認《みと》められるまでは、属《ぞく》する元素のライダージャケットを着ることを許《ゆる》されていない。

スカンダーは肩《かた》をすくめた。「スカンダレルは、孵化してすぐにひとつ食べたんだ。赤ちゃんのときに食べたからこそ、いまも食べるんじゃないかな」

「ゴショークが孵化したとき、そんな余裕《よゆう》はなかったんだもの」ケンナは小声でいった。スカンダーは身じろぎせずにきいていた。ケンナは、ウィーヴァーといっしょにいたときの話をめったにしてくれない。こちらからその話題を持ちだせば、口をつぐんでしまう。昔のケンナの言葉が、いまはなつかしい。ねえねえ、知ってる……？

「ケンナ」思い切ってきいてみた。「そんな余裕はなかったって、どういうこと？」

「わたしは孵化場に入っちゃいけない人間だった。そうでしょ？　だれかにみつかったら困《こま》るって、母さんがピリピリしてた」

「ウィーヴァーとはいろんな話をしたの？」スカンダーは慎重《しんちょう》にたずねた。「あの何週間かのうちに」

ケンナはため息をついた。「なんていえばいいのかな。みんながウィーヴァーの秘密《ひみつ》を知りたがってるのはわかってる。けど、本当に、わたしたちが話をすることはめったになかったの。あの人は、わたしと野生のユニコーンのあいだに偽の絆を作ったら、わたしとの縁《えん》を切るつもりだったと思う。それがはっきりわかった」ケンナは声を詰《つ》まらせた。「ウィーヴァーはわたしを捨《す》てていった。そうでしょ？　だからわたし、すべてを忘《わす》れてしまいたいの」

「うん、わかるよ。いやなことをきいてごめん――」

　ケンナは振《ふ》り返《かえ》ってゴショークに目をやり、次にスカンダレルの厩舎のほうをみた。顔に決意がみなぎっている。

　スカンダーの腕《うで》をつかんでいった。「それはそうと、オサリヴァン教官からきいてない？　今夜、教官たちが集まって重要《じゅうよう》な会議《かいぎ》をするんだって。議題《ぎだい》はフレッジリングについて――というか、カオス・トライアルについて。で、思ってたんだけど、よかったら――」ひとつ大きな息を吸《す》った。「――力を貸《か》してくれない？　わたし、ゴショーク・フュアリーに乗ってレースにでたいの」

　言葉の最後《さいご》のほうは、舌《した》がもつれたようになっていた。緊張《きんちょう》の表れだろう。つまりケンナは、この頼《たの》みごとをするためここにやってきたのだ、とスカンダーは思った。「ケンナはまだユニコーンに乗るのを許されてないはずだし――」

「けど、ほかのハッチリングたちから大きく後《おく》れを取ってしまう」ケンナはスカンダーの言葉をさえぎった。「カザマ首長は、すぐにでもわたしの訓練《くんれん》開始を認めてくれると思う。なのに、自分のユニコーンに一度も乗ったことがないなんて、ばかみたいじゃない？」

「ケンナならすぐに遅《おく》れを取りもどせるよ！」

しかしケンナは、耳のうしろの髪《かみ》の毛《け》をずっといじり続けている。いらだっているのがわかった。「ゴショークとのあいだに距離《きょり》ができてしまったように思えてならないのよ。乗れば、その距離も縮《ちぢ》まると思う。ねえ、スカー、お願《ねが》い！」

スカンダーはためらった。ケンナの気持ちはよくわかる。ほんの二か月ほど前、スカンダレルも衛兵《えいへい》たちの管理下《かんりか》に置《お》かれていた。島の魔法《まほう》のバランスが崩《くず》れたせいで、スカンダーが血に飢《う》えた激情《げきじょう》に取りつかれてしまったからだ。何週間ものあいだ、スカンダーはスカンダレルに触れることさえ許されなかった。「だけど――」

ケンナは腕組《うでぐ》みをして、さっきまでとはちがう強い眼差《まなざ》しでスカンダーをみた。「だったら自分でやる。わたしはあんたに力を貸してくれと頼んだだけで、あんたに許可を求めたわけじゃないんだから」スカンダーをにらみつける目は、〝あんたは弟なんだから、いうことをききなさい〟といっているかのようだ。昔からケンナがみせる表情だった。厳《きび》しくなりきれない父さんの代わりに、いつのまにかケンナがそんな顔をするようになっていたのだ。

スカンダーはウィーヴァーを倒《たお》し、ニューエイジ・フロストを救った。最初のライダーと野生のユニコーンの女王との戦《たたか》いに勝って、骨《ほね》の杖《つえ》を手に入れた。禁《きん》じられていた気の元素の魔法を使うことなく、エアリーの訓練生《くんれんせい》としての三年目を迎《むか》えることができた。昔から夢にみていたカオスカップ出場への道を歩んでいる。これだけのことをやってきたのだから、姉になにかいわれたところで拒否《きょひ》すればいいんだとわかっている。でも、姉をがっかりさせたくはなかった。

　十分後、スカンダーとスカンダレルは、エアリーの壁《かべ》の東の扉を通《とお》り抜《ぬ》けた。高い木々の影《かげ》に隠《かく》れるようにして、ケンナとゴショークがあとに続く。スカンダレルが不安がっているのが、絆を通してスカンダーに伝わってきた。スカンダーはスカンダレルに前向きな感情を送り、だいじょうぶだよ、と元気づけてやろうとしたが、うまくいかなかった。このときすでに、でてきたことを後悔《こうかい》していたからだ。頭上のツリーハウスからだれかの話し声がきこえてくるたび、胃《い》がむかむかした。枝《えだ》が揺れるたび、どきりとして飛びあがりそうになった。しかもゴショークは不気《ぶき》味《み》な鼻息を立て続けている。なにかみつけて食ってやるぞ、といっているみたいだ。野生のユニコーンは魔法とともに悪臭《あくしゅう》を放つものだが、いまはそんなことをしてくれませんようにと願うばかりだ。エアリーの人々があのにおいに気づかないはずがない。

　ノマドの木までやってきた。ライダーたちがうろついている可能性《かのうせい》が低いところとして、スカンダーが最初に思いついた場所だ。ノマドの木は、空をおおうような木の葉を通して漏《も》れてくる月明かりに照らされ、輝いている。幹《みき》には元素のピンバッジの破片《はへん》。ノマドを宣言《せんげん》されてエアリーを追いだされたライダーたちがつけていたピンバッジだ。そんなところへいきたいと思うライダーはいない。失《うしな》った仲間《なかま》たちのことを思いだしてしまうし、訓練の成果《せいか》をあげなければ次は自分が追いだされる、という現実も思い知らされる。自分のピンバッジが割《わ》られて、この木の幹に打ちこまれるなんて、考えたくもない。

ケンナはノマドの木のことなどどうでもいいようだった。期待をこめた目をスカンダーに向けている。燃《も》えるように輝くその目をみて、スカンダーの緊張が少しだけほぐれた。

落ち着こう、とスカンダーは思った。まわりにはだれもいない。教官たちはオサリヴァン教官のツリーハウスに集まっている。ケンナがゴショークに乗るのはほんの数分間。そのあとすぐにゴショークを厩舎にもどしてやれば、このことはだれにもわからない。四人組の仲間たちにも黙っておこう。

みんなの反応《はんのう》は予想できる。フローは、教官たちに禁じられていることをケンナにやらせるなんて、といってあきれるだろう。ミッチェルは、そういうことはちゃんと準備《じゅんび》をしてからやるべきだったのにというだろう。自分だったらこんなふうにやっただろうな、とかなんとかいって、計画を立て始めるんじゃないか。ボビーは、なんであたしも連《つ》れてってくれなかったの、と怒るだろう。

やっぱりあの三人には話せない。

「まずはぼくがスカンダレルに乗るから、みてて。そのあと順《じゅん》に説明《せつめい》する」スカンダーはそういって、鞍《くら》をつけていないスカンダレルの背《せ》にまたがった。ケンナになにかを教えるのは奇妙《きみょう》な感じだ。子どもの頃は、どんなことでもケンナのほうがうまくできたからだ。

ケンナは肩をすくめた。「簡単《かんたん》そうじゃない」しかし、声は少し震えていた。

「だいじょうぶ？」スカンダーはきいた。「ぼくも、初《はじ》めてスカンダレルに乗ったときは、すごく緊張したんだ」

「だいじょうぶよ」ケンナは強い口調でいった。

「いまやらなくてもいいんだよ」

「やるんだってば」

スカンダーは折《お》れた。「わかった。じゃ、ぼくがやったように、ゴショークの脇腹に向かって立って」

ケンナが近づくと、ゴショークは低くうなった。ケンナは緊張の高まりを隠そうとしている。スカンダーの両ひざの近くで、スカンダレルは翼の関節《かんせつ》をぴくりと動かし、低くうなった。野生のユニコーンに対して警告を発しているのだ。スカンダーにとってケンナがどんなに大切な存在か、感じ取ったにちがいない。スカンダーとスカンダレルは、危険の兆候《ちょうこう》が少しでもみえたら魔法を呼《よ》びだすつもりで身構《みがま》えていた。

「それから――」

ところがケンナはスカンダーの説明を待たず、空中にジャンプしていた。おぼつかない動きで、野生のユニコーンの背に腹這《はらば》いになって張《は》りついた。ゴショークは大きな咆哮《ほうこう》をあげ、幽霊《ゆうれい》のような角を左右に振る。ケンナは臆《おく》することなく右足を大きく動かし、上半身を起こすと、ゴショークのハチミツ色のたてがみをつかんだ。「やった！」ケンナは叫《さけ》んだ。不安も恐怖《きょうふ》もすっかり消えていた。

「声を抑《おさ》えてよ！」スカンダーは声をかけたが、顔はほころんでいた。ついにケンナがユニコーンに乗った！　しかも、フォームは完璧《かんぺき》だ。

「野生のユニコーンに乗るのはそんなに簡単じゃないはずなのになあ」スカンダーは不満《ふまん》そうな口調でいったが、本心では姉が誇《ほこ》らしくてたまらなかった。

ケンナはうれしそうに笑《わら》った。「スケートボードをやったときみたいだよね。スケートボードでバランスをとる練習をしておけば、将来《しょうらい》ライダーになったときに役立つと思ったんだけど、うまくいったのはわたしだけ。あんたはあっという間にすっころんで――」

「おい！」スカンダーはいったが、すぐに笑いだした。「そこまでぶざまじゃなかったよ。それにぼくはいま――」

「ハヤブサ隊《たい》の一員なんでしょ」ケンナは声を張りあげた。「エアリーのエリートライダー集団《しゅうだん》だって？　ハヤブサ隊がどうした、ハヤブサ隊がこうした――あんた、いっつもハヤブサ隊の話をしてるじゃない」

「そんなことないよ」スカンダーは小声で答えたが、頭がくらくらするような興奮《こうふん》をおぼえていた。長いこと、ケンナもぼくも、羽目をはずすことなんかできなかった。父さんの世話をしなきゃならなかったし、冒険《ぼうけん》を楽しむとか規則《きそく》を破《やぶ》るとか、そういうことをする余裕はなかった。でもいまは、ふたりとも島にいる。子どもがふたりともライダーになって、父さんも幸せだといってる。きっとなにもかもうまくいくだろう――

アーマーにおおわれた近くの幹に、緑色の光が反射《はんしゃ》した。強い光だったので、どこから発せられたものなのか、すぐにはわからなかった。まばたきをしてよくみると、ケンナの手にある孵化の傷《きず》が光っているのだとわかった。

「なにをしてるの？」スカンダーは控《ひか》えめに叫んだ。ツリーハウスにいるライダーたちにきかれたくなかった。

ケンナの顔はその光に照らされている。光の色は、緑から赤、黄、青、そして白に変わった。不安の色はない。むしろ勝ちほこったような表情をしている。

「だめだ、ケンナ！」スカンダーは急に不安になった。ケンナは銀の要塞《ようさい》にいるときには魔法をまったく使えなかったときいているが、本当は使えるんじゃないか？「魔法はまだだめだ。コントロールできないよね。人にみられるよ！」

ブーン！

土や根っこや樹皮《じゅひ》が、爆発《ばくはつ》を起こしたように舞《ま》いあがった。いろんな破片が舞っているので、まわりがみえない。やがてスカンダレルが風を放って、空気がきれいになった。

ゴショークは後足立ちになっていた。背中《せなか》から黒い煙《けむり》が渦巻《うずま》きながら立ちのぼっている。皮膚《ひふ》の下に浮きだした骨が月光を受けて輝いている。ケンナの手の光が消えた。ユニコーンに振りおとされないよう、必死になって首にしがみついていた。驚《おどろ》くべきことに、スカンダーにとっていちばん恐ろしいのは、その光景《こうけい》ではなかった。なにより恐ろしいのはノマドの木だ。ケンナとゴショークの魔法が、この有名な木のまわりに巨大なクレーターを作っていたのだ。木の下までえぐられていた。残《のこ》った根っこは腐《くさ》っているようにみえた。なにか重い病気にでもかかっているかのようだ。木は、ぎしぎしといういやな音をたて始めた。すべてがスローモーションになったみたいだ。きらきらした幹をみあげるスカンダレルの目が黒とも赤ともつかないような色に光っている。ゴショークが前足のひづめで地面を叩《たた》く。ノマドの木の幹がうなり、やがて傾《かたむ》き始《はじ》め――

「逃《に》げろ！」スカンダーはケンナに向かって叫んだ。ユニコーンたちも、身に迫《せま》る危険に気づいたのか、エアリーの壁のほうに駆《か》けだした。

走りながら、スカンダーはうしろを振り返った。一回、二回――まだ逃げきれていない。木がばらばらになるものすごい音しかきこえない。大量《たいりょう》の葉っぱが雨みたいに降《ふ》ってくる。そのうち、大枝《おおえ》がじゃまになって前に進めなくなった。幹に打ちこまれていたピンバッジの破片がスカンダーの頭に落ちてきた。金色の雹《ひょう》が降ってきたみたいだった。

ケンナが悲鳴をあげた。落ちてきた大枝が肩をかすめたのだ。あわてながらも、スカンダーはスカンダレルとゴショークの向きを変えて左にいかせた。二頭はアーチ形のドアに突進《とっしん》し、エアリーの壁の外にでた。ひづめが石を踏《ふ》む音が響《ひび》く。

スカンダーはスカンダレルから飛びおり、震えているケンナをゴショークの背中から引きずりおろした。考えていたことはひとつだけ。ケンナがやったとばれたらまずい。ケンナとふたりで、火花を吐《は》くゴショークの体を押《お》して厩舎にもどろうとしたとき、まだ火がくすぶっている枝がスカンダーの左の親指に落ちてきた。

バン！

ノマドの木がとうとう倒れた。厩舎の石の床《ゆか》が震える。人にみられてはならない。早くここから離れなければ。

やけどをした親指の痛みを気にしないようにして、ケンナの手を握った。スカンダレルが駆《か》け足《あし》で前を走っている。緊急事態《きんきゅうじたい》だと理解《りかい》しているようだ。立ちならぶ厩舎の前を走っていくと、ランタンの火が派手《はで》に点滅《てんめつ》した。レッドの前までくると、スカンダレルはあいさつ代わりに甲高い声をあげた。ファルコンとブレードも、走ってきた一団《いちだん》を扉ごしにみている。

スカンダレルの厩舎の扉のかんぬきをおろしたときに初めて、スカンダーは、ケンナが顔面蒼《そう》白《はく》になっていることに気がついた。頬《ほお》から血の気が引いているし、痛みのせいで顔をゆがめている。

しゃがみこんだケンナに、スカンダーは駆け寄った。「けがをしたの？」

「スカー」ケンナはかすれた声でいった。「体になにかが起こってる。みて、この血管《けっかん》！」

ケンナは震える手を差しだした。それをつかんだスカンダーの喉に、苦い味が広がった。ケンナの腕の血管が緑色になっている。土の元素の色だ。それはスカンダーの目の前でうねりながら盛《も》りあがってきた。手で触れてもはっきりわかる。

「変異なの？」ケンナは恐怖と興奮の入りまじった声でいった。

スカンダーが答えようとしたとき、ケンナが痛みをこらえきれずに声をあげた。皮膚を突《つ》きやぶって、一本のとげがでてきた。

たくさんのどなり声が響きわたった。ノマドの木が倒れたことを、人々が知ったのだ。

「ああ！」ケンナが悲鳴をあげる。ケンナの右腕《みぎうで》全体の血管がうねりながら盛りあがり、たくさんのとげがでてきたのだ。

「ケンナ、いくよ」スカンダーの声は震えていた。ケンナの体を支《ささ》えながら、足を引きずるようにして森に入る。倒れたノマドの木のほうからきこえる声は無視《むし》した。ツリーハウスへの最後のはしごをのぼったとき、ケンナは叫んだ。そして、金属《きんぞく》のドアを開けると、文字どおり中に倒れこんだ。

四人組の仲間たちはビーンバッグチェア「中に乾燥《かんそう》した豆などを入れた大きな袋状《ふくろじょう》の椅子。柔《やわ》らかいため自由に形を変えることができる」にすわっていた。ボビーはサンドイッチを食べている最中《さいちゅう》だ。ミッチェルは読書中。フローは手紙を折りたたんでいた。三対の目が一瞬《いっしゅん》スカンダーをとらえ、そして——

「助けて」スカンダーは声をひそめていった。でも、どんなふうに助けてもらえばいいのかわからない。わかっていたのは、とにかく仲間の力が必要だということだった。

ボビーとフローはすぐにスカンダーに代わってケンナの体を支え、赤いビーンバッグチェアにすわらせた。とげはまだ生え続けているが、ケンナはいちいち反応しなくなっていた。顔が土気《つちけ》色《いろ》で、意識《いしき》がもうろうとしているようだ。ミッチェルはそばにひざをついて、ケンナの右腕に浮きだした血管をじっとみた。血管はうねりながら、黒いTシャツの袖口《そでぐち》の中へと走っている。

スカンダーは開けっぱなしの戸口に立ったままだった。全部ぼくのせいだ、と思っていた。ミッチェルから質問をされていることに、少ししてから気がついた。

「なにがあったんだ、スカンダー？　これ、変異じゃないのか。魔法も使わずに変異なんか起こせるのか？」

スカンダーは深く息を吸った。「ケンナはゴショークに乗ったんだ」

フローが最初に反応した。「それをスカーがみつけたの？」

「ううん、ぼくが――」スカンダーはためらった。「――手伝《てつだ》った。ケンナはすごく落ちこんでて、そうするしかないと思ったんだ」みんなの表情をみて、あわて始めた。「いずれはゴショークに乗ることになるんだからさ！」

ボビーは好奇《こうき》の目でスカンダーをみたが、めずらしく、自分の意見は口にしなかった。

ミッチェルが派手に身振《みぶ》り手振《てぶ》りを加《くわ》えてしゃべりだした。「火の球級の驚きだ！　正気をなくしたのか？　きみが――気の使い手が――姉さんに力を貸してこんなことをさせたなんてわかったら、教官たちがどうすると思う？　気の元素はいまも違法《いほう》なんだぞ。しかも、きみの姉さんは、ウィーヴァーの力で野生のユニコーンと絆で結ばれてる。いったい――」いったん口ごもってから続けた。「――ケンナになにをさせたんだ？」

「スカー、もっと慎重にやるべきだったわね」フローの口調はおだやかだったが、いつもとちがう感情が混《ま》じっているのがわかった。怒りだろうか。ショックだろうか。

ケンナがビーンバッグチェアの上で体を動かした。「スカーのせいじゃないわ」頰に血色がもどってきていた。「わたしが頼んだの。ゴショークに乗りたいって」

ミッチェルの髪が不気味に燃えあがった。「スカンダーはアメーバみたいな単細胞《たんさいぼう》生物じゃない。立派《りっぱ》な脳《のう》みそを持ってる。なのにそれを使ってないわけだ」

スカンダーはミッチェルの言葉を無視した。ケンナのことが心配だった。「痛みは消えた？」

ケンナはうなずいて、目をみひらいた。「いまはちょっとむずむずする感じ。痛かったのは、変異が表れたときだけ」表情が急に明るくなった。「信《しん》じられない。わたし、変異が起こったのね。変異が起こるときって、痛みがあるのが普通《ふつう》なの？」

「ううん」スカンダーとフローとミッチェルが同時にいった。

ボビーはサンドイッチの最後のひと切れをのみこんだ。「ちょっと痛かったくらいで、なにを助けてほしいの？　もう終わったんでしょ？　元気そうじゃん！　あんたたちってば、大げさなのよ。吹雪《ふぶき》の中に放りこまれたヘビだって、もっと落ち着いてるって」

ケンナはくすくす笑ったあと、少し決まりの悪そうな顔をした。「わたし、木を一本倒しちゃったっていうか」

ケンナが無事だとわかったいまになって、スカンダーの胸に怒りがこみあげてきた。「ただの木じゃないんだよ、ケンナ！　あれはノマドの木だ」

「ノマドの木を倒したの？」フローがびっくりしてきいた。

「根こそぎってやつだ」スカンダーは答えた。やはり大げさないいかたになってしまった。ケンナを振り返っていう。「どういうつもりだったんだ？　あそこで魔法を呼びだすなんて」

　しかしそのときには、ケンナはビーンバッグチェアの上で眠りに落ちていた。

　スカンダーは毛布《もうふ》を取りにいった。ケンナの腕に生えた変異のとげに触れないように気をつけながら、毛布をかけてやる。血管に沿って生えているとげは、見た目にもはっきりわかる状態《じょうたい》だった。

　ボビーは肩をすくめた。「ま、ノマドの木なんて、みんなにきらわれてたわけだし」

「問題はそういうことじゃないでしょ」フローがぼそりといった。

「あれは土の元素の変異だ」ミッチェルがつぶやいた。「けど、ケンナは土の使い手じゃないよな。ってことは、ほかの変異もでてくるのかな」

「ほかの元素の変異もってこと？」フローはおびえたようにいった。

　ボビーまでが心配そうな顔になった。三人の親友たちがいままったく同じことを考えているんだ、とスカンダーは確信《かくしん》した。ケンナは五つの元素に属している。あと四種類《しゅるい》の変異がこれから起こるということだ。

　変異の痛みがどんどん強くなったら？　予想以上に危険な状況《じょうきょう》になったりはしないだろうか。

　スカンダーは、荒野にいるまだら模様のユニコーンと、ずっと考えあぐねている計画に思いをめぐらせた。

偽の絆を断《た》ち切《き》ることができるのかどうか、それをすぐにでも知りたい。

その日の夜、ケンナがノマドの木を倒したことがだれにも知られていませんようにというスカンダーの思いは、オサリヴァン教官の来訪《らいほう》によって打ちくだかれた。

ツリーハウスの金属のドアが勢《いきお》いよく開くと、眠っていたケンナははっとして目を覚ました。戸口にはオサリヴァン教官のシルエットがみえた。渦《うず》巻きの目の渦が恐ろしいほどの速度で回転しながら、スカンダーとケンナに交互《こうご》に向けられる。口からでたのは短い言葉。

「いっしょにきなさい。いますぐ」

スカンダーとケンナは黙ったまま、教官の早足についていった。つり橋を渡《わた》り、いくつものはしごをのぼり、やがて、教官たちのツリーハウスが並んでいるところまでやってきた。ちがった状況なら、スカンダーはここにきたことを楽しんでいただろう。ベランダは花で飾《かざ》られているし、中央をくりぬかれたツリーハウスの太い幹には、いくつものランタンがらせんを描《えが》くように取りつけられている。しかしいまは、そんな余裕はない。色をつけられた四本の大きなツリーハウスに目をやった。大きなベランダの四隅《よすみ》から入っていけるようになっていて、それぞれ、各教《かくきょう》官《かん》の元素の色で塗《ぬ》られている。アガサのツリーハウスはここにはない。橋を渡った向こうにある。表向きには、島の元素は四つしかないことになっているからだ。

水の元素のツリーハウスのポーチは、砕《くだ》けた波のような形になっている。スカンダーとケンナはそれをみあげながら、オサリヴァン教官がひるがえす青いマントのあとに続いてツリーハウスの中に入った。

　ケンナはエアリーにやってきたときからずっと、この教官のツリーハウスで暮《く》らしていたが、スカンダーがここに入るのは初めてだった。壁に作りつけになったガラスの水槽《すいそう》の輝きに目を奪《うば》われる。その中では、さまざまな色や形の魚が泳いでいた。

　オサリヴァン教官はスカンダーの視線に気づいて、こういった。「空いた時間に、けがをした魚を引き取って世話をしているんです。が、いまのあなたがたは、魚のことなど考えなくてよろしい」

　スカンダーとオサリヴァン教官は、これまでの二年間の訓練を通して、強固《きょうこ》な関係を築《きず》いていた。しかし、つんつんと逆立《さかだ》てた白髪《しらが》混じりの髪と同じように、彼女の性格《せいかく》にはかなり強烈《きょうれつ》なとげがあった。そんな人が傷ついた魚の世話をしているところなんて想像《そうぞう》できない、とスカンダーは思った。

　教官はケンナに向き直った。「複数《ふくすう》の報告《ほうこく》が届《とど》いています。あなたの体に――」いったん言葉を切り、青い目をケンナの腕に並ぶ変異のとげに走らせた。「――変異が起こったと」

「はい、でも――」ケンナは答えようとした。

「それは――」スカンダーも同時にいった。

「黙りなさい！」オサリヴァン教官の大声が響いた。「なにを否定《ひてい》しようともむだです。ノマドの木はおそらく修復不能《しゅうふくふのう》。十人ほどのライダーたちから、木が倒れる直前に、あなたがたふたりがすぐそばにいるのをみた、とききました」

渦巻きの目がスカンダーをとらえる。「ケンナがゴショーク・フュアリーに乗ることは許されていないのを、あなたは知っていましたね。いったいどうして、こんなに大切な決まりを破ろうなどと思ったのです？」

「きっとだれにも――」スカンダーは答えようとして、すぐに口をつぐんだ。

「みられないだろうと思ったと？　あなたはエアリー唯一《ゆいいつ》の気の元素の訓練生。そしてケンナは野生のユニコーンと結ばれた人物。このふたりが、エアリーで最《もっと》も大きくて最も古い木を倒すところを、だれにもみられないと思ったのですか？」

オサリヴァン教官は顔をそらし、そばの水槽をみて、深く息を吸った。「もう少しうまくやっていたら、ケンナが魔法を使ったとしても、その事実を内々に片《かた》づけることができたかもしれません。しかし、わたしのツリーハウスにはレックス・マニングがいたし、ほかの教官たちもいました。そこへ、ライダーたちから知らせが届いたのです。おそらく、カザマ首長も、このことをすでに知っているでしょう。ケンナ、どうしてこんなことをしたんです？　銀の要塞での尋問《じんもん》が、ようやく終わろうとしていたのに！」

スカンダーは動揺《どうよう》していた。「けど、ライダーやユニコーンがたまたまなにかを壊してしまうことなんか、よくあるじゃないですか。だからこそ、木にはアーマーがつけてあるんだし」

「ライダーたちがどんな事故《じこ》を起こそうとも、彼らは野生のユニコーンと結ばれているわけではありません。今後の運命がどうなるかわからない、あやういバランスの中で生きているわけではないのです」

ケンナはいまにも泣《な》きだしそうな顔をしていた。「カザマ首長は、わたしがエアリーで訓練を受けることを認めてくれないってことですか？」

オサリヴァン教官はため息をついた。「このことでニーナがあなたの敵《てき》になるとは思いませんよ。あなたが使った魔法の強さを考えたとしてもね」

「事故だったんだ！」スカンダーはいいはった。

教官はスカンダーを無視した。「カザマ首長は、最初からあなたの味方だったのですよ。評議《ひょうぎ》会《かい》やシルヴァー・サークルを説得《せっとく》するのに手こずっているだけで。彼らはあなたの変異について詳《くわ》しく知ろうとするでしょうね」

「変異のこと、秘密にできませんか？」ケンナがおずおずときいた。「当面のあいだだけでも」

オサリヴァン教官は厳しい視線をケンナに向けた。「できるはずがありません。ただでさえ、あなたが信頼《しんらい》に足る人間だということを島の人々に信じてもらうのは難《むずか》しいことなのですよ。それなのに、あなた自身のことで隠《かく》しごとをしたとなれば、受け入れてもらうのがますます難しくなります」

　ケンナは黙ってうなずいた。

「今後は言動に気をつけるように。ふたりともですよ」

「わかりました」スカンダーとケンナは同時にいった。

　教官は渦巻きの目をスカンダーに向けた。射抜《いぬ》くように強い視線だった。「ケンナとゴショーク・フュアリーがエアリーの中で眠れるよう、わたしも強く働《はたら》きかけてきたのです。今後は、このようなことでわたしをがっかりさせないように」

　スカンダーの胸は罪悪感《ざいあくかん》でいっぱいになった。オサリヴァン教官が自分たちのためにどれだけ心を砕いてくれていたのか、いままで気づいていなかった。

　教官はドアを開けた。「スカンダー、少し眠りなさい。フレッジリングの訓練生たちにとって、明日は重要な一日になります」

　スカンダーはケンナに目をやった。ケンナの顔がさっきまでより青白くなったようにみえる。水槽が発する不気味な光のせいだろうか。

「ケンナのことは心配いりません」オサリヴァン教官はきっぱりといった。

「スカー、また明日」ケンナが手を振った。生えたばかりの変異のとげが、ランプの光を受けて輝いた。

SOLSTICE STONES

第３章
夏至《げし》の石

「オサリヴァン教官《きょうかん》が魚のお医者さんをしてるの！」翌朝《よくあさ》、ボビーがうれしそうにいった。「ツリーハウスに救急救命水槽《きゅうきゅうきゅうめいすいそう》があるなんて、すごい！」

前の夜、フローとミッチェルとボビーは、スカンダーがもどってくるのを待っていてくれた。ノマドの木を倒《たお》したせいでスカンダーとケンナがどうなるのか、心配でたまらなかったからだ。ドアの中に入るか入らないかのうちに、フローが抱《だ》きついてきた。スカンダーがすべてを説明《せつめい》しおわったとき、ミッチェルがうれしそうにいった。「まあ、理屈《りくつ》で考えたらそうだよな。きみたちを即刑《そくけい》務所《むしょ》行きにさせるなんて、ありえない。だけど、それでも心配してたんだぞ！」

ボビーはボビーで、オサリヴァン教官の趣味《しゅみ》の話に夢中《むちゅう》になっていた。

「嘘《うそ》でしょ、魚って！」そういって大笑《おおわら》いする。

朝から五回目だ。

　四人組はそれぞれのユニコーンに乗り、フレッジリングの訓練場《くんれんじょう》にいった。訓練場はエアリーの三階下にある。四方を草深い斜面《しゃめん》に囲《かこ》まれていて、東西南北に四つの元素《げんそ》それぞれの訓練場がつくられている。

「ロバータ、そのへんにしてくれよ」ミッチェルが強い口調でいった。「今日はフレッジリングになって最初《さいしょ》の訓練なんだ。人生でいちばん大切な日になるかもしれない。しかもぼくたちはゆうべ、ばかみたいに夜更《よふ》かししたじゃないか。その上、レッドが勝手に火をつけまくるから困《こま》ってるんだ。オサリヴァン教官の話を何度も何度もきいてる余裕《よゆう》はないんだよ！」そういっているあいだにも、レッドは自分の手綱《たづな》に火をつけようとしていた。

「けどさ、ミッチェル、教官は魚を助けようとしてるんだよ。魚だよ！」

「もういいって、ボビー」フローがきっぱりいうと、ボビーはおとなしくなった。

　訓練場にいるほかのフレッジリングたちをみると、みんなはまたハッチリングにもどったかのようだった。ロミリーは、後足立ちになって前足から稲妻《いなずま》を放っているミッドナイト・スターのたてがみにしがみついている。土の使い手のイライアスがミッドナイト・スターにやめろと怒鳴《どな》っているときに、イライアスのユニコーンであるマローディング・マグネットが口から砂《すな》まじりの突風《とっぷう》を吐《は》きだした。ファルークのユニコーンであるトキシック・タイムは、頑《がん》として前に進もうとしない。地面にひづめをめりこませて踏《ふ》んばっているので、そのうちひづめが割《わ》れてしまった。マリッサとメイベルもいる。それぞれのユニコーン、デモニック・ニンフとシーボーン・ラメントは、互《たが》いに水をかけ合ったかと思うと、冷風《れいふう》を吐《は》いてそれを凍《こお》らせるので、しまいには二頭とも全身が氷漬《こおりづ》けになってしまった。スカンダレルも落ち着きがない。やたら前に駆《か》けだして飛《と》びあがろうとする。

「だめだよ、スカンダレル！」スカンダーは叫《さけ》んで、スカンダレルに回れ右をさせた。「いまは飛んじゃだめだ」

「みんな、いったいどうしちゃったの？」フローがいったとき、ブレードの足元の地面が揺《ゆ》れた。ブレードの翼《つばさ》から煙《けむり》がでてきた。

「あたしたちは問題なし」ボビーが肩《かた》をすくめた。ファルコンは落ち着いた様子で、火花を散《ち》らすレッドから距離《きょり》をとった。

頭上を白いユニコーンが飛んでいき、ぐるりと弧《こ》を描《えが》いて地面におりてきた。ほかのユニコーンたちがみな、そのユニコーンに注目する。みたことのないユニコーンが向かってきたので、警《けい》戒《かい》しているのだ。

「あれ、だれだろう」ゲイブリエルがいった。クイーンズ・プライスをスカンダレルの横にやっとのことで立たせたところだった。

ヘルメットの下からのびる長い黒髪《くろかみ》を編《あ》んでいたサリカが、その手を止めて視線《しせん》をあげた。

「すごくきれいなユニコーンね。だれのユニコーン？」サリカのユニコーン、イクウェイター・

コナンドラムが焼《や》きもちを焼いて、鼻から火花を散らした。

スカンダーはにこにこしていた。この白いユニコーンには、マーゲートの庭で会ったことがある。

「アークティック・スワンソングだよ」スカンダーは小声でいった。

ライダーの姿《すがた》もみえた。フレッジリングの訓練場に大人の気の使い手が現《あらわ》れたのは、ほぼ二十年ぶりだ。

「遅《おく》れて申《もう》し訳《わけ》ない」アガサ・エヴァーハートは明るい口調でいった。「迎《むか》えにいくのに時間がかかってね」口角のあがった口から小さな笑《わら》い声《ごえ》をもらしながら、スワンの白い首を指差《ゆびさ》した。

「あたし、アガサの笑顔《えがお》をみるのは初《はじ》めてかも」ボビーがいった。「びっくり」

「タンスのキクイムシより上機嫌《じょうきげん》……だったっけ？」フローがいうと、ボビーが手をたたいた。

ミッチェルが首を左右に振《ふ》る。「フロー、きみまで妙《みょう》なことをいいだすとはね」

「あたしが本土のことわざをいろいろ教えてあげてるの」ボビーが胸《むね》を張《は》った。

ボビーのいう〝本土のことわざ〟はでっちあげだとわかっていたが、いまのスカンダーにそれを指摘《してき》する余裕はなかった。レックス・マニングがアガサにあいさつし、スワンがシルヴァー・ソーサレスの横に立つのが目に入ったからだ。だいじょうぶ、だいじょうぶ、と自分にいいきかせる。レックス・マニングはアークティック・スワンソングを解放《かいほう》した人物だ。レックスのお母さんが亡《な》くなったのは、気の使い手であるウィーヴァーが、彼女《かのじょ》のユニコーンを殺《ころ》したからなのに。それに、レックスは、銀の要塞《ようさい》での尋問中《じんもんちゅう》、ケンナに優《やさ》しく接《せっ》してくれたという。どうやらレックスは、考えかたがひどく偏《かたよ》っていた父親――そのせいでいまも投獄《とうごく》されている――とはずいぶんちがうタイプらしい。もっとも、ウィーヴァーの息子《むすこ》であるスカンダー自身、親がどんな過《あやま》ちを犯《おか》したとしても、子どもには責任《せきにん》がないということをよくわかっている。

　オサリヴァン教官が笛を吹《ふ》いたが、その音は、まわりの騒音《そうおん》にかきけされてしまった。アークティック・スワンソングが登場したときの驚《おどろ》きもどこへやら、フレッジリングのユニコーンたちは甲高《かんだか》い声でいなないたり、それぞれの元素《げんそ》の魔法《まほう》を繰《く》りだしたりしていた。

「みなさん、気づいているかもしれませんが」オサリヴァン教官は声を張りあげた。「夏休みのあいだに、ユニコーンたちは奔放《ほんぽう》になってしまいました」

「奔放どころじゃないよ」ミッチェルがつぶやいた。レッドは四本の足のひづめから火を放っている。

「三年目を迎えたユニコーンが反抗的《はんこうてき》になるのは、よくあることです。自分のライダーがどういう人間かがわかったので、今度はライダーをテストしているのです。ユニコーンは賢《かしこ》いので、自分にどんな力があるのかわかっています。要《よう》するに、ライダーにいわれたとおりにしなくてもいいんだと、気づいてしまったということです」

「けど、絆《きずな》は？」土の使い手、ファルークがいった。「いずれ、トキシック・タイムはぼくのいうとおりにしなきゃならなくなるんですよね？　絆で感情《かんじょう》を共有《きょうゆう》しているんだから！」うろたえたような口調だった。うしろでひとつにまとめた髪《かみ》にからみついた、いい香《かお》りのするタイムの枝《えだ》を、指でいじっている。

オサリヴァン教官は首を横に振った。「ユニコーンとライダーの心が絆でつながっているからというだけでは、今後は安心してはいられません。魔法とはちがう面で、いい関係《かんけい》を築《きず》いていかなければならないのです。信頼《しんらい》関係を築くことが大切です。どうしていうことをきいてほしいのか、どうしていっしょに戦《たたか》わなければならないのか、ユニコーンに理解《りかい》してもらいなさい。自分たちの将来《しょうらい》の姿を理解してもらいなさい。これが訓練の次のステップであり、そのためにも、フレッジリングはカオス・トライアルに参加《さんか》しなければならないのです。では、ウェブ教官、お話をどうぞ」

フレッジリングたちが待ちのぞんでいた瞬間《しゅんかん》がきた。

「エアリーでの訓練生《くんれんせい》として三年目を迎えたことに、心からおめでとうといわせてもらおう」ウェブ教官は、その場にいる全員の注目を浴《あ》びていることがうれしそうだった。

「前置《まえお》きはいいよ」ボビーがつぶやいた。そうだそうだというように、ファルコンが灰色《はいいろ》の翼をばたつかせる。

ムーンライト・ダストに乗ったウェブ教官は、ボビーとファルコンに冷《つめ》たい視線を投げた。

「フレッジリングは、訓練の中でもいちばん過酷《かこく》な一年だ。まず、各元素《かくげんそ》の季節《きせつ》ごとにトライアルがある。四つの元素のゾーンすべてにおいてレースを行うのだ。それぞれのユニコーンとのあいだの信頼関係がなければ、さまざまな——往々《おうおう》にして危険《きけん》な——状況《じょうきょう》を乗《の》り越《こ》えることはできないだろう」

「危険な？」フローが悲鳴のような声をあげた。

四つの季節。四つの元素ゾーン。スカンダーは胸をえぐられるような思いがした。カオス・トライアルは、いまも、元素が五つではなく四つであることを前提《ぜんてい》に行われるということだ。

ウェブ教官の話が続《つづ》く。重々しい口調だった。「それぞれのレースでは、それまでに習得《しゅうとく》した元素の魔法を呼《よ》びだして使うことになる。状況に合わせて、直感を信《しん》じ、すばやく魔法を呼びだすのだ。勇気《ゆうき》と技《わざ》が必要《ひつよう》だ。テストに合格《ごうかく》すれば、ライダーとユニコーンの絆は——魔法の面でも感情の面でも——より強固《きょうこ》なものになるだろう。そうなってこそ、その後も二年続くエアリーでの訓練を受け、そのゴールともいえるカオスカップに出場することができるのだ」

セレスティアル・シーバードが鼻を鳴らし、オサリヴァン教官が話を続けた。「三年目のフレッジリングから四年目のルーキーに進級するためには、これらの四つのトライアルで夏至の石を四つ集める必要があります。土、火、水、風の石です」

この言葉に合わせて、アガサ——苦虫を噛《か》みつぶしたような顔をしていた——をのぞく教官たちが左手を開いた。フレッジリングの訓練生たち全員が、はっと息をのむ。四人の教官のてのひらには、それぞれの属《ぞく》する元素の色をした石があった。大きな宝石《ほうせき》のようだった。長方形で、縁《ふち》はどれも研《と》ぎ澄《す》まされたように鋭《するど》く、つるつるした各面《かくめん》が朝日を反射《はんしゃ》している。スカンダーは、前にミッチェルが、フレッジリングのトライアルにはなにかの石が関係しているといっていたのを思いだしたが、こんなに美しい石のことだとは思ってもみなかった。オサリヴァン教官が一歩前にでたとき、その手にある青い石に、水の元素のシンボルである水滴《すいてき》のマークが彫《ほ》りこまれているのがわかった。

「夏至の石について、知っておくべきことが三つある」レックス・マニング教官が初めて口を開いた。緊張《きんちょう》しているようだ。「ひとつめ。夏至の石は神聖《しんせい》なものであるということ。元素のシンボルであり、島のパワーの源《みなもと》でもあるんだ。トライアルとトライアルのあいだ、各自《かくじ》が集めた夏至の石は、銀の要塞で安全に管理《かんり》される」

なんで銀の要塞なんだよ？　スカンダーはそう思った。

「ふたつめ。反抗的なユニコーンたちを夏至の石に近づけるようなことをしてだいじょうぶなのか？　そんなに貴重《きちょう》なものなのに、危険じゃないのか？　みんなはそう思うかもしれない」変異《へんい》のあるレックスの頬《ほお》のまわりでぱちぱちと火花が飛ぶ。

列のうしろのほうから小さな話し声がきこえた。マリッサとアイシャとアイヴァン――アルバートと四人組だった三人だ。火の使い手だったアルバートは、ハッチリングの途中《とちゅう》でノマドを宣《せん》告《こく》されてしまった。

アイシャがため息をついて、ダガーズ・エメラルドをなでた。「マニング教官って、イケてるよね？」

「うーん、ボーイフレンドがいるんじゃないかな」アイヴァンがいうと、瞳《ひとみ》の中で電気の火花が散った。

「それか、ガールフレンドね」マリッサが残念《ざんねん》そうにいって、青いフレームの眼鏡《めがね》の位置《いち》を直した。

　スノウ・スイマーに乗ったニーヴがしっといって三人を黙《だま》らせた。ニーヴは水の使い手で、左右の耳に、しゃれたイヤリングみたいな氷のとげが生えている。もめごとを起こすとやっかいな相手でもある。

　新任《しんにん》の教官の話はまだ続いている。「さいわいなことに、夏至の石は絶対《ぜったい》に壊《こわ》れない。最初のユニコーンが生まれたのと同じくらいの大昔からずっと、この島にあるんだ。伝説《でんせつ》によると、最初のライダーの曽孫《ひまご》がカオス・トライアルを考案《こうあん》し、フレッジリングの訓練のために夏至の石を使ったとされている。エアリーはその伝統《でんとう》を守っているんだ。そして最後に――」カチリという大きな音が響《ひび》いた。「石には磁気《じき》があるんだ！」黄色い石は、アーマーをつけたレックスの胸に張りついていた。「石を手に入れたら、その模擬レースが終わるまでは、こうして身につけておくことができる」

「レックスの話しぶりだと、わたしたちは石のために戦うみたいね」スカンダーのとなりで、フローが心配そうにいった。「石の数が少ないってことかしら」

「ぼくが読んだ本によると、そうみたいだね」ミッチェルが少し青ざめている。レッドがミッチエルの顔に向かって大きなげっぷをしたせいだ。

アンダーソン教官が話をまとめた。「すべてのテストが終わったとき、四つの元素の石をすべて獲得《かくとく》した訓練生が、来年、ルーキーになれる。四つの石がそろわなかった者は、エアリーの入り口に立って、待つことになる。石を余分《よぶん》に獲得した仲間《なかま》たちが石を分けてくれるかもしれない。そうして四つの石がそろえば、再《ふたた》びエアリーに入ることができるというわけだ。そうでなければノマドを宣告される」

「あたし、余分に石をとる」ボビーが自分にいいきかせるようにつぶやいた。「あの石、すごいパワーがありそう！」

「余分に石をとれる人がいるってことは、やっぱり、石をめぐって戦うってことなのよね」フローは不安《ふあん》そうだ。

ミッチェルはフローよりもいくらか自信《じしん》があるようだ。「戦略《せんりゃく》が重要《じゅうよう》なんじゃないかな」

エアリーの入り口に立って仲間の救《すく》いを待ち、そのあげくに追放されることになったら……。スカンダーはそんな想像《そうぞう》をして、ぞっとした。気の元素の将来は、自分が訓練を五年間受けられるかどうかにかかっていると思うと、余計《よけい》不安になる。

そんなとき、ウェブ教官の言葉がみんなの気持ちをさらに暗くした。「脱落《だつらく》する訓練生の数がいちばん多いのが、三年目――フレッジリングだ。カオス・トライアルを通して真のライダーが生まれるといっていい。四人組はばらばらになり、友情《ゆうじょう》が壊れ、騎士道《きしどう》の精神《せいしん》は野心に変《か》わる。

多くの者が敗《やぶ》れ去《さ》る。だが、勝ちのこった者にとっては、元素の石を集めたことによってなにかを失《うしな》ったとしても、それは些細《ささい》なことではないか。そうしなければ、エアリーにいつづけることはできないのだから」

　オサリヴァン教官があきれたような表情《ひょうじょう》をした。「ウェブ教官、ありがとうございます。訓練生たちはさぞかし勇気づけられたことでしょう」

　ウェブ教官は苔《こけ》の生えた頭をうやうやしく下げた。皮肉をいわれたことに気づいていないようだ。「カオス・トライアルは、元素の季節の順《じゅん》に行われる。最後のレース、風のトライアルには、訓練生たちの家族が招待《しょうたい》される」

　スカンダーの胸に熱《あつ》い思いがわいてきた。父さんとケンナがいっしょにぼくのレースをみてくれるかもしれない！

　オサリヴァン教官は、訓練生たちのざわめきがやむのを待ってからいった。「そんなわけで、最初のレースは土のトライアル。九月半ばに行われます」

「あと二週間しかないじゃないか！」イエスタデイ・ゴーストに乗ったザックが叫んだ。

　オサリヴァン教官はそれを無視《むし》して続けた。「そのときまでは、四人組で訓練をします。グループでの空中戦《くうちゅうせん》の練習です。ゾーンでのレースには仲間が必要なので、最初のセッションでは、いかに仲間と力を合わせるかを学びます。今日の訓練では、教官がみなさんのパフォーマンスをみて、レベルの評価《ひょうか》をします。気をつけるように。ユニコーンたちは反抗的なので、命令《めいれい》に背《そむ》くかもしれません。メンバーの欠《か》けている四人組は、教官のところに申しでてきなさい」

運の悪いことに、スカンダーの四人組は、いじわる四銃士《じゅうし》と戦うことになってしまった。

「アラステアの顔をみて」対戦《たいせん》相手の発表をきいたとき、フローがいった。「おまえたちを殺してやる、みたいな顔をしてる」

「顔の半分が石に変異してるからね。どうしたってフレンドリーにはみえないよ」スカンダーは答えた。レッドがそっとスカンダレルのそばにやってきた。

「こうしようよ」ボビーが明るくいった。「スカンダーとフローはメィイーとアンバーを狙《ねら》う。ミッチェルはあたしと組んで、アラステアとコビーを狙う」

「いい作戦《さくせん》だね」ミッチェルがいった。「その作戦なら、あっちの弱いところをこっちの強いところで攻撃《こうげき》できる」

しかし、最初の二組の戦いをみているうち、スカンダーは不安になってきた。その作戦では勝てないかもしれない。ライダーたちは空中戦で敵《てき》に狙いを定めようとしているのに、ユニコーンが自分の好《す》きなように動いてばかりなのだ。オールド・スターライトもクイーンズ・プライスも、敵と戦うのではなく、風のテントに向けて稲妻を放ち続けている。どうにかしてテントを壊そうと思っているみたいだ。おかげでマリアムもゲイブリエルも、なにもできずにいる。サヴェッジ・サラマンダーは、サリカの乗ったイクウェイター・コナンドラムから離《はな》れていく。ライダーのウォーカーが戦略的《せんりゃくてき》にそうしているわけではない。サラマンダーがおいしそうな鳥をみつけたせいだ。教官たちはときおりサイドラインからアドバイスを与《あた》えるが、ライダーたちの耳には届《とど》いていないようだ。やがて、時間がきて試合終了《しあいしゅうりょう》。どちらの四人組も明らかな勝者とはいえなかった。

笛が吹かれた。いじわる四銃士とスカンダーの四人組との戦いが始まる。フレッジリングのユニコーン八頭が勢《いきお》いよく走りだし、空中へと羽ばたくと、敵に向かってまっすぐ飛んでいった。咆哮《ほうこう》が空気を震《ふる》わせる。スカンダーのあばら骨《ぼね》にチェーンメイル［小さな金属の輪《わ》をいくつも連結《れんけつ》して作られたよろい］が当たってカタカタと音がする。予想していたとおり、考えていた作戦は、戦場《せんじょう》の煙のように宙《ちゅう》に消えていった。

アイス・プリンス、ローズブライア・ダーリン、ダスク・シーカーが、フローの乗ったシルヴァー・ブレードに向かっていく。まずは強力な銀のユニコーンを無力化《むりょくか》しようという作戦らしい。ところが、アンバーの乗ったワールウィンド・シーフはボビーの乗ったファルコンを狙っている。ほかの三頭の動きをみて驚いているようだ。アンバーはグループの作戦に参加していないということか。

ブレードが空中であとずさりし、低《ひく》い声で敵を威嚇《いかく》した。フローは完全《かんぜん》な防御《ぼうぎょ》モードだ。銀のアーマーを光らせながら、てのひらを前にだして、次々に盾《たて》を作りだす。メィイーが放つ炎《ほのお》の矢を防《ふせ》ぐ、氷の盾。アラステアが連射《れんしゃ》してくる石の威力《いりょく》をやわらげるための、砂の盾。コビーがフローの胸元《むなもと》を狙って振りおろしてくる氷の大鎌《おおがま》を溶《と》かすための、炎の盾。うまく攻撃をかわしているが、三人の敵に集中攻撃されているのだから、反撃《はんげき》する余裕もなければ、逃《に》げる余裕もない。
スカンダーは周囲《しゅうい》に目をやった。ミッチェルとボビーはどうしているだろう。ボビーはすでに、風のテントの上でアンバーと戦闘《せんとう》中だ。ミッチェルはといえば……レッドが昼寝《ひるね》を選《えら》んだらしく、エアリーの森に向かって離れていく。ありがたいことに、スカンダレルはスカンダーの指《し》示《じ》に応《こた》えてくれている。そこで、ほかのライダーたちに気づかれることなく、シルヴァー・ブレードに近づいた。

絆に気の元素を呼びだした。てのひらが白く光る。すぐに、ほかのライダーとユニコーンとを結《むす》ぶ絆が、緑、赤、青に輝《かがや》いた。気の使い手だけにしかみえない光だ。そして気の使い手は、それらを操《あやつ》ることができる。スカンダーは、この利点《りてん》をうまく使うことにした。

魔法を呼びだし、両手にためる。それは大きな光のかたまりになった。そこから三本の巻《ま》きひげのようなものがのびていく。それぞれがヘビのようにうねりながら、敵のライダーの心臓《しんぞう》に届き、絆に入りこむ。すると、彼《かれ》らの手にあった元素の光が消えた。スカンダーはこの夏ずっと、休まず訓練を続けていたのだ。地上のアガサが応援《おうえん》してくれているのをみて、努力《どりょく》がむくわれたと思った。

フローが顔をあげてスカンダーをみる。一瞬《いっしゅん》、時が止まった。スカンダーが肩をすくめ、フローがにやりと笑《わら》う。落ち着きはらった様子のフローは、慈悲《じひ》は無用《むよう》と心に決めたらしい。呼びだしたのは強烈《きょうれつ》な竜巻《たつまき》。竜巻の渦《うず》はどんどん大きくなりながら、敵に向かっていく。フローが火を吹く砂の矢を竜巻に打ちこむと、竜巻はさらに大きくなって、元素の破片《はへん》を巻きあげていった。

　雪の色をしたアイス・プリンスはブレードを攻撃するのをやめて地面におりた。また飛びあがろうとコビーが声をかけても、まったくいうことをきかない。そのうちブレードが咆哮をあげた。口からものすごい量《りょう》の水が滝《たき》のように流れだす。ローズブライア・ダーリンがボウリングのピンみたいに倒れた。ブレードが暴走《ぼうそう》しているのか？　そう思いながらフローをみていたスカンダーに、メィイーとローズブライアが迫《せま》ってきた。

　風の元素を呼びだしたスカンダーは、トライデント［先が三つに分かれた矛《ほこ》］をすばやく作りだした。先端《せんたん》で火花が散っている。それをメィイーのアーマーをつけた胸元めがけて投げようとしたが、スカンダレルには別《べつ》の考えがあったようだ。

　黒いユニコーンはローズブライアの角の上に舞《ま》いあがった。この角度では、スカンダーはトライデントを投げられない。それからスカンダレルは地面めがけてまっさかさまに降下《こうか》し始めた。

「スカーンダレーーール！」スカンダーは叫んだ。「なにをするんだ!?」地面が迫ってくる。ぎりぎりのところでスカンダレルは首を上向きにして、空に向かって舞いあがった。スカンダーはスカンダレルをローズブライアに向き直らせようとした。戦いを終わらせたい、という思いを絆に送りこんだが、スカンダレルのほうからは、気持ちの昂《たかぶ》りと興奮《こうふん》が伝《つた》わってくるばかりだ。いまのスカンダレルは、とにかく反抗的な気分なのだ。

一方、ボビーとアンバーは互いをねじふせるように戦ったあげく、双方《そうほう》が地面におりていた。戦いは黄色いテントのそばで続いている。戦況《せんきょう》は互角《ごかく》のようだ。しかしボビーが腕《うで》を引き、炎の馬上槍《ばじょうやり》［馬に乗って使用する槍。一般《いっぱん》的《てき》な長さは二メートル前後］を投げようとした瞬間、ファルコンが後足立ちになった。ボビーはヘニング・ダヴ工房《こうぼう》の鞍《くら》からずり落ち、どすんという音をたてて地面に落下した。手にしていた馬上槍は消えてしまった。訓練場が一瞬静《しず》まりかえる。ファルコンがボビーを背中《せなか》から落とすことなど、いままで一度もなかったからだ。

スカンダレルはようやくスカンダーに従《したが》い、訓練場中央での戦いにもどった。フローとブレードを狙っているのはアラステアとダスク・シーカーだけ。しかしアラステアは明らかにパニック状態《じょうたい》だ。顔をゆがめて歯を食いしばり、得意《とくい》のダイヤモンドの斧《おの》をフローの胸に振りおろそうとしている。ミッチェルはレッドにエアリーから引き返すよう説得《せっとく》し、シーカーを指差した。そのとき――

バーーーーン！

きらきら光るダイヤモンドの破片が、スカンダーの頭上から降《ふ》りかかってきた。

フローが、自分を狙う斧を空中で爆発《ばくはつ》させたのだ。

笛が吹かれた。戦いは終わりだ。

「なかなかおもしろかったよな」ミッチェルが皮肉をこめていいながら、レッドを着地させた。

「ユニコーンの反抗期《はんこうき》って話、冗談《じょうだん》でもなんでもなかったんだね」

「ぼく、ハッチリングにもどったような気分だよ」スカンダーは苦々しくいった。スカンダレルが指示どおりの方向に飛ぶことさえしてくれないなら、カオス・トライアルを勝ちのこるなんて、とうていむりじゃないか？

「ハッチリングのときのフローには、あの斧を爆破《ばくは》することなんかできなかったんじゃないか？」ミッチェルがいった。「ダイヤモンドは世界でいちばん硬《かた》い物質《ぶっしつ》だ。いったいどうやって、あんなことができたんだろう」

「フローは銀のライダーだからね」スカンダーはつぶやいた。フローはどうやって、シルヴァー・ブレードの反抗期を乗りこえるんだろう。銀のユニコーンが戦闘中にライダーを死なせてしまったという話はいくつもきいている。カオスカップに出場する銀のユニコーンとライダーがすごく少ないのは、そういうわけなのだ。

「みんな、だいじょうぶ？」フローがやってきた。ブレードの目からはまだ煙がでている。

　そのうしろから、ボビーがしゅんとして現れた。いたずらっぽい表情のファルコンをみたスカンダーは、少しだけ喜《よろこ》ばずにはいられなかった。ボビーの完璧《かんぺき》なはずのユニコーンも、やはりフレッジリングの反抗期を迎えているということだ。

「ボビー？」フローが声をかけた。「だいじょうぶ？」

「話したくない」ボビーはうなるようにいった。アンバーの電気攻撃を受けたせいで、髪がちりちりになっている。

「ユニコーンのライダーになるって危険なことなんじゃないか、急にそう思えてこなかった？」

ミッチェルがきいた。

フローが声をあげて笑った。「急に？　危険なことに思えてきた？　なにいってるの。それに、どうしてみんな、そんなに暗い顔をしてるの？　わたしたちは戦いに勝ったのよ。みんな、勝つのは好きでしょ？」

「勝つには勝ったけどさ」ミッチェルはいった。

「あたしたちのユニコーンも反抗的だったけど、いじわる四銃士のユニコーンのほうがもっと反抗的だった。そういうことでしょ」ボビーがいう。

この話をきいていたスカンダーは、小さな希望《きぼう》がみえたような気がした。この仲間たちは、物事のいい面をみつけようとするし、目の前に困難《こんなん》があっても切《き》り抜《ぬ》けようと努力する。そもそもエアリーにやってきたときからずっと、さまざまな試練《しれん》をぎりぎりのところで乗りこえてきたのだ。ユニコーンたちもずっといっしょだった。絆は強い。いまはユニコーンが反抗的になっているとはいえ、これからの一年間のことを考えると、ここまでに築いてきた信頼の基盤《きばん》がなによりものをいうんじゃないかと思う。

「あのさ」スカンダーはにやりと笑った。「カオス・トライアルだけど、ぼくたち、勝ち目はあると思うよ」

「あんたたち、なにをそんなにあわててるの？」三十分後、ツリーハウスに急いで入っていくスカンダーとボビーとフローとミッチェルをみて、ケンナはいった。

訓練の終わりに、アンダーソン教官が何気ない口調でいっていた。土のトライアルについての告知《こくち》が、ツリーハウスの掲示板《けいじばん》に張りだされたところだ、とのこと。

「すぐに説明するよ！」スカンダーはいった。教官のいったとおり、給餌《きゅうじ》スケジュールや訓練の時間割《じかんわり》などのほかに、緑色の紙が一枚《いちまい》掲示されていた。

土の元素は寛大《かんだい》で豊《ゆた》かな元素で、その根幹《こんかん》にあるのは公正さです。したがって、カオス・トライアル第一回は〝協力《きょうりょく》〟をテーマとします。すべてのフレッジリングは土の石を与えられ、それをアーマーにつけた状態で試合を終えなければなりません。これは四人組ごとの団体戦《だんたいせん》であり、メンバーのひとりでも石を失えば、四人組全体が負けたとみなされます。

他者を攻撃して得《え》られるものはありません。土の石はたっぷりあって、全員にゆきわたるのです。また、仲間と協力して最大《さいだい》の恐怖《きょうふ》に打ち勝つことができた者には、さらに報酬《ほうしゅう》が与えられます。この報酬を得ることで、この先の試練の乗りこえやすさに大きな差《さ》が生まれることでしょう。

「他者を攻撃して得られるものはありません」フローがほっとした口調でいった。「悪くないわね」

「あんたはそう思うでしょうけど」ボビーがうなった。「協力って、あたしは苦手」

「けど、実際《じっさい》になにをやるのかがわからないよね」スカンダーはいった。ケンナも告知を読んでいる。

「そりゃあ、そんなに細かく書かれているわけないじゃないか。ここはエアリーだぞ、スカンダー。簡単《かんたん》なことなんかひとつもないんだ」ミッチェルがばかにするようにいった。

「でも、まずはみんなが土の石を手に入れるのね。それはよかったわ」フローはここでも状況をポジティブにとらえようとしている。

「それを失っちゃだめだってことだね。そのためには、四人全員が勝たなきゃいけない」ミッチエルがいって、告知をもう一度読んだ。「だけど、最大の恐怖ってなんだろう」

「みんながいってたフレッジリングの試練って、これのこと？」ケンナがきいた。

「そうだよ」ミッチェルが答えて、本棚《ほんだな》へと向かった。

スカンダーはふと気がついた。土のトライアルが始まる日、ケンナは銀の要塞で変異についての尋問を受けることになっている。その後、ケンナは解放してもらえるんだろうか。ごくりと唾《つば》を飲んだ。「ケンナ、トライアルのあいだ——」

ケンナは小さく笑った。「わたしのことなら心配しないで、スカー。離ればなれになるっていっても、せいぜい一日か二日でしょ。だいじょうぶよ」

「スカンダーが心配するのもむりはないんじゃない？」ボビーがいたずらっぽい表情でいった。「ケンナがノマドの木を倒して、まだ一日しかたってないんだから」

「あ、そうか」ケンナは気まずそうにつぶやいた。

「あの場所がどうなってるのか、早くみにいきたいな」ボビーはうれしそうだ。

ケンナも顔を上に向けて高笑《たかわら》いした。その声をきいたスカンダーも明るい気持ちになった。これならなんの心配もいらない。

HAPPINESS

ケンナ
幸福

ケンナ・スミスは、幸福とはどういうものかを思いだし始めていた。

幸福は、スカンダーがいつも笑顔《えがお》でいること。ユニコーンの脈《みゃく》を感じてほっとする気持ち。胸《むね》につながる絆《きずな》を感じること。ゴショークの翼《つばさ》が頬《ほお》をこすったときの肌触《はだざわ》り。

幸福は、可能性《かのうせい》。ハッチリングとして訓練《くんれん》を受けられる可能性。エアリーに受け入れてもらえる可能性。自分の居場所《いばしょ》をようやくみつけることのできる可能性。

幸福は、腕《うで》に表れた土の元素《げんそ》の変異《へんい》。パワーの始まりだ。傷《きず》ついたてのひらを指先でなでて、とうとう島にやってきたんだと実感すること。

幸福は、夢《ゆめ》みること。自分の四人組とつくりあげる未来《みらい》の夢。ツリーハウスを自分の家と呼《よ》ぶ夢。すべての夢がかなって、それ以上《いじょう》夢をみなくなること。

こんなことを考えると元気がわいてくる。ノマドの木を倒《たお》した翌週《よくしゅう》、ケンナはエアリーの壁《かべ》の内側《うちがわ》を歩いていた。あのときは不安《ふあん》でいっぱいだった。最初《さいしょ》の変異が起きたときの痛《いた》みも強かった。でも、いま考えてみると、あれは、なんていうか……おもしろい出来事だった。ボビーがいっていたように、ノマドの木はみんなにきらわれていたのだ。脱落《だつらく》を記録《きろく》する木だったんだから。

ゴショークの厩舎《きゅうしゃ》のかんぬきをはずすと、ゴショークはしゅうっという音をたてた。歓迎《かんげい》してくれたのか、警告《けいこく》しているのか、よくわからない。ケンナと野生のユニコーンは、慎重《しんちょう》に互《たが》いを観察《かんさつ》した。ゴショークが自分の身を守るように、透明《とうめい》な角を下げる。ごつごつしたあばら骨《ぼね》が皮《ひ》膚《ふ》の下で動いているのがみえる。ゴショークも不安なのだろう。ケンナ・スミスは両手を開いて上向きにしてみせた。なにもしないよ、痛いことはしないよ、と伝《つた》えたかった。当面のあいだは、互いに会うたびにこの儀式《ぎしき》を繰《く》り返《かえ》す必要《ひつよう》があるのだろう。それでもいい。仲良《なかよ》くなるためなら、喜《よろこ》んで繰り返す。

本物の絆でユニコーンと結《むす》ばれるのはどういう感じがするものなのか、ケンナにはわからない。ほかのライダーたちも、ユニコーンの目のどこまでも深い闇《やみ》をのぞきこんだとき、恐怖《きょうふ》が喉《のど》元《もと》にせりあがってくるんだろうか。ユニコーンの首に触《ふ》れるたび、ぞっとする寒けを感じるんだろうか。わかっていることはひとつある。ふたつの幽霊《ゆうれい》に取りつかれているライダーなど、自分のほかにはいないということだ。荒野《こうや》で泣《な》いている運命のユニコーンの幽霊。そして、孵化場《ふかじょう》の扉《とびら》を開けられなかったライダーの幽霊。

そんなのはゴショークとわたしだけなのかもしれない、とケンナは思った。偽《にせ》の絆を持っていることを誇《ほこ》りに思うことはある。その絆の力でどんなことができるのか、どこまでできるのか、自力で発見していこうとしているからだ。その反面、自分だけが孤立《こりつ》してしまうのではないかという不安にさいなまれることも多かった。エリカ・エヴァーハートにもそう警告されたことがある。でも、母さんのことは考えないようにした。とにかくいまは、スカンダーとともにエアリーにいられることがうれしいと思っていたい。自分にそう思いこませていれば、いつか本当にそう思えるようになるかもしれない。

ポケットに手を入れ、スカンダーから盗《ぬす》んでおいた緑色のジェリーベイビーをひとつ取りだした。

ゴショークの目の高さにジェリーベイビーを持ってみせたが、ゴショークはふんと鼻を鳴らすだけだった。腐敗臭《ふはいしゅう》のする黒い煙《けむり》が、ケンナのとげの生えた腕にからみつく。野生のユニコーンが魔法《まほう》とともに放つにおいにはもう慣《な》れてしまった。ほかのみんなとちがって、特《とく》に気にならない。

ジェリーベイビーをゆっくり動かして、ゴショークの角に貫《つらぬ》かれたときにできた手の穴《あな》にあててみた。傷はまだ治《なお》っていない。永遠《えいえん》に治らないのだと、いまはわかっている。

「ゴショーク、食べなよ」ケンナは声をかけた。「スカンダレルはこれが好《す》きなんだよ。あんないけすかないやつに負けてていいの？」一歩前にでて腕をのばす。

血に染《そ》まった歯をちらりとみせて、ゴショークはケンナの手からジェリーベイビーを食べた。

「やった、ゴショーク！　その調子！」

ゴショークはうれしそうにゴロゴロと喉《のど》を鳴らし、コウモリみたいな翼を広げた。もっと近づいていいよ、といっているかのようだ。ケンナの心が弾《はじ》けるような喜びに満《み》たされた。ようやく安心してゴショークの首に手をまわすことができるようになった。ハチミツ色の羽根が腕に当たる。

「ゴショーク、わたしたち、うまくいくよ。だいじょうぶ」

その後、オサリヴァン教官《きょうかん》のツリーハウスにもどると、高いベランダで立ちどまった。ちらちらするランタンの光ごしにエアリーが見渡《みわた》せる。ランタンの光が木々の幹《みき》をおおうアーマーを照《て》らしていた。ケンナはよくここで足を止める。いつもみている景色《けしき》があった。

スカンダーの住むツリーハウスの丸い窓《まど》。近くの大枝《おおえ》に並《なら》ぶたくさんのツリーハウスの中で、ケンナにとってはそこだけが特別《とくべつ》な窓だった。こちらに手招《てまね》きしているようにみえる。スカンダーとその仲間《なかま》たちとはさっき別《わか》れたばかりなのに、もうあの窓が恋《こい》しくなっていた。窓から漏《も》れるあたたかな光をみると、いくつかのつり橋とあぶなっかしいはしごを伝っていくだけで弟に会えるのだという事実を実感することができる。スカンダーこそ、自分にとっての家なのだ。いまは、いつでも好きなときに、大切な家に帰ることができる。

THE EARTH TRIAL

第４章
土のトライアル

「何度いったらわかる？」アガサが厳《きび》しい口調でいった。「今年、わたしが重視《じゅうし》しているのは、戦《たたか》いの魔法《まほう》だ。メンダーの魔法ではない」

「でも――」

「忘《わす》れたのか？　カオス・トライアルを勝《か》ち抜《ぬ》くことがなにより大切なんだ。すべてはおまえの肩《かた》にかかっている。その細っこい肩にな。気の元素《げんそ》を島に復活《ふっかつ》させられるかどうかは、おまえ次第《しだい》なんだ」

スカンダーはため息をついた。「わかってるけど」もちろん、ハッチリングのときにマグラス首長とした約束《やくそく》のことはおぼえている。自分がエアリーでの修行《しゅぎょう》を最後《さいご》までやりとげることができれば、気の使い手が孵化場《ふかじょう》の扉《とびら》を開けることが許《ゆる》されるようになる。自分があの扉を開けたように。ケンナもそうしたように。でも、ケンナはもう気の使い手じゃなくなってしまった。だからこそ、メンダーの能力《のうりょく》について、もっと詳《くわ》しく知りたいのだ。

「じゃあ、また最初《さいしょ》から」アガサは教官《きょうかん》としての口調にもどった。メンダーの話はここまでだ、といいたいのだろう。あとでまた話してみよう、とスカンダーは強く思った。

　九月も中旬《ちゅうじゅん》になっていた。間近に控《ひか》えた土のトライアルのまえに気の元素《げんそ》の訓練《くんれん》を受けられるのは、今日が最後だ。

「これから、アークティック・スワンソングとわたしがすることをみているように。きっと気に入るだろう」アガサは白いユニコーンに乗り、水の訓練場《くんれんじょう》の中央に進みでた。身につけているマントとスワンの背中《せなか》が同じ色で、区別《くべつ》がつかない。模範演技《もはんえんぎ》をするアガサは真剣《しんけん》そのものだった。スカンダーに指導《しどう》するときにしか、魔法を使うことを許されていないからだ。レックスに厳命《げんめい》されたことらしい。

「みていなさい。今年はこれをやる」アガサは真珠《しんじゅ》のように白い気の元素をてのひらに呼《よ》びだした。その光はどんどん明るくなって、しまいにはアガサの体全体が白く輝《かがや》きだした。アガサが乗っているアークティック・スワンソングも、同じ状態《じょうたい》になっていた。翼《つばさ》が白くきらめき、パワーが広がるにつれて、たくましい全身の骨《ほね》が透《す》けてみえるようになった。なにをしようとしているのかはわからないが、ものすごいエネルギーを使っているのはわかる。

　すると突然《とつぜん》、ライダーとユニコーンが二組になった。

　スカンダーはまばたきをしたが、やはりみまちがいではなかった。アガサがふたりと、アークティック・スワンソングが二頭、気の元素の魔法に包《つつ》まれている。スカンダレルが混乱《こんらん》していなないた。スカンダーも、どちらが本物なのかわからなかった。やがて魔法の力が弱まり、幻《まぼろし》が消えた。

アガサはスカンダーの不思議《ふしぎ》そうな表情《ひょうじょう》をみて、くすりと笑《わら》った。スワンをスカンダレルに近づける。

「どう――やったの？　ふたりと二頭になってた」スカンダーはつっかえながらきいた。

「ずいぶんよく観察《かんさつ》していたようだな」アガサは皮肉めかしていった。

「教えてよ」スカンダーはすがるようにいった。いったいどうやったら、自分がふたりいるようにみせられるんだろう。それができるようになれば、カオス・トライアルでは圧倒的《あっとうてき》に有利《ゆうり》になる。

「傲慢《ごうまん》なことを考えるな。スカンダー、わたしはきわめて優秀《ゆうしゅう》な気の使い手なのだ。分身の魔法には、とてつもないパワーと集中力が必要《ひつよう》だ。まず理解《りかい》しなければならないのは、絆《きずな》を通してほかのライダーの精神《せいしん》に入りこむ必要があるということだ。そうして、実在《じつざい》しないものをみせる。相手の心を操《あやつ》るというわけだ」

「わかった」スカンダーはいてもたってもいられない気分だった。アガサがなにをいっているのかわからないが、早く続《つづ》きがききたい。

「まずは小さなことから始める。おまえの声を、ほかのライダーにきかせるのだ。気の声と呼ばれる」

これって冗談《じょうだん》なのかな、とスカンダーは思った。

その思いに気づいたのか、アガサは説明《せつめい》した。「気の使い手が古くから使ってきた、あやかしの術《じゅつ》だ。戦闘《せんとう》には非常《ひじょう》に役に立つ。やってみせよう」

アガサはスワンを、訓練場のいちばん奥《おく》の青いテントのところまで歩かせた。「ぼくはなにをすればいいの？」スカンダーは叫《さけ》んだがアガサは唇《くちびる》に指を一本あてるだけだった。そして、てのひらに気の元素を集める。

スカンダーはいらいらしてきた。

そんな顔をするな。便秘《べんぴ》なのか？

アガサの声が右の耳にはっきり響《ひび》いたので、スカンダーは振《ふ》り返《かえ》った。アガサがうしろからこっそり近づいてきたのかと思ったのだ。しかし、ちがった。アガサとスワンはいまも、三百メートルほど離《はな》れたところにいる。ぞっとして、首のうしろの毛が逆立《さかだ》った。

おまえの番だ。アガサがいう。スカンダーははっとした。今度は左の耳にきこえた。

練習は一時間以上《いじょう》続いた。アガサがいうには、気の元素を呼びだしたあと、相手にきかせたいことを強く念《ねん》じろ、とのことだった。長い一文ではなく、独立《どくりつ》した音をいくつかでいいという。やっているうちに、スカンダーはだんだんいらいらしてきた。なにもきこえないと、アガサが何度も首を振るからだ。スカンダレルも退屈《たいくつ》そうで、角から稲妻《いなずま》を発してばかりいる。

やがて――いい加減《かげん》自分とアガサとスカンダレルに対して腹《はら》が立ってきたとき、スカンダーは心の中で叫んだ。**ああっ！**

アガサの手が左耳を押《お》さえた。「痛《いた》っ！」声が返ってくる。「大きすぎる！」

アガサとスワンがもどってきた。アガサの褐色《かっしょく》の髪《かみ》が風になびいている。「いよいよスタート地点に立ったな。しかし、スカンダー」アガサの声が真剣そのものになっていた。「声の大きさには気をつけろ。昔、相手の耳の中に怒声《どせい》をとどろかせた気の使い手がいた。すごくいやな顔をされていたものだ。声だけで他人に危害《きがい》を加《くわ》えることもありえるんだ。元素の悪い面はなるべく抑《おさ》えるようにしなさい」

スカンダーは不安《ふあん》になった。「ごめんなさい！　痛かった？」

アガサは小さく笑った。「おまえも気の使い手の端《はし》くれではあるようだな。心配はいらない」

残《のこ》りの時間は、気の魔法の武器《ぶき》を呼びだす練習をした。気のサーベル、気の弓矢、気の斧《おの》、気の槍《やり》、気のメイス「先端《せんたん》に鉄製《てっせい》の突起《とっき》のついたこん棒《ぼう》。突起の形はさまざまだが、どの角度で命中しても効果《こうか》があるよう工夫《くふう》されている」。

「呼びだすのが早くなってきたな」訓練の終わりに、アガサはそういった。笑顔《えがお》といってもいいくらいの柔《やわ》らかい表情になっている。

チャンスだ、とスカンダーは思った。「アガ――」

「エヴァーハート教官といいなさい」

「ぼくがメンダーのことをもっとよく知りたいのは――」

「ケンナと運命のユニコーンを結《むす》びつけたいからだろう。灰色《はいいろ》のまだら模様《もよう》のユニコーン。去年の訓練を何度もじゃましてくれたやつだ」

スカンダーは驚《おどろ》いた。

「おまえが夜にスカンダレルの厩舎《きゅうしゃ》に通いづめなのは知っている。わたしが気づかないとでも思ったのか？」

「うん、まあ」

アガサは変異《へんい》の表れた頬《ほお》をこすった。いらだっているようだ。初《はじ》めて会ったとき、スカンダーはその変異のことを傷跡《きずあと》だと思ったものだが、自分の腕《うで》にも変異が起きて、骨が透けてみえるようになったいまでは、それが変異だということにどうして気づかなかったんだろうと不思議に思うくらいだ。「何度いったらわかる？　メンダーの夢《ゆめ》は危険《きけん》だ。もっと経験《けいけん》を積《つ》むまで、どうして待てない？　わたしのいうことを今後もきけないというのなら、せめて、あぶないときに起こしてもらえるように、だれかに付《つ》き添《そ》ってもらいなさい。何日か前は、苦しそうに叫んでいただろう。わたしがスカンダレルの厩舎のドアを叩《たた》いたら、ようやくそれがやんだ」

「ぼくのこと、調べてたの？」スカンダーは少しむっとした。

アガサはとぼけた顔をした。認《みと》めたくないのだろう。「いや……よく眠《ねむ》れなくてね」ため息をつく。「おまえが姉のことを心配しているのは知っている。わたしも同じ気持ちだ。だがケンナはすでに、ゴショーク・フュアリーとのあいだに絆を作ってしまっている」

「島はまだ、ケンナがエアリーで訓練を受けることを認めてくれていないんだ！　それに、ノマドの木のこともあって――」

「たしかに。きいた話では、ケンナの野生の魔法のせいで、木の根が腐《くさ》ったらしいな。個人的《こじんてき》には、あの木が倒《たお》れたところでたいした問題ではないと思う。まあ、わたしは木というものに思い入れがないからかもしれないが」

「ケンナの変異は？　ほかの元素の変異も起こるのかな？　そのせいで、しまいには人間らしくなくなってしまったりしないのかな。ウィーヴァーみたいに」

「変《か》えられない事実がある。ケンナは絆を持っているんだ」

スカンダーはためらった。ケンナを野生のユニコーンから引《ひ》き離《はな》すことはできないかということを、アガサにはまだ話していない。正直なところ、ゴショークにはケンナの前から姿《すがた》を消してほしいと心から思っている。そんなことを考える自分が恥《は》ずかしいくらいだが、それを話したら、アガサはどう思うだろう。

とにかくきいてみることにした。「ぼくがケンナとゴショークを切り離して、ケンナと運命のユニコーンを結びつけることはできないかな？　もしそれができたら、ケンナはそのほうが安全じゃない？」

アガサは真剣な顔でスカンダーをみた。「フレッジリングの気の使い手には、かなり荷の重い仕事だな」

スカンダーの心臓《しんぞう》がどきどきしていた。「できるの？　偽《にせ》の絆を断《た》ち切《き》ることはできるの？」

ふたりのあいだで空気が振動《しんどう》しているかに思えた。

「わからない」しばらくして、アガサはいった。「だが、絆を切るとか作るとか、それ以上に複《ふく》雑《ざつ》な問題がある。おまえはゴショークを殺《ころ》すつもりなのか？　前に野生のユニコーンを殺そうとした人間がいたが、ずいぶんひどい目にあったと記《き》憶《おく》しているが」

「ちがう！」スカンダーは声を張《は》りあげた。「そんなんじゃない！」

「同じことだ。骨の杖《つえ》の破片《はへん》はまだみつかっていないのだから」

　スカンダーはとにかくこの会話を続けたかった。どうしたらいい？　必死《ひっし》に考えているうちに、あることを思いついた。

「ケンナとゴショークの絆を断ち切る必要がないとしたら？　まだら模様のユニコーンとのあいだにも絆を作るだけってことだよ。ウィーヴァーみたいにね。ウィーヴァーも絆をふたつ持っていた、そうだよね？　で、野生の変異はなかった。それならうまくいくかもしれない！」

　アガサの唇がゆがんだ。「その話は二度とするな。絶対《ぜったい》に」スカンダレルの横にいるスワンの巨体《きょたい》が離れていく。

「どうして？」

「わたしにそれをきくのか？」アガサがどなった。「前に話したはずだ。エリカが本土に逃《に》げたのは、野生のユニコーンの怒《いか》りから逃《のが》れるためだと。その怒りの原因《げんいん》は、エリカがブラッドムーン・エクウィノクスとの絆をより大切にしたことなのだ」

「でも、ケンナはそんなことはしない！　ケンナはどちらのユニコーンも同じように愛《あい》するはずだよ」

「考えてみろ。もしそうなったとしても、島はケンナとどちらのユニコーンをエアリーに迎《むか》え、訓練させると思う？　カオスカップへの出場を認められるのはどちらのユニコーンだと思う？　野生のユニコーンであるわけがない」

　スカンダーの頭の中が、荒野《こうや》をさまようゴショーク・フュアリーの姿でいっぱいになった。ケンナがまだら模様のユニコーンとカオスカップを疾走《しっそう》しているとき、ゴショークは抱《かか》えきれないほどの怒りと悲しみに包まれているのだ。

「スカンダー、わたしたちが持つ魂《たましい》はひとつだけだ」アガサは穏《おだ》やかにいった。「二頭のユニコーンを全身全霊《ぜんしんぜんれい》で愛せるライダーなどいない。まったく分《わ》け隔《へだ》てなく扱《あつか》うことなどできないのだ。特《とく》に、島では野生のユニコーンはきらわれている。おまえには、悲しい歴史《れきし》を繰《く》り返《かえ》すような愚行《ぐこう》に手を貸《か》してほしくない」

「わかった」スカンダーはぼそりといった。「ごめんなさい。そこまで考えてなかった」

　思いがけず、アガサはスワンの翼の上から手をのばし、スカンダーのアーマーをつけた肩にその手を置《お》いてくれた。「忘れなさい。すべて計画どおりに進めば、ケンナはエアリーでゴショークとの訓練を始めることになるだろう。そして、魔法をコントロールする技《わざ》を身につけていくのだ。おまえには、いつか、メンダーの仕事を教えてやろう。いまはカオス・トライアルのことだけを考えなさい。いいか、約束だ」

「約束するよ」スカンダーは答えた。本気だった——少なくともこのときは。「エヴァーハート教官」

「おや、めずらしいな。どうした？」

スカンダーは苦笑《にがわら》いした。ミッチェルの口調に似《に》ている、と思ったからだ。「カオス・トライアルでは、夏至《げし》の石を集めなきゃならないんだよね？　そのことで——」

「気の石はないのか、と？」アガサは細い眉《まゆ》を片方《かたほう》だけつりあげた。

スカンダーは黙《だま》って待った。

「昔は、気の石もカオス・トライアルで使われていた。気のトライアルがあったんだ。だが、いまはない。シルヴァー・サークルによって破壊《はかい》された」

スカンダーは顔をしかめた。「レックス・マニングがいってた。石は絶対に壊《こわ》れないって」

アガサは肩をすくめた。「去年まで、野生のユニコーンを殺すのは不可能《ふかのう》だとだれもが思っていた。シルヴァー・サークルは、気の石を消滅《しょうめつ》させたい一心で、その方法《ほうほう》をみつけたのだろう。本当だ。やつらが消したいと思っていたこのわたしには、それがわかる」

フレッジリングたちは真夜中に起きて、闇《やみ》の中でアーマーを身につけ、眠そうなユニコーンたちに腹帯《はらおび》［鞍《くら》を固定《こてい》するためにユニコーンの腹に巻くベルト］をつけた。エアリーの教官たち三人――ウェブ教官、アンダーソン教官、エヴァーハート教官――のあとについて空を飛《と》ぶ。月明かりの下、スカンダーは眼下《がんか》の景《け》色《しき》を眺《なが》めた。フォーポイントがうしろに遠ざかり、土のゾーンの豊《ゆた》かな農園がみえてきた。やがて荒野が広がり、起伏《きふく》する山々が近づいてくる。スカンダレルの翼の動きや、鼻息のリズム、自分のブーツがチェーンメイルに当たってたてる金属音《きんぞくおん》に、精神を集中させた。静《しず》かな夜の空で、ゆうべケンナに別《わか》れのあいさつができなかったことや、間近に迫《せま》ったトライアルへの不安を忘れようとしていた。

　フレッジリングのユニコーン三十六頭は、夜明け直前に山のふもとに集まり、指示《しじ》を待った。治療師《ちりょうし》のチームがふたつ、同行している。ひとつはライダーを治療するチーム、もうひとつはユニコーンを治療するチームだ。それをみて、スカンダーの不安はますます高まった。

　ウェブ教官は、もったいをつけるように咳払《せきばら》いをした。「今年の土のトライアルは、土のゾーンでも最大《さいだい》の難所《なんしょ》とされる山に登るレースとなる」

　フレッジリングのライダーたちのあいだにざわめきが起こった。スカンダーのとなりにいるフローがひとりごとをいう。「不休《ふきゅう》の山じゃありませんように。不休の山じゃありませんように」

「その山は、不休の山」ウェブ教官は、一同の左手にそびえる山を指差《ゆびさ》した。「この山には魔法が息づいている。山頂《さんちょう》にたどりついた者の話では、山は登ってくる者を歓迎《かんげい》していないように思える、とのことだ。足元の地面が揺《ゆ》れ、どの道を進んでも行き止まりになり、小川はいきなり激《げき》流《りゅう》に変わる」

「けど、ユニコーンに乗って飛んでいけばいいんじゃないんですか？」アンバーの甲高《かんだか》い声が響いた。アンバーはスカンダーと同じくハヤブサ隊《たい》の一員だ。スカンダーもまったく同じことを考えていた。

「このトライアルでは、空を飛ぶことは禁止《きんし》だ。わたしたち教官が山のまわりの空をパトロールしている。飛んでいるのをみつけたら、土の石は即刻没収《そっこくぼっしゅう》となる。いいな？」

「わかりました」フレッジリングたちは力なく答えた。

「このトライアルは、持久力《じきゅうりょく》、忍耐力《にんたいりょく》、そしてチームワークを試《ため》すものだ。どのスキルも、カオスカップに出場するライダーには不可欠《ふかけつ》なものだ。だが、ほかのライダーと戦うことで得るものはない。とにかく自分のユニコーンをうまくコントロールし、正しい道を進むことだ。ライダーとユニコーンが信頼《しんらい》し合えてこそ、ゴールにたどりつける。すべてのライダーに土の石を授《さず》けよう。それを身につけたまま、四人組全員で、日没《にちぼつ》までに山頂にたどりつくこと。そして、大切なことがひとつある。最初にゴールした四人組には、特別《とくべつ》な報酬《ほうしゅう》が与《あた》えられる」

ボビーがそわそわしているのがスカンダーの視界《しかい》に入った。いますぐにでもスタートしたい、といわんばかりだ。ファルコンは首を左右に動かして、ボビーのブーツに噛《か》みつこうとしている。

「ぼく、高いところは苦手なんだ」ミッチェルがスカンダーに小声でいった。

「ユニコーンのライダーなのに？」スカンダーは大声で返した。「いつも飛んでるじゃないか！」

「それとこれとは別《べつ》なんだよ」ミッチェルがぼそぼそと説明する。「足元が崩《くず》れそうなところに立っているのが怖《こわ》いんだ」

「いつもレッドから落っこちそうになってるくせに！」

「それはどうも。優《やさ》しい言葉をありがとう」ミッチェルはむっとしていった。

「土の石を取りにきなさい」ウェブ教官がいった。いちばん近くにいた四人組がすぐに教官を取りかこむ。サリカ、ゲイブリエル、ザック、メイベルの四人だ。教官は、紐《ひも》のついた緑色の袋《ふくろ》を開けた。さっきまでバードリーシャ工房《こうぼう》の鞍につけていたものだ。

アンダーソン教官とエヴァーハート教官も、緑色の袋を持っていた。アガサは自分に近づいてくるライダーたちを無視《むし》して、まっすぐスカンダーのところにやってきた。

緑色の夏至の石をスカンダーに手渡《てわた》しながら、アガサは強い口調で耳打ちした。「背後《はいご》に気をつけろ。他人の石を手に入れようとするな。ほかの四人組に狙《ねら》われたら身を隠《かく》せ」

「でも、これって、土のトライアルだよね」スカンダーはいった。「だれも、ほかのライダーを狙ったりしないんじゃない？　いちばん大切なのは、ユニコーンをコントロールすることでしょ？」

アガサの目が冷《つめ》たく光った。「ばかなことを。カオス・トライアルでは、ライダーは非情《ひじょう》になる。それがカオス・トライアルの狙いなのだ。人間の欲深《よくぶか》さがあらわになる。土の元素は穏やかなものと考えられるが、だからといって油断《ゆだん》してはならない。だれだって、最初にゴールして報酬を手に入れたいと考えるはずだ。わかるか？」

リュックサックを配りにきたアンダーソン教官をみて、アガサは離れていった。リュックには必要な道具が入っている。レインコート、毛布《もうふ》、水、食料《しょくりょう》、コンパス。山頂までの地図もあり、ミッチェルはそれを胸元《むなもと》にしまった。「ありがとう」だれにともなくそうつぶやいた。

スカンダーはほかのグループを観察した。みんなもぼくと同じくらい不安がっているんだろうか？　でも、ぼくにはボビーとフローとミッチェルがいる。四人で試練《しれん》に立ち向かえる。仲間《なかま》のうちひとり、あるいはふたりが、これまでの二年間でノマドを宣告《せんこく》された四人組もあって、残ったライダー同士《どうし》が新しい四人組を組んでいる。アジャイとスモールダー・メニスは、アルバートが抜《ぬ》けたマリッサ、アイヴァン、アイシャのグループに加わった。アジャイはすごく気まずそうだ。

「夏至の石はアーマーにつけ、いつでもみえるようにしておくこと」アンダーソン教官が大声でいった。

アーマーの胸板《むないた》に緑色の石を張りつける、カチリという音があちこちからきこえた。

「わたしたちが監視《かんし》していることを忘れないように」アガサがいった。アークティック・スワンソング、ムーンライト・ダスト、デザート・ファイヤーバードが舞《ま》いあがり、山の上空をぐるぐると飛び始めた。

ミッチェルがためらいがちにいった。「じゃあ……」

「いくよ！」ボビーが声をあげる。四人はユニコーンを走らせ、不休の山のふもとを囲《かこ》む森に向かっていった。

うっそうとした森の中に、フレッジリングたちが散《ち》らばる。ほかのグループに話をきかれる心配がないと確《たし》かめてから、スカンダーとボビーとフローとミッチェルはユニコーンを近づけ、みんなで地図をみた。

「いちばんむだがないのはこのルートだな」ミッチェルは地図の上に指を走らせたあと、コンパスで方角を確かめた。

「だったらさっさといこうよ」ボビーは待ちきれないという様子だ。「ほかの四人組はもうずっと先にいってるかもしれないよ」

「ボビー、このトライアルは勝敗《しょうはい》じゃないのよ」フローがいった。「山頂に……生きてたどりつくのが目的《もくてき》でしょ」褐色の目を不安そうにみひらいていた。

「たかが山じゃない、フローレンス」ボビーは相手にしない。

「ただの山じゃないんだってば」フローはめずらしく強い口調でいった。「不休の山よ。わたしは土のゾーンで育ったの。いろんな話をきいてる」

「どんな話？」スカンダーはおそるおそるきいた。

「この山は生きてる。人間に登ってほしくないと思ってる。教官たちも、なにを考えてるのかしらね。フレッジリングの訓練生《くんれんせい》たちに、こんなことをさせるなんて。わたしもエブも、昔から両親にきつくいわれてた。この山には近づいちゃいけないって」

「迷信《めいしん》だよ」ミッチェルがばかにしたようにいった。

「ミッチェル」フローはむっとしていた。「あなたは去年、真実の歌のことも迷信だっていってたわよね。それで、どうだった？　歌のとおりになったじゃない。ケンナのことだってそう」

「それはどうかな」スカンダーはぼそりといった。あの真実の歌は、ケンナがウィーヴァーの後《こう》継者《けいしゃ》になるだろうといっていたが、それはどうしても信《しん》じたくない。ウィーヴァーのように偽の絆を持ったからといって、ケンナがウィーヴァーのようになるとは限《かぎ》らない。

　鳥が大きな鳴き声をあげた。みんながぎくりとしたが、ボビーだけはちがった。あきれたというように三人をみる。「不眠《ふみん》だか不休だか知らないけど、ちょっと大きな岩みたいなもんでしょ。これを登らなきゃ、あたしたちは土の石を失《うしな》うことになる。フロー、登ってるあいだに怖い話でもきかせてちょうだい」

　フローがそれに応《おう》じるまもなく、四人は本物の恐怖《きょうふ》を味わうことになる。

　森を抜けるまではなんの問題もなかった。ユニコーンたちはそこそこ従順《じゅうじゅん》に動いてくれていた。レッドがひづめを石にこすりつけて火花を起こしたり、野ウサギをみつけて追いかけ始めたファルコンをボビーが止められず、遠回りをすることになったりはしたものの、岩だらけの狭《せま》い渓谷《けいこく》をみつけたときには、ミッチェルは大喜《おおよろこ》びだった。渓谷の両側《りょうがわ》にはぎざぎざの崖《がけ》がそそりたっている。斜面《しゃめん》を流れる小川をみつけると、喜《よろこ》びは倍増《ばいぞう》した。

「ここだよ！　ぼくの狙ってた近道だ！」ミッチェルは折《お》りたたんだ地図を誇《ほこ》らしげに振りまわした。四頭のユニコーンが清流《せいりゅう》で喉《のど》をうるおす。「この小川の上流を目指していけばいい」

「近道なの？　乗った！」ボビーはファルコンを進ませた。水に入った瞬間《しゅんかん》、灰色のユニコーンはひづめを高く上げた。水にぬれるということは、泥《どろ》で汚《よご》れるということだ。

「レッドを先にいかせてくれよ」ミッチェルがいった。「道がわかるのはぼくなんだからさ」

フローはマルティーナ工房の鞍を強くつかんでいた。鞍が自分を守ってくれる、とでも思っているみたいだ。

水を高くはねあげて進むうちに、スカンダーは、小川の両側に洞窟《どうくつ》が並《なら》んでいることに気がついた。入り口は大きいが中は暗く、鋭《するど》くとがった石筍《せきじゅん》や鍾乳石《しょうにゅうせき》が侵入者《しんにゅうしゃ》を阻《はば》んでいる。ユニコーンたちも洞窟に気づいたらしい。スカンダレルの目が真っ赤に燃《も》えている。ブレードは洞窟に向かって甲高くいなないた。レッドは大げさな動きで回れ右をすると、いちばん近くの洞窟に向けて、壮大《そうだい》なおならをした。悪霊《あくりょう》を追いはらってやる、とでもいうようだ。

スカンダーは初め、ユニコーンたちがふざけているだけだと思っていた。しかし、ふだんは物おじしないファルコンが、右側《みぎがわ》の洞窟から逃げるような動きをした。甲高い叫びが峡谷《きょうこく》にこだましながら響きわたる。

「絶対なにかいるんだと思う」ボビーは真剣な口調でいった。

「ほかのライダーかな？」ミッチェルは夏至の石を手でおおった。

「そんな！」スカンダーのうしろでフローが声をもらす。スカンダーの背中を寒けが走った。

スカンダレルとブレードは、レッドとファルコンに追いついた。

「じゃあさ――」スカンダーがいいおわる前に、灰色の化け物が近くの洞窟を破壊しながらでてきて、ファルコンの脇腹《わきばら》につっこんできた。

ファルコンが怒《おこ》って咆哮《ほうこう》をあげる。ボビーはとっさに反応《はんのう》し、風の元素を呼びだすと、その化け物に竜巻《たつまき》をぶつけた。押しのけられた化け物は、洞窟そのものみたいな姿をしていた。大きな口の中に渦巻《うずま》く闇が広がっている。

「気をつけて！」フローが叫んだ。

化け物は一体ではなかった。

スカンダーは、恐怖と驚きを同時に感じながら、まわりを観察した。いくつもの洞窟の入り口で、鍾乳石がキャンドルの蠟《ろう》みたいに割《わ》れ落ちる。それぞれの破片が形を変え、ガーゴイルみたいな姿の化け物になった。たったいまボビーが竜巻で退《しりぞ》けた化け物も、そのひとつだった。

「とんでもない雷雨《らいう》だ！」ミッチェルがいつもの驚きの声をあげた。灰色の化け物がレッドのしっぽをつかむ。赤いしっぽに火がついても、化け物は手の力をゆるめなかった。

「鍾乳獣《しょうにゅうじゅう》よ！」フローが叫び、ただちに反応した。「土の元素を！　物理的《ぶつりてき》な力じゃないと倒せない。火や水の魔法は効《き》かないの。風か土を使って！」ブレードが前足のひづめから砂《すな》の風を吹《ふ》きだした。近くにいた化け物が洞窟に逃げこんでいく。

「捕《つか》まったらどうなるの？」ボビーが落ち着きはらった様子でいった。褐色の前髪《まえがみ》を息で吹きあげ、次の化け物に狙いを定める。

「えっとね、動かなくなるまで殴《なぐ》られ続けるっていうか……。もし首をつかまれたら、そのまま絞《し》められる。子どもの頃《ころ》、父さんにそうきかされた」フローの声は震《ふる》えていたがてのひらは緑色に光っていた。

「それを知ってたなら、洞窟だらけのこんな狭い場所に入ってくる前に教えといてよ！」ボビーは不服《ふふく》そうにいった。砂の盾《たて》に化け物がぶつかってくる。

「早く進みたがったのはボビーでしょ！」フローは叫んだ。ブレードが翼を上下させる。無数《むすう》のガラス片《へん》が、岩の化け物に襲《おそ》いかかった。

スカンダーはフローに倣《なら》って土の元素を呼びだし、スカンダレルの左足から石の破片を次々に飛ばした。スカンダレルが信頼してくれているのが絆を通して伝《つた》わってくる。運命のライダーを守ろうという気持ちも感じられる。反抗心《はんこうしん》などどこかにいってしまったようだ。これならいっしょに危険に立ち向かえる。

ボビーとミッチェルが力を合わせ、竜巻を放ち続けている。できたばかりの鍾乳獣を、洞窟に押しもどす作戦《さくせん》だ。

そのうち、一体の鍾乳獣がふたりのあいだをすりぬけて、ぎざぎざの腕をスカンダレルの光沢《こうたく》のある首にかけた。スカンダレルが必死で後足立ちになる。よほど大きな力を加えないと、化け物の腕をはずすことはできなさそうだ。スカンダーはそう判断《はんだん》し、気の元素を呼びだした。すでに絆に満《み》ちている土の元素の力が何倍にもふくれあがる。巨大《きょだい》なメイスが手に現《あらわ》れた。スカンダーは野球のバットのようにそれを持ち、石の化け物に叩きつけた。手応《てごた》えのあるいい音がした。音は高さ五十メートルもある左右の崖にこだました。

ほっとしたスカンダレルが甲高い声をあげた。絆には、ライダーへの愛情《あいじょう》が満ちていた。

スカンダーは、汗《あせ》ばんだユニコーンの首をなでてやった。オサリヴァン教官のいっていたことがわかるような気がしてきた。**どうしていうことをきいてほしいのか、どうしていっしょに戦わなければならないのか、ユニコーンに理解してもらいなさい。自分たちの将来《しょうらい》の姿を理解してもらいなさい。**

雷鳴《らいめい》のような音がした。小石がばらばらと落ちてくる。

「崖崩《がけくず》れだ！」ミッチェルが叫んだ。四人はユニコーンを走らせた。山の小川が高くはねあがる。大岩、土、木の根が土砂降《どしゃぶ》りの雨みたいに落ちてくる。それは一同のすぐうしろまで迫ってきた。スカンダーは、スカンダレルが空を飛んでここから逃げていきたいと思っているのを感じとったが、そうするわけにはいかなかった。ルールを破《やぶ》れば、四人とも土の石を没収されてしまう。

崖崩れの音があまりに大きくて、ボビーがふうっと安堵《あんど》の息をついたのもほとんどきこえなかった。崖と崖との狭いすきまを、ファルコンが抜けていった。レッドの炎《ほのお》のしっぽが続き、ブレードの銀色のしっぽもみえなくなった。スカンダレルも迷《まよ》いなく三頭のあとを追う。やった。切りぬけた。しかし、そのとき——

バシャッ。

スカンダーとスカンダレルは水の中にいた。頭まで完全《かんぜん》に沈《しず》んでしまっている。驚いたスカンダレルがうなろうとしたが、口からあぶくがでるだけだった。スカンダーがスカンダレルの首にしがみつくと、スカンダレルは翼を動かして水面を目指した。

水面から顔がでた。スカンダーもスカンダレルも、あえぎながら新鮮《しんせん》な空気を吸《す》った。クリスタルブルーの滝《たき》がみえる。その下の滝壺《たきつぼ》に落ちてしまったのだ。ほかの三人と三頭も、近くに浮《う》いている。四人は泳いで岸にあがり、岩の上で呼吸《こきゅう》を整えた。続いてユニコーンたちも岸にあがり、翼をぶるっと震わせた。

「ごめん」それぞれが毛布にくるまると、スカンダーがいった。「ぼくのせいだと思う。ぼくが鍾乳獣を——」

「おまえのせいじゃないよ」ミッチェルがいう。「フローの話をきいておくべきだったんだ」

「そう、そのとおりよ」フローがいった。怒っているというより、あきれている。

「ごめん、フロー」ボビーがめずらしく謝《あやま》った。「これは土のトライアルだもんね。あたしがみんなを引《ひ》っ張《ぱ》ろうなんて考えたのがまちがいだった。ねえ、このとんでもない山にまつわる怖い話、全部きかせてよ」

フローはにやりと笑った。「昔々……」

ほっとした四人は、これをきいて笑《わら》い声《ごえ》をあげた。

THE RESTLESS MOUNTAIN

第5章

不休《ふきゅう》の山

思いがけず泳ぐことになったが、その後は再《ふたた》び不休の山を登り始めた。ミッチェルとボビーとスカンダーは、フローが両親からきいたというさまざまな話にじっくり耳を傾《かたむ》けた。子どもがこの山の中をふらふら歩いていると、山がいろんないたずらをしかけてくるという。子どもというのがフレッジリングのライダーであっても、それは同じことだ。フローが話したことのいくつかが、午前が午後に変《か》わるころに四人の身に降《ふ》りかかってきた。

喉《のど》が渇《かわ》いてきたとき、道沿《みちぞ》いのあちこちにある泉《いずみ》の水は、九月の日差《ひざ》しを受けてきらきら輝《かがや》いていた。ところが、四人が近づくと、水はたちまち凍《こお》ってしまう。ミッチェルとレッドが火の魔法《まほう》を片《かた》っ端《ぱし》から使うことで、氷はようやく水になった。

正午をまわって数時間がたったとき、地図が使い物にならなくなった。最初《さいしょ》はミッチェルでさえ、なにが起きているのかわからなかった。山腹《さんぷく》の形が変わっていることに気づいたのはボビーだ。進む道の方向も変わってしまった。これを知ったミッチェルは猛烈《もうれつ》に腹《はら》を立てた。フローはなんとかしてミッチェルの手から地図をもぎとった。あやうく地図が八《や》つ裂《ざ》きにされてしまうところだった。

　便利《べんり》な地図が使えなくなったからには、ただ高いところを目指していくしかない。しばらくのあいだ、ほかの四人組をみかけていないが、それがいいことなのかどうか、スカンダーにはわからなかった。ぼくたちがほかのみんなより早く進んでるの？　それとも、あの渓谷《けいこく》での出来事のせいで、みんなに後《おく》れを取ってしまったんだろうか。

「こんな道、危険《きけん》きわまりないよ」ミッチェルがうなった。目を半分つぶって、急斜面《きゅうしゃめん》になった道の片側《かたがわ》に向かって手を振《ふ》った。

「きっともうすぐ頂上《ちょうじょう》だよ」スカンダーはミッチェルを元気づけようとした。

「スカンダー、ぼくは頂上になんかいきたくない。高いところが苦手なんだよ」

「日没《にちぼつ》まで、あとどれくらい？」フローがスカンダレルのうしろでいった。声をきいただけでも、ひどく疲《つか》れているのがわかる。

「そんなこと、いまは考えないで！　とにかく進むしかないんだから。ほら、いくよ！」ボビーがみんなの前に立っていった。しかし、ファルコンのほうに目をやると、その灰色《はいいろ》の足の向こうの地面が大きくえぐれているのがみえた。かと思うと、そのあたりの空気が揺《ゆ》らめいて、また地面になった。だまされちゃだめだ、とスカンダーは思った。ファルコンがもう一歩進めば、穴《あな》に落ちそうになるだろう。そして飛《と》ばずにはいられなくなる。そうなれば、四人は土の石を失《うしな》うことになる。

「ボビー！」声を張《は》りあげた。「止まれ！」

その声に鬼気迫《ききせま》るものを感じたのか、ボビーは手綱《たづな》を強く引いた。

「地面がなくなってる」スカンダーは大声のままいった。「ファルコンのひづめのすぐ先だ。地面があるようにみえても、錯覚《さっかく》だ！」

「わーお、すごいな」ミッチェルがうなった。偽《にせ》の地面がまた揺らめきだす。

ボビーは目を細めて下をみた。「あぶなかった」声にならない声でいう。ユニコーンは四頭ともその部分をジャンプしてやりすごした。「ありがとね、気の使い手くん」

「もっと気をつけなきゃだめね」フローの声は震《ふる》えていた。

全員が疲れきっていた。頭がぼんやりして、喉が渇き、神経《しんけい》がぴりぴりしている。そんなとき、事態《じたい》はさらに悪くなった。ある曲がり角まできたとき、アラステアの乗ったダスク・シーカーがボビーとファルコンの先の細い道をふさいでいた。アラステアだけではない。メイイーとローズブライア・ダーリンが、スカンダーの右手の険《けわ》しい岩山からこちらをみおろしている。コビーとアイス・プリンスはスカンダーたちのうしろにまわった。

「個人的《こじんてき》な恨《うら》みがあるわけじゃない」アラステアがうなった。緑色の目が細くなる。「いや、なくもないか」

「気の使い手で、しかも、ウィーヴァーの子分みたいな姉がいるようなやつは、エアリーの訓練《くんれん》生《せい》としてふさわしくないのよ」メィイーが腹立《はらだ》たしそうにいった。変異《へんい》した唇《くちびる》が熾火《おきび》のように赤く光っている。

「おまえばっかり特別扱《とくべつあつか》いされやがって、もううんざりだよ」コビーが乱暴《らんぼう》にいう。

スカンダーの四人組は完全《かんぜん》に包囲《ほうい》されていた。アラステアとメィイーとコビーに三方を囲《かこ》まれ、残《のこ》る一方は急斜面《きゅうしゃめん》。一瞬《いっしゅん》、静寂《せいじゃく》があった。すべてがスローモーションになったかに思ったとき、空中に元素《げんそ》の魔法が弾《はじ》けた。

アラステアがボビーの顔に砂《すな》を吹《ふ》きつけてくる。しかし、ボビーはすでに、攻撃《こうげき》をはねのけるための竜巻《たつまき》を呼《よ》びだしていた。ファルコンがシーカーに向かってうなる。メィイーが炎《ほのお》の矢の雨を降らせてきた。スカンダーとミッチェルが輝く水の盾《たて》を作りだし、頭上をおおう。スカンダレルとレッドが協力《きょうりょく》し、角からブライアめがけて水を吹きだした。コビーは氷のまつげをきらめかせ、手にした氷の剣《けん》でフローに襲《おそ》いかかった。ブレードが前足を高くあげ、炎のひづめで、プリンスごとコビーの接近《せっきん》をはばむ。

「土のトライアルでは、ほかのグループを攻撃しないことになってるでしょ」フローがコビーにいった。氷の剣は溶《と》けてしまっていた。

スカンダーの唇にかすかな笑《え》みが浮《う》かんだ。フローが戦闘《せんとう》の真《ま》っ最中《さいちゅう》にコビーをしかりつけるなんて！

「あんたたち、風の使い手はどうしたの？　みんながいうように、あんたたちって本当に石頭なんだね！」ボビーがアラステアをどなりつけ、電気の火花をシーカーに向かって飛ばした。いまの言葉には自分たちへの警告《けいこく》の意味もあるんだろう、とスカンダーは思った。アンバーはどこにいる？　ここにアンバーが現《あらわ》れたら、力のバランスが崩《くず》れてしまうかもしれない。

　そのとき、敵《てき》は戦略《せんりゃく》を変えた。ダスク・シーカーとアイス・プリンスが、ローズブライア・ダーリンのいる岩山にあがる。ファルコンとレッドとスカンダレルとブレードは、狭《せま》い道の上に立ったまま、そちらをみあげた。四頭のしっぽは急斜面のほうに向いている。

　これが失敗《しっぱい》だった。上にいる三人はてのひらを黄色く光らせると、ものすごい強風を起こした。スカンダレルがこらえきれずにあとずさったのが、スカンダーにもわかった。後ろ足のひづめが道からはずれ、足場を失った。

「風が強すぎる！」フローが叫《さけ》んだ。

「ユニコーンを飛ばせちゃだめだ！」ミッチェルがいい、氷の盾で風を防《ふせ》ごうとした。レッドは翼《つばさ》を広げかけている。安全を求《もと》めて、いまにも空に羽ばたきそうだ。

「コビー！　アイス・プリンスをコントロールしろ！」アラステアの怒号《どごう》が飛んだ。アイス・プリンスが咆哮《ほうこう》をあげ、口から水をほとばしらせているせいで、ほかの二頭が気を取られている。

「いまのうちに逃《に》げよう」スカンダーは低《ひく》い声でいった。「コビーがプリンスの制御《せいぎょ》に手こずってるうちに。せっかくここまできたのに、飛んだらすべておしまいだ！」

「あいつらにひと泡吹《あわふ》かせてやらないの？」ボビーが歯嚙《はが》みしながら、強風にやられてしまった盾を作り直した。

「それはいいのよ、ボビー。こんな戦《たたか》いに勝つ必要《ひつよう》はないんだから」フローがいった。ブレードはいまにもうしろの斜面に落ちてしまいそうだ。「三でいくよ。一、二、三！」

　ファルコンが先頭に立って、石だらけの道を駆《か》けだした。レッドがあとに続《つづ》き、スカンダレルも——

「ああっ！」スカンダーの胃袋《いぶくろ》がひっくり返りそうになった。スカンダレルの後ろ足が、崩れかけた路肩《ろかた》を踏《ふ》んだのだ。

「スカー！」フローが叫び、ブレードを止めようとした。しかし、ものすごい勢《いきお》いで仲間《なかま》たちを追いかけるブレードを止めることはできなかった。

　スカンダレルが黒い翼を広げ、バランスを取ろうとした。安全な足場をみつけようとしていたとき、高い笑《わら》い声《ごえ》が頭上からきこえた。

　敵の三人が吹きつけてくる烈風《れっぷう》のせいで、スカンダレルはへとへとになっていた。パニックを起こしているのがスカンダーにも伝《つた》わってくる。それでもスカンダレルは理解《りかい》しているようだ。飛んではいけない。

「いいぞ、スカンダレル。がんばれ」スカンダーはつぶやき、だいじょうぶだよという気持ちで絆《きずな》を満《み》たした。

スカンダレルはこわばった筋肉《きんにく》で足を踏《ふ》ん張《ば》り、やっとのことで道にもどることができた。次の瞬間《しゅんかん》には駆けだしていた。敵のグループとのあいだになるべく距離《きょり》をつくりたい。怒《いか》りの怒鳴《どな》り声《ごえ》をききながら、スカンダレルはますます狭くなる山道を、首が折《お》れるかと思うほどのスピードで走り続けた。恐《おそ》ろしいほど急な曲がり角を何度曲がったかわからない。やがて、コビーとアラステアとメィイーがあきらめたのがわかった。

スカンダーはスカンダレルを歩かせて、ファルコンやブレードやレッドの姿《すがた》を探《さが》した。道をまちがえたのかな。そう思ってうしろを振り返ったとき、全身が恐怖《きょうふ》に包《つつ》まれた。

野生のユニコーンが、すぐうしろの岩棚《いわだな》に立っている。

ライダーが乗っている。

ウィーヴァーだ。まちがいない。黒いマント。骸骨《がいこつ》のような白い縞模様《しまもよう》のある顔。白髪《しらが》まじりの髪《かみ》が風に吹かれて、不気味な顔があらわになっている。腐《くさ》り続《つづ》けるユニコーンは動かない。骨の飛びだしたひざはぴくりともしないし、赤い目は一点をみすえている。透明《とうめい》な角のまわりを黒い煙《けむり》が渦巻《うずま》いている。煙はウィーヴァーのマントにもまとわりついていた。二年前に会ったとき以上に、ウィーヴァーは人間らしさを失っているようにみえる。

親子は互《たが》いの目をみた。スカンダーはさまざまな感情《かんじょう》で胸《むね》がいっぱいになり、動くことができなかった。

恐怖。ウィーヴァーはスカンダレルを殺《ころ》すつもりなのか？　四人組の仲間たちも、もうやられてしまったのか？

怒り。ウィーヴァーはケンナと野生のユニコーンを偽の絆で結《むす》びつけた。運命のユニコーンじゃないのに。ケンナは実の娘《むすめ》なのに。

困惑《こんわく》。どうして母さんがここに？　思うことはいろいろあるのに、なぜか母さんに惹《ひ》かれてしまう。

ウィーヴァーがまばたきをした。

おまえはじゃまだ、スカンダー・スミス。

スカンダーの左の耳に、その言葉が響《ひび》いた。左をみた。ウィーヴァーが移動《いどう》してきているんじゃないかと思ったのだ。

しかし、エリカ・エヴァーハートはさっきと同じ岩棚で、マントを風になびかせている。

気の言葉を使っているんだ。

おまえはじゃまだ。

さっきより大きくきこえた。はっきりとはいわないが、脅《おど》しの言葉だった。

「もういかないと！」スカンダーは声を絞《しぼ》りだすようにいった。スカンダレルにいったのか、自分にいったのか、よくわからない。

山腹を全速力で走っていく。何度もうしろを振り返り、確《たし》かめた。ウィーヴァーがついてきていないか。なにかが起こるんじゃないか。早鐘《はやがね》のような心臓《しんぞう》の音をききながら走り続けると、やがて岩棚のユニコーンはみえなくなった。

次の曲がり角を曲がったとき、ようやくファルコンとブレードとレッドの姿がみえた。山頂《さんちょう》のすぐ下に立ちどまっている。ボビーとフローとミッチェルが、それぞれの場所からスカンダーの名前を呼んでいる。

「もどってきてくれてよかった」ボビーはそういったが、待たされたことを怒《おこ》っているようだ。

「飛ばなかったよな？」ミッチェルがいう。「フローがいってたんだ。スカンダレルがバランスを崩したって」

「うん。でも――」スカンダーはかすれた声でいいながら、もう一度背後《はいご》に目をやった。

「だいじょうぶ？」フローがみつめてくる。「幽霊《ゆうれい》でもみたような顔をしてるけど」

「いなくなったみたいだ」スカンダーの声はまだかすれていた。手綱を持つ手も震えている。スカンダレルが、心配だよという気持ちを絆に送りこんでくる。

「だれが？　アンバーに追いかけられたのか？」ミッチェルが体をよじって、きた道を振り返った。

「スカー、どうしたの？」フローがいう。

呼吸《こきゅう》も思うようにできない。「ウィーヴァーだ。きみたち、途中《とちゅう》で会わな……？」三人が不思《ふし》議《ぎ》そうな顔をしているので、スカンダーは途中で口をつぐんだ。

「だれにも会わなかったけど？」ボビーが最初に答えた。「どこにいたの？」

「あそこだよ！」スカンダーは指差《ゆびさ》した。「耳に声を送ってきた。気の言葉なんだ」

「なにかいわれたような気がしたってことか？　なにをいわれたんだ？」ミッチェルが落ち着いていった。

スカンダーはごくりと唾《つば》を飲んだ。「『おまえはじゃまだ』って。二回もいわれた！」

フローは深く息を吸《す》った。もう一度。不安《ふあん》なことを口にするとき、フローはいつもそんな呼吸をする。「スカー、この山はいろんないたずらをしかけてくるっていったでしょ？　ウィーヴァーはきっと幻《まぼろし》よ。そうじゃなければ、たぶん――」

「本物だった」スカンダーはきっぱりいった。しかし、答えているあいだにも、疑念《ぎねん》がこみあげてくる。なんでウィーヴァーがこんなところに？　なんで攻撃してこなかった？

「ねえ、先にゴールしちゃわない？　スカンダーの思《おも》い過《す》ごしについては、そのあと話せばいいんだから」ボビーがいらだたしそうにいった。

「思い過ごしなんかじゃ――」スカンダーはいい返そうとした。

しかし、こうなったらボビーを止めることはできない。「報酬《ほうしゅう》がもらえるかも！」

仲間たちを待とうともせず、ボビーとファルコンが歩きだした。レッドとスカンダレルとブレードがあとに続く。最後《さいご》の急な曲がり角を曲がると、ようやく空が開けた。不休の山の山頂だ。

「よくやった、フローレンス！」ウェブ教官《きょうかん》がフローの手を握《にぎ》った。「土の使い手がまたひとり、無事《ぶじ》にゴールにたどりついてくれた」

「あたしたち、一番じゃないんですか？」ボビーがきいた。「報酬は？」

「とんでもない」ウェブ教官は含《ふく》み笑《わら》いをした。「スタートから八時間もたっている。ほかのグループはもうほとんどゴールしている」ボビーの顔に浮かんだショックの色に気づいたらしい。「だがそんなことはかまわない。このトライアルでだいじなのは順位《じゅんい》ではない。きみたちはみな、四人そろって無事にゴールしたことを誇《ほこ》りに思うといい」

祝福《しゅくふく》の言葉はスカンダーの耳を素通《すどお》りしていった。ウィーヴァーの姿が頭から離《はな》れない。あの声が耳にこびりついている。

「あいつら……いじわる四銃士《じゅうし》、殺してやる。いや、いまは三銃士なのかな」山のふもとまで飛んでいくあいだに、ボビーがつぶやいた。

ほとんどのフレッジリングたちは治療師《ちりょうし》のテントに集まって、丸太にすわっておしゃべりしていた。沈《しず》もうとする太陽をみながら、リュックに入っていたお菓子《かし》を食べている者もいる。キャンプファイヤーのそばでうたたねしているユニコーンもいた。

スカンダーたちが着地すると、治療師たちが集まってきて、四人のライダーと四頭のユニコーンにけががないかどうか、調べ始めた。スカンダーはまだウィーヴァーのことで頭がいっぱいだったので、黙《だま》ったまま、ジェリーベイビーをひと袋《ふくろ》全部、スカンダレルに食べさせてやった。今日のトライアルでがんばってくれたごほうびだ。

すぐ近くで、ニーヴがフレッジリングたちに囲まれていた。「……で、山頂の手前のところに緑色のリボンがかけてあってね。夏至《げし》の石が四つ、かけられてたの！」うれしそうだ。イチゴの色を混《ま》ぜたようなブロンドの髪のポニーテールを揺らしながら、勝利《しょうり》の瞬間について話している。

「つまり、報酬っていうのは、夏至の石が四つだったってこと？」イライアスがいって、ヘルメットをはずした。ゲイブリエルの巻《ま》き毛《げ》は石に変異しているが、イライアスは砂をぎゅっと固《かた》めたような髪になっている。それをきれいに整えているので、砂の彫刻《ちょうこく》を頭にのせているみたいだ。

「ええ、四つの元素《げんそ》をひとつずつ」ニーヴはそばかすの散《ち》った白い手を開いて、輝く石をみんなにみせた。ファルーク、アート、ベンジーも同じようにした。

「賢《かしこ》いな」治療師が別《べつ》のライダーのところにいってしまうと、ミッチェルがいった。「みたか？自分の弱点になっている元素の石を、それぞれが選《えら》んでた」

ボビーはねたましそうにニーヴのグループから離れた。

スカンダーはいまになって、土のトライアルをクリアしたことがどんなに価値《かち》のあることだったかを理解した。ウィーヴァーのこともようやく頭から追いだすことができた。「ニーヴは火の石を余分《よぶん》に持ってるってことか。つまり、火のトライアルをクリアできなくてもいいってことだ。失敗してもルーキーになれる。そういうことだよね？」

ミッチェルはうなずいた。

「ああ、もっと急げばよかった！」ボビーが嘆《なげ》く。

「でも、自分たちの石は手に入ったじゃない」フローは胸につけた緑の石に触《ふ》れた。

「それだけじゃ安心できない」ボビーはめずらしく不安そうだった。「あたしたち、ルーキーにならなきゃいけないんだから。今年、妹が孵《ふ》化場《かじょう》の扉《とびら》を試《ため》すの。想像《そうぞう》してみて。妹が島にやってきたのに、あたしの四人組のだれかがノマドを宣告《せんこく》されてたらって。冗談《じょうだん》じゃない。そんな恥《は》ずかしいことってある？」

「けどさ、妹さんが孵化場の扉を開けられるとは限《かぎ》らないよ」ミッチェルが、追いつめられたトラをさらに不安にさせるような言葉をボビーに投げかけた。「だれもがユニコーンと結ばれる運命にあるわけじゃない」

「あの子は合格《ごうかく》するに決まってる。イザベルは完璧《かんぺき》なんだから」ボビーは吐《は》きすてるようにいった。その言葉にこめられているのが嫉妬《しっと》なのか誇らしさなのか、スカンダーにはわからなかった。

まわりのみんながざわついた。ムーンライト・ダストに乗ったウェブ教官が、ほかの八頭のユニコーンを率《ひき》いてやってきた。うち四頭はいじわる四銃士、残る四頭はナオミ、ディヴィヤ、マテオ、ハーパーのユニコーンだ。ナオミたち四人のことは、スカンダーはよく知らない。どちらの四人組も、胸には石がついていなかった。ほかのフレッジリングたちもそのことに気がついて、ユニコーンからおりる八人を指差していた。

ボビーがうれしそうに飛びはねた。「いじわる四銃士がトライアルに落ちた！」

「ユニコーンが飛んだのかな？」フローがいった。

「しーっ」ミッチェルがいった。「話をきこうよ」

八人のライダーはウェブ教官を取りかこみ、口々にいいたてた。

「こんなの不公平《ふこうへい》です！」アンバーがいった。額《ひたい》に表れた変異の星がパチパチと音をたてる。

「わたしは襲撃《しゅうげき》に加《くわ》わってないのに！」

「襲撃なんかしなかった！」アラステアも抗議《こうぎ》する。「ナオミの作り話です。自分が石を落としたからって、おれたちの足を引っ張ろうと――」

「作り話なんかじゃありません！」ナオミが泣《な》きながらいった。「わたしは襲撃されました」

「もういい」ウェブ教官が低い声をとどろかせた。あたりがしんと静《しず》まりかえる。「コビー、アラステア、メィイー。アンダーソン教官とエヴァーハート教官が、きみたちがほかの四人組を攻撃するところを空からみていたそうだ」

「あたしたち、襲われました！」ボビーが声をあげた。この瞬間を楽しんでいる。

「ぼくたちも！」ザックが叫んだ。「そのせいでゴーストが暴走《ぼうそう》しそうになったんだ！」

「そういうことだ。土のトライアルでほかの四人組を攻撃したのだから、石は没収《ぼっしゅう》されるのが当《とう》然《ぜん》だ」

「そんな説明《せつめい》、されてません」メィイーが文句《もんく》をいう。「戦う必要はないっていわれたけど、戦ったら石を失うなんていわれてません！」

「カオス・トライアルでは、能力《のうりょく》以上に、ルールを守るかどうかが重視《じゅうし》される」ウェブ教官は答えた。「元素をきちんと理解しているかどうかのテストなのだ。そしてきみたちは、土の元素の礎《いしずえ》になるのが公正さと友情《ゆうじょう》だということを、理解していなかった。四人組なのに三人で行動していたな。アンバーは山頂のすぐ下で、残りのメンバーを何時間も待っていた」

「そのとおりです」アンバーは我《わ》が意を得《え》たりという顔でいった。「なのにわたしまで石を没収されるなんて、ものすごく不公平です」

ウェブ教官は苔《こけ》の生えた頭を左右に振った。「残念《ざんねん》だったな、アンバー。このトライアルではチームワークも試される。きみの四人組は、その点も壊滅的《かいめつてき》だったわけだ」

「ぼくたちの石は返してもらえるんですか？」ハーパーがきいた。「ぼくたちは攻撃された側《がわ》なんですよ」

「残念だが、それはできない」ウェブ教官は答えた。「攻撃されたとき、仲間同士《どうし》をもっとしっかり守ってほしかった。たとえ――」失望《しつぼう》のまなざしを四銃士に向ける。「――予期せぬ襲撃だったとしても」

日が落ちると、ウェブ教官とエヴァーハート教官は、全員の石を集め始めた。

アガサはアークティック・スワンソングを引いて、スカンダーに近づいてきた。

「やあ、スワン」スカンダーは手をのばし、アガサのユニコーンの鼻先をなでようとした。そこがかすかに光っているのに気づくのが一瞬遅《おそ》かった。

スワンはスカンダーの手を噛もうとした。アガサが大きな笑い声をあげ、角砂糖《かくざとう》をスワンに食べさせた。

「死の元素のユニコーンに角砂糖を？」ミッチェルがいった。

アガサは肩《かた》をすくめた。「最近《さいきん》は、好《す》きなものをなんでも食べさせている」そういって、スカンダーの四人組が土の石をひとつずつ獲得《かくとく》したことを記録《きろく》し、石を集めて緑色の袋にもどした。

「ぼく、ウィーヴァーに会った」アガサが移動する前に、スカンダーは唐突《とうとつ》にいった。

「え？」アガサは鋭《するど》い視線《しせん》をスカンダーに向けた。

「ウィーヴァーをみたなんて、思い過ごしだろ」ミッチェルが訂正《ていせい》する。

「本物だった」スカンダーはいったが、声が必要以上に大きくなってしまった。「トライアルの途中、不休の山にいて——ぼくに話しかけてきた」

アガサは自分の透明な頬《ほお》をなでて、眉《まゆ》をひそめた。「ウィーヴァーがそんなふうに姿を現すなんて、理解できない。なぜトライアルの現場《げんば》にきていたんだ？」

「本当にみたんだ」スカンダーは力強くいった。

「なにをいわれた？」アガサはいった。まだ半信半疑《はんしんはんぎ》という様子だ。

「『おまえはじゃまだ、スカンダー・スミス』と」

アガサの眉間《みけん》のしわが深くなった。

「不休の山は、登ってくる人にいたずらをするの」フローがいった。「スカンダーを山から追いはらいたかったんじゃない？」

「エヴァーハート教官、石は集めおわったかな？」ウェブ教官の大声がきこえた。「夏至の石は、いますぐ銀の要塞《ようさい》にもどさなければならない」

アガサは身を縮《ちぢ》め、声を低くした。「スカンダー、わたしもこの件《けん》はフローレンスのいうとおりだと思う。ウィーヴァーがあの山にやってきて姿をみせるなんて、意味がわからない。フレッジリングの全員が山のあちこちにいるというのに」しかしスカンダーには、叔母《おば》が不自然《ふしぜん》に明るい口調で話しているように感じられた。不安を隠《かく》そうとしているのかもしれない。

アガサはスカンダレルの首をぽんと叩《たた》いた。スカンダレルがそれに応《こた》えて鼻を鳴らしたので、その場の空気がゆるんだ。「おまえたちは、今後やるべきことに集中しなさい。よくおぼえておくように。石のために戦うことは、火のトライアルではルール違反《いはん》にならない。常《つね》に背後に気をつけること――特《とく》におまえは気をつけろ」スカンダーに指を突《つ》きつける。そして白いマントをひるがえして離れていった。

「スカンダーの叔母さんは、いつもみんなを明るい気持ちにさせてくれるよね」ボビーがいった。

「しーっ」スカンダーはボビーを黙らせた。「ぼくがウィーヴァーと血がつながってるなんて、みんなに知られたら困《こま》るよ」アガサとエリカが姉妹だということは、島のだれもが知っている。しかし、スカンダーがウィーヴァーの息子《むすこ》だと知っているのは、この四人組だけだ。例外《れいがい》は、秘《ひ》密《みつ》を交換《こうかん》する者。

ツリーハウス目指して空を飛びながら、スカンダーはウィーヴァーのことを考えまいとした。

土のトライアルをクリアしたんだから！　四人とも夏至の石をひとつ手に入れて、ルーキーに一歩近づいた。スカンダレルとの絆も、前より少し強いものになったように感じられる。

　ミッチェルは、土のトライアルに合格したことを早く父さんに話したい、といい始めた。ミッチェルの父親はアイラ・ヘンダーソンだ。「父さんは、カオス・トライアルが終わるまでは手紙を書かないっていってた。ぼくにあまりプレッシャーをかけないようにするってさ。けど、いいニュースなんだから、こっちから知らせてあげるのもいいよね」

　スカンダーも頭の中で手紙を書き始めていた。夏至の石を身につけた四人組の絵を描《か》いてみようか。父さんはきっと、一年の終わりにある風のトライアルを観戦《かんせん》するのを楽しみにしてくれるだろう。エアリーの入り口にあるカラフルな木のそばに着地したとき、スカンダーの気持ちはかなり落ち着いていた。

　心の平和は長くは続かないということに、そのときのスカンダーは気づいていなかった。

HATCHERY HEIST

第6章

盗《ぬす》まれた卵《たまご》

エアリーにもどってきたフレッジリングたちは、なにかがおかしいとはっきりわかった。人々があちこちで集まって、ひそひそとなにかを話している。いつもならだれもが寝《ね》ている時間なのに。スカンダーとボビーとフローとミッチェルは、疲《つか》れたユニコーンたちをそれぞれの厩舎《きゅうしゃ》にもどし、ツリーハウスに向かった。つり橋にはライダーたちがいくつものグループをつくっていた。みんな、なんだかそわそわしている。驚《おどろ》いたことに、ハヤブサ隊《たい》の隊長と副《ふく》隊長が、四人のツリーハウスの入り口にすわって待っていた。

スカンダーはふたりに駆《か》け寄《よ》った。とてつもない不安《ふあん》が襲《おそ》いかかってくる。「リケシュ、プリム」

「スカンダー、待ってたよ」リケシュがはあっと息を吐《は》いた。プリムといっしょに立ちあがる。

「なんなの？　なにかあったの？」スカンダーはわけがわからずきいた。

第6章　盗まれた卵

五年目の訓練生《くんれんせい》であるプレッズのふたりは顔をみあわせた。「まだきいてないのか？」

「だって、土のトライアルを受けてたから。なに？　ケンナの話？」

リケシュは暗い顔で答えた。「今日の昼間、マニング教官《きょうかん》がエアリーの全員を集めて説明《せつめい》してくれたんだが……」そこでいいよどみ、毛先が泡《あわ》のように白くなった髪《かみ》を指でかきあげた。

プリムが続《つづ》けた。「カザマ首長は、このことを何か月も秘密《ひみつ》にしていたんですって。レックスは、そろそろみんなに知らせてもいいんじゃないかと考えたみたい」

「なにを？」ミッチェルとボビーが同時にいった。

「孵《ふ》化場《かじょう》が空っぽなんだ」リケシュが力のない声でいった。「ユニコーンの卵がひとつも残《のこ》っていない。今年孵化するはずの卵も、来年の卵も、今後十三年間の卵がすべて消えた。マニング教官がいうには、カザマ首長といっしょに孵化場の損傷《そんしょう》を調べにいったときには、すべての階層《かいそう》から卵が消えていたということなんだ」

「まるまる一世代ぶんのユニコーンライダーたちのチャンスが奪《うば》われたというわけ」プリムがしめくくった。炎《ほのお》の眉《まゆ》が赤々と光る。

ミッチェルが最初《さいしょ》に口をきけるようになった。詳《くわ》しいことが知りたかった。「けど、それっていつ？　卵はいつ消えたんだろう」

スカンダーは胸《むね》がどきりとした。その答えに心当たりがある。

「六月。夏至《げし》のあとにニーナとレックスが孵化場にいって、そのことを知った。だが、実際《じっさい》に盗まれたのは――」リケシュはスカンダーをちらりとみた。

「――ウィーヴァーがケンナと野生のユニコーンを偽《にせ》の絆《きずな》で結《むす》びつけた直後だと？」スカンダーが言葉を継《つ》いだ。

「孵化場に見張《みは》りがいなかったのは、そのときだけなのよ」プリムが静《しず》かにいった。「ライダーたちは島から避難《ひなん》し始めていた。ハヤブサ隊も島を離《はな》れようとしていたのをおぼえてる？　みんながそうだったでしょ」

「卵が全部なくなったの？　来年の夏至のぶんも？」ボビーは驚きすぎて声がかすれていた。それをきいたスカンダーの不安も増《ま》す。「そんなこと、ありえない」

「だからニーナの様子がおかしかったのね」フローがいった。「でも、どうして黙《だま》ってたのかしら」

「みんなを心配させたくなかったんだろう」リケシュが渋《しぶ》い顔でいった。「レックスが話してくれてよかった。エアリーの全員に知らせたわけだから、島全体に話がいきわたるまでに、そう時間はかからないだろうし、協力《きょうりょく》も得《え》られるかもしれない。それはそうと、スカンダー――」リケシュは急に切羽詰《せっぱつ》まったような口調になった。「――ケンナを探《さが》してほしい。ケンナの姿《すがた》が……」ためらいながら続ける。「六月にケンナがウィーヴァーといっしょにいたことは、みんなが知ってる。〈ハッチェリー・ヘラルド〉紙で報《ほう》じられていたからね。今回のことにはケンナが関《かか》わってるはずだってうわさが出始めてる」

「でも、ケンナは島を救《すく》うのに手を貸《か》してくれたじゃないか！」スカンダーは腹《はら》を立てて反論《はんろん》した。「あのとき、ディヴァイドにはケンナもいたんだ」しかし、ケンナとウィーヴァーがいっしょにいたときのことを自分はほとんど知らない——そう思わずにはいられなかった。

リケシュは攻撃《こうげき》から身を守ろうとでもいうように両手をあげた。「ぼくに怒《おこ》ってもしかたないよ。そもそも、プリムもぼくも、ケンナを探してるライダーたちから、このツリーハウスを守ってたんだよ。ケンナはここにはいないのに、三人のルーキーがここに押《お》し入《い》ろうとしてた」

「そんな状況《じょうきょう》なの？」フローが小さくつぶやいた。

「それどころじゃないくらい、状況は悪いわ」プリムが無遠慮《ぶえんりょ》に答えた。

「ケンナはどこにいるんだ？」スカンダーは近くのはしごへと歩きだしていた。

ボビーの顔から血の気が引いていた。「そうだ！　ウィーヴァーがどこに卵を隠《かく》したのか、ケンナなら知ってるはずでしょ？　ついこのあいだ、ウィーヴァーといっしょに孵化場にいったくらいなんだから」

「そんなこと、ケンナは知らないよ！」スカンダーは怒《いか》りを隠さずにいったが、内心ではボビーと同じことを考えたばかりだった。

「まずは無事《ぶじ》かどうかを確《たし》かめなきゃ、ボビー」フローが意を決したようにいった。

「最後《さいご》にきいた話では」リケシュがもごもごといった。「ケンナはオサリヴァン教官のツリーハウスに隠れてるんじゃないかと」

「ありがとう」スカンダーはリケシュとプリムにいった。「きてくれてありがとう」

四人組はしゃべるまもなく移動《いどう》した。教官のツリーハウスが並《なら》ぶエリアの手前にある花のアーチをくぐったとき、ケンナの居場所《いばしょ》がはっきりわかった。一年目のハッチリングから五年目のプレッズまで、合わせて三十人強のライダーたちが、オサリヴァン教官の青いツリーハウスの窓《まど》を激《はげ》しく叩《たた》いている。スカンダーが駆けつけようとしたとき、ドアが開いてケンナが現《あらわ》れた。オサリヴァン教官とアンダーソン教官がケンナを守るように立っているが、ライダーたちはさらに詰《つ》めより、次々と質問《しつもん》を投げかける。

「ウィーヴァーは卵をどうするつもりなんだ？」

「あんたみたいな野生のユニコーンのライダーをもっとつくろうとしてるの？」

「おまえはユニコーン泥棒《どろぼう》だ！　自分のものでもない卵を持っていくなんて、とんでもない！」

みんな、スカンダーがこれまでにみたこともないほど激しい怒りをケンナにぶつけている。どうしてこんなひどい仕打ちをするんだ？

アンダーソン教官も同じように感じたらしい。「みんな、いますぐ帰りなさい。いつまでもここにいると、ノマドを宣告《せんこく》するぞ！　わかったか？」褐色《かっしょく》の耳を包《つつ》む炎が大きくなった。アンダーソン教官がこんなに怒っているのをみたことがない。

一瞬《いっしゅん》、ライダーたちは、それでもいいと感じているようにみえたが、しばらくすると大声で文《もん》句《く》をいいながら離れていった。

そのベランダの中心にある木の幹《みき》の前で、オサリヴァン教官の白い顔がスカンダーたち四人に向けられた。「早く帰りなさ――ああ、スカンダーだったんですね。きてくれてよかった。これからケンナをエヴァーハート教官のツリーハウスに移動させるところです。当面はそこで暮《く》らしてもらいます。そのほうが、ライダーたちが怖《こわ》がって近づかないでしょうからね。教官たちはこれから、カザマ首長が招集《しょうしゅう》した緊急会議《きんきゅうかいぎ》にでなければなりません。ですからあなたが……」

そのときにはもう、スカンダーはケンナを抱《だ》きしめていた。ケンナは全身を震《ふる》わせて泣《な》いている。

「スカー、あの子はわたしのユニコーン――ゴショークはわたしのユニコーンなの。わたしと結ばれなければ、ずっと孤独《こどく》に生きていかなきゃならなかった。卵が荒野《こうや》に持っていかれるところだったの。わたし、あの子を盗んだわけじゃない。あの子を選《えら》んだだけ」ケンナは混乱《こんらん》すると同時に激怒《げきど》していた。

「だいじょうぶだよ」スカンダーはささやいた。「ぼくがついてる」

その日の夜遅《よるおそ》く、カザマ首長の会議からアガサがもどってきた。自分のツリーハウスにスカンダーの四人組がいるのをみても、驚いた様子はなかった。アガサは四人を無視《むし》してまっすぐケンナに近づいた。ケンナはストーブのそばの、羊革《ひつじがわ》の椅子《いす》にすわっていた。炎がちらちらと手首のとげを照《て》らしている。

アガサは床《ゆか》にひざをつき、両手をケンナの肩《かた》に置《お》くと、目をまっすぐにみた。「ケンナ、なにか知っているのか？　エリカが卵をどうするつもりなのか」

アガサの口調があまりにも真剣《しんけん》なので、スカンダーは気分が悪くなってきた。それだけ状況が悪いということだ。とても悪い。

ケンナは首をぶんぶんと振《ふ》った。目に涙《なみだ》があふれる。

アガサはケンナの肩から手をおろし、傷跡《きずあと》のある手でこぶしを作った。いらだちを抑《おさ》えようとしているのがわかる。「しかし、おまえは何週間もエリカといっしょにいたではないか！　なにか疑《うたが》わしいものをみたことくらい、あるはずだ」

ボビーが立ちあがった。その表情《ひょうじょう》も、スカンダーがそれまでにみたことがないくらい真剣《しんけん》そのものだった。「お願《ねが》いだよ、ケンナ。イザベルが――あたしの妹が――次の夏至に孵化場の扉《とびら》を試《ため》すことになってるんだ。ケンナがいままでに嘘《うそ》をついたかどうかなんてどうでもいい。いま知ってることを教えて！　あたしたち、友だちでしょ？」

そうか、ボビーは妹のことを心配しているんだ。スカンダーは納得《なっとく》したが、だからといってぼくの姉さんを責《せ》めるようなことはしてほしくない。「ケンナはなにも知らないんだよ！　ウィーヴァーが卵を盗んだとき、ケンナは孵化場にはいなかった」

「卵を盗んだのがウィーヴァーとは限《かぎ》らないしな」ミッチェルが興奮《こうふん》した声でいった。「ウィーヴァーだと決めつけて――」

「いや、犯人《はんにん》はエリカだ」アガサがぴしゃりといった。「いつだってそうだ」

「ニーナはなんて？」フローはこの場の緊張《きんちょう》をゆるめようとしていった。「ニーナはずっと卵を探していたの？」

アガサはストーブのそばに置かれたもうひとつの椅子にどすんと腰《こし》をおろした。「この三か月間ずっと探していた。昼も夜も、毎日だ。ニーナもレックスも、卵がなくなったことにみんなが気づく前に探しだせると信《しん》じてがんばっていた」

「でも、卵は何百個《こ》もあるのに！」ボビーはまだ興奮している。「ウィーヴァーは、どうやって卵を運んだの？　どこに運んでも、すぐにみつかりそうなものでしょ」

「それが、みつからないのだ。ただ、これからはもっとおおぜいで卵を探すこともできるわけだ。島の外も探すことになるかもしれない。本土の人たちにも協力《きょうりょく》してもらうことになるかもしれない」

「捜索範囲《そうさくはんい》を広げるってのは、いいかもしれないな」ミッチェルがいった。「卵はどこかにあるはずだ。壊《こわ》すことなんかできないんだから。衛兵《えいへい》全員が島全体を探しまわるとしたら、いずれみつかることになる」

「問題は、〝いずれ〟みつかるというのでは手遅《ておく》れかもしれないということだ」アガサはいった。「ニーナはなにを考えていたのだろう。こんなに長いこと、このことを秘密にしていたとは。シルヴァー・サークルの人間に感謝《かんしゃ》するときがくるとは思ってもみなかったが、レックス・マニングの判断《はんだん》は本当によかった」

「卵の発見が遅れたらどうなるの？」ボビーがきいた。「運命の卵をみつけるはずのライダーも、島に受け入れてもらえなくなるってこと？　それが本土の人間だとしたら、まっすぐ本土にもどされるの？」

アガサはストーブの前をいったりきたり歩き始めた。「問題はそれだけではない。エリカが島の歴史《れきし》上最悪《さいあく》の盗みを働《はたら》いたのがケンナに偽の絆を作った直後だったというのは、ただの偶然《ぐうぜん》だと思うか？」

　スカンダーは息苦しくなった。「野生のユニコーンの卵と偽の絆で結ばれたのは、エリカ本人をのぞくと、ケンナが初《はじ》めてだった」

「そのとおり」アガサは暗い表情でいった。「いまのエリカは、それができるという確信《かくしん》を持っているわけだ。関連《かんれん》があると気づいているのはわたしたちだけではない。評議会《ひょうぎかい》やシルヴァー・サークルも、ケンナの例《れい》があるからこそ、ウィーヴァーがまた同じことをしようとすればできるんだと考えている。それに、ノマドの木のことだってある。今回問題になっているのは、偽の絆がどうのという小さなことだけじゃない。五つの元素《げんそ》と結びついたライダーたちが生まれるということだ。野生のユニコーンの強力な魔法《まほう》を操《あやつ》ることのできるライダーが、何人も生まれてしまうかもしれないのだ」

「もう実行してしまったのかしら。だったら手遅れだわ」フローはすっかりおびえていた。

　アガサは首を横に振った。「偽の絆を作れるのは夏至の日だけだ。卵が成熟《せいじゅく》し、孵化のときを迎《むか》える日。まだ時間はある」

「で……でも」ミッチェルは舌《した》をもつれさせて反論した。「卵がみつからなかったら、来年の夏至の日、ウィーヴァーがつくった野生のユニコーンのライダーが五十人も生まれてしまう！」ケンナをみる目は恐怖《きょうふ》でいっぱいだった。それを隠すこともできなかったようだ。

「しかも、五十頭のユニコーンは、運命のライダーと結ばれるチャンスを失《うしな》うことになる！」ボビーが大声でいった。

「卵は土のゾーンにあるのかな？」唐突《とうとつ》にスカンダーがいった。「ぼくは土のゾーンでウィーヴァーをみた。そのことをニーナに伝《つた》えるべきじゃない？」

「もういい」アガサの声には疲れがにじんでいた。「大局をみて判断していかねばならない。ウィーヴァー自身の偽の絆についていえば、長年使ってきたせいか、力が弱まっている。野生のユニコーンに力を消耗《しょうもう》させられたのだろう。二年前に荒野で会ったウィーヴァーが弱々しくみえたと、おまえはいっていたな。おまえがウィーヴァーとニューエイジ・フロストとの絆を解《と》いたときのことだ」

「うん」

「昔、エリカとわたしとで調べていてわかったことだが、偽の絆をひとつ作るだけでも、途方《とほう》もないくらいの体力が必要《ひつよう》になるらしい」

「そのとおりよ」アガサが帰ってきてから初めて、ケンナが口を開いた。「わたしに絆を作ってくれたあと、ウィーヴァーは疲れきって、立っているのがやっとって感じだった」

「そういうことだ」アガサが力強くいった。「ウィーヴァーが弱っているとしたら、来年の夏至、盗んだ卵とライダーのあいだに偽の絆を作るとしても、扱《あつか》える卵はせいぜいふたつ。五十個など、とうていむりだ」

「でも、もっと強くなっていたら？」スカンダーがきいた。「むりだなんて、断定《だんてい》できないよね」

「たしかに。しかし、わたしはおまえたちより年上だし、知恵《ちえ》もある。わたしの言葉を頭に入れておきなさい。それはそうと――」ミッチェルとボビーが口をはさもうとしたので、アガサは声のトーンをあげた。「――もっと大きな問題がある。エアリーにいると、ケンナの身があぶない。ウィーヴァーとのつながりについてみんなに疑われている状況だからな」

「わたし、ニーナのところにいって、ウィーヴァーとは関係《かんけい》ないって話してくる」ケンナがいった。「そしたら騒《さわ》ぎは静まるんじゃない？　いまは卵が盗まれたことで混乱が起こってるだけでしょう？」

「ぼくもいっしょにいくよ」スカンダーはアガサをみた。「ケンナをエアリーから追いださないで。ケンナの居場所はエアリーだよ。ぼくといっしょにいるべきなんだ。ケンナとゴショークが受けてきた調査《ちょうさ》や尋問《じんもん》も終わって、もうすぐ訓練《くんれん》を受けられるようになるはずだった」

「でも、スカー、状況は変《か》わってしまったかも――」フローがいいおわらないうちに、鋭《するど》いノックの音が響《ひび》いた。

アガサがすばやくドアに近づき、少しだけ開けた。もどってきたアガサは、手になにかを持っていた。

「それ、なに?」スカンダーがきくと、アガサは手紙を渡《わた》してくれた。ほかのみんなも集まってきて、スカンダーの肩ごしに手紙を読んだ。

アガサへ。評議会とシルヴァー・サークルは、さきほどケンナの将来《しょうらい》について投票《とうひょう》を行いました。わたしはこれを先のばししたかったのですが、ケンナの変異《へんい》や、ノマドの木を倒《たお》したこと、また、卵盗難《とうなん》のこともあり、早く採決《さいけつ》を、という強い声があったのです。ケンナとゴショーク・フュアリーは別々《べつべつ》に暮らし、常時《じょうじ》監視《かんし》対象《たいしょう》となります。生活の場所としては、銀の要塞《ようさい》と刑務所《けいむしょ》の両方が検討されています。ケンナは卵の盗難についてと、その件《けん》のどの部分に関わっているかについて、尋問を受けることになります。

評議会もシルヴァー・サークルも、卵がみつからず、ウィーヴァーがケンナのようなライダーをほかにもつくりだしたらどうなるかを考え、その状況に備《そな》えておきたいと考えています。ウィーヴァーが毎年五十個の卵に偽の絆を与《あた》えていけば、五つの元素《げんそ》と結びついたライダーたちの世代がつくられてしまいます。ですから、ケンナがエアリーで訓練を受けるのを認《みと》めることは、危険《きけん》かつ不適切《ふてきせつ》なことだと、彼《かれ》らは考えているのです。わたしは首長として、島を守ろうという彼らの姿勢《しせい》を支持《しじ》しなければなりません。

カザマ首長

手紙の裏《うら》には走り書きの追伸《ついしん》があった。

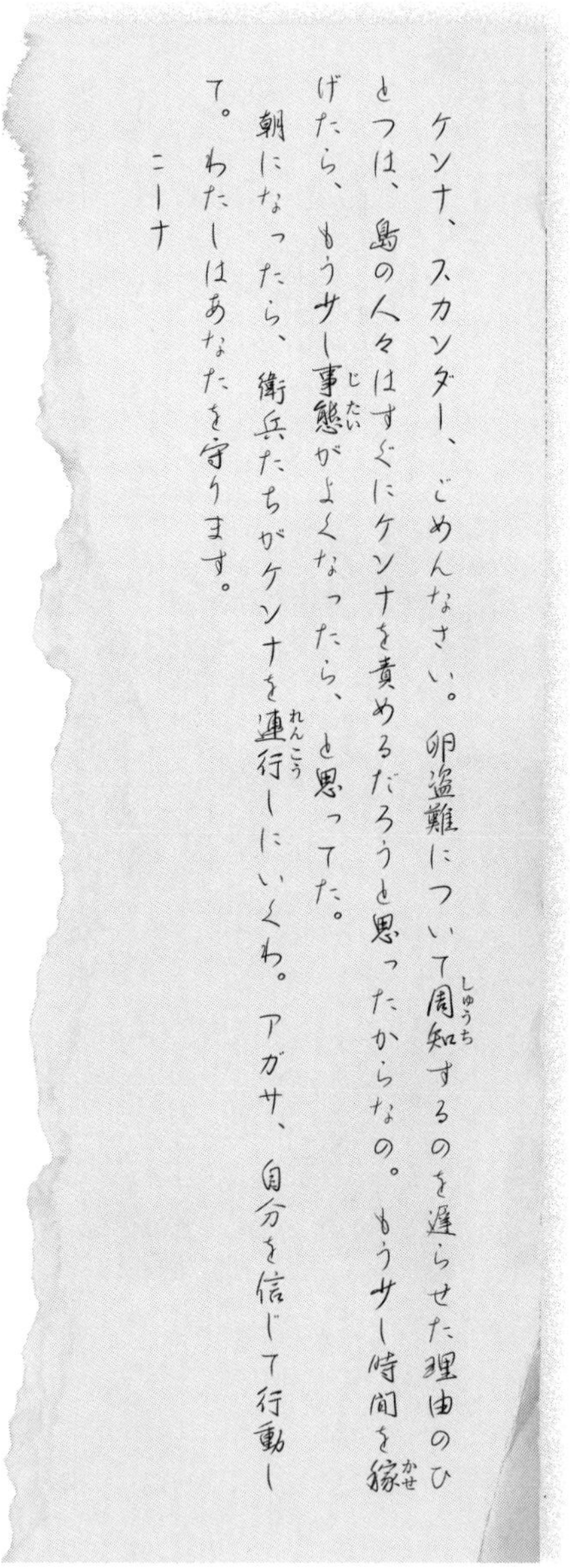

ケンナ、スカンダー、ごめんなさい。卵盗難について周知《しゅうち》するのを遅らせた理由のひとつは、島の人々はすぐにケンナを責めるだろうと思ったからなの。もう少し時間を稼《かせ》げたら、もう少し事態《じたい》がよくなったら、と思ってた。
朝になったら、衛兵たちがケンナを連行《れんこう》しにいくわ。アガサ、自分を信じて行動して。わたしはあなたを守ります。
ニーナ

ツリーハウス全体にショックが広がった。

しばらくして、ケンナが口を開いた。「わたし、ハッチリングになれるはずだったのに。スカンダーといっしょにここに住めるはずだったのに！」褐色の目がすがるようにスカンダーの目をみる。

スカンダーはまだあきらめていなかった。「明日の朝、衛兵たちがきたら、ぼくもついていく。ニーナやレックスに会って、ケンナは卵泥棒とは無関係《むかんけい》だって評議会の人たちに話す」

「ケンナ、わたしもいくわ」フローが力強くいった。「わたしはシルヴァー・サークルの一員だもの。レックスはわたしのいうことに耳を傾《かたむ》けてくれるはず」

「ぼくもいく」ミッチェルは不安そうだった。「それと、父さんに話してみる。父さんは影響力《えいきょうりょく》のある人たちにつてがあるんだ。たぶん評議会にも」

「みんながいくなら」ボビーが不機嫌《ふきげん》そうにいった。「あたしもいく。卵のありかをケンナが知らないなら、偉《えら》い人たち全員に、卵探しに取りくんでもらわないと。くだらない犯人探しなんかやってる場合じゃない」

スカンダーは、心がみんなの愛《あい》で満《み》ちていくような気がした。この仲間《なかま》たちはやっぱり最高《さいこう》だ。みんなで島の偉い人たちを説得《せっとく》して、ケンナは無害《むがい》だとわかってもらおう。

しかしそのとき、アガサがいった。「このまま手をこまねいていたら、そして、ケンナ、おまえをやつらの手にゆだねたら……おまえもゴショーク・フュアリーも、二度と自由にこの島を歩けなくなるかもしれない」

アガサの言葉をきいて、スカンダーは息ができなくなった。刑務所の檻《おり》の中にいるケンナの姿が頭の中をちらちらする。もう会えなくなってしまう。

「ニーナの手紙に『自分を信じて行動して』って書いてある」フローの小さな声がきこえた。

「エヴァーハート教官、これってどういう意味ですか？」

「これは――」アガサはごくりと唾《つば》を飲んだ。「――おそらく、わたしがケンナを逃《に》がすべきだと首長はいっているんだろう」

ミッチェルは眉をひそめた。「そんなことをしたら、アガサとスワンの身があぶなくなるんじゃないかな」

「ニーナがわたしを守るといってくれている。わたしは彼女《かのじょ》を信じる。これは口先だけの言葉ではない。警告《けいこく》なのだ。いまのうちにケンナをエアリーから逃がせ、と」

「でも、ほかに方法《ほうほう》は……ケンナを逃がすんじゃなくて……」スカンダーはそこまでしかいえなかった。具体的《ぐたいてき》な方法を思いつかなかった。

アガサはゆっくりかぶりを振った。その動きをみただけで、ケンナとスカンダーの願いは粉々《こなごな》に砕《くだ》けちった。

スカンダーは涙をこらえ、ケンナも長いこと目を閉《と》じていた。両肩《りょうかた》を上下させていたケンナは、やがてアガサに向き直った。「つまり、わたしとゴショークはエアリーからでていかなきゃいけないってこと？」

「そうだ。いますぐに」

「でも、どこへ？」スカンダーは絶望的《ぜつぼうてき》な気分でたずねた。姉のような凛《りん》とした表情をつくることはできなかった。

第６章　盗まれた卵

「野草の丘《おか》はどう？」フローがいった。「うちの両親なら、ケンナを役人に渡したりしないわ」

スカンダーは感謝の気持ちをこめてフローに笑《わら》いかけた。

「すぐにみつかってしまう」アガサがいった。「ケンナと関係のある場所はすべて捜索されるだろう。スカンダーはシェコニ工房《こうぼう》の鞍《くら》を使っている。真っ先に調べられる場所だ」

「荒野は？」ボビーがいった。

「ありえない」アガサとスカンダーが同時に即答《そくとう》した。

「そっか、そうだよね。あたしなりに考えたんだけど」

「みんな、少し黙って話をきいてくれないか」アガサが低《ひく》い声でいった。「死刑執行人《しけいしっこうにん》として捕《と》らえられたあと、わたしはシルヴァー・サークルの手を逃《のが》れて、何年ものあいだ、隠れて暮らした。いや、わたしが隠れたというより、隠されたというべきか。放浪者《ほうろうしゃ》たちによって」

「放浪者？　きいたことがない」ミッチェルがいった。

「当然《とうぜん》だ。ひっそりと暮らす人たちで、島の伝統《でんとう》を拒絶《きょぜつ》している。だからこそ、彼らならケンナを助けてくれるのではないかと思う」

「ケンナ、そんな変人《へんじん》たちの仲間になりたいの？」ボビーがふざけた口調でいった。自分の妹のことが心配でたまらないボビーに、卵泥棒のことでケンナを責めるなと頼《たの》むのはむりな相談だったのかもしれない。ボビーはスカンダーをみてうなずいた。あんたのことはとりあえず許《ゆる》すけど、あとで話があるからね、とでもいっているみたいだ。

ケンナは硬《かた》い表情のままだった。でてきた言葉には怒りがこめられていた。「そうするしかないんでしょ？」自分の野生の変異に目をやる。「この島の人たちって、自分とちがうところのある人間をきらうんだね。みんなとちがうからって、なにがいけないの？」

「わたしも、同じことを何度自分に問いかけたかわからない」アガサがつぶやいた。

ミッチェルはすでに計画を立て始めていた。「だれでも思いつきそうな質問で申《もう》し訳《わけ》ないんだけど、こんな真夜中に、どうやってその放浪者とやらをみつけるんだ？　どの本にもでてこなかったような人たちなのに」無知《むち》を指摘《してき》されてすねているような顔だった。

質問に答える代わりに、アガサはツリーハウスの奥《おく》までいき、剣の複雑《ふくざつ》な模様《もよう》を彫《ほ》りこんだ収納《しゅうのう》チェストをさぐった。しばらくしてもどってきたアガサは、紐《ひも》のついた物体を四つ持っていた。近くでよくみると、木製《もくせい》の笛だとわかった。学校の授業《じゅぎょう》で練習したプラスチックのリコーダーより小さいが、訓練中に教官たちが使う銀色の笛よりは大きい。それぞれちがう種類《しゅるい》の鳥の模様が彫りこまれている。

「これを」アガサはぎこちないしぐさで、それをスカンダーに手渡《てわた》した。「この季節《きせつ》に放浪者たちの注意を引くには、カッコウの声を使うしかない」

フローがスカンダーの肩ごしに笛のひとつを指差《ゆびさ》した。「それがカッコウね」

「オサリヴァン教官は魚、エヴァーハート教官は鳥？」ボビーがからかうようにいう。「人生って驚きの連続《れんぞく》！」

第6章　盗まれた卵

「少しは黙っていられないのか？」アガサが信じられないというようにいった。

ボビーは肩をすくめた。「基本的《きほんてき》に、黙るのは苦手」

スカンダーがカッコウの笛をケンナに渡すと、ケンナはそれを首にかけた。「鳥の声のする笛なんか吹《ふ》いて、放浪者がみつかるの？　住んでる場所を教えてくれたらいいのに」

アガサは首を横に振った。「放浪者は季節ごとに元素のゾーンを移動するのだ。いまは土のゾーンだが、前にわたしがいっしょにいたときとは場所を変えている可能性《かのうせい》がある。カッコウは土の元素を象徴《しょうちょう》する鳥なんだ。これは放浪者たちがわたしにくれたものだ。いつでも彼らをみつけられるように。土のゾーンに入ったら、断層線《だんそうせん》に沿《そ》って移動しながら、笛を吹きなさい」

「でも、土のゾーンにはウィーヴァーがいるかもしれない！」スカンダーは抗議《こうぎ》した。「もし、ケンナに――」

「スカンダー」アガサがはねつけるようにいった。「ウィーヴァーは孵化場の卵をすべて盗んだのだ。おまえは不休《ふきゅう》の山でウィーヴァーに会ったというが、本物かどうかわからない。それに、隠《かく》れ場所《ばしょ》からわざわざでてきてフレッジリングのグループを襲うとは、とても思えないのだ。ほかにやるべきことが山ほどあるのだから。しかし、ニーナには話しておこう。ケンナが放浪者たちの居場所に身を寄《よ》せたあとで、あのいまいましい山を捜索するようにと。それでいいか？」

スカンダーはうなずいた。とりあえずはそれでいいと思った。

午前三時ごろ、一同は人気《ひとけ》のないエアリーを歩きだした。ケンナがひとりでゴショークの厩舎に入る。アーマーをつけた木々のあいだからその姿をみていたスカンダーは、ケンナの肩が震えているのに気がついた。泣いているのだ。あんなふうに打ちひしがれた様子のケンナを、前にもみたことがある。予備試験《よびしけん》に落ちたときだ。スカンダーはケンナを追いかけようとしたが、フローに引きとめられた。

「少しひとりにしてあげたほうがいいと思う」フローは小声でいった。ケンナの姿がみえなくなったとき、スカンダーの頭はひとつの考えでいっぱいになっていた。この夏じゅう、ひとりで考えていたことだ。ケンナを運命のユニコーンと結びつける、その可能性は本当にないのか？ そうすれば、ケンナは気の使い手になるだろうが、ウィーヴァーの後継者《こうけいしゃ》にはならない。エリカ・エヴァーハートが野生のユニコーンのライダーの時代をつくろうとしているのではないかと島の人々は恐《おそ》れているが、ケンナをそのひとりにはさせない。

「ケンナは一生隠れて暮らさなきゃいけないわけじゃないよね？」スカンダーは絶望的な思いで、ユニコーンにまたがった仲間たちにきいた。

「もちろんよ、だいじょうぶ」フローがいって、控《ひか》えめな笑《え》みをスカンダーに向けた。

ミッチェルはうーんと考えこんだ。「卵泥棒のことだけど、ウィーヴァーはずいぶん前から計画していたんだろうな。けど、よほど大きな事件《じけん》でもなければ、みんなの注意をそらすことなんかできない。しかも、ウィーヴァー本人は目立たないように行動しなきゃならなかったわけだ。六月、ケンナはスカンダーに、野生のユニコーンを殺《ころ》す方法をシルヴァー・サークルに気づかせたのはウィーヴァーだといったんだよな。もっとも、シルヴァー・サークルの人たちは、ウィーヴァーに教えられたとは思わなかったようだけど。島が自滅《じめつ》するっていう騒ぎは、夏至の日にウィーヴァーが卵を盗むのにはもってこいの状況をつくってくれたと思う。ただ、卵をどこに運んだにせよ、ウィーヴァーひとりじゃできなかったはずだ」

「島の人間の中で、ウィーヴァーのそんな行動に手を貸した人間がいると思う？」ボビーがいった。

フローは最悪のシナリオについて考えていた。「アガサの考えがまちがってるかもしれないじゃない？　夏至の日に、成熟したすべての卵に偽の絆を作ってやるくらいの体力をウィーヴァーが持っているとしたら、ケンナみたいなライダーが五十人誕生《たんじょう》することになる」

「盗まれた卵がみつからなければ、五十人じゃ終わらない」スカンダーはいった。「これから十三年間、それが続くんだ。ひとつの世代をつくるといってもいい。ウィーヴァーのエアリーができてしまう」

「あるいは、ぼくたちのエアリーがのっとられる」ミッチェルが重々しい口調でいった。

土のゾーンを朝日が照らしたとき、スカンダーは自分がばかげたことをしているような気分になってきた。五人はフォーポイントの上空を通り、土のゾーンの農場や、ラベンダー、タイム、ローズマリーの花畑の上空をできるだけ静かに飛《と》んだ。だれにもみられたくなかった。いまは荒野の上空にいる。ヒースや苔《こけ》におおわれた岩がちの地面をみわたしていた。

ケンナはカッコウの笛を何度も吹いた。放浪者の気配はまったくない。

ボビーはこの状況をおもしろがっていた。少なくとも、おもしろがるふりをしていた。笛の音に応《こた》えるようにカッコウの鳴き声をまねしては、フローにやめなさいとしかられる。そのうちミッチェルが何度も舌打《したう》ちをし始めた。夜明けのまだ薄暗《うすぐら》い空を飛んでいる自分たちの姿に、だれが気づいてくれるっていうんだ？　そもそも、放浪者とかいう人たちなんて、アガサがでっちあげた作り話かもしれないじゃないか、というのだ。

「ケンナ、そんなに笛を吹き続けなくてもいいんじゃないかな」スカンダーはいった。耳が痛《いた》くなりかけていた。

「だって、わたしが笛を吹いていないときに限って、だれかが耳をすませてるかもしれないでしょ」逃亡中《とうぼうちゅう》という現状《げんじょう》のわりに、ケンナは上機嫌《じょうきげん》だった。スカンダーにはその理由がわかる気がした。厩舎をでるとき、ケンナとは短い口論《こうろん》をした。ゴショークに乗って土のゾーンに飛んでいくのはまずいんじゃないか、とスカンダーが考えたのだ。しかし子どもの頃《ころ》と同じように、ケンナは完璧《かんぺき》な反論をしてきた。歩いていったら捕《つか》まってしまう。問題が起これば四人組にも迷惑《めいわく》をかける。それに、魔法を呼《よ》びだすときの感覚《かんかく》はもうわかってるから、まちがって魔法を使ってしまうことはない、というのだ。

「ゴショークだって、遠目にみれば、ほかのユニコーンと同じようにみえるわよ」ケンナはいった。いつものように、スカンダーが折《お》れるしかなかった。

ゴショークは、ほかの野生のユニコーンよりも強くなるし、飛ぶのもうまくなるだろう、というのがアガサの考えだった。ウィーヴァーと偽の絆で結ばれた野生のユニコーンがそうだったのだという。しかし、スカンダレルの横を飛ぶゴショークをみて、スカンダーは思った。本物の絆を持ったユニコーンとは見た目がまったくちがう。朝日を受けた角は透明《とうめい》に輝《かがや》いているし、薄茶《うすちゃ》色の体毛はまばらでつやもない。ところどころから骨《ほね》が突《つ》きだしている。ケンナがこのユニコーンと結ばれているのはわかっていても、ゴショークをみるたび、灰色《はいいろ》のまだら模様のユニコーンだったらいいのに、角が透明じゃなければいいのに、と思ってしまう。野生のユニコーンじゃなくて、運命のユニコーンと結ばれていればよかったのに、と。

シルヴァー・ブレードに乗って先を飛ぶフローが、遠くのほうにあるカラフルな丘を指差した。「野草の丘よ！」

「野草の丘って？」ケンナは小声でスカンダーにきいた。ありがたいことに、カッコウの笛の音がしばらくやんだ。

スカンダーがフローの家族のことをケンナに話そうとしたとき、白いユニコーンに乗ったライダーの姿が、前方の丘の斜面《しゃめん》にぼんやりとみえた。

四人組は反射的《はんしゃてき》にケンナとゴショークを取《と》りかこみ、その姿をみられないようにした。全員が左手で手綱《たづな》を持ち、右手をあげる。なにかが起こりそうだと思ったときには真っ先に元素の魔法を呼びだす、と決めていた。スカンダーの体に緊張が走った。遠くにみえるライダーも手をあげたからだ。

「ちょっと待って」ボビーが目を細めた。ライダーがこちらに向かってくる。「あれって、もしかしたら――」

「アルバート！」四人は同時に叫《さけ》んだ。

近づいてきたライダーがにやりと笑い、ユニコーンがその場に止まった。アルバートとイーグル・ドーンだ。どうしてすぐに気づかなかったんだろう、とスカンダーは思った。アルバートは、スカンダーがエアリーにやってきたとき、最初に話をしたライダーのひとりだ。しかし、訓練一年目の途中《とちゅう》で、アルバートはノマドを宣告された。

「やあ、きみたち！」アルバートは四人に手を振った。ケンナとゴショークの姿はまだみえていないはずだ。「久《ひさ》しぶりだね！」淡《あわ》いピンクの頬《ほお》にえくぼができる。イーグル・ドーンもいないて、ほかのユニコーンたちとの再会《さいかい》を喜《よろこ》んでいる。

「アルバート」ミッチェルがためらいながらいった。「なんか……印象《いんしょう》が変わったね」

そのとおりだった。アルバートはブロンドの巻《ま》き毛《げ》を長くのばして、低めの位置《いち》でひとつに結《ゆ》わえていた。そこに茶色の革《かわ》の飾《かざ》りをつけている。やせていた体はすっかりたくましくなった。肩幅《かたはば》も広くなったし、腕《うで》の筋肉《きんにく》もすごい。色あせた紫色《むらさきいろ》のチュニックは、真っ黒なライダーの制《せい》服《ふく》よりずっと似合《にあ》っている。変異は健在《けんざい》だ。両手のすべての関節《かんせつ》が、火のついた石炭みたいに赤く光って、こぶしからは煙《けむり》があがっている。全体として、かなり迫力《はくりょく》のある見た目だ。「アルバートも放浪者のひとりになったってわけ？」ボビーはいつものとおり、遠回しな言葉は選ばなかった。

　アルバートはうなずいた。「そうだよ。カッコウの声がきこえたから、こっちに飛んできたんだ。きみたち、だれかにいわれてこっちにきたの？　なにかあったの？」青い目がスカンダレルの顔にある白い気の模様をとらえた。アルバートがエアリーにいた頃は、黒い靴墨《くつずみ》を塗《ぬ》ってごまかしていたものだ。

「力を貸してほしいんだ」スカンダーはまごつきながらいった。「姉のケンナのことなんだ。えっと……まあ、会ってみて」

　四人組がばらけて、ケンナとゴショーク・フュアリーが、断層線に沿って前に進みでた。アルバートはどんな顔をするだろう、とスカンダーは思った。青白い顔に恐怖の表情が浮《う》かぶんじゃないか。しかし、予想ははずれた。

「会えてうれしいよ。きみのうわさはぼくたち放浪者のところまで届《とど》いていたんだ」アルバートはまわりにきこえるように大きな声でいった。「ついてきて」

　ケンナとゴショーク・フュアリーは、イーグルと並んで進んでいった。アルバートは、放浪者たちがなぜ季節に合わせてゾーンを移動するのかという説明を始めた。ケンナが次々に質問をする。スカンダーの顔に久しぶりに笑みが浮かんだ。

「アルバートは野生のユニコーンをちらっとみただけだったね」ミッチェルが驚いていった。

「ぼくたちはもうゴショークをみなれてる。でもアルバートはそうじゃないのに平然《へいぜん》としてた。エアリーにいた頃は、なにをみても怖がってたのに」

「よくユニコーンから落ちてたしね」ボビーもいう。

　フローは優《やさ》しくほほえんでいった。「本当の居場所をみつけたのね。わたしたちと同じ。わたしたちって――一本の枝《えだ》にとまった四羽《わ》の鳥みたいよね」両手を広げてスカンダーとボビーの首を抱く。ブレードが首をうしろに向けて、フローをにらみつけた。いったいなにをやるつもりなんだよ？　とでもききたそうだ。

　スカンダーは笑《わら》い声《ごえ》をあげた。いろんなことが前向きに動きだしたような気がしていた。「ひとつのさやの中の四つの豆、なんてどうかな」

「やめてよ。豆とか鳥とか」ボビーがいう。「フロー、なんでもかんでもいい話ふうにするのはやめて。もっとショッキングな言葉を選んだほうがいいよ。一度きいたら、そのイメージが頭から離れなくなるような。あたしたちは、ひとつの傷口《きずぐち》にたかる四匹《ひき》のうじ虫。そのほうがよくない？」

　フローは気分が悪くなったようだ。

　さらに一時間ほど歩き続けた。スカンダレルは土のトライアルでの疲れがまだ残っていて、いたずらをする余裕《よゆう》がないらしい。六頭のユニコーンはいくつもの丘の斜面を歩き、いくつものトンネルを抜《ぬ》け、低い山のふもとまでやってきた。スカンダーはなるほどと思った。これでは、だれの助けもなしに放浪者をみつけることはできないだろう。

「また土のゾーンにきたなんて、不思議《ふしぎ》な気分だよ」ミッチェルがつぶやいた。鍾乳獣《しょうにゅうじゅう》がまたどこからかでてくるんじゃないかとでもいうように、あたりをきょろきょろみまわしている。スカンダーもびくびくしていたが、土の元素の怪物《かいぶつ》よりも、ウィーヴァーが現れることのほうが怖かった。

やがて、イーグル・ドーンが山の岩肌《いわはだ》に作られた洞窟《どうくつ》に入っていった。ケンナは振り返って肩をすくめたあと、ゴショークとともにアルバートのあとに続いた。スカンダーもしかたなく闇《やみ》の中に入った。

いつものとおりだ、とスカンダーは思った。怖いもの知らずのケンナ。この洞窟からも、逃《に》げだそうとは思っていないらしい。

THE WANDERERS

第7章 放浪者《ほうろうしゃ》たち

アルバートとケンナに続《つづ》いて、スカンダーは真っ暗な洞窟《どうくつ》に入った。

「待《ま》ち伏《ぶ》せとかされないといいんだけど」ミッチエルがつぶやきながら、レッドをスカンダレルのうしろにぴったりつけた。レッドの炎《ほのお》の髪《かみ》があたりを照《て》らしてくれるのが、スカンダーにはありがたかった。

アルバートがくすくす笑《わら》った。「三秒たったら上をみてごらん。まわりがもっと……明るくなるから」

「なんだかもったいぶったいいかたをするなあ」ミッチェルは小声でいった。いらいらしているのがわかる。「髪をしゃれたポニーテールなんかにしちゃってさ」

「わあ！」ケンナの歓声《かんせい》が洞窟に響《ひび》きわたった。

「なんなの」フローが声にならない声でいった。黒いアフロヘアに混《ま》じった銀色の髪が、さっきまでなかった光を反射《はんしゃ》する。

スカンダーは顔をあげた。洞窟の天井《てんじょう》が、この世のものとは思えないほど美しい群青色《ぐんじょういろ》に輝《かがや》いている。輝きは夜空の星のようにちらちらと明滅《めいめつ》していた。ユニコーンたちもみとれている。

「これ、どういうことだ？」ミッチェルがいった。さっきまでのいらだちを忘《わす》れて、すっかり魅《み》了《りょう》されている。

「ツチボタルだよ」アルバートが明るく答えた。「発光する虫なんだ。ぼくたち放浪者が土の季《き》節《せつ》のすみかとしてこの洞窟を選《えら》んだのは、このためなんだよ」

「きれいね」フローがため息まじりにいった。

「ツチボタルって、肉食なんだよ」ボビーが大きな声でいった。

フローははあっと息をついた。「そんなこと、いわなくてもいいのに」

ボビーは自分自身を指差《ゆびさ》した。「あたしはいつも真実を語るの。語らずにはいられない」

「ほかのゾーンでも、こんなきれいなところに住んでるの？」ケンナがたずねている。

「もちろん」アルバートがウインクして、ケンナがにやりと笑った。「けど、光の洞窟がいちばん派手《はで》かな」

「ほら」さらに進んで青い光に近づきながら、ミッチェルがささやいた。「アルバートのやつ、なんかかっこよくなってる」

「ミッチェルもかっこいいよ」

「やめろよ、スカンダー」ミッチェルはため息をついたが、すぐに明るい表情《ひょうじょう》になった。「ジェイミーはかっこいいよな。あいつは最高《さいこう》だ。あんなにイケてるやつが、なんでぼくなんかと仲良《なかよ》くしてくれるんだろう。謎《なぞ》だよ」

「ミッチェルもイケてるからだよ」スカンダーはいったが、アルバートやツチボタルとなんの関《かん》係《けい》があるんだろう、と内心思っていた。

あちこちで分岐《ぶんき》した洞窟の奥深《おくふか》くまで入ってきたので、山の中にのみこまれてしまったような錯覚《さっかく》をおぼえる。前方の通路が急に広くなったかと思うと、岩棚《いわだな》にのせられたランタンの光がツチボタルの発する光に加《くわ》わり、おおぜいの人とユニコーンがみえるようになった。

ロープのぶらんこにすわった女性《じょせい》がふたり、身振《みぶ》り手振《てぶ》りを加えながらおしゃべりしている。ユニコーンの手入れをしている人たちもいる。みんなが着ている服は、元素《げんそ》とは関係のない色ばかりだ。紫《むらさき》、ピンク、オレンジ、茶、灰色《はいいろ》、クリーム色。岩のすきまで翼《つばさ》を大きく広げ、うとうとしているユニコーンたちがいる。湯気の立つ水たまりに浸《つ》かっているティーンエイジャーたちが声をかけてきた。「みつかったんだな！」「アル、いいぞ！」ひとりは去年ノマドになった、ヒンターランド・マグマに乗るチャーリーだ。

先のほうで火がごうごうと燃《も》えている。洞窟の天井に大きな穴《あな》が開いていて、煙《けむり》が外にでていくようになっている。まわりのなめらかな石にすわっている人々の話し声が少しずつ小さくなり、やがてきこえなくなった。エアリーのライダーたちがきたことに気づいたらしい。

第７章　放浪者たち

　女性がひとり立ちあがった。まわりの注目を引くような、落ち着いた雰囲気《ふんいき》がある。スカンダーたちは反射的《はんしゃてき》にユニコーンからおりた。炎の光が長身を照らす。その目はアメジストの色だ。こんなにめずらしい目の色があるだろうか。変異《へんい》のせいなのか、もともとなのかはわからない。白い髪をボブスタイルにして、ボビーのように前髪《まえがみ》もまっすぐ切りそろえている。話しかたは軽快《けいかい》で、しゃべることより歌うことを先におぼえたのではないか、という印象《いんしょう》を受けた。

「いらっしゃい、若《わか》いライダーのみなさん」両手を広げた。「わたしはエローラ。放浪者たちには先導者《せんどうしゃ》と呼《よ》ばれているわ。リーダーとして選ばれた人間なの」エローラはアルバートのほうに顔を向けた。「カッコウの鳴き声に応《こた》えてくれてありがとう」

　アルバートの両耳がピンク色になった。とてもうれしそうだ。「ケンナだよ」アルバートはケンナを指差した。「ケンナの弟、フロー、ミッチェル、ボビー」

　エローラがうなずく様子をみて、スカンダーは、もうみんなの名前を知っていたんじゃないかと思った。

「なにを求《もと》めてここにきたの？」先導者はきいた。そのとき、スカンダーの視界《しかい》の端《はし》で、若い野生のユニコーンが火に向かっていくのがみえた。エローラも気づいたのだろう。透明《とうめい》な角が光を放っていたからだ。でも、エローラは動かない。なぜだろう？　スカンダーはさっとあたりをみまわした。洞窟の中には若い野生のユニコーンが五頭いる。すでに腐《くさ》り始《はじ》めている体が、天井の青い光に照らされている。

「あぶない！」スカンダーは叫《さけ》んだ。仲間《なかま》たちもスカンダーと同じ方向をみて、自分のユニコーンの鞍《くら》に手をかけた。こちらを襲《おそ》ってくるかもしれないと思ったのだ。

「だいじょうぶよ」警戒《けいかい》するスカンダーに、エローラは穏《おだ》やかな声でいった。

「だいじょうぶって、なんで？」ミッチェルがいう。「この洞窟には野生のユニコーンがいる！」

「知っているわ」エローラはほほえんだ。「わたしたちに危害《きがい》を加えることはない。放浪者と野生のユニコーンたちは、ずっと前から友だち同士《どうし》なの。野生のユニコーンをモンスターみたいに扱《あつか》うのには反対よ」

ミッチェルは信《しん》じられない思いで反論《はんろん》しようとしたが、ケンナが片方《かたほう》の眉《まゆ》をつりあげてミッチェルをみた。

エローラが続ける。「荒野《こうや》にいる野生のユニコーンの子どもたちが、どれだけ苦労《くろう》していると思う？　この世に生まれた瞬間《しゅんかん》から、永遠《えいえん》に死ねないという運命を背負《せお》わされて、ひとりで生きていかなきゃならない。おとなの野生のユニコーンたちは縄張《なわば》り意識《いしき》が強いし、なかなか群《む》れに入れてくれない。もちろん、互《たが》いに戦《たたか》ったところで殺《ころ》し合《あ》うことはできないけど、だからといって、痛《いた》みがないわけじゃないわ。若いユニコーンはときどき、荒野からゾーンへと逃《に》げてくることがある。わたしたちはここで、彼《かれ》らの傷《きず》をできる限《かぎ》り癒《いや》してあげるの。また群れにもどれるだけの体力がつくまで、ここでかくまってあげるというわけ」

ケンナはとにかく感動している。スカンダーも同じ思いだった。野生のユニコーンが複雑《ふくざつ》な性《せい》質《しつ》を持っていることは、これまでの経験《けいけん》で知っていた。アガサがケンナたちに放浪者たちのところにいけといった理由が、これでよくわかった。

「野生のユニコーンたちは長いことここにいるわけではないけれど、わたしたちはできるだけのことをしてやっているわ。わたしたちは何世代も前から、若い野生のユニコーンたちの世話をしているの。そんなユニコーンたちの多くが、いまは荒野で群れを率《ひき》いているわ。だから彼らはわたしたちに敬意《けいい》を払《はら》ってくれるし、わたしたちも彼らを信頼《しんらい》している。野生のユニコーンは、放浪者たちを攻撃《こうげき》しないのよ」

「つまり、野生のユニコーンは組織《そしき》だった群れをつくっているってこと？　家族とか仲間みたいな感じで、感情《かんじょう》も共有《きょうゆう》してるのかな」ミッチェルがいった。

「もちろんそうよ」エローラは優《やさ》しく笑った。「ユニコーンは人間よりずっと賢《かしこ》いってこと、知らなかったの？　あなたたちがいま取りくんでいるカオス・トライアルの根底《こんてい》にある事実でしょう？　あなたがたのユニコーンは成長《せいちょう》し、人間のいうことが必《かなら》ずしも正しいとは限らないということを知ってしまった。問答無用《もんどうむよう》で従《したが》う必要《ひつよう》はないということも。だから今度は、あなたたちがユニコーンにふさわしいライダーに成長しなければならないのよ。野生のユニコーンだって、あなたたちのユニコーンと同じように賢いわ」

　めずらしくボビーが静《しず》かだ。黙《だま》ってエローラの話をきいている。「若い野生のユニコーンは、特定《とくてい》の放浪者と強い結《むす》びつきを持つことがあるわ。みせてあげる。ノア、こちらへ」

黒髪《くろかみ》の少年が、明るい炎のそばにやってきた。年齢《ねんれい》はスカンダーより二歳《さい》ほど下だろうか。同時に、ここにいるうちでも小さな体をした野生のユニコーンが、血の滴《したた》るような肉をむさぼるのをやめて、少年に近づいてきた。

スカンダーとスカンダレルは、野生のユニコーンの透明な角が少年にまっすぐ向けられているのをみて、どきりとした。ユニコーンがいつ少年を襲ってもおかしくない。しかし、ノアは手をのばし、ユニコーンの漆黒《しっこく》の体毛をなでた。首の中ほどにある傷口《きずぐち》には触《ふ》れないように気をつけてやっている。野生のユニコーンはぼろぼろの翼をうれしそうに震《ふる》わせた。スカンダレルがときどきやるのと同じしぐさだ。するとノアが笑《わら》い声《ごえ》をあげ、ユニコーンの首に両手をまわして抱《だ》きついた。

ノアとユニコーンは愛《あい》で結ばれている。その姿《すがた》は美しくもあり、おそろしくもあったが……ありえないものとも思われた。

反射的に、スカンダーはスカンダレルの肩《かた》にてのひらを置《お》き、気の元素《げんそ》を呼びだした。ノアはもともとこのユニコーンと運命で結ばれていたのではないか――それを確《たし》かめたかったのだ。ノアは、孵《ふ》化場《かじょう》にくることを許《ゆる》されなかった、失《うしな》われた気の使い手なのかもしれない。野生のユニコーンがこんなふうに人間になつく理由を知りたくてたまらなかった。

しかし、なにもわからなかった。潜在的《せんざいてき》な絆《きずな》があるとしたら、ノアの胸《むね》に元素の色がみえるはずなのに、なにもみえない。断《た》ち切《き》られた絆もない。

第７章　放浪者たち

　野生のユニコーンが突然《とつぜん》向きを変《か》え、スカンダーのてのひらに表れた気の元素をみつめ、一歩前にでた。スカンダーは手を握《にぎ》り、白い光をすばやく消した。野生のユニコーンが気の使い手に引《ひ》き寄《よ》せられることを忘れていた。

　ノアと野生のユニコーンはその場を離《はな》れ、いくつかのグループに分かれて楽しそうにしているほかの放浪者や野生のユニコーンたちのほうにもどっていった。

「いまの、どういうこと？」ボビーが最初《さいしょ》にいった。

　エローラは含《ふく》み笑《わら》いをした。「実のところ、わたしたちもよくわかっていないの。似《に》た者《もの》同士が惹《ひ》かれ合《あ》う、みたいなことかもしれないわね。あのユニコーンは、自分に好意《こうい》を持ってくれた人間を好《す》きになった。ノアも同じように、あのユニコーンを好きになった」

「けど、絆はないんだよね？」ミッチェルはそういってから、確認《かくにん》を求めるようにスカンダーにも目を向けた。

　エローラが答えた。

「島で絆と呼ばれているようなものは、ないわ」

　スカンダーは、去年、最初のライダーが墓《はか》で話してくれたことを思いだした。波の向こうから呼びかけてきた野生のユニコーンと友だちになり、魔法《まほう》を共有するようになった、とのことだった。そのユニコーンは野生のユニコーンの女王となり、最初のライダーはこの島をいまのようにつくりあげた。

野生のユニコーンはずっと昔から島に住んでいたということを忘れてはならない。この土地の元素の構成《こうせい》の奥深《おくぶか》いところに、野生のユニコーンたちは組みこまれているのだ。最初のライダーはそういっていた。そのとき、ふと土のトライアルでの出来事が頭に浮《う》かんだ。鍾乳獣《しょうにゅうじゅう》。消える地面。元素の魔法を使って戦うのではなく、元素の魔法そのものと戦わなければならなかった。放浪者たちに会ったことで、初《はじ》めて考えさせられたことがある。ぼくが目指しているのは、ああいうライダーになることなんじゃないか？

　フローが口を開いた。「あなたたちは、もともとどういう人たちなんですか？　どういう人が放浪者になるんですか？」横目でケンナをみる。ケンナはいまも、野生のユニコーンたちに目が釘付《くぎづ》けだ。

「こういう人が、みたいなくくりはないわね。ただ、島の伝統的《でんとうてき》なやりかたを拒否《きょひ》しているだけ。ユニコーンとのあいだに絆があるのにノマドを宣告《せんこく》された人もいるし、昔は絆を持っていた人もいる。絆を持っていない人もいる。だれでも仲間になれるのよ」

「助けてください」ケンナはゴショークを引いて火に近づいた。光がユニコーンの透明な角を照らす。「首長も評議会《ひょうぎかい》もシルヴァー・サークルも、野生のユニコーンと結ばれているわたしのことが怖《こわ》いっていうの」

「人は、なにかを恐《おそ》れていると、とんでもないことをしでかすものよね」エローラは悲しそうにいった。

「わたし、ここにいてもいいですか？」ケンナは小さな声でいった。島にきてから、ケンナがそのせりふを口にするのは、これで二度目だった。一度目は、エアリーにいさせてほしいとカザマ首長に頼《たの》んだとき。今回は、一度目とはちがう答えが返ってきた。とてもシンプルな答えだった。

「もちろん。いまだけでもかまわないし、しばらくいてもかまわないし、ずっといてもかまわない。好きなようにしなさい」エローラはなんでもないようにそういうと、ケンナをなめらかな石にすわらせた。ゴショークはほかの野生のユニコーンたちのところにいって、低《ひく》い声であいさつしている。

スカンダーは、こみあげる感情で胸が苦しいほどだった。こんな気持ちになったのは本当に久《ひさ》しぶりだ。だれかが親切にしてくれて、その見返りを求められないときに感じる、感謝《かんしゃ》と安堵《あんど》。昔、マーゲートに住んでいたとき、ボイラーが故障《こしょう》した。クリスマス直前なのに、緊急《きんきゅう》で配管工《はいかんこう》を呼ばなければならなかった。その日は父さんの気分がよくない日で、ケンナとスカンダーは首にマフラーを巻《ま》き、靴下《くつした》を何枚《なんまい》も重ねて、震えていた。修理《しゅうり》にいくらかかるんだろうと思うと不《ふ》安《あん》でたまらなかった。配管工はテーブルに身を乗りだし、請求書《せいきゅうしょ》を書いている。ケンナがそれを受け取り、スカンダーも首をのばしてそれをみた。書かれていたのは「メリークリスマス」のひと言と、サンタの帽子《ぼうし》をかぶった笑顔《えがお》のイラストだった。いまでもあの人の名前は忘れられない。

急にあたりが騒《さわ》がしくなった。たくさんの放浪者がユニコーンに乗って洞窟に入ってきた。釣《つ》り竿《ざお》や魚の入ったバケツを持ち、歩いて入ってきた人たちもいる。食事の支度《したく》を始めた人々をみているうちに、スカンダーは、彼らの手に孵化の傷があることに気がついた。ユニコーンの角が刺《さ》さったところが円形の傷になっていて、そこから五本の線が五本の指へと蛇行《だこう》しながらのびている。ただ、ここの人たちは、傷跡《きずあと》にさまざまな色のインクでさまざまな模様《もよう》を描《か》きこんでいる。てのひらを飛《と》ぶ小鳥たち。指に咲《さ》いたいくつもの花。あるライダーは、傷跡に向かって砕《くだ》けちる波の絵を描《か》いていた。

　みんなが火のまわりにすわっておしゃべりをしたり笑ったりしている。ケンナはスカンダーのとなりにいた。「わたし、ここならだいじょうぶ。とりあえずはね」魚の串焼《くしや》きをみつめていう。

「ぼくもいっしょにいられたらいいのに」スカンダーはつぶやいた。ここにいるみんなが、スカンダレルをほかのユニコーンとまったく同じように扱ってくれる。いつのまにか、自分たちが部外者だということを忘れてしまうほど、居心地《いごこち》がよかった。

「そうよね」ケンナが悲しそうにいった。「本当にむり？」

「カオス・トライアルは重要《じゅうよう》なんだ」スカンダーは自分にいいきかせるようにいった。「島にまた気の使い手たちがくることができるようにするためには、ぼくが勝《か》ち残《のこ》らなきゃならない」

「そっか」ケンナはいった。なにを考えているのか、表情からは読み取れない。「土のトライアル、通過《つうか》できてよかったわね。アガサからきいたわ。なんか、〝ケンナが逮捕《たいほ》されるぞ〟って騒ぎのせいで、それどころじゃなくなってたけど。火のトライアルはいつ？」

　スカンダーは肩をすくめた。「たぶん十一月か十二月だね。でも、ケンナ、ぼくはニーナと話してみるよ。できるだけ早くケンナがエアリーにもどれるように」

「わたしとゴショークね」

「うん」スカンダーは短く答えた。「もしケンナが火のトライアルまでにエアリーにもどれなかったら、トライアルが終わったらすぐに、ここにくる。そのあとのことを考えよう。鳥の笛は四種類《しゅるい》全部あるから、ケンナがどのゾーンにいてもだいじょうぶだよ」くすりと笑った。「どこにいたって、マーゲートよりはずっと近いんだし」

ケンナの顔にさっと影《かげ》が差した。姉を前のようには理解《りかい》していないんじゃないか、とスカンダーは思った。しかし、離れて暮《く》らしたのはたった二年だ。「ここがいやなら、別《べつ》の方法《ほうほう》をみつけなきゃならないよ」

「ううん」ケンナはきっぱりといった。「ここは好きよ。わたしとゴショークをみて、取って食われるんじゃないか、なんて顔をする人はいないもの。それに、そのうちニーナがわたしをエアリーにもどしてくれるかもしれない。ここにいるうちに魔法をおぼえることもできるしね」

「たしかに」スカンダーは、離ればなれになるなんていやだ、という気持ちを声にださないようにした。

「父さんには嘘《うそ》をつかなきゃね」ケンナはため息をついた。

「どういうこと？」

「わたしがエアリーにいるって書いてほしいの」

スカンダーは力なくうなずいた。父さんには、これまでに何度嘘をついただろう。父さんは、ケンナが野生のユニコーンと偽《にせ》の絆で結ばれていることを知らない。ぼくが気の使い手だってことを手紙に書いたとき、父さんはすごく驚《おどろ》いていた。そんなことは初耳《はつみみ》だったからだ。これ以上《いじょう》父さんに心配をかけたくない。

「あの音、なんだろう」ミッチェルがいった。

「音楽みたいね」フローがいって、首をかしげた。

「この歌、いいね！」ボビーが歓声をあげ、火の前で元気に踊《おど》りだした。放浪者たちもいっしょに踊りだす。

スカンダーはケンナに笑いかけた。「父さんの好きな歌だね！　この曲をきくと――」「レースの日だなって思う！」きょうだいは同時にいった。

ケンナはミッチェルの手をつかんだ。スカンダーはフローの手をとり、立ちあがらせる。

「トゥーラ、ルーラ……」ボビーが歌い、左右の放浪者とつないだ手を揺《ゆ》らす。

「どうしてこんな音楽がきけるの？」激《はげ》しく踊る人々の輪《わ》にフローとともに加わったスカンダーは、大声を張《は》りあげた。ミッチェルも、リズムに合わせてケンナが足を蹴《け》りだすのをみて大笑《おおわら》いしている。

歌の途中《とちゅう》で、ボビーが指差した。「禁輸《きんゆ》されてる本土のラジオだね。電波がこんなところまで届《とど》くんだ！　もっとボリュームをあげて！」

「放浪者って、違法《いほう》なものが好きみたいね」ケンナも音楽に負けまいと声を張りあげる。ボビーの大笑いがきこえる。

ケンナがスカンダーとフローに腕《うで》をからめてきた。フローは笑うのを止められないようだ。うれし涙《なみだ》を浮かべているのがみえる。スカンダーもうれしくなって、胸が弾《はず》んだ。去年フローが口にしたせりふが思いだされる。スカーもわたしも、普通のライダーだったらよかったのに、という言葉だ。いまはその気持ちがよくわかる。銀の使い手でも気の使い手でもなければ、もっと楽だったのに。もしそうだったら、毎日がこんなふうに楽しかっただろう。心配事も少なかったはずだ。

「ケンナ！　スカー！」フローが叫んで、顔を上に向けた。何百匹《ひき》ものツチボタルが、いっしょに踊っている。小さな金色の光を上下に揺らしながら、踊る人々の上を飛びまわる。スカンダーはつい、足元に気をつけるのを忘れて、つまずいてしまった。

ケンナが支《ささ》えてくれた。

体のバランスを取りもどしたとき、音楽がさらに大きくなった。スカンダーはケンナの両手をとり、体を大きくそらしたり、お互いをスピンさせたりして踊り続けた。ずっと笑っているので頬《ほお》が痛いくらいだ。頭がくらくらすることも、ゴショークに焦《こ》がされた親指の痛みも、どうでもよくなっていた。姉から離れたくない。この曲が永遠に続いてほしい。本土の音楽をきいていると、昔の生活がよみがえってくる。

スカンダーの表情をみてなにかに気づいたらしいケンナは、くるくる回るのをやめた。ほかの人々はまだ激しく踊っているが、どういうわけか、その風景《ふうけい》がぼやけてみえた。ふたりは、互いに視線《しせん》を交《か》わすだけで、胸の中の思いをすべて伝《つた》えようとしていた。

昔はこういうことがよくあった。相手の心を読み取ろうというわけではない。それができていると思いこむのは楽しかったが、厳密《げんみつ》にはちがうのだ。子ども時代をいっしょに過《す》ごした相手とは、希望《きぼう》や夢《ゆめ》を共有することができる。いちばん幸せな瞬間や、いちばん悲しい瞬間を、わかりあうことができる。スカンダーとケンナはこれまで何度も、こうして視線を交わしてきた。気分がよくない日の父さんにどうやって接《せっ》したらいい？　お金がないからふたりとも修学旅行《しゅうがくりょこう》にいけないね。父さんが保護者会《ほごしゃかい》にまたきてくれなかったよ。そんなさまざまな現実《げんじつ》を、無言《むごん》のうちに、ふたりで受け入れたり共有したりしてきたのだ。黙って視線を交わすほうが気持ちが伝わることがある。

ケンナの不安な気持ちも、いかないでという本心も、スカンダーにはわかっていた。ここにひとりで置いていかれたら、本土に置いていかれたときのことを思いだすだろう。

スカンダーの不安な気持ちも、ここに残《のこ》りたいという本心も、ケンナにはわかっていた。ただ、スカンダーがここに残っていたら、気の使い手は――ケンナも含《ふく》めて――これからもずっと追われる身であり続けることになる。

「でも、きっとまたそばにいられるようになるよね」ケンナがいった。「ライダーとして」

「きっとすぐだよ」スカンダーはそういって、この約束《やくそく》を絶対《ぜったい》に守ると心に決めた。なにがなんでも、絶対に。「トゥーラルーラ、トゥーラルーラー……！」みんなが前の人の腰《こし》に手を置き、一列になって踊っている。先頭はボビーだ。ケンナも加わったが、スカンダーは急に頭がくらくらして、悲しくてたまらなくなった。「ぼくはすわってるよ」声をかける。次の曲が始まった。

気づくと、となりに先導者がいた。踊る人々のまわりを飛んでいるツチボタルをじっとみている。エローラは、みる者を不安にさせるアメジスト色の目でスカンダーをとらえた。

「あなたのお姉さんのことなら、安心して。好きなだけここで暮らせばいい」

「ありがとうございます」スカンダーは小声でいった。「アガサもここでお世話になったといってました」

「アガサは優しい人ね。本人はそう思ってないみたいだけど」エローラはまじめな顔でいった。「わたしたちの秘密《ひみつ》をひとつも漏《も》らさずにいてくれてる」

秘密ってなんだろう。スカンダーは知りたかったが、それをきくのは失礼《しつれい》だと思い、別の質問《しつもん》をした。「あのツチボタルだけど、元素の魔法の力であんなふうに動いてるんですか？　温泉《おんせん》も、土の魔法で……？」

エローラの眼差《まなざ》しが強くなった。「この島には魔法があふれているわ、スカンダー。でもそれって、必ずしもあなたの思うような形で表れるわけじゃないの。絆と無関係《むかんけい》の魔法もあるし、戦《せん》闘《とう》では使えない魔法もある。島はいつもなにかを話している。なのにだれも、耳を傾《かたむ》けようとしない」

「真実の歌みたいに？」

エローラは肩をすくめた。「それもあるわ。けど、ここにツチボタルがいるのは魔法のせいじゃない。鳥たちが朝わたしたちを起こしてくれるのも、寒いときでも洞窟の中はあたたかいのも、魔法とは無関係よ。この島をよく理解すれば、それがわかる。野生のユニコーンたちがここにもどってくるのも、元素の魔法のせいじゃない。わたしたちがユニコーンに優しくする、それだけのこと。ほかのみんなとちがってね。ユニコーンたちはそれをずっとおぼえていてくれてるの」

スカンダーは、恐れていることをきいた。「島はあの状態《じょうたい》のケンナをいつか受け入れてくれると思いますか？」

「わからないわ」エローラは正直にいった。「わたしにわかるのは、島が、戦闘に勝つよりずっと大切なことがあるのを忘れてしまったってこと。リーダーにふさわしいのは、静かな人。心のあたたかい人。なにがなんでも戦いに勝とうとする人じゃない」

スカンダーはため息をついた。カオスカップに出場するライダーになるというぼくの夢は、どこまで正しいものなんだろう。いまの話をきいたあとではますますわからなくなってしまった。ぼくが幼《おさな》い頃《ころ》からずっと手に入れたいと思っていたものすべてを——エアリーで訓練《くんれん》を受けることも、いつかカオスカップに出場することも——ここにいる人たちは拒絶《きょぜつ》している。なんだか落ち着かない気分だ。エローラのいうことは正しいんだろうか。島は進む方向をまちがえてしまったのか？

　エローラはスカンダーが混乱《こんらん》しているのに気づいたようだ。片手《かたて》をスカンダーの肩に置いた。

「本気で望《のぞ》めば、状況《じょうきょう》は変えられるわ。あなたたち四人組をみて、わたしは希望を持つことができた」ケンナといっしょに踊っているミッチェルを指差した。「他人とちがうことをきらっていた少年が、野生のユニコーンと絆で結ばれた少女といっしょに踊っている」列の先頭で踊っているボビーを指差す。「模擬《もぎ》レースに勝つために非情《ひじょう》に徹《てつ》していた少女が、チームワークを大切にしている」そして最後《さいご》にフローとスカンダーを指差した。「さっきまで、銀のライダーと気のライダーが、ツチボタルの下でいっしょに踊っていた。これこそ変化《へんか》の兆《きざ》しだといえるんじゃないかしら」

　スカンダー、ボビー、フロー、ミッチェルの四人組は、光の洞窟でひと晩《ばん》を過ごした。真夜中頃にラジオが切られ、放浪者たちは、岩を深く削《けず》って作ったくぼみに横になった。こんなところで眠《ねむ》れるのかな、とミッチェルは不安そうだったが、岩にはふかふかの苔《こけ》が生えていたし、手編《てあ》みの毛布《もうふ》も用意されていた。

　まわりが静かになったとき、ボビーがスカンダーの寝《ね》ているくぼみをのぞきこんだ。「ねえ！」

「なんだよ！」スカンダーは文句《もんく》をいったが、ボビーはスカンダーの体を横に押《お》して、狭《せま》いすきまに入りこんできた。ふたりは肩を並《なら》べ、脚《あし》を組んですわった。

「ここをでる前に、ケンナと話すんだよね？」ボビーがいう。

「もちろん」

ボビーは舌打《したう》ちをした。「そうじゃなくってさ。卵《たまご》のことだよ！」

スカンダーは足元の苔をつかんでむしりとった。「なにも知らないっていってる」

「もう！　あんたの目は節穴《ふしあな》なの？　ケンナのことになるといつもその調子なんだから！　ケンナは何週間も、ウィーヴァーといっしょにいたんだよ！　論理的《ろんりてき》に考えれば、卵のありかに心当たりがあるはずでしょ」

「論理的に考えるって？　ミッチェルみたいだな」スカンダーはつぶやいた。「ぼくはケンナを信じてる」

「わかってないなあ」ボビーは剥《は》がれかけた紫色《むらさきいろ》のマニキュアをいじった。「スカンダーとケンナはすごく仲良しでしょ。ケンナはスカンダーといっしょにいたくて、海を渡《わた》ってきた。あたしと妹のイザベルはそんなんじゃない。あたしが本土をでてくるとき、ちゃんとお別《わか》れのあいさつもしなかったくらい。いつだってけんかしてたし。あたしはユニコーンを自分だけのものとして大切にしたかったのに、イザがその世界にむりやり割《わ》りこんでくる。正直、あの子と三年間離れていられるって思ったら、すごくうれしかった」

「妹さんのこと、めったに話さないもんね」スカンダーは優しくいった。「どうして？」

「だってそうでしょ」ボビーは半分笑いながらいった。「スカンダーとケンナには、壮大《そうだい》なきょうだいの物語があるじゃない。どうしたらそんなきょうだいになれるのか、あたしにはわかんない。けどいまは、イザが予備試験《よびしけん》に受かったとしても孵化場の扉《とびら》を試《ため》すことはできないんだよ。あたしは前から――」

「妹さんがライダーになるはずだって思ってたんだよね」スカンダーが続けた。

「うん。イザベル・ブルーナはなにをやっても完璧《かんぺき》なの。当然《とうぜん》、運命のユニコーンと結ばれるはず。この二年間、あたしはずっと思ってた。イザが島にきたときは、前よりいいお姉さんになれるようにがんばろうって。ユニコーンと生きる日々を妹と共有しようって」ボビーは大きなため息をついた。「基本的《きほんてき》に、フロー・シェコニといっしょに暮らしてるうちに、性格《せいかく》が移《うつ》ってきちゃったっていうか。だけど、卵がなかったら、妹との関係をよくするチャンスそのものがなくなっちゃうんだよ」

スカンダーは深く息を吸《す》った。「もう一度ケンナと話してみるよ。同じことかもしれないけど、でも、話してみる」

ボビーはうなずいた。「気の使い手くん、あんたはいい人だね」そして自分の寝床《ねどこ》にもどっていった。

スカンダーは洞窟の住人たちが眠りにつくのを待って、そばで眠っているスカンダレルに忍《しの》び足《あし》で近づいた。ケンナの運命のユニコーンがどうしているか、夢で様子をみたかった。

　スカンダレルは近づいてくるスカンダーを黙ってみていた。土のトライアルでのスカンダーの働《はたら》きをみていて、自分が望んでいるものかどうかを判断《はんだん》し、これなら自分のライダーとして合格《ごうかく》だと思ってくれたのではないだろうか。

　スカンダレルはまばたきをして、きゅうっと小さく鳴くと、翼を持ちあげた。羽の先端《せんたん》から小さな火花がでる。脇腹《わきばら》に寄《よ》り添《そ》ったスカンダーの褐色《かっしょく》の髪を食べるようなしぐさをして、あたたかい吐息《といき》を耳に吹《ふ》きかけた。スカンダーのまぶたが閉《と》じようとした瞬間、スカンダレルは苔に火をつけ、絆の中に水の元素を送りこんだ。スカンダーはブーツで火を消さなければならなかった。スカンダーとスカンダレルがとうとう眠りに落ちたとき、絆にはスカンダレルのいたずら心が残っていたが、スカンダーは疲《つか》れた脳《のう》を集中させ、ケンナの運命のユニコーン——灰色のまだら模様のユニコーンのことを考えた。


スカンダーは、硬《かた》い地面に脚を組んですわっていた。別人《べつじん》になっていた。短パンをはいていて、ひざがみえている。ケンナだろうか。いや、肌《はだ》がケンナより焼《や》けている。どういうことだ？どうやってここにきたんだろう。ケンナではない。顔をみてみよう。夢の中の自分から意識を離せばいい。そう思った瞬間、となりにウェーブのかかった褐色の髪と水色の目をした少年がすわっていた。スカンダーより二歳くらい年上だ。

そのとき、あまりにも突然、自分が立ちあがったことに気がついた。また意識が体にもどっている。でも、さっきとは別の体だ。両手の肌は濃《こ》い褐色で、爪《つめ》が蛍光《けいこう》ピンクに塗《ぬ》ってある。十代の女の子だ。黒い髪を長い三《み》つ編《あ》みにして、両肩《りょうかた》に垂《た》らしている。その顔がみえた瞬間、スカンダーの意識はまた別の人間の体にあった。その人の目でみているのだ。鼻になにか重いものが載《の》っている。手で触れてみると、眼鏡《めがね》をかけていることがわかった。ところが、フレームに触れた瞬間、目の前にいるのは少女ではなく老人《ろうじん》になっていた。そのうち、息が苦しくなってきた。他人の体から抜《ぬ》けだしたい。どの体の中にもいたくない。希望のせいだ。大きすぎる希望に押しつぶされそうで、そのせいで息が苦しくて——


苦しくて目がさめた。スカンダレルが小さな鳴き声を漏らす。先導者がスカンダーとスカンダレルをみおろしていた。

「メンダーの夢をみたの?」エローラが興味《きょうみ》深《ぶか》そうにきいた。「きいたことはあるんだけど、みたことはなかった」

　スカンダーは夢のせいでまだぐったりしていた。「三人いた。こんなの、初めてだ。いつもはケンナとまだら模様のユニコーンがみえるだけなんだ。すごく奇妙《きみょう》な夢だった。三人の体から抜けだすことができなくて、自分が自分じゃなくて、だけど——」いつのまにかしゃべっていた。そのときにはもう、エローラの紫色の目に、わかったわという表情が浮かんでいた。

「ケンナの運命のユニコーンが島にいるのね？　野生のユニコーンなの？」

「そうです」

「あなたはメンダーなの？」

「ときどき、ケンナのユニコーンの様子をみてるだけです。ケンナの絆を作り直してあげたいけど、もう手《て》遅《おく》れだから。ウィーヴァーが、ケンナとゴショーク・フュアリーのあいだに偽の絆を作ってしまったんだ。どうしたら絆を繕《つくろ》うことができるのか、ぼくにはわからないけど、でも、できるなら……」

「ケンナとゴショークの絆を断ち切るつもりではないのね？」エローラの口調が急に厳《きび》しくなった。

「ぼくは――」六月からずっと考えていることを、どう話せばいいのかわからない。

「スカンダー」エローラは真剣《しんけん》な表情でいった。「偽の絆を断ち切ったとき、ライダーになにが起こるか――だれも知らないことなの。ケンナを傷つけることになるかもしれない。命を落とすおそれだってあるのよ」

「それこそ、ぼくが知りたいことなんです！」

「よくきいて」エローラは力をこめていった。「あなたには、それを突《つ》き止《と》めることはできない。本当よ。わたしも何年もかけて調べたの――銀の要塞《ようさい》で」

「銀の――」言葉が続かない。「あなたは銀のライダーなんですか？」

エローラはうなずいた。「ウィーヴァーが二十四頭のユニコーンを一日で殺してしまったあと、銀のライダーが何人か呼ばれて、それ以上の殺戮《さつりく》を止める手立てを探《さが》せといわれたの。わたしたちは〝入《い》れ替《か》え〟という仮説《かせつ》について考えていた。偽の絆で結ばれたライダーとユニコーンがいるとして、そのライダーとユニコーンそれぞれが本来結ばれるべきだったユニコーンとライダーをみつけることができたら、絆を入れ替えることができるんじゃないか、というものよ。絆を断ち切るのではなく、入れ替えるの。偽の絆を作るのではなく、絆を作り直す。運命の絆は偽の絆より強いはずだから、運命のユニコーンと結ばれることができるだろう、と考えた。この仮説、あなたもきいたことがあるんじゃない？　だからこそ、ケンナの運命のユニコーンの夢をみようとしているのよね？　わたしたちは、ウィーヴァーの運命のユニコーンを探そうとしたけど、それはできなかった。当時、ウィーヴァーの正体がわかっていなかったから」

「でも、ブラッドムーン・エクウィノクスは、もう死んでいたはずです」スカンダーはいった。エローラは、スカンダーが入れ替えの仮説を知っているものと思いこんでいたが、そうではなかった。スカンダーにとっては初めてきく仮説だったし、ずっと知りたかったことでもあった。

「たしかに。入れ替えの仮説を確かめることはだれにもできなかった。ほかの仮説も同様ね。結《けっ》局《きょく》、気の使い手を全員集めて隔離《かくり》するしかなかった」エローラは申《もう》し訳《わけ》なさそうにいったが、スカンダーは気にも留《と》めていなかった。

「つまり、ぼくがゴショーク・フュアリーの運命のライダーをみつけることができたら、ケンナと入れ替えることが――」

「ちがうわ」エローラはきっぱりといった。「わたしがいいたかったのは、このことをすべて忘れなさい、ということよ。ケンナとゴショークを、島の型《かた》にはめようとするのはまちがってる。ありのままのケンナを受け入れなさい。あなたの望むケンナではなく」顔をそらした。「少し眠りなさい」

頭の中がぐるぐるして落ち着かない。そのうち朝食のにおいがしてきた。先導者はわかっていない、とスカンダーは思った。ぼくはケンナを受け入れている。島は受け入れてくれない。でも、ケンナが放浪者のところに身を隠《かく》すような生活が永遠に続いてほしくないのだ。ケンナがエアリーで訓練を受けられるようになってほしい。

出発のときがきた。ケンナがスカンダーを抱きしめる。「別れって、いやね」

「そうだね」スカンダーはケンナの頭に向けてつぶやいた。「やっと再会《さいかい》できたばかりなのに」

「ねえ、本当に帰っちゃうの？」ケンナがもう一度いって体を離し、スカンダーの目をみつめた。

「ぼくだって帰るのはいやだよ。でも、ニーナに話をしないと。考えていることがあるんだ。きっとなんとかするよ」頭の中は新しい希望に満《み》ちていた。絆を入れ替える。本当にうまくいくだろうか。

ケンナはため息をついた。「しかたないから、アルバートって子と友だちになろうかな。けっこうかっこいいしね」

スカンダーはケンナから手を離した。「どういう意味？　アルバート？」

「落ち着いてよ」ケンナはあきれたように天を仰《あお》いだ。スカンダーはそれをみて思った。ケンナって前からこんな表情をしていたっけ？　それともボビーの癖《くせ》が移ったのかな？　あっ、ボビー。そういえば、ボビーと約束をしてた。

「ケンナ？」スカンダーはいった。なぜか声が震えてしまう。「卵のことだけど、いまどこにあるか、本当に心当たりがないんだよね？」

「なにか知ってれば話してるって」ケンナは悲しそうな声でいった。

「そう思ってるけど」スカンダーはいった。これからお別れというときに、こんな話をしていたくない。

「すぐに迎《むか》えにきてね」ケンナはもう一度スカンダーをハグした。

「すぐにくるよ。ぼくに会えなくて寂《さび》しいと思うまもないくらいに。変異のこと、気をつけて」

「だいじょうぶよ」ケンナは一歩さがった。その動きをみて、スカンダーの胸に痛みが走った。

まもなく、エローラが四人組を光の洞窟の入り口まで送ってくれた。「カオス・トライアルでの健闘《けんとう》を祈《いの》るわ。あくまでもわたしの意見だけど、アドバイスをひとつあげるわね。石のために戦うのは大切だけど、そのために自分を見失《みうしな》わないように気をつけなさい」

光の洞窟を離れたあと、スカンダーはうしろめたい気持ちにさいなまれていた。またケンナを置いてくることになってしまった。偽の絆で結ばれた野生のユニコーンとともに。しかし同時に、頭の中では、新しい計画が形作られつつあった。

エローラがいっていた仮説が正しければ、偽の絆ひとつを、運命の絆ふたつに入れ替えることができる。ケンナは灰色のまだら模様のユニコーンと結ばれる。ゴショークの運命のライダーがみつかれば、本物の絆で結ばれることになるだろう。そうしたらエアリーはケンナを受け入れてくれるはずだ。偽の絆が引き起こす問題についても、四つの元素の変異についても、もう心配しなくていい。しかも、二頭の野生のユニコーンを、永遠に死に続ける運命から救《すく》ってやることができる。

なにかに取りつかれたようなウィーヴァーの顔を思いだすと、体が震えた。野生のユニコーンとのあいだに絆を作った代償《だいしょう》だ。姉にはあんなふうになってほしくないと思うのは、そんなにまちがったことなのか？

横目でフローとボビーとミッチェルをみた。これ以上、ひとりで戦うことはできない。

仲間たちに話してみよう。それから首長のところにいこう。

HOPE

ケンナ

希望《きぼう》

ケンナ・スミスは希望を持つことにした。

希望とは、アルバートが笑《わら》わせてくれること。怪物《かいぶつ》ではなく人間として扱《あつか》われること。ほかの人たちといっしょに火にあたり、若《わか》いユニコーンたちがゴショークに寄《よ》り添《そ》うのをみていること。

希望とは、学ぶこと。放浪者《ほうろうしゃ》とともに新しい暮《く》らしを学ぶこと。ひとりになるのを許《ゆる》されること。島の魔法《まほう》の息づかいに耳を傾《かたむ》ける、そのやりかたを学ぶこと。

希望とは、野生のユニコーンを愛《あい》する仲間《なかま》たちと出会う喜《よろこ》び。しばらくはここにいてもだいじょうぶだと信《しん》じ、ゴショークのかび臭《くさ》い翼《つばさ》の下でぐっすり眠《ねむ》ること。

希望とは、信じること。エアリーにもどる可能《かのう》性《せい》がきっとあると信じること。スカンダーが迎《むか》えにきてくれると信じること。子どもの頃《ころ》の夢《ゆめ》がいつかなうと信じること。

放浪者のところにきてから一週間ほどたったとき、エローラが初《はじ》めて訓練《くんれん》に参加《さんか》させてくれた。ゴショークにまたがり、土のゾーンを照《て》らす九月末《まつ》の日差《ひざ》しの中に進みでる。骨《ほね》の浮《う》きでたユニコーンの背《せ》にすわり、堂々《どうどう》と胸《むね》を張《は》った。ここではだれも、ゴショークが野生のユニコーンだということを気にかけない。偽《にせ》の絆《きずな》のことをなんともいわない。

放浪者のライダーたちは、エローラとエローラのユニコーン、シルヴァー・ソルジャーの前に整列した。先導者《せんどうしゃ》が土の使い手であり銀のライダーであることをきいて、ケンナは信じられない思いだった。銀と土――フロー・シェコニと同じだ。それを知ったときは、胸が躍《おど》ったものだ。でもこの人は、持っていた素晴《すば》らしいパワーを手放し、島の伝統《でんとう》を拒絶《きょぜつ》する道を選《えら》んだのだ。いま、ケンナとゴショークを追っているであろう、この島に逆《さか》らって生きている。アメジストの目をしたエローラから訓練を受けていると、ケンナはこれまでにないほどの希望を持つことができた。放浪者はみな、自分を信頼《しんらい》してくれている。自分を信頼してくれる銀のライダーがいる。

イーグル・ドーンの姿《すがた》がみえた。翼の端《はし》に火をつけては、そばにいる放浪者をむせ返らせるのが好《す》きなユニコーンだ。そのたびにアルバートは水の元素《げんそ》を呼《よ》びだし、申《もう》し訳《わけ》なさそうにイーグルの火を消す。

「だいじょうぶ？」ケンナはゴショークをイーグルの横に並《なら》べて、きいた。いまもイーグルの角のまわりに黒々とした煙《けむり》が渦巻《うずま》いている。

アルバートは肩《かた》をすくめた。「三歳《さい》なんだ。こんなものだよ。ぼくよりずーーっとパワーがあるってことに気づいてしまったんだ。けど、心配はいらない。ケンナ、今日は初めての訓練だね！　楽しむといいよ！」にやりと笑う。ケンナも笑《え》みを返した。素直《すなお》に笑えるようになってきた。スカンダーがひとりで島にいってしまったときから、口角があがらなくなっていたのに。

「今日は新しいライダーがいるわ」エローラがみんなにいった。「優《やさ》しくしてあげてね」

ほかのライダーたちが手を振《ふ》り、歓迎《かんげい》の声をかけてくれたので、ケンナは赤面した。ここではだれも、スカンダーのようなアーマーをつけていないし、好きな色の服を着ている。年齢《ねんれい》はさまざまだ。下は十四歳くらいから、上は七十歳くらいまで。それぞれの元素《げんそ》の変異《へんい》がある。ダイヤモンドの目をした者。巻《ま》き毛《げ》に花が咲《さ》いている者。スカンダレルのような鞍《くら》をつけているユニコーンはいない。むきだしの体毛が深紅《しんく》や鉄っぽい灰色《はいいろ》や雪のような純白《じゅんぱく》に輝《かがや》いている。

「まずはお手本をみてもらいましょう」エローラがいった。

「ケンナ、きっと楽しめると思うよ」アルバートがささやいた。「このこと、エアリーには知られてないんだ。もどっていっても、全部秘密《ひみつ》にしなきゃならないよ」

いちばん年長の放浪者が前にでて、エローラとシルヴァー・ソルジャーに近づいた。背後《はいご》の山が、雑草《ざっそう》がのび放題《ほうだい》の野原にくっきりした影《かげ》を落としている。ケンナは前の晩《ばん》、火の前でその人と話をしていた。オットーという名の風の使い手で、灰色のユニコーンの名前はスクリーチアウル・ストライク。

エローラとオットーはそれぞれのユニコーンからおりて、少し離《はな》れた。ケンナはがっかりした。魔法がみられると期待していたのに。

ふたりは十歩ほど前にでて、片手《かたて》を前にだした。孵化《ふか》の傷跡《きずあと》がはっきりみえる。エローラの傷跡には青葉の模様《もよう》が描《か》きこんである。オットーの傷跡には、一対《いっつい》の金色の翼。ふたりのうしろで、ソルジャーとストライクが後足立ちになり、前足のひづめから火花を散《ち》らした。エローラが紫色《むらさきいろ》の目を閉《と》じた。オットーも目を閉じる。

「なにを――」ケンナはアルバートにきこうとしたが、アルバートは優しくケンナを黙《だま》らせた。

「すぐにわかるよ」

直後、ありえないことが起こった。ふたりのてのひらに光が宿った。

オットーが黄色く光るてのひらを上下に動かしながら、ゆっくりと円を描《えが》くように歩き始めた。風がみるみる強くなる。やがて、たくさんの鳥が集まってきた。ツバメ、ズアオアトリ、アマツバメ、ミソサザイ、コマドリ。鳥たちは互《たが》いに呼び合いながら、楽しそうに歌を歌い、渦巻く風に乗ってあたりを飛《と》びまわった。

エローラは、緑色に光るてのひらを自分の足元の地面に向けた。すると、ケンナの目の前で、草が勢《いきお》いよく生えてきて、エローラの腰《こし》の位置《いち》までのびた。花も咲いている。バラ、ダリア、アジサイ、ラン、ユリ――やがて先導者は自分が作ったブーケに包《つつ》まれた。

放浪者たちは手を叩《たた》いていたが、ケンナはただただ驚《おどろ》いて、目を見張《みは》るばかりだった。エローラとオットーは、ユニコーンと触《ふ》れ合《あ》うことなく魔法を呼びだしたのだ。そんなことができるなんて、信じられない。これができるようになれば、エアリーにもどったとき、ほかのハッチリングたちより有利《ゆうり》になる。模擬《もぎ》レースで優勝《ゆうしょう》できるかもしれない！

その考えを口にださずにはいられなかった。「どうしたらそんなことができるの？　教えてもらえるの？　わたしにもできるの？　ゴショークは……みんなのユニコーンとはちがうけど」

エローラは開いていた手を握《にぎ》り、ブーケの中心から歩みでた。オットーも風を止める。鳥たちがひとかたまりの雲のようになって、山のほうに飛んでいった。

「もちろんよ、ケンナ」エローラがいった。「ゴショークは五つの元素を持っている。島の基本《きほん》的《てき》な特性《とくせい》と、より強いつながりがあるということよ」

「でも、ユニコーンに触れずに魔法を呼びだすなんて――どうしたらそんなことが？」

「耳をすませること。足元にある元素のささやきをききとること。元素の季節《きせつ》の変化《へんか》を理解《りかい》すること。信じること。ライダーがユニコーンの魔法を使うのに、限度《げんど》はないの。昔からそうよ。大切なのは信頼と自信《じしん》。絆は心と心を結《むす》ぶものだから――そうでしょ？　ユニコーンの命や魔法と結ばれているなら、物理的《ぶつりてき》に触れ合う必要《ひつよう》はないの」

ケンナは興奮《こうふん》を抑《おさ》えきれなかった。「戦闘中《せんとうちゅう》は無敵《むてき》になるわ。ユニコーンが元素の魔法を呼びだす一方で、ライダーは離れたところでそれを使い――」

途中《とちゅう》で口をつぐんだ。先導者の紫色の目が険《けわ》しくなったからだ。ほかの放浪者たちからも批判《ひはん》の声があがり始めた。

「ケンナ・スミス、わたしたちが魔法を戦闘のために使うことは絶対《ぜったい》にない」エローラはきっぱりといった。「放浪者は元素をそんなふうには使わない。ここで暮らしていたければ、そのルールはしっかり守ってちょうだい」

「絶対にない？」ケンナ・スミスは小声でいった。「攻撃《こうげき》されたときも？」

「ええ、そうよ」エローラが答える。「そのルールを守ることで、自然《しぜん》のままの魔法を使うことを許されているの。悪用したり、他人に危害《きがい》を加《くわ》えるために使ったりはしない。わかった？」

　ケンナはすばやくうなずいたが、頭の中は母親のことでいっぱいだった。

　エリカ・エヴァーハートはいつも、人生を戦闘になぞらえて話していた。自分が自分らしくあるためには、全世界を敵《てき》にまわして戦《たたか》わなければならない、と。でも、戦闘なんか全然《ぜんぜん》必要ないのかもしれない。戦わなくても生きていけるのかもしれない。

SOUL-SHINE

第８章
魂《たましい》の輝《かがや》き

放浪者《ほうろうしゃ》のところからもどってきたあとの数週間、スカンダーはケンナの居場所《いばしょ》について尋問《じんもん》を受《う》け続《つづ》けた。エアリーは再《ふたた》び、スカンダーに関《かん》するうわさで持ちきりになった。どこにいっても、ひそひそ声がきこえてくる。毎日のように評議会《ひょうぎかい》広場《ひろば》に呼《よ》びだされ、七人の評議員《ひょうぎいん》やシルヴァー・サークルの人々や高位《こうい》の衛兵《えいへい》たちから尋問を受けているのに、ケンナのことをカザマ首長に相談するチャンスには、まだ恵《めぐ》まれていない。

いまは、役所のような大きなツリーハウスの中にいた。広場の中でも、風のエリア側《がわ》にあるツリーハウスだ。正面にいる司法担当《しほうたんとう》の評議員が、みんなと同じ質問《しつもん》をしてくる。「あなたのお姉さんはどこにいるの？」

「知りません」

「お姉さんがいなくなった夜、あなたはどこにいたの？」

「野草の丘《おか》にいました」スカンダーはすらすらと答えた。

フローの両親は、ケンナがいなくなった夜は四人組が野草の丘でひと晩《ばん》を過《す》ごした、とみんなに話してくれた。自分が刑務所《けいむしょ》に放りこまれずにすんでいるのはシェコニ家の影響力《えいきょうりょく》のおかげだ、とスカンダーは確信《かくしん》していた。

「お姉さんが姿《すがた》を消したあと、連絡《れんらく》はないのですか？」

「ありません。これまでに何度も何度も答えたとおりです」スカンダーは歯噛《はが》みしながら答えた。「カザマ首長に会わせていただけませんか？　話したいことがあるんです」

司法担当の評議員は舌打《したう》ちをした。眼鏡《めがね》の奥《おく》の大きな緑色の目は、メモを取るたびに、黒い前《まえ》髪《がみ》に隠《かく》れてしまう。「カザマ首長は忙《いそが》しいのです。あなたのような……」

「ぼくのような、気の使い手のためには時間を取れないと？」スカンダーはきいた。

評議員は気まずそうに咳払《せきばら》いをした。「カザマ首長はいま、島全体の捜索《そうさく》をする人員を手配しているところです」

もちろん、ニーナが大々的《だいだいてき》に捜索活動を指揮《しき》することは知っていた。元素《げんそ》の広場でのスピーチをききそこねた人のために、スピーチの内容《ないよう》が〈ハッチェリー・ヘラルド〉紙に紹介《しょうかい》されていた。島じゅうの石をひとつ残《のこ》らずひっくり返してでも、孵化場《ふかじょう》の卵《たまご》を探《さが》しだす――そんなふうに書かれていた。

ありがたいことに、数分後には司法担当の評議員の部屋からでることができた。外のベンチにボビーとフローとミッチェルがすわって待っていてくれた。今日の尋問に呼ばれたのはスカンダーだけではない。四人組全員に疑《うたが》いがかけられていたのだ。

　スカンダーはフローの横に体をねじこむようにしてすわった。その瞬間《しゅんかん》、三人がおしゃべりをやめる。この数日間は、そういうことがよくある。ケンナとゴショークについての秘密《ひみつ》の計画を打ち明けてからだ。

「だいじょうぶだよ」スカンダーはため息をついた。「なにを話してたのか、なんとなくわかる」

「スカー、わたしたちはただ――」フローはいいかけて、スカンダーの腕《うで》に触《ふ》れた。「――この話をしたら、ケンナを動揺《どうよう》させるんじゃない？　運命のユニコーンと結《むす》ばれたいなんて思ってないんじゃないか、ゴショークさえいればいいと思ってるんじゃないか、わたしはそれが気になってるの」

　ミッチェルはフローとはちがう意見のようだ。「けど、偽《にせ》の絆《きずな》と本物の絆が同じなわけないよね。ケンナは運命の絆を持ったことがない。だから、自分が失《うしな》ったのがどういうものなのか、わからないんだ。ぼくは、スカンダーの計画は理にかなってると思うよ。野生のユニコーンが二頭、永遠《えいえん》に死に続ける運命から救《すく》われるんだ！　そしてライダーがふたり、運命のユニコーンと結ばれる」

「でも、どうやったらできるの？」ボビーがせかすようにいった。「偽の絆ひとつと、運命の絆ふたつを入《い》れ替《か》えるなんてさ。ゴショークの運命のライダーがだれだかわからないのに、どうやってみつけるの？　それにスカンダーは、絆を繕《つくろ》う方法《ほうほう》なんて知らないんでしょ？　なにをどんなにがんばっても、むだなんじゃないかと思う。それより、卵の捜索に集中したほうがいいよ！」

　これでは混乱《こんらん》するばかりだ、とスカンダーは思った。このあいだまで、四人組の意見はいつも一致《いっち》していた。重要《じゅうよう》な問題については特《とく》に、心をひとつにして立ち向かっていた。

「あのさ」穏《おだ》やかに話し始めた。「いまはみんなの意見が一致してなくてもいい。まだケンナに会いにいくことはできないんだし。いまやりたいのは、ケンナは危険《きけん》な存在《そんざい》じゃないってことをニーナにわかってもらうってことと、絆を入れ替えることができるかもしれないって話をすることなんだ。その一方で、ぼくはメンダーの夢《ゆめ》をみて、ゴショークの運命のライダーを探すつもりだ」

「ぼくは図書館にいって、クレイグといっしょに、偽の絆についての情報《じょうほう》を探してみるよ。偽の絆を作ろうとしたのはウィーヴァーだけじゃないはずだ」ミッチェルがいった。横目でスカンダーをみる。「でもさ、スカンダーがぼくに黙《だま》っていろいろ調べてたなんて、信《しん》じられないよ。しかも、ぼくの大好《だいす》きな書店の店主と組んでさ。なんだか裏切《うらぎ》られた気分だ」

　ボビーはあきれたというように天を仰《あお》いだ。

「ケンナにこれ以上《いじょう》の変異《へんい》が表れないといいわね」フローがいう。

「スカンダー・スミス」

　衛兵がベンチのそばに立ちどまった。仮面《かめん》がぎらついている。「首長が面会するそうだ」

「いま？」スカンダーは心の底《そこ》から驚《おどろ》いた。何日も前から面会を申《もう》し込《こ》んで、実現《じつげん》していなかったからだ。

「いいから、いけよ！」ミッチェルが小声でいう。

スカンダーは仲間《なかま》たちのほうに視線《しせん》を向けてから、きいた。「四人いっしょにいってもいいですか？」しかし衛兵は首を横に振《ふ》り、歩きだした。

「うまくいくといいわね！」フローの言葉をききながら、スカンダーは小走りで衛兵を追った。

衛兵は風のツリーハウスに入って廊下《ろうか》を少し進み、評議会室に入った。竜巻《たつまき》の形をした椅子《いす》に評議員全員がすわっているんだろうとスカンダーは思ったが、部屋にはだれもいなかった。

衛兵はニーナの稲妻《いなずま》の椅子にまっすぐ近づいていき、スカンダーもそこにくるようにと身振《みぶ》りで命じた。

「すわれ！」衛兵がいう。

「えっ？」スカンダーはあわてた。

「椅子にすわれ。そうすれば首長に会える。しっかりつかまるように」

スカンダーはいわれたとおりにした。評議員用の立派《りっぱ》な椅子にすわるなんて、妙《みょう》な気分だ。衛兵がうしろをまわってでていくのをみて、これはなにかの冗談《じょうだん》なんだろうかと思った。そのとき——

「わーーーーーーっ！」

椅子全体がすごい勢《いきお》いで浮《う》きあがった。座面《ざめん》の下で折《お》れ曲《ま》がっていた脚《あし》がまっすぐにのびるのがみえたと思うと、椅子は部屋の天井《てんじょう》に開いた穴《あな》を通《とお》り抜《ぬ》けた。一気にはねあがるような動きだった。

空がみえるのかと思ったが、天井の上は、評議会室の上に作られたツリーハウスの内部だった。まず目に入ったのは、らせん状《じょう》に並《なら》んだ窓《まど》。風の元素のシンボルを思わせるデザインだ。そして、部屋のまん中の机《つくえ》にカザマ首長が現《あらわ》れた。

「こんにちは、スカンダー」ニーナは手招《てまね》きしてスカンダーを椅子からおろし、窓際《まどぎわ》に置《お》かれた黄色い縞模様《しまもよう》の肘《ひじ》かけ椅子を勧《すす》めた。肘かけ椅子はふたつあり、そのあいだにローテーブルがある。そこには〈ハッチェリー・ヘラルド〉紙が置いてあった。朝刊《ちょうかん》の見出しが目に入る。

混乱《カオス》は制圧《せいあつ》されるか
カザマ首長、島全体の捜索を始める

ニーナはスカンダーの視線を追い、ため息をついた。「いまのところはまあまあ好意的《こういてき》な書きかたをしてくれてるわね」三年前に初《はじ》めて会ったときと比《くら》べて、疲《つか》れた顔をしている。首長の姿をみて、自分も首長になりたいと思う——それがライダーとして当然《とうぜん》のことだ。そのためにカオスカップがあるのだから。しかし、ニーナの動きのひとつひとつから、ひどいストレスが伝《つた》わってくる。首長になんてならないほうがいいんじゃないか、スカンダーはそんなふうに思えてきた。

ニーナは縞模様の椅子にすわり、親指にはめた指輪《ゆびわ》をまわした。その色が赤から焦《こ》げたオレンジ色に変《か》わったことに、スカンダーは気がついた。島の宝石《ほうせき》ではなさそうだ。

「心の指輪」ニーナはいった。「本土でみたことはない？　つけている人の心の状態《じょうたい》によって色が変わるっていうやつ。でも——」含《ふく》み笑《わら》いをした。「——本当は、体温によって変わるだけなのよね。いまはそれがわかってるけど、昔は、わたしが持っているものの中でいちばん魔法《まほう》に近いものだと思ってた」

「だからいまもつけてるの？」スカンダーは好奇心《こうきしん》からきいた。

「昔の自分を思いださせてくれるから。いまはこんな生活だけど」金色のクチバシの鳥が描《えが》かれた、上質《じょうしつ》できらきらした壁紙《かべがみ》を指差《ゆびさ》した。「妙な移動《いどう》のさせかたをして、ごめんなさいね。ここは首長の私邸《してい》なのよ。すべての元素《げんそ》の評議会室の上に、こういうのがひとつずつ作られてる。その元素のだれかがカオスカップで優勝《ゆうしょう》して首長になると、それを使うわけ。ここでなら、だれにも立ち聞きされずに話ができるわ。あの椅子がここにあるあいだは、だれも入ってこられないから」

「どうもありがとう」

「申《もう》し訳《わけ》なく思ってるわ。しつこく尋問を受けさせたこと」ニーナは顔をしかめ、短く切った黒《くろ》髪《かみ》に指を通した。「ケンナの失踪《しっそう》について、わたしも心配してるふりをしなきゃならないの。ほかの評議員は……」ためらってから続ける。「偏見《へんけん》の塊《かたまり》って感じ。ケンナのことも、まだ十代の子どもだとは思わない。ウィーヴァーだと思ってるのよ」

「そうだろうね」スカンダーは静《しず》かに答えた。

「安全なところにいるの？　場所はいわなくていい。ただ、安全にかくまわれているかどうかが知りたい」

スカンダーは緊張《きんちょう》して、喉《のど》がしめつけられるような思いがした。「安全だけど……早くエアリーにもどしてあげたい。いっしょにいたいんだ」

「スカンダー、気持ちはわかるわ」ニーナは優《やさ》しくいった。「でも、卵がみつからないうちにケンナをエアリーにもどすのは、あまりにも危険よ。エアリーにいるライダーたちも、いい顔をしないでしょう。それに、野生のユニコーンとの絆というのがやっかいで、レックスとわたしのあいだでも意見が分かれているの。野生のユニコーンの魔法によって受けた傷《きず》は、治《なお》らない。ゴショークに訓練《くんれん》を受けさせて、エアリーのライダーがけがをしたらどうするのか」

スカンダーは、永遠に治らないであろうやけどを負った親指を手の中に隠し、緊張に震《ふる》えながら息を吸《す》った。いまこそチャンスだ。「ケンナと運命のユニコーンを絆で結ぶことができたら？　もしそうなったら、ケンナはエアリーにもどれるかな？」

首長は一瞬《いっしゅん》黙りこくっていた。やがてでてきた声は不安《ふあん》そうだった。「ケンナは気の使い手になるのよね？　二頭のユニコーンと結ばれるということ？　ブラッドムーン・エクウィノクスが死ぬ前のウィーヴァーみたいに？」

「そうじゃないんだ。ケンナとゴショークとの絆はなくなるから、ウィーヴァーみたいにはならないよ。ぼくと同じになるだけなんだ」スカンダーはあわてて説明《せつめい》した。

「それならいいわね」ニーナは眉《まゆ》をひそめて記憶《きおく》をたどった。「このこと、六月にディヴァイドで話したわよね。絆を繕うことはできないかって。その話の続きだと思っていい？」

スカンダーはうなずいた。期待しすぎないようにしなきゃ、と自分にいいきかせていた。

不安そうだったニーナの表情《ひょうじょう》に好奇心がみえてきた。「実際《じっさい》に、どんな方法でそうするの？」

スカンダーの心臓《しんぞう》が高鳴った。首長が話をきいてくれている！「具体的《ぐたいてき》な方法についてはまだわからないんだ。それと、偽の絆をむりに断《た》ち切《き》るのはリスクがあるってわかってる。ケンナを傷つけてしまうかもしれない。それに、野生のユニコーンを殺《ころ》すこともありえない」

「そうね。それは絶対《ぜったい》にだめ」ニーナは鋭《するど》い口調でいった。

「でも」スカンダーは急いで続けた。「ケンナの運命のユニコーンはわかってるんだ。そしてゴショークの運命のライダーをみつけることもできれば、偽の絆ひとつと、運命の絆ふたつを入れ替えることができるんじゃないかと思う。まだ仮説《かせつ》の段階《だんかい》だけど」

ニーナの薄《うす》い褐色《かっしょく》の顔が、深く考えこむような表情になった。「その仮説、どこからきたの？　アガサ？」

スカンダーは首を横に振った。「エローラっていうライダー。銀の要塞《ようさい》にいたとき、そういうことを調べていたんだって」先導者《せんどうしゃ》の名前を口にした瞬間、いわなきゃよかったと思った。ニーナはエローラが放浪者の一員になったことを知っているだろうか。だとしたら、ケンナが彼《かれ》らのところにいることに勘《かん》づかれてしまうかもしれない。

「エローラ・スコット？　名前をきいたことはあるわ。シルヴァー・サークルを離《はな》れた、唯一《ゆいいつ》の銀のライダー。フローレンス・シェコニが島にくるまでは、彼女《かのじょ》が唯一の、土の属性《ぞくせい》を持った銀のライダーだった」ニーナは窓の外に目をやった。一頭のユニコーンが、高いところに作られたツリーハウスの外を飛《と》んでいく。「絆を入れ替えれば、野生のユニコーンが二頭とも――まだら模様のユニコーンも、ゴショークも――絆を持ったユニコーンになれるってこと？」

「そのとおり！」

「そして、ライダーはふたりとも気の使い手になるのね？」

「うん、高い確率《かくりつ》でそうなると思う。それと、アスペン・マグラスとの約束《やくそく》をおぼえてる？　ぼくがあと三年間の訓練を最後《さいご》まで受けることができたら、島は再び気の使い手を受け入れる、ってやつ。そのときを待たずに、ケンナとユニコーンたちをエアリーに受け入れてもらえるといいんだけど」必死《ひっし》の訴《うった》えがニーナに届《とど》いているはず、とスカンダーは確信していた。この二か月ほど、ケンナに毎日会えていたのに、急に離ればなれになってしまった。ケンナを本土に残してきたときよりつらい思いをしているのをわかってもらいたい。

ニーナは椅子にすわったまま身を乗りだした。「ゴショークの運命のライダーをどうやってみつけるの？　まずはそれが重要よね。ほかのピースはもうそろってるんだから」

「ぼくはメンダーだから、スカンダレルといっしょに何度も夢をみてる。運命の絆で結ばれるはずなのに結ばれなかったユニコーンとライダーをみつけることができるんだ。ゴショークの運命のライダーも、夢の中でみつけられると思う。問題は、そのライダーを現実《げんじつ》世界の中でどうみつけるかなんだ。どこにいるのかわからない。島にいるかもしれないし、本土にいるかもしれない」

ニーナは唇《くちびる》をゆがめた。「そこにわたしの助けが必要《ひつよう》ってわけね」

スカンダーはうなずいた。

ニーナは深いため息をついた。「わたしがいまやらなきゃならないのは、盗《ぬす》まれた卵を探すことなのよ」

「もちろんわかってる」

「でも、ゴショークの運命のライダーがどんな人なのか、特徴《とくちょう》を教えてもらえれば――」

「夢にでてきたら、絵を描くよ」

「そうね。それができたら、島の衛兵たちと本土の警察《けいさつ》とに働《はたら》きかけて、その人を探してもらいましょう。現在《げんざい》のハッチリングと同じ年齢《ねんれい》だってことはわかってるし。ゴショークは、今年の夏《げ》至《し》に孵化したばかりなのよね？」

「そうだよ」スカンダーは元気がでてきた。「ゴショークの運命のライダーは十三歳《さい》か十四歳。それで、入れ替えがうまくいったら？　ケンナはエアリーにもどってこられるんだよね？」

「最善《さいぜん》を尽《つ》くしましょう」ニーナは答えて、立ちあがった。首長という立場にふさわしい、毅然《きぜん》とした答えだった。スカンダーは心が落ち着くのを感じていた。この数日間にはなかったことだ。これで、ボビーの心配も少しはおさまるだろう。ニーナがすべてうまくやってくれる。

「カザマ首長」スカンダーは稲妻の椅子に再びすわってから、声をかけた。「卵がなくなったのを秘密にしていた理由はケンナのことだけじゃないっていってたよね？　ほかの理由ってどんなこと？」

ニーナは挑《いど》むような表情で答えた。「ウィーヴァーが関《かか》わってくると、この島のなにもかもが混乱してしまう。わたしたちは彼女を最大《さいだい》の脅威《きょうい》だと思い、そのように扱《あつか》った。すると、まさにそのとおり、彼女は最大の脅威になってしまった。だれかの悪名がとどろくのは、本人がそれを願《ねが》うからじゃない。世間がその人間を怖《こわ》がるからなのよ。島の人々はすでにウィーヴァーを恐《おそ》れている。わたしは火に油を注ぐようなことをしたくなかった。みんなが怖がる相手と戦《たたか》っても勝てないでしょう？」

スカンダーはうなずいた。ニーナのいうとおりだ。「それで、レックスが卵のことを発表しようとしたのは、どうして？」

ニーナの疲れた顔に、怒《いか》りの色が差し、すぐに消えた。椅子を動かすレバーに手を添《そ》える。

「権力《けんりょく》。シルヴァー・サークルの人たちはどこまでも貪欲《どんよく》なの」

レバーを引く。スカンダーはあっという間に評議会室にもどされた。


二週間ほどたったとき、スカンダーは睡眠不足《すいみんぶそく》で、いらだちが最高潮《さいこうちょう》に達《たっ》していた。そして、夕食に遅《おく》れそうになっていた。メンダーの夢に変化《へんか》があった。どうしてなのかわからない。一か月前までは、灰色《はいいろ》のまだら模様のユニコーンの夢をみるのは簡単《かんたん》だったのに、いまは三人、あるいは四人の体をいったりきたりするような夢ばかりみている。放浪者の洞窟《どうくつ》でみたのと同じような夢だ。その光景《こうけい》は濃《こ》い霧《きり》がかかったようにぼやけていて、どの顔もはっきりみることができない。それに、長いこと眠《ねむ》って夢をみていたいのに、すぐに苦しくなって、すぐに目がさめてしまう。ゴショーク・フュアリーの運命のライダーかもしれない人がだれなのか、まったくわからないままだ。ニーナがせっかく力を貸《か》してくれるといってくれたのに、似顔絵《にがおえ》も描けないのだからどうしようもない。

十月最後の夜、スカンダーが遅れて到着《とうちゃく》したとき、トロフ（ツリーハウスの食堂《しょくどう》）は弾《はじ》けるような興奮《こうふん》に包《つつ》まれていた。ヒヨコ豆のカレーを深皿によそいながら耳をそばだててみたが、みんながなにを話しているのかはわからなかった。フローとボビーとミッチェルがいつものベランダにいるのがみえたので、スカンダーははしごをのぼって三人に合流した。

「要《よう》するに、全部に参加《さんか》してもいいってこと?」スカンダーが近づいたとき、ボビーがそういっていた。

「いいんじゃないか? まあ、そういう人はあまりいないと思うけど」ミッチェルはなにか考えこみながらいった。「ボビーはだれにも負けたくないんだろ?」

ボビーがにっこり笑《わら》う。しかしスカンダーには、いまのミッチェルのせりふがほめ言葉だとは思えなかった。

「ねえ、いかなくてもいいんじゃない?」フローが少し焦《あせ》った様子でいった。「ツリーハウスでのんびりしてるほうが楽しいと思う」

「いったいなんの話?」スカンダーはきいて、腰《こし》をおろした。

「隠し部屋のダンスパーティーのスケジュールが発表されたんだ」ミッチェルがいった。「夕食前に、ポスターが掲示《けいじ》された」

「ふうん」形式上、スカンダーは井戸《ウェル》と呼ばれる水の隠し部屋に入れることになっているが、以前、水の使い手たちから井戸《ウェル》への入室を拒否《きょひ》されたことがある。そんな経験《けいけん》から、隠し部屋には近づきたくないと思っていた。

「もうみんな、友だちと誘《さそ》い合《あ》わせてるんだよ。パーティーは十二月なのに」ボビーがいった。

「自分の元素の隠し部屋で開かれるパーティーに、友だちをひとりだけ誘えるの。四つの元素のパーティー全部にいこうと思ったら、相当うまくやらないと」

「全部にいくつもりなの？」スカンダーはきいた。

「そうらしいの」フローがうんざりしたようにため息をついた。「どうかしてるわよ。だって、パーティーはオールナイトだし、四つの元素で四日連続《れんぞく》になるのよ。まあ、冬至《とうじ》の日はお休みだけど」

ボビーはきいていなかった。「でね、もう井戸《ウェル》のダンスパーティーには招待《しょうたい》されたの」

「いつ？」フローは驚いてきいた。「ポスターが掲示されてから二十分しかたってないじゃない！」

「トロフに入ってきたとき、水の使い手のルーキーが声をかけてくれたの。まあまあかっこいい人だったからオーケーしちゃった。そんなに驚かないでよ、フローレンス。あたしって人気者なんだよ。美人だし、未来《みらい》の首長候補《こうほ》！　でも、土と火の隠し部屋へはまだ招待されてないんだ。よかったら――」丸めた〈ハッチェリー・ヘラルド〉紙でフローをつついた。「鉱山《マイン》に招待してくれない？」

「ボビー、ごめんなさい。わたしはどのダンスパーティーにもいきたくないの」フローが即答《そくとう》した。

ボビーはむっとしたようだが、すぐに引き下がった。「わかった。じゃ、ミッチェル――」

「だめだよ、絶対だめ」ミッチェルは力強く答えた。「溶鉱炉《ファーネス》のダンスパーティーにはジェイミーを誘うつもりなんだ」間を置いてから続ける。「ああ、きみたちがいいたいことはわかるよ。鍛冶職人《かじしょくにん》を誘うなんて普通《ふつう》じゃないっていうんだろう？　誘うならほかの人を誘えって。けど、ライダー以外《いがい》の人間を誘っちゃいけないなんてルールはないはずだ」

「計画が台無《だいな》し」ボビーは怒りを隠さなかった。「みんな、せいぜい楽しみなさいよ」そういって新聞をめくり始めた。

「ジェイミーが誘いを受けてくれたらいいなあ」ミッチェルは不安そうだった。

フローがミッチェルの腕をつかむ。「受けてくれるわよ」そしてスカンダーをみた。「スカー、あなたはダンスに興味《きょうみ》がなさそうね」

スカンダーはどきりとした。長いこと封印《ふういん》していた、学校のディスコパーティーの記憶がよみがえる。着ていく服がなかったし、歌も全然《ぜんぜん》知らなかったから、居心地《いごこち》が悪くてどうしようもなかった。スモークマシンのせいで息苦しく、目もちかちかしたものだ。隠し部屋のダンスパーティーがああいうものだとしたら、いっさい関《かか》わり合《あ》いになりたくない。

「えっと、うん、ダンスって趣味《しゅみ》じゃないから」はっきり答えた。

フローがうれしそうな顔をした。「よかった！　フォーポイントにお菓子《かし》を買いにいかない？　ホットドッグってやつ、また買おうよ。マヨネーズをつけて」

スカンダーは笑《え》みを返そうとしたが、口角をあげることはできなかった。

「疲れてるみたいだな」ミッチェルがいった。「最近《さいきん》、部屋で寝《ね》てないもんな。夜中に目がさめてスカンダーのハンモックをみても、いつもいないんだ」

「メンダーの夢がうまくいってないの？」フローが低《ひく》い声できいた。

スカンダーは首を横に振った。「なにもかもぼやけてるんだ。それに、すぐ目がさめてしまう。あの夢をみてると……」いったん口をつぐんでから「……苦しくて」といった。「明日の気の魔法の訓練のとき、アガサにもう一度話してみる。ケンナに会いたいな。こっちの状況《じょうきょう》を知らせたい」

ボビーはスカンダーの緑色のジャケット——もうつぎはぎだらけになっている——につけられた金属《きんぞく》の羽根飾《はねかざ》りを指差した。「明日って、ハヤブサ隊《たい》のミーティングが夜にあるんじゃなかったっけ？」

ボビーがハヤブサ隊という名前を口にしたので、スカンダーは驚いた。いつもは〝ばかみたいな鳥のグループ〟と呼んでいる。「そうだよ。火の祭のあいだに第一回のミーティングを開くんだ。リケシュはもう新メンバーを選《えら》んだらしい。でも、どうして？」

「卵がまだみつかってない」ボビーは〈ハッチェリー・ヘラルド〉紙を指差した。「あたし、毎日チェックしてるんだ。でも、情報はなにもない。ハヤブサ隊のミーティングのときに、捜索を始めてみたらどうかなと思って」

スカンダーはうしろめたい気持ちになった。ボビーは妹のことが心配なのだ。卵がみつからないと、来年の夏至の日に、運命のユニコーンと結ばれるチャンスを失ってしまう。島全体が、五つの元素に結びついてウィーヴァーに忠誠《ちゅうせい》を誓《ちか》うライダーの新世代が生まれてしまうことを恐れている。でも正直なところ、スカンダー個人《こじん》としては、ケンナがエアリーにもどれるかどうかという問題のほうが、卵の問題よりも気になっていた。カザマ首長はきっと卵を探しだす。カザマ首長にできないのは、ケンナと運命のユニコーンを結びつけることだけだ。それはぼくの仕事だ、とスカンダーは思った。

「ハヤブサ隊のほかのメンバーにもきいてみるよ」スカンダーはボビーにいった。罪悪感《ざいあくかん》で胸《むね》がちくちく痛《いた》む。「ぼくたちは速く、遠くまで飛べる。広い範囲《はんい》を捜索できるはずだ」

「ありがとう、気の使い手くん」

「いつもどこにいっているんだ？」翌日《よくじつ》の夕方、フレッジリングの訓練場《くんれんじょう》で、アガサはいらだっていた。気の元素の訓練は、予定どおりには進まなかった。というのも、スカンダレルが姿を消していたからだ。スカンダーは、四人組の仲間《なかま》たちが火の祭を楽しみにでかけたあと、エアリーの壁《かべ》のあたりでスカンダレルに動物を追わせていた。それがまちがいだったのだろう。その後、スカンダレルはどこかにいってもどってこなかった。

「ぼくにもわからないんだ」スカンダーも不機嫌《ふきげん》に答えた。「知ってたらみつけてるよ。手がかりがあるとすれば、姿を消してもどってくるときはいつも、スカンダレルの体毛が土埃《つちぼこり》まみれになってるってことかな」

「土埃？」アガサは眉をひそめた。ふたりはエアリーの丘へと歩き始めていた。アークティック・スワンソングがふたりの横を堂々《どうどう》と歩いている。「フレッジリングならではの反抗《はんこう》なのか？」

「姿を消しちゃうユニコーンはスカンダレルだけだよ」スカンダーはぼそりといった。

アガサは横目でスカンダーをみた。「顔色が悪いな。火のトライアルのことが心配なのか？」

「どういう内容なのかも、まだ知らされてないよ」

「それでも不安は不安だろう」

「うん、まあね」スカンダーは会話の流れに乗ることにした。「心配なのはケンナのことだよ。会いにいきたい」

「リスクが高すぎると、何度いったらわかる？　あとをつけられたらどうする？」

「でも――」

「いまはみんながケンナを探している。だれがどこでみているかわからない」

「こっちの状況を伝えたいんだ。ぼくの計画も！」

「計画？」

スカンダーはためらった。絆の入れ替えのことは、まだアガサに話していない。不可能《ふかのう》だといわれるのが怖かった。

「計画っていうか……」あいまいに答えようとした。「メンダーの能力《のうりょく》が役に立つと思うんだ」

「それについては前に話しただろう。ケンナはすでに絆を持っている」アガサはいった。「それに、おまえはまだ一人前のメンダーではない。危険だ。わたしはおまえの叔母《おば》だからといって、なにからなにまで責任《せきにん》を負う必要はないだろうが、おまえを生かしておく責任くらいはある」

「失われた気の使い手がほかに何人もいるはずだ」スカンダーは引き下がらなかった。アガサとの会話を終わらせたくなかった。「彼らの絆を繕ってあげたい、その方法をぼくに教えたいとは思わないの？　その人たちがいつか島にもどってこられるように」

「いつかはそうしたいと思う」アガサはため息をついた。「おまえもちょっとした反抗期《はんこうき》というわけか」不思議《ふしぎ》そうにスカンダーをみる。「おまえはわたしのことを、ベテランのメンダーかなにかだと思っているようだな。気の元素が法的《ほうてき》に認《みと》められるようになったとしても、メンダーの存在は稀少《きしょう》だ」いったん言葉を切る。「昔みたおもしろい出来事について話してやろう。その代わり、この件《けん》はしばらく保留《ほりゅう》にすると約束してほしい」

　スカンダーは大きくうなずいた。

　アガサは手振《てぶ》りを加《くわ》えて話しだした。「メンダーの夢の中で、ライダーと運命のユニコーンを見分けることができたとしよう。次は、現実社会の中で、そのライダーとユニコーンの組み合わせが本当に正しいものなのかどうか、確《たし》かめなければならない。そのための非常《ひじょう》に簡単な方法が……」

「なに？」

　アガサは細い眉をつりあげた。「魂の輝きがみられるかどうかだ。まずは野生のユニコーンの骨《ほね》が輝きだす。元素の色に輝くのだ。それから、そのユニコーンに近づいた運命のライダーの骨も、同様に輝きだす。気の使い手だけが、その輝きをみることができる。絆をみるのと同じように。わたしも一度、みたことがある」不思議でたまらない、という口調になっていた。「荒野《こうや》のはずれで、ひとりのメンダーが、土の元素のユニコーンとライダーを出会わせた。緑色の輝きがとても美しかった」

スカンダーは自分の腕にある気の元素の変異に目をやった。日没《にちぼつ》前のかすかな日差《ひざ》しを浴《あ》びて、骨と腱《けん》がはっきりみえる。ケンナとまだら模様のユニコーンの姿が目に浮かんだ。いつか出会うことができたら、ケンナの骨も、ユニコーンの骨も、真っ白に輝くんだろうか。

「スカンダー、よくききなさい」アガサは歩きながらいった。「ケンナはいま、放浪者のもとで安全に暮《く》らしている。頼《たの》むから……」口をつぐんだ。正しい言葉を探しているようだ。

「なあに？」スカンダーは無邪気《むじゃき》なふりをした。

「ばかなことはするな」アガサは厳《きび》しい口調でしめくくった。

その後、夕陽《ゆうひ》のベランダに到着したスカンダーの頭の中は、魂の輝きのことでいっぱいだった。十一月の最初《さいしょ》の夜。スカンダレルは、アガサとスカンダーの訓練にならない訓練が終わった一時間後、エアリーの丘にもどってきた。

スカンダレルらしい、とスカンダーは思いながら、体毛についた土埃を払《はら》いおとしてやった。

ハヤブサ隊の集まりには参加するのに、魔法の訓練にはきてくれないんだな。

　しかし、エアリーの中でいちばん高いところにあるベランダにやってきたスカンダレルは、うれしそうにいなないた。スカンダーも、いろんな心配事があるとはいえ、ハヤブサ隊のみんなと会えて、最高《さいこう》の気分だった。マーカスとパトリックに手を振ったが、ふたりは腕相撲《うでずもう》みたいなゲームをしていた。ふたりのユニコーン、サンドストーム・オービットとハリケーン・ホークスは、近くで時間をもてあましている。

「このルーキーたちはなにを賭《か》けて争《あらそ》ってるの？」プレッズのアデラが、エターナル・ホアフロストの鞍《くら》を調整しているフェンにきいた。

「パトリックが勝ったら、マーカスはパトリックのことを永遠に〝稲妻《ボルト》〟って呼ばなきゃならないんだって」

　アデラの巻《ま》き毛《げ》がパチパチと火花を散《ち》らし、煙《けむり》をあげた。「でも、マーカスの腕って、土の変異で砂岩《さがん》になってるんじゃなかった？」

　フェンはうなずいた。

「それじゃ、パトリックには勝ち目がないよね！」アデラがいった。

　パトリックは苦しそうにうなった。「けど、おれには〝ボルト〟ってニックネームがぴったりなんだ。ホークスとおれは稲妻みたいに速く飛べるし、風の使い手なんだから」

「もうあきらめろよ」マーカスの口調からは優しさが感じられた。パトリックの腕が震えているのがわかったのだろう。

そのとき、ハヤブサ隊副隊長《ふくたいちょう》のプリムの乗ったウィンター・ワイルドファイアと、ワールウィンド・シーフに乗ったアンバーが、ものすごい勢いで夕陽のベランダにやってきた。ハヤブサ隊隊長のリケシュとタイドル・ウォリアーは、まだきていない。

新しいネスリングのライダーが、次に到着した。赤いジャケットの腕を飾《かざ》る一対《いっつい》の翼《つばさ》で、それとわかる。スカンダーが前からきいていたとおり、ハヤブサ隊のメンバーたちは、元素に関するこだわりはまったくない。だいじなのはスピードだけなのだ。

「やあ！」スカンダーが声をかけると、新入りの少年はユニコーンの背中《せなか》につけていた折《お》りたたみの車椅子《くるまいす》をおろし、それにすわった。「ハヤブサ隊にようこそ。入隊《にゅうたい》おめでとう！」

少年は、場所をまちがえていなかったとわかってほっとしたようだった。水の使い手だとひと目でわかる。薄茶色《うすちゃいろ》の髪《かみ》がつんつんと逆立《さかだ》っていて、それがすべて氷でおおわれている。「やあ。リアムだよ」自分のユニコーンを指差す。「コースタル・クルセイダー」

「スカンダーだよ」

「だよね」リアムはにっこり笑った。「あの……有名な人だよね？　お姉さんも――」

「そうだよ」スカンダーはうなるように答えた。

「このジャケット、着てこないほうがよかったのかな？」リアムはハヤブサ隊のほかのメンバーに目をやった。「ああ、もう。本土出身だといろいろわかんなくて」

「気持ちはわかるよ」スカンダーはいった。「こっちに貸して。ぼくの鞍袋《くらぶくろ》に隠してあげる」

「いいの？」

「もちろん」ハヤブサ隊の新入りが本土出身者だとわかって、スカンダーは気分が明るくなった。カオスカードを持っているかもしれないから、交換《こうかん》して楽しもう。しかし、本土のことを考えると、ボビーとの約束のことも思いだしてしまう。

　リケシュがベランダに到着すると、ハヤブサ隊のメンバーが集まってきた。スカンダーは急に不安になった。みんな、卵の捜索なんか、やりたくないんじゃないか？　島のルールとは無関係《むかんけい》に、自分たちのルールを大切にするグループなのだ。一瞬、勇気《ゆうき》がなえてくじけそうになった。でも、いつもはお気楽なボビーが妹のことを心配しているときの顔が目に浮かび、このままにはしておけないと決意した。

「やあ、スカンダー」リケシュがあいさつ代わりに肩《かた》をつかんでくれた。「評議会広場に何度も呼びだされてるそうじゃないか。ひどいことをされてないかと心配してた」

「ひどいことしてたら、許《ゆる》さない」フェンが、白い雪でおおわれた手をぎゅっと握《にぎ》った。「衛兵たちが失礼《しつれい》なことをするようなら、あたしにいってね。そのことを本気で後悔《こうかい》させてやるから」

　副隊長のプリムが、心配そうな視線をフェンに向けた。「あなたのほうがよほど怖いわよ」

「そんなことないよ。だいじょうぶ」スカンダーはあわてて応《おう》じた。「ただ、えっと、今日のミーティングで相談したいことがあって」

「相談？　どういうこと？」リケシュが波の形をした髪を手でかきあげた。スカンダーの言葉に興味を持ったらしい。

スカンダーはごくりと唾《つば》を飲んだ。「ぼくたちハヤブサ隊で、なくなった卵の捜索をしたらどうだろう。だって、ぼくたちは速く飛べるし、遠くまで飛べる」

メンバー全員が耳を傾《かたむ》けていた。全員が黒いジャケットを着て、スカンダーをみつめている。胸がどきどきして声が高くなるのを感じながら、スカンダーは続けた。「それで、もしも卵をみつけることができたら、ハヤブサ隊はヒーローになれるよね？」

一瞬の沈黙《ちんもく》のあと――

「乗った！」パトリックがいった。ヒーローになりたい、という思いが先に立ったらしい。

「考えてもみなかったな。うん、やろう！」リケシュが応じる。

「本当に？」スカンダーはきいた。思ってもみない反応《はんのう》だった。

赤毛のプリムは、あまり気が進まないようだった。「でも、リケシュ、わたしたちの計画はどうなるの？　これから一年の具体的な活動計画を立てたところじゃない。しかも、わたしたちの最後の一年なのよ」

「こっちのほうが重要だと思う」リケシュがいった。「次の世代のライダーたちがどうなるかって問題なんだ」わずかに首をかしげる。ほら、いっしょにこいよ、とでもいっているかのようだ。

「カザマ首長でもみつけられないものを、あたしたちがみつけられるの？」アンバーがマーカスに小声でいった。

その言葉はリケシュの耳にも届いた。「ぼくたちは精鋭部隊《せいえいぶたい》なんだぞ！」

パトリックが声を張《は》りあげる。「栄光《えいこう》を我《われ》らの手に！」

アンバーがうなる。

「みんな、ユニコーンに乗って！」リケシュがいった。「心配無用《しんぱいむよう》。今夜の捜索のあと、リアムの歓迎会《かんげいかい》をいつものようにするからさ」

リアムはどうしたらいいかわからずとまどっている。スカンダーはそれをみて、安心させてやった。怖い儀式《ぎしき》とかじゃないよ。マシュマロを焼《や》いて食べるだけなんだよ。

初《はじ》めのうちは楽しかった。高速で飛びながら、地面に少しでもおかしなものがあれば、おりていって確かめる。なんでもないものだったとわかるたび、アンバーがスカンダーをばかにしたように笑う。やがて、スカンダーはどんどん不安になっていった。ボビーのいうとおりなんだろうか。ニーナがどんなに卵を探しても、みつけることはできないのかもしれない。

あたりが真っ暗になった。今夜の捜索はここまでだということで、ハヤブサ隊は夕陽のベランダにもどった。プリムとマーカスとフェンがたき火の用意をする。パトリックがリケシュにマシュマロをせがみだした。

マシュマロを刺《さ》して焼くための小枝《こえだ》でつついてくるパトリックを、リケシュは追いはらった。

「リアムとコースタル・クルセイダーをハヤブサ隊のメンバーとして正式に迎《むか》える前に、ひとつ話しておきたい。今年から、新しい伝統《でんとう》をつくるんだ。ハヤブサ隊のメンバー全員で、隠し部屋のダンスパーティーに参加する。飛行抜《ひこうぬ》きでパーティーを楽しむんだ」

プリムが炎《ほのお》の眉をつりあげた。「新しい伝統なんて言葉を便利《べんり》に使ってるけど、リケシュったら、ダンスが得意《とくい》なのをみんなにみせたいだけじゃないの？」

スカンダーはあわてた。「嘘《うそ》だろ。ハヤブサ隊は元素とは無関係のグループだし、元素の祭にもいかないのに」

リケシュはくすくす笑った。「スカンダー、ダンスパーティーは地獄《じごく》じゃないぞ。たしかに、ものごとを元素で分けて考えることはしない、というぼくたちの原則《げんそく》に反することかもしれないけど、隠し部屋のダンスパーティーにはだれを招《まね》いてもいいわけだから、ある意味、原則どおりともいえるんじゃないか？」

プリムは笑《わら》い声《ごえ》をあげた。「まったく、なりふりかまわずって感じね」

リケシュはにやりと笑った。「井戸《ウェル》のパーティーなら、ぼくたち全員が集まれるんじゃないかな」リアムに向かっていう。「申し訳ないが、ネスリングのきみは参加できない。来年だな。だが、ほかの全員は問題ない。ぼくは水の使い手だ。プリムを招待する。フェンはパトリックを招待するといい」

「げえっ」フェンとパトリックが同時にいったが、ふたりとも冗談なのは明らかだった。

「アデラ、きみのガールフレンドは水の使い手だよな？」

アデラはうなずき、煙のでている巻き毛に指をからめた。

「よし。あとは……マーカスか」

「誘ってくれそうな友だちは何人かいるよ」マーカスはぼんやりとした顔で、砂岩の腕をのばした。

「そうだろうと思ったよ」リケシュはうれしそうだ。「スカンダー、きみは表向きは水の使い手ってことになってたよな。アンバーを招待するといい」

「はあ?」たき火をはさんですわっていたスカンダーとアンバーが、同時に声をあげた。

「ふたりの仲がよくないのは知ってる」

「仲がよくないなんてレベルじゃないんだけど」アンバーが小声で毒《どく》づいた。

「それでも、ふたりともハヤブサ隊のメンバーだ。それがすべてを凌駕《りょうが》する。みんなでダンスパーティーにでよう。難《むずか》しく考えるな。すごく楽しめるかもしれないぞ」

そういわれてからは、スカンダーはマシュマロを楽しむことも難しくなった。アンバーを井戸《ウェル》のダンスに連《つ》れていくなんて、いやだ。たとえそれがグループの一員としての役割《やくわり》だとしても。ネスリングの終わりに休戦《きゅうせん》状態になったとはいえ、それは不安定《ふあんてい》なものだし、少なくともふたりのあいだに友情《ゆうじょう》はない。きっと気まずい思いをする。四人組にこのことをどうやって話したらいいんだろう。

ツリーハウスにもどると、驚いたことに、仲間たちはまだ起きていて、掲示板《けいじばん》を取りかこんでいた。前はなかった赤い紙が貼《は》りつけられている。「火のトライアルのお知らせかな？」

「祭りからもどってきたら、貼ってあったんだ！」ミッチェルがいった。かなり動揺している。

フローが自分の横にスペースを空けて、スカンダーを入れてくれた。


火は無慈悲《むじひ》で破壊的《はかいてき》な元素。すべてを激《はげ》しく焼きつくします。したがって、二度目のトライアルの重点は戦闘《せんとう》となります。火の石は四人組の三人に与《あた》えられるので、足りないぶんを他人から奪《うば》わなければなりません。全員が自分のために戦うのです。忠誠心《ちゅうせいしん》に意味はありません。

このトライアルに勝つことは、他人を打ちまかすこと。火はなにかを犠牲《ぎせい》に燃《も》えさかるのです。その残虐《ざんぎゃく》さゆえ、報酬《ほうしゅう》は貪欲な者に与えられます。報酬を得《え》ることで、この先の戦いが楽になるでしょう。


「全員が自分のために戦う」ミッチェルがつぶやいた。「つまり、火のトライアルは、四人組の中での戦いってことなのか。みんなで協力《きょうりょく》して戦うんじゃないのか？」

「ほかの人から石を奪うなんて、やりたくない！」フローが泣《な》きそうな声でいう。

「最初に石を与えられたら、必《かなら》ずしも他人から奪うってことにはならないよな」ミッチェルがいった。理屈《りくつ》ではそのとおりだ。

「石を与えられない人って、どうやって決まるんだろう」スカンダーはいった。

「四人組のうちのひとりが、石を与えられないってことだよね」ボビーがフローをみていった。「フローレンス、もしあんたがそのひとりだったら、だれかから盗まなきゃ、このトライアルに合格《ごうかく》できないんだよ。けど、石を与えられた三人だって、それを狙《ねら》われ続《つづ》けることになる。覚悟《かくご》が必要だね」声が暗くなっていた。「ミッチェル、黒板を持ってきて。あたしが用意してもいいけど」

ミッチェルはうれしそうに、本棚《ほんだな》のうしろにしまってあった黒板を取ってきた。「フレッジリング全員の名前を書くよ。だれを狙うか、ターゲットを絞《しぼ》ろう。強いライダーと手を組むのもいいんじゃないか？」

スカンダーはふいに、エローラの別《わか》れの言葉を思いだした。**石のために戦うのは大切だけど、そのために自分を見失《みうしな》わないように気をつけなさい。**

ミッチェルがフレッジリング全員の名前と、弱点になる元素を黒板に書いていくのをみながら、スカンダーは不安になっていた。この時点ですでに、自分たちを見失っているんじゃないのか？

ALLIANCE FEVER

第9章
だれと手を組むか

それからの六週間、エアリーのフレッジリングたちにとって、日々の生活は奇妙《きみょう》なものになった。だれもが、火のトライアルでだれと手を組むか、だれを狙《ねら》うか、考えている。訓練《くんれん》での戦《たたか》いは激《はげ》しさを増《ま》した。自分の力をみんなにみせつけることで、より強いライダーから同盟《どうめい》を組もうと思ってもらえるかもしれないからだ。なりふりかまわぬ交渉《こうしょう》があちこちで繰《く》りひろげられた。考えれば考えるほど、四人組の仲間《なかま》たちとの助け合いだけでは勝てないのがわかる。無慈悲《むじひ》な火のトライアルで石を勝《か》ち得《え》るには、それ以外《いがい》のライダーたちからのサポートも重要《じゅうよう》だ。

トライアルに合格《ごうかく》することの重要性《じゅうようせい》は、スカンダーにもよくわかっていた。そのため、メンダーの夢《ゆめ》をみるのは一週間に三回までと決めた。いまのところ、夢でわかったことはなにもない。現《あらわ》れる人物の数が増《ふ》えているのはたしかだが、いつも苦しくて目が覚《さ》めてしまうので、どの顔もぼやけたままなのだ。それ以外の時間は訓練に集中した。反抗的《はんこうてき》なスカンダレルのご機嫌《きげん》もとらなければならない。

　十二月半ば、火のトライアルの朝がやってきた。スカンダーはフローを待っていた。いつもより早く目覚《めざ》めたので、静《しず》かにはしごをおり、青いビーンバッグチェアにすわった。再《ふたた》びうとうととまどろみながら、日没《にちぼつ》とともに始まるトライアルのことを考えないようにしていた。

「朝ごはん、いく？」フローがリビングにおりてきて、小声でスカンダーにいった。土のトライアル以降《いこう》、朝はいつもこうだった。ボビーとミッチェルは少しでも長く眠《ねむ》るために、朝食をとらないことがよくある。しかしフローとスカンダーはいつも、いっしょにトロフにいって食事をする。

「信《しん》じられない。トライアルが今日だなんて」フローは不安《ふあん》そうにいいながら、赤いジャケットの襟《えり》に銀の飾《かざ》りをつけた。シルヴァー・サークルのシンボルだ。去年、フローはシルヴァー・サークルの会合にでるのを拒否《きょひ》したことがあったが、代表がレックス・マニング教官《きょうかん》になったいまは、前より頻繁《ひんぱん》にシルヴァー・サークルの人々と訓練を受けている。ブレードが反抗的で手に負えないときは、レックスに相談しているようだ。

　トロフにいくと、スカンダーは寝《ね》ぼけまなこのまま、卵《たまご》とベーコンとトマトとトーストとソーセージを皿に盛《も》った。あくびを噛《か》み殺《ころ》し、細長い配膳台《はいぜんだい》ごしにフローが差《さ》しだしてくれたマヨネーズの瓶《びん》を受け取る。

「スカー、なんだかへろへろね」

「だいじょうぶだよ。火のトライアルが始まれば、目が覚めるから」スカンダーは冗談《じょうだん》をいった。

フローは顔をしかめた。「眠りの歌って、人間にもきくのかしら」ひとりごとのようにつぶやいた。

「え？」フローやミッチェルと話していると、こういうことがよくある。ふたりは島生まれ、スカンダーは本土生まれなので、生活や文化がちがう。

「あ、そうか！」フローはテーブルのあるベランダに上る途中《とちゅう》で振《ふ》り返《かえ》った。「母さんがときどき吟遊詩人《ぎんゆうしじん》に頼《たの》んで、病気のユニコーンに歌をきかせるの。そうすると長く眠れるし、病気の治《なお》りも早くなる」

　スカンダーの頭の中で、さまざまな考えがぐるぐる渦巻《うずま》いた。眠りの歌をきけばよく眠れる、とフローはいっているんだろう。じゃあ、ユニコーンとライダーがいっしょに眠りの歌をきいたらどうなる？　スカンダレルといっしょに長い眠りにつけば、メンダーの夢の中で、ゴショークの運命のライダーをみつけることができるかもしれない。

　いちばん上の枝《えだ》に作られたベランダにあがったとき、スカンダーは決意していた。火のトライアルが終わったらすぐ、眠りの歌についてジェイミーに相談してみよう。もしかしたら、ジェイミーの両親が力を貸《か》してくれるかもしれない。

　スカンダーとフローのお気に入りのテーブルについた。巣《す》に出入りする鳥たちを眺《なが》めるのが好《す》きだとフローはいうが、もっと大きな理由があった。それは——

「フロー、なにが条件《じょうけん》なの？」ロミリーがベランダに現れた。わずかに紅潮《こうちょう》した白い顔に強い決意が表れている。「どうしたらうんといってくれるの？　火のトライアルで、あたしと同盟を組んでくれたら、絶対《ぜったい》ルーキーになれるよ」

「条件、ねえ」フローはいらだちを抑《おさ》えていった。「わたしの四人組を丸ごと、その同盟に入れて。きのうも同じことをいったじゃない」

「ボビーかミッチェルなら、入れてあげてもいいよ。四人丸ごとはむりなんだってば。バランスが崩《くず》れちゃう」ロミリーはスカンダーに目をやった。スカンダーは、朝食の皿にマヨネーズをかけることに集中するふりをしていた。「フロー、あなたが入ってくれたとして、空きはあとひとりだよ」羽根の生えた頭を、神経質《しんけいしつ》に手で整える。変異《へんい》のせいで、ロミリーの髪《かみ》の毛《け》はすべて羽根になっていた。

フローは腕組《うでぐ》みをした。「だめね。組むなら四人組丸ごと。そうでないならお断《ことわ》りするわ」

「あんたたち四人組だけじゃ、火のトライアルを勝ちぬけないよ」風の使い手はいった。「ねえ——」

「だめといったらだめ」

フローがどなりつけたわけでもないのに、ロミリーはまいったというように両手をあげて逃《に》げていった。スカンダーは優越感《ゆうえつかん》をおぼえると同時に、こう思った。銀のライダーを甘《あま》くみちゃだめだ。それがフロー・シェコニみたいに優《やさ》しい女の子であっても。

「調子はどうだい?」レックス・マニングだ。そばのテーブルで、プレッズたちが手招《てまね》きしている。ほかの教官たちとちがって、レックスは訓練生《くんれんせい》たちといっしょに食事をすることが多いし、人気もある。そのうち、だれがレックスのとなりにすわるかで争《あらそ》いが起きるかもしれない、とスカンダーは思った。

　フローは元気よと答えたが、日頃《ひごろ》からフローと親しくしているレックスは、その言葉に不安を感じとったらしい。「カオス・トライアルは、ぼくも不安の連続《れんぞく》だったよ」はしごをのぼりながらいう。料理《りょうり》をたっぷりのせたトレイを、なんの苦もなく片手《かたて》で持っている。「とにかく友だちを大切にすることだね。幸運を祈《いの》るよ！」

「ありがとう、レックス」フローは笑《え》みを返したが、気持ちは相変《あいか》わらずふさいでいるようだった。朝食を終えるまでに、さらに四人が声をかけてきた。四人とも、スカンダーのことは無視《むし》して、さまざまな言葉でフローを仲間にしようと誘《さそ》いかける。仲間になってくれたらブレードの厩《きゅう》舎《しゃ》を一生掃除《そうじ》してあげるよ、という者もいたし、隠《かく》し部屋のダンスパーティーに招待《しょうたい》するよ、という者もいる。熱心《ねっしん》な勧誘《かんゆう》をスカンダーが無言《むごん》でききながしていると、そのうちまたフローとふたりきりで話せるようになった。

「どうしてみんな、いまごろ誘ってくるのかしら。もうトライアルの当日なのに」フローはいった。「子どもの頃は、チームに入ってって誘われるのがすごくうれしかったんだけど」笑《わら》い声《ごえ》をあげる。「いまは、こうやってみんなに声をかけられて、正直すごくいやな感じ」

　スカンダーは落ち葉を拾ってもてあそんだ。フローがみんなの誘いを断る本当の理由はわかってる。ぼくをひとりにしたくないんだ。フローに――あるいはミッチェルやボビーに――手を組もうよと声をかけてくるライダーはみんな、最初《さいしょ》からぼくを仲間にはしないつもりだ。ぼくが、気の使い手であり、野生のユニコーンのライダーとなったケンナの弟でもあるから。

「しょうがないよ。みんな、銀のライダーと組みたいんだ」スカンダーは肩《かた》をすくめた。「きみとブレードの魔法《まほう》は最高《さいこう》にパワフルだからさ」

「とんでもない」フローは冷《さ》めたトーストをほおばりながらいった。「ハッチリングの模擬《もぎ》レースで優勝《ゆうしょう》したのはボビー。ネスリングの馬上試合《ばじょうじあい》で優勝したのはアンバー。ふたりに比《くら》べたら、わたしの成績《せいせき》なんかごくごく平凡《へいぼん》でしょ。それに、フレッジリングになってから、ブレードの魔法がますます制御《せいぎょ》しにくくなってきてる。レックスの助けがないと、これからどうしたらいいかわからないくらい」

　アンバーの名前がでてきたので、スカンダーはどきりとした。アンバーを井戸《ウェル》のダンスパーティーに連《つ》れていくことは、まだだれにも話していない。話を続《つづ》けた。「ボビーもみんなに誘われてるよ。だけど、断りかたはフローのほうがずっと優しい」深く息を吸《す》った。話さなきゃ。フローはぼくのためにリスクをとろうとしてる。そんなことをさせちゃいけない。フローがノマドを宣告《せんこく》されたら、エアリーから追いだされるだけじゃすまない。ブレードは銀のユニコーンだから、シルヴァー・サークルがフローの訓練を引きつぐこになる。フローは何年間も銀の要塞《ようさい》からでられなくなるのだ。

「あのさ、フロー。ぼく、きみみたいな友だちがいてラッキーだと思うんだ」顔が熱《あつ》くなるのを感じながら、早口でいった。「でも、火のトライアルのためにほかのライダーたちと大きな同盟を組むとしたら、それはしかたないことだと思うよ。ロミリーがいってただろ。四人組だけで戦うのは不利《ふり》に――」

目にもとまらぬ速さでフローが動いた。皿のマッシュルームを手に取り、スカンダーに投げつけた。

「ちょっと！」スカンダーは笑い声をあげた。「なんでだよ？」

「ばかなことをいわないで」フローはボビーみたいな口調でいった。「わたしはわたしの四人組と、火のトライアルを戦いたいの。分裂《ぶんれつ》した四人組もあるそうよ。四人組の友情《ゆうじょう》より、強い同盟を組むほうを選《えら》んだのね。でも、わたしたちは分裂なんかしない。四人でがんばるの！」

「でも――」スカンダーはいいかけたが、フローがすでに次のマッシュルームを手にしていた。

スカンダーはまた笑《わら》った。「わかったよ！　ごめんって！」

午後になり、フレッジリング全員が火のゾーンに移動《いどう》した。スカンダーは緊張《きんちょう》のせいで胸《むね》がむかむかしていたが、その感覚《かんかく》がさらにひどくなった。火のゾーンの外側《そとがわ》のあちこちに、銀色のきらめきがみえたからだ。衛兵《えいへい》たちが卵を探《さが》している。いや、卵だけではない。ケンナのことも探しているのだろう。スカンダーはそのことを頭から追いやり、地形を観察《かんさつ》しながら空を飛《と》び続《つづ》けた。アンダーソン教官、マニング教官、エヴァーハート教官が先頭を飛んでいる。大きな岩ととげとげのサボテンのあいだに、ユッカの木々がみえる。その先は砂漠《さばく》。遠くのほうに火山がいくつもみえる。吹《ふ》きだすマグマが赤い糸のようになって、まわりの土地に広がっている。

火山に近づくのはいやだな、とスカンダーは思ったが、願《ねが》いはかなわなかった。デザート・ファイヤーバード、シルヴァー・ソーサレス、アークティック・スワンソングの三頭は降下《こうか》を始め、火山の台地に着陸《ちゃくりく》した。太陽が地平線に沈《しず》み、気温も下がってくると、スカンダーは自分にいいきかせた。この地面の下を熱いマグマが流れているのをありがたいことだと思おう。怖《こわ》がっていちゃだめだ。

教官たちは、溶岩《ようがん》の鉢《はち》と呼《よ》ばれる大きな円形の噴火口《ふんかこう》にフレッジリング全員がおりたつのを待った。噴火口の中には赤々と燃《も》える液体《えきたい》がみえる。付近《ふきん》の山々は活火山なのだ。スカンダーの四人組も着地した。そのとき、ほかのライダーやユニコーンが、手を組んだグループごとに固《かた》まって立っているのがわかった。スカンダーの胃袋《いぶくろ》がきゅっとよじれた。ロミリーのグループには強そうなライダーが九人いる。元素《げんそ》の能力《のうりょく》のバランスもよく考えられた構成《こうせい》だ。

「模擬レースや馬上試合で十位以内《いいない》だったライダーが何人かいるね」ミッチェルが難《むずか》しい顔でいった。「自分の四人組から離《はな》れてあのグループに入ったライダーがたくさんいる」

手ごわそうなのはロミリーのグループだけではなかった。コビーとアラステアとメィイーは、ほかの四人組と組んだ。アジャイ、マリッサ、アイヴァン、アイシャだ。スカンダーは気分が悪くなってきた。四人組だけで戦おうと考えたのは大きなまちがいだったんだろうか。

　ひとりきりで戦おうとしているライダーもいた。アンバー・フェアファクスだ。ワールウィンド・シーフの栗毛《くりげ》の背中《せなか》にまたがり、つんとあごをあげ、挑《いど》むようにまわりをみている。

「アンバーに加《くわ》わってもらったほうがいいかしら？」さらに噴火口に近づきながら、フローが小声でいった。

「ちょっと、正気？」ボビーも声を抑えていう。「アンバー・フェアファクスだよ。ここぞというときに裏切《うらぎ》ってくるに決まってる」

「でも去年、アンバーはスカンダレルを助けてくれたよ」スカンダーはフローの提案《ていあん》を考えてみてもいいかなと思い、そんな自分にびっくりした。

「風の使い手がひとり増えるのは、悪いことじゃないよね」ミッチェルはほかのグループをみながらいった。「けど、よりによってアンバーじゃなくても、とは思う」

「声をかけてみるよ」スカンダーがいった。

「あたしたちがあの子に殺《ころ》されて、カラスの餌《えさ》にされたとしても、泣《な》きついてこないでよね」ボビーがいう。

「カラスに食われたあとじゃ、泣きつきたくても泣きつけないよ」ミッチェルが応《おう》じた。

「うるさいな、ミッチェル」

スカンダーが二歩前にでたとき、アンバーがさっと振り返って目をぎゅっと細めた。額《ひたい》にある星の変異が不気味《ぶきみ》にひびわれる。「厚《あつ》かましいわね、気の使い手」うなるようにいった。

スカンダーはもう一歩進んだ。ワールウィンド・シーフが威嚇《いかく》して歯をむいている。

「アンバー――」

「お断り。絶対むり」

「まだなにもいってないじゃないか！」

「でもいいたいことはわかってる」アンバーは栗色の髪《かみ》を横に払《はら》って、スカンダーをにらみつけた。「あんたがどんな口実をつけて頼んできても、あんたたちとは組まない。それと、わたしがひとりでかわいそうだなんて思わないでね。あんたとちがって、わたしはたくさんのライダーに誘われたんだから。けど、火のトライアルは自分ひとりで戦うことにした。利点《りてん》がたくさんあるから」

「じゃ、好きにしなよ」スカンダーは吐《は》きすてるようにいった。「ひとりでがんばって。ぼくたちは親切にしたかっただけなのに」

「どうぞおかまいなく」アンバーは冷《つめ》たくいった。

スカンダーは仲間たちのところにもどってきた。アンバーを連れてこなかったので、ボビーはうれしそうだった。

「だれとも組みたくないそうだ」スカンダーは早口で説明《せつめい》した。アンダーソン教官の話が始まっている。

「火の魔法と同じように、このトライアルは単純《たんじゅん》なものだ。日没と同時に指定されたエリアに入ってもらうが、四人にひとりは火の石を渡《わた》されない。このトライアルに合格するには、赤い火の石を胸につけた状態《じょうたい》で夜明けを迎《むか》えること。ふたつ以上《いじょう》の石をつけている者は、ひとつをほかの元素の石と交換《こうかん》することができる」

「そんな説明、なかったよな」ミッチェルがつぶやいた。

「カオス・トライアルは、ユニコーンといっしょに戦うことそのものより、どんな戦略《せんりゃく》を立てるかが重要になることがある。それをおぼえていてほしい」アンダーソン教官の炎《ほのお》の耳が派手《はで》に燃えあがった。「ほかのライダーが持っている石を狙えば、あとで報復《ほうふく》されることもありえる」

ライダーたちが、ユニコーンとユニコーンを近づけている。あちこちから小声の話し合いがきこえてきた。

「グループのいくつかは、まちがいなく分裂する」ボビーはスカンダーに耳打ちした。「いじわる四銃士《じゅうし》がだれかから石を奪《うば》ったとしても、それを仲間うちで共有《きょうゆう》するとは思えない。あとで自分が必要《ひつよう》な石に交換できるなら、なおさらだよね」

「あの四人は土のトライアルで失敗《しっぱい》したからね」横できいていたミッチェルがいった。「火の石をなんとしてでも他人から奪おうとするだろうな。土の石がないのを埋《う》め合《あ》わせるために」

「じゃ、あの人たちからは離れていたほうがよさそうね」フローが不安そうにいった。

「相手がだれであれ、離れていることなんてできないよ」ボビーが反論《はんろん》した。「あたしたちのうちひとりは、火の石をもらえないんだよ。四人全員がルーキーになるためには、戦って石を手に入れるしかない」

三人の教官たちが、フレッジリングのライダーたちに近づいてきた。三人とも、ひもつきの赤い袋《ふくろ》を持っている。スカンダーがみていると、マニング教官がガラスのようにぴかぴかした真っ赤な石を、前のほうに立っている四人組に渡し始めた。ゲイブリエルがひとつ受け取り、メイベルとザックも受け取った。そして――

「嘘《うそ》でしょ？　わたし、もらえないの？」サリカが叫《さけ》んだ。レックスは申《もう》し訳《わけ》ないと何度もいいながら、四人から離れた。

サリカが泣き始めた。炎に包《つつ》まれた両手で褐色《かっしょく》の顔をおおう。

土の使い手のゲイブリエルが、サリカの肩に手をまわした。「サリカのぶんの石を手に入れないとな。みんなでがんばろう」

アークティック・スワンソングが進んできて、スカンダーの視界《しかい》をさえぎった。アガサが火の石をスカンダーのアーマーに叩《たた》きつける。カチリという音がした。石の周囲《しゅうい》はガラスになっていて、火の元素のシンボルが彫《ほ》りこまれている。そのガラスが、いまにも消えてしまいそうな夕陽《ゆうひ》を反射《はんしゃ》していた。

「はい、どうぞ」アガサはぶっきらぼうな口調でいうと、フローとボビーにも石を差しだした。ふたりとも、ひったくるようにそれを受け取った。

ミッチェルの表情《ひょうじょう》が沈んだ。「火の使い手には渡さないってことですか？」

「すまない、ヘンダーソン」アガサは心から申し訳なさそうにいった。「自分で手に入れなさい。ほかの三人は――特《とく》におまえは――」スカンダーを指差《ゆびさ》した。「気をつけるように。背中にも目をつけておけ」

次に、アンダーソン教官がデザート・ファイヤーバードに乗って噴火口の上空に舞《ま》いあがり、地面の火山岩に向けて炎を放った。炎は分裂し、巨大《きょだい》な輪《わ》を作りながら、花火の導火線《どうかせん》みたいにぱちぱちと音をたてる。炎は一本の線になって火山の向こうへとのびていき、その先がいったんみえなくなったと思うと、すぐにまたこちら側《がわ》にのびてきた。大きな弧《こ》を描《えが》いているのがわかる。

マニング教官が急いで説明し始めた。「炎の輪からでないこと！　輪の外にでたら失格《しっかく》となる。石は常《つね》にアーマーにつけて、みえるようにしておくこと。隠してはならない。でないとやはり失格だ」

炎の線はスピードをあげて、溶岩の鉢に向かってのびてくる。そして端《はし》と端がつながり、輪になった。

太陽がみえなくなった。再びそれがみえるようになったとき、トライアルは終わっている。

「スタート！」アガサが叫んだ。

ユニコーンにまたがったライダーたちは噴火口の外にでて、すごいスピードで散《ち》らばった。いちばん大きな火山の陰《かげ》——炎の輪の中心に近いところ——を目指して飛んでいったユニコーンもいれば、マグマから立ちのぼる黒煙《こくえん》に包まれた暗がりに駆《か》けこむユニコーンもいた。

ボビーとファルコンが四人組の先頭に立ち、巨大な火山岩を目指して飛んでいった。残《のこ》る三人と三頭もあとに続く。火山岩のそばまでいったとき、スカンダーは、なかなかいい場所に陣取《じんど》ったと思った。岩が巨大なので、ユニコーンもライダーも、その陰にいれば目立たずにすむ。四人はユニコーンに岩の陰に伏《ふ》せるよう命じて、翼《つばさ》の下に身を隠すようにして相談を始めた。

「そんなわけで」ボビーが小声でいう。「ミッチェルのぶんの火の石が必要だよね。だれかから石を奪えるように、あたしたちが力を貸す。けど、報復されて石を奪われないように気をつけなきゃいけない」三人は不安でいっぱいなのに、ボビーはこの状況《じょうきょう》を楽しんでいるようだった。

「ロバータ、親切にありがとう」

ボビーはあきれたように目をむいた。「いったでしょ、妹がエアリーにくる前に、四人組のひとりが欠《か》けるようなことになったら困《こま》るって。そんなことになったら、妹に一生頭があがらない」

「でも、奪う石はひとつってことでいいよね？」スカンダーは、暗い顔でブレードの銀色の翼に隠れているフローをみた。「それ以上の石は狙わない。欲張《よくば》ると、そのぶん危険《きけん》も増す」

「賛成《さんせい》」フローがすばやく応じた。「でも、どうやってターゲットを選ぶの？　考えただけでいやな気分」

「ここにいる全員が――」ボビーがマグマの上の台地全体を示《しめ》すように手を動かした。「――同じ質問《しつもん》をしてるはず。で、マーマイトの最後《さいご》のひと瓶を賭《か》けてもいいんだけど、みんながいま狙っているのはスカンダーだと思う。あ、悪く思わないでね」

ミッチェルはまだ不安そうな顔をしているが、口からでた言葉にためらいはなかった。「理屈《りくつ》で考えると、ターゲットはニーヴだな。ニーヴはさっき火の石を受け取ったけど、土のトライアルで優勝してるから、火の石のスペアをひとつ持ってるんだ」

スカンダーはうなずいた。「ぼくたちがニーヴの石を奪っても、ニーヴはトライアルに合格できるわけだよね」

「でもわたし、ニーヴが好きなの」フローがつぶやいた。「あの子を攻撃《こうげき》するなんて、想像《そうぞう》できない」

「気に食わないライダーを狙いたいってことか」ミッチェルが考えながらいった。「なら、アンバーがいいんじゃないか？　アンバーには仲間がいない」

「それと」スカンダーはつぶやいた。「ぼくがアンバーから火の石を奪ったら、井戸《ウェル》のダンスパーティーに誘っても断ってくれるよな」

自分がなにをいったのか、スカンダーは自分でもわかっていなかった。ボビーとミッチェルとフローがぽかんとしてこっちをみている。

「アンバーを誘ったの？」フローがかすれた声でいった。

「好きで誘うわけじゃないよ！」スカンダーは叫んだ。「ハヤブサ隊《たい》が、井戸《ウェル》のパーティーに全員で参加《さんか》することになったんだ。で、リケシュがいうには、ぼくがアンバーを誘うべきなんだって。ぼくはもともと、表向きは水の使い手だったからね」

「冗談だよな？　スカンダー」ミッチェルがすがるように問いかけてくる。

「冗談なんかじゃないよ。そうするしかなかったんだ！　ハヤブサ隊全員がいくためには、ぼくが――」スカンダーは最後までいえなかった。フローが身をよじってブレードの翼の下からでてきた。

「隠し部屋のダンスパーティーにはでたくない、スカンダーはそういってたわよね？」フローの目に涙《なみだ》が浮《う》かんでいた。「わたしたちはお菓子《かし》を買ってきてツリーハウスにこもっていようって約束《やくそく》した。約束を忘《わす》れたの？」

　スカンダーはためらった。「ぼく――みんなが――ハヤブサ隊が――」

「もういい」フローが切りすてた。「ほかの友だちと楽しみたいんでしょ。勝手にすれば」

罪悪感《ざいあくかん》のせいで、胸がしめつけられるようだった。「でも、井戸《ウェル》以外のダンスパーティーの日は、ツリーハウスにいられるよ。ぼくがダンスにいくのは井戸《ウェル》の隠し部屋だけで――」

「そういうことじゃない！」フローがさえぎり、ブレードにまたがった。「わたし――もういや。石の奪《うば》い合《あ》いなんてやりたくない。わたし抜《ぬ》きで、三人でやって。わたしはひとりでいたい」

「ばかなことをいうなよ、フロー！」ミッチェルがいった。「いっちゃだめだ。攻撃されたらどうする？」

フローが急に冷めた表情になった。「わたしは銀のライダーよ。銀のライダーの実力をみててちょうだい」とてつもない怒《いか》りを含《ふく》んだ口調だった。フローらしくない。スカンダーは、火におおわれた闇《やみ》にシルヴァー・ブレードが消えていくのを、絶望的《ぜつぼうてき》な気持ちで見送った。

「ちょっと、やめてよ」ボビーがいって、スカンダーの脚《あし》をつかんだ。「スカンダレルからおりて。あんたまでここから飛んでいったら、あたしたちの居場所《いばしょ》がみんなにバレちゃう。あたしたち四人組が戦いに負けちゃうよ」

「スカンダー、ぼくの意見をいわせてもらうよ」ミッチェルは懸命《けんめい》に声を殺していった。「友だちづきあいに関《かん》する経験《けいけん》は、ぼくもあんまりないけどさ。でも、フローをさしおいてアンバーを選ぶなんて、ぼくだったら絶対やらないね」

「選んだわけじゃないよ！」スカンダーは叫んだ。「ハヤブサ隊が決めたことなんだ」

「ううん、選んだんだよ」ボビーが怒りをあらわにした。「ばかみたいな鳥のグループとつきあうのをやめればよかったんじゃない？　パーティーにでなかったからって、どうなるの？　ほかに予定があるっていったら、会から追いだされるの？　スカンダー、あんたはアンバーを選んだんだよ。それがまちがいだった。これまで二年半もフローといっしょに暮《く》らしてきたんでしょ。フローはシャイで引《ひ》っ込《こ》み思案《じあん》な子だってこと、知ってるでしょ。ダンスの日はスカンダーといっしょにツリーハウスで過《す》ごすんだって、あの子、すごく喜《よろこ》んでたんだよ。もうホットドッグも買って準備《じゅんび》してるの！」

「ぼくだってうれしかったよ――」

「約束をすっぽかした以上、そんなことをいっても意味ないよ。フローはいつも、自分が友だちを大切に思っていても、友だちは自分を大切に思ってくれてないんじゃないかっていってる。あたしは何回も何回も、そんなことないっていってきた。なのに、あんたがこんなことをするから！」

そのときやっと、三人は、声が大きすぎたと気がついた。

四種類《しゅるい》の元素の魔法が、三人が隠れている岩を襲《おそ》った。地面から炎があがり、氷の矢が飛んできた。稲妻《いなずま》があたりの闇を照《て》らし、小石のミサイルが立て続けに地面を打つ。スカンダレルとレッドとファルコンはパニックにおちいり、翼をばたつかせて立ちあがった。スカンダーがやっとのことでスカンダレルの鞍《くら》をつかみ、またがったかと思うと、攻撃の第二弾《だん》が始まった。

スカンダーは気の魔法を呼びだし、白く輝《かがや》く盾《たて》を作ると、鋭《するど》い稲妻をはね返した。しかし、闇の中に魔法の破片《はへん》が飛びちっている状態では、どのライダーが攻撃をしかけてきたのかわからなかった。

「気の使い手だ！」アジャイの声がきこえた。スモールダー・メニスのライダーだ。

「石を奪っちまえ！」別《べつ》の声が響《ひび》く。スウィフト・サボタージュに乗ったアイヴァンだ。とはいえ、確信《かくしん》は持てない。

スカンダーの左では、ミッチェルとレッドがだれかと戦っている。ミッチェルは炎の弓矢を使っているが、敵《てき》の攻撃はやまない。火の球がいくつも爆発《ばくはつ》して、それがレッドの足元にどんどん近づいてくる。

「やってくれるじゃない！」ボビーが叫び、ファルコンがスカンダレルの前で後足立ちになった。完璧《かんぺき》に編《あ》みこまれたたてがみが炎に照らしだされた瞬間《しゅんかん》、ボビーが本気をだした。

ボビーのてのひらからつむじ風が生まれ、まわりに漂《ただよ》う元素の破片を巻《ま》きこみながら勢《いきお》いを増す。じゅうぶんに大きくなったと判断《はんだん》すると、ボビーはそれを前方に放った。さらに、つむじ風のまん中に稲妻を飛ばす。電気の嵐《あらし》が敵を襲う。

スカンダーとボビーとミッチェルを襲ったライダーたちは、逃げるしかなかった。

「丁寧《ていねい》にもてなしてやった」ボビーはいって、まだ黄色く光っているてのひらに、ふっと息を吹きかけた。

「とにかく、ここを離れよう」ミッチェルが叫んだ。レッドの鼻孔《びこう》から渦《うず》を巻いた煙《けむり》が立ちのぼっている。

「火山のほうにいくの？」スカンダーはいった。移動の途中でフローをみつけて合流したい。しかし、それをいいおわったときには、マグマが細い糸のように流れおちる岩の上で、フレッジリングのユニコーンたちが待ちうけているのがみえた。闇の中に元素の魔法が光を放つ。みんな、考えることはただひとつ――戦いに勝つこと――だった。

スカンダーが考えていたことを、ボビーがそのまま言葉にしてくれた。「あんなにたくさんいるのに、どうやって切《き》り抜《ぬ》けたらいい？」

スカンダーには答える暇《ひま》もなかった。そこからたった三歩で、スカンダレルが空に飛びだしたのだ。スカンダーはなんの指示《しじ》もだしていないというのに。

「飛んでいくってことね」ボビーはミッチェルにいった。

スカンダーは上空から、レッドとファルコンが飛びたったのを確認《かくにん》した。「スカンダレル、考えなしに動くのはやめてくれよ」

何度も下から攻撃を受けた。メイイーとローズブライア・ダーリンが、スカンダレルのおなかめがけて火の球を放ってくる。空から撃《う》ちおとすつもりなのだろう。イライアスとマローディング・マグネットは、ものすごい突風《とっぷう》を浴《あ》びせてきた。

スカンダレルとファルコンとレッドは、やっとのことで攻撃をかわし、最大《さいだい》の火山のふもとにある渓谷《けいこく》に着地した。

さっきいたところより静かな場所だった。とはいえ、噴火口の内側《うちがわ》にある溶岩湖《ようがんこ》がぶくぶくと泡立《あわだ》つ音がきこえて、なんとも不気味な感じがする。煙と灰《はい》が空中に漂って、視界はあまりきかない。

「みんなの意見もきかずに、勝手に飛ぶなよ」ミッチェルがいらいらしていった。

「ぼくが指示したわけじゃないんだ！」スカンダーは抗議《こうぎ》した。「スカンダレルが勝手に飛びだした」

「声を小さくして――こっちにきて」ボビーがいった。火山のふもとに小さな洞窟《どうくつ》がある。

「サンショウウオに気をつけろ！」ミッチェルが声を殺していい、洞窟の入り口にレッドを近づけると、レッドの背中からおりた。「絶対に踏《ふ》むなよ」

「サンショウウオなんて、怖くないでしょ？」ボビーもどすんと地面におりる。「小さいトカゲみたいなもんじゃない」

「火のゾーンにいるサンショウウオは、火の元素と結《むす》びついてるんだ。ぼくはケージに入れられたやつしかみたことがないけど。火の祭で展示《てんじ》されてた。すごく危険な生き物なんだってさ」

洞窟は、三人と三頭が隠れるのにぴったりの大きさだった。三人は一瞬《いっしゅん》口を閉《と》じて耳をすませた。活火山から響いてくる振動《しんどう》と、ユニコーンたちの鼻息、そして遠くのほうで繰りひろげられている戦闘《せんとう》の音がきこえる。

「さっき襲ってきたの、だれだと思う？」スカンダーは小声でいった。「煙のせいで顔がみえなかった」

「ぼくも全員はみえなかったけど」ミッチェルは頬《ほお》についた灰をこすりおとした。「ニーヴとスノウ・スイマーがいるのはわかった」

「ニーヴの石、取れた？」ボビーが勢いづいてきき、ミッチェルのアーマーをみた。

ミッチェルは首を横に振った。「いや、もうなくなってた。だれかに奪われたんだろう」

「残念《ざんねん》中の残念」ボビーはあごをスカンダーのほうに突《つ》きだした。「石を奪ったのがフローだったらいいのにね」

「ぼく、どうしたらいいんだろう」ボビーの言葉を無視して、ミッチェルが苦しそうにいった。

「火の石を手に入れることができなかったら、火のトライアルに合格できない。残りのトライアルで余分《よぶん》な石をもらえるかどうかもわからない。エアリーから追いだされたら、友だちなんかもう二度と――」

「落ち着いてよ、ミッチェル」ボビーが口をはさんだ。「みんなでがんばれば、石は手に入るって。まあ、もうちょっと貪欲《どんよく》にいかなきゃだけどね」

「まずはフローをみつけよう」スカンダーはいった。

ボビーが片方《かたほう》の眉《まゆ》をつりあげたが、もっともだと思い直したらしい。「目標《もくひょう》がふたつできたってことね。フローをみつける。ミッチェルのぶんの石を手に入れる。いい？」

スカンダーとミッチェルはうなずいた。

ボビーが立ちあがり、つかつかと前に歩きだした。「え、なにこれ――」四本足のなにかが足元から這《は》いだして、赤く光りだした。洞窟の中が明るくなる。

恐怖《きょうふ》に襲われたミッチェルが動けなくなった。スカンダーとボビーが好奇心《こうきしん》と嫌悪感《けんおかん》の入《い》り混《ま》じった思いで観察するうち、トカゲのような形をした生き物の血管《けっかん》が真っ赤に燃えだし、やがて、全身が溶《と》けて溶岩のようになった。オレンジ色に光る水たまりみたいだ。黒煙が太い帯《おび》になって立ちのぼる。

「ミッチェル」ボビーがいった。「あんたがうるさくいってたことって――」

「逃げろ！」ミッチェルが叫んだ。「この煙は有毒《ゆうどく》なんだ！」

一度きけばじゅうぶんだった。スカンダーはスカンダレルの手綱《たづな》をつかみ、ボビーとミッチェルといっしょに、洞窟から駆けだした。

「ボビー、わかったか」じゅうぶんに離れると、ミッチェルがいった。「サンショウウオをみつけたときに絶対やっちゃいけないことを、きみはやったんだ」

「気がつかなかったんだもん！」

「あのサンショウウオ、死んだの？」スカンダーは、洞窟から流れでる黒煙をみながらきいた。

「いや、サンショウウオ自身は平気だよ。触《ふ》れられると――特に、足で踏まれると――」ミッチェルはボビーをにらみつけた。「自分の身を守るために体を溶かして、有毒ガスをだす。そうして半径《はんけい》数メートル以内の敵をやっつけたあと、また元の姿《すがた》にもどって、安全なところに逃げこむんだ」

「講義《こうぎ》なんかいらない」ボビーがぼやいた。「目標はふたつ。おぼえてる？」

火山の斜面《しゃめん》を登りながら、スカンダーは渦巻く煙を透《す》かして目をこらした。銀色のきらめきがどこかにみえないだろうか。しかし、溶岩湖に近づいてもまだ、フローとブレードの姿はみえなかった。

ミッチェルは、レッドのひづめが蹴散《けち》らした黒い灰を吸いこんでしまい、咳《せ》きこんだ。「このへんにいるライダーたちは、石を取られたくなくて、どこかに隠れてるんだろうな」

スカンダーも同じ意見だった。フローを探していても、だれにも攻撃されない。煙の中、ほかのユニコーンたちのシルエットが現れたり消えたりして、赤く光る湖に住む亡霊《ぼうれい》みたいだ。

「あたし、ここには長くいられないな」ボビーがうめいた。褐色の前髪《まえがみ》が汗《あせ》ばんだ額に張《は》りついている。「暑いんだもん」

溶岩湖まで、あと少しだ。ユニコーンのひづめの下で、脈打《みゃくう》つマグマが煙をあげる。スカンダレルはしゅうしゅうと鼻息を鳴らし、歯のあいだから火花を漏《も》らしている。噴火口の中にみえるオレンジ色のマグマのそばになんかいたくない、遠くに飛んでいきたい、と思っているんだろう。

そのとき、悲鳴がきこえた。

フローの悲鳴だ。

THE FIRE TRIAL

第10章
火のトライアル

フローの悲鳴をきいて、ボビーがすばやく反応《はんのう》した。ファルコンの手綱《たづな》を握《にぎ》っていう。「フローにひどいことをするやつは、あたしが後悔《こうかい》させてやる！」

フローがまた声をあげた。恐怖《きょうふ》が伝《つた》わってくる。「ここにいるわ！　トライアルにきてるの！」

フローがなにをいっているのか、スカンダーはすぐに気がついた。

スカンダーとボビーとミッチェルは、迷《まよ》うことなくユニコーンを走らせた。一瞬《いっしゅん》、溶岩湖《ようがんこ》をおおっていた煙《けむり》が薄《うす》れた。フローとブレードのシルエットが、赤い光の中に浮《う》かびあがる。

スカンダレルとファルコンとレッドは、全速力で駆《か》け寄《よ》った。

「ここにいたの」近づいたスカンダーに、フローはいった。「ウィーヴァーが」

フローの全身が震《ふる》えていた。ボビーはファルコンをブレードに近づけ、銀色の翼《つばさ》と灰色《はいいろ》の翼ごしに手をのばし、フローの手を握った。

「煙ごしにみえたの。湖の向こう側《がわ》にいたわ」フローはかすれた声でいった。「だれかを探《さが》していたみたい。わたしが叫《さけ》んだら、野生のユニコーンが飛《と》んでいっちゃった」

スカンダーは、恐怖に心臓《しんぞう》をわしづかみされたような気分だった。ウィーヴァーは……ぼくを探しているのか？

「本当にウィーヴァーだったのか？」ミッチェルがきいた。勘《かん》ちがいだったといってほしい、とでも思っているみたいだ。

「証拠《しょうこ》がみたい？」フローの声はまた震えだした。「ほら、あそこ」

四人はユニコーンに乗ったまま、溶岩湖のほとりまでいった。ひづめの下で地面が振動《しんどう》している。マグマがたてる空腹《くうふく》のモンスターみたいな音をききながら視線《しせん》を動かすと、フローのいうとおり、証拠がみつかった。

ウィーヴァーのマントだ。ぼろぼろになった黒いマント。端《はし》のほうが焦《こ》げている。それはまもなく、炎《ほのお》の獣《けもの》みたいなマグマにのまれて消えていった。

「火のトライアルをいますぐ中断《ちゅうだん》すべきよ」フローはきっぱりといった。「危険《きけん》だもの！　ウィーヴァーがどこにいるかわからない！」

ボビーはその意見に賛成《さんせい》できないようだった。「でも、ウィーヴァーは飛んでいったんでしょ？　もうここにはいないってことじゃない？」

スカンダーは、三人が自分の意見を待っているのを感じた。「ウィーヴァーがなにをやってるのかわからないけど、ぼくたちがルーキーになるチャンスをつぶしてほしくない。ミッチェルのために火の石を手に入れよう。ここでトライアルを終わらせたら、石が手に入らない」

「フロー、どうする？」ボビーが期待をこめていった。

「わかった。でも、終わったらすぐ教官《きょうかん》たちに報告《ほうこく》しないとね」

「決まり」ボビーとミッチェルが同時にいった。

四人組は火山の山腹《さんぷく》に割《わ》れ目《め》をみつけたので、そこを基地《きち》にしようと決めた。ふたりずつのペアで動く。ボビーとフローとスカンダーが、順番《じゅんばん》にミッチェルと組む。こうすることで、一度にふたつ以上《いじょう》の石を失《うしな》うリスクを防《ふせ》ぐことができる。フローとスカンダーが基地に残《のこ》っているあいだ、フローは必要最小限《ひつようさいしょうげん》しか口を開こうとしなかったし、スカンダーの目をまっすぐみようともしなかった。隠《かく》し部屋のダンスパーティーのことを、まだ気にしているらしい。

そのうち、ボビーとミッチェルが興奮《こうふん》した様子でもどってきた。ふたりはコビーとメィイーに背後《はいご》から近づこうとしたという。コビーとメィイーはグループからはぐれて、岩山の陰《かげ》に身を隠しているところだった。ボビーとミッチェルがてのひらに元素《げんそ》の魔法《まほう》を呼《よ》びだしたとき、コビーとメィイーは、ふたりの前方にいるマテオ、ナオミ、ディヴィヤ、ハーパーの四人に向けて火の球を放った。マテオたちにとっては完全《かんぜん》な不意打《ふいう》ち攻撃《こうげき》で、おびえたユニコーンたちが逃《に》げていってしまった。四人は岩山を背《せ》に、コビーとメィイーのしつこい元素《げんそ》の攻撃を受《う》け続《つづ》けた。

「四人は降伏《こうふく》したの」ボビーが説明《せつめい》する。「両手をあげて、あのいじわるコンビに、アーマーにつけた石を取らせた」

「でも、火の石が必要なのって、メィイーだけでしょ？　マテオの四人組から石を三つ取ろうとしたの？」フローは激怒《げきど》していた。

「あいつらは土の石を持ってないから、あとで交換《こうかん》するためには余分《よぶん》な石が必要なんだよ」ミッチェルは弱々しい声でいった。

「まあ、いやなやつらだしね」ボビーがつけたした。

夜明け前、漆黒《しっこく》だった空がかすかに白み始めると、ライダーたちが焦《あせ》りだした。スカンダーとミッチェルは、イライアスとマローディング・マグネットがゲイブリエルとクイーンズ・プライスに襲《おそ》いかかり、石のミサイルを連射《れんしゃ》するのを目撃《もくげき》した。ゲイブリエルと仲間《なかま》たちは必死《ひっし》に防御《ぼうぎょ》したが、イライアスがすれちがいざまに手をのばし、ゲイブリエルの火の石をアーマーからつかみとった。

もうすぐ夜が明ける。ミッチェルは無謀《むぼう》な動きをするようになった。四人の基地にもどろうとしない。スカンダーとボビーとフローが順番に同行しようとしても、ひとりだけでいってしまう。「とにかくきみたちの石だけは守ってほしいんだ」

ミッチェルは最後《さいご》の抵抗《ていこう》を続《つづ》けた。レッドもミッチェルの指示《しじ》をよくきいてくれた。ターゲットにできそうなライダーをみつけるたび、急滑降《きゅうかっこう》して攻撃しようとしたが、むだだった。姿《すがた》を隠すことなくうろついているライダーはみな、石をなくしていたからだ。石を持っているライダーは、どこかに隠れて夜明けを待っていた。

「時間はあとどれくらいある？」四人組の基地に手ぶらでもどってきたミッチェルは、すがるようにきいた。

その問いに答えるように、しゅうっという音がして、炎の輪《わ》が消えた。太陽が昇《のぼ》ったのだ。火のトライアルは終わった。

小さな噴火口《ふんかこう》のようにみせかけた隠《かく》れ場所《ばしょ》や、黒い岩の裏《うら》などから、ユニコーンとライダーが姿を現《あらわ》し、火山の山腹をまわって集まってきた。全員が疲《つか》れはて、泥《どろ》だらけになっていた。

ミッチェルはなんとか取《と》り乱《みだ》すことなく、ユニコーンからおりた。「信《しん》じられないよ」声に力が入っていない。「父さんががっかりするだろうな。ジェイミーはどう思うだろう？　溶鉱炉《ファーネス》のダンスパーティーに誘《さそ》ったけど、いっしょにいくのはいやだっていわれるかもしれない。火の使い手が火のトライアルで合格《ごうかく》できないなんて、情《なさ》けない」

フローはミッチェルをハグした。「情けなくなんかないわ、ミッチェル。そもそもフェアじゃなかったんだもの。わたし――ごめんなさい。最初《さいしょ》に勝手な行動をして。あんなことしなければよかった」そしてふたりは泣《な》き始《はじ》めた。

なにがあっても泣かないタイプのボビーは、雰囲気《ふんいき》を明るくしようとした。「ねえ、そんなに悲しむ必要はないんじゃない？　トライアルはあと二回あるんだから、ミッチェルが火の石を手に入れるチャンスはあるよ！」

「そうだよ」スカンダーもいって、フローと目を合わせようとした。

沈《しず》んだ表情《ひょうじょう》の四人組が溶岩《ようがん》の鉢《はち》にもどると、治療師《ちりょうし》たちが待っていて、ユニコーンやライダーのけがの手当てをしてくれた。教官たちが結果《けっか》を記録《きろく》する。

泣いているライダーがほかにもいた。ウォーカーがひとりで地面にうずくまり、すすり泣いている。サリカはロミリーの石を盗《ぬす》んだことを大泣《おおな》きしながら謝《あやま》っている。

「あの子たちって、友だち同士《どうし》じゃなかった？」ユニコーンからおりながら、ボビーが小声でスカンダーにきいた。

スカンダーはため息をついた。「友だち同士だった、ってことだね」

疲れはてたライダーたちの様子を眺《なが》めるうちに、スカンダーは何週間も前にエローラにかけられた言葉を思いだした。**わたしにわかるのは、島が、戦闘《せんとう》に勝つよりずっと大切なことがあるのを忘《わす》れてしまったってこと。**

友情《ゆうじょう》ってなんだろう？　スカンダーは考えた。忠誠心《ちゅうせいしん》って？　カオスカップに出場するための代償《だいしょう》として、友情や忠誠心を失うことになるんだろうか。そうまでして夢《ゆめ》をかなえたいのか？　すべての訓練《くんれん》が終わったときにそんな人間になってしまうことが、ぼくの望《のぞ》みなのか？

「ふうん、アンバーは火の石を失わなかったんだね」ボビーがワールウィンド・シーフのそばにいるアンバーに目をやった。

「気の使い手野郎《やろう》！　人間のクズめ！」突然《とつぜん》、アラステアがスカンダーの前に現れた。背が高いので、メィイーとコビーが止めようとしても止められない。

「おれの石を盗みやがったな！　おまえだろう！」アラステアがどなる。スカンダーの顔に唾《つば》がかかった。

「なんの話？」スカンダーにはわけがわからなかった。「ぼくはきみを攻撃してない。姿だって一度もみなかったよ！」

アラステアは両腕《りょううで》を振《ふ》りまわした。「嘘《うそ》つきめ！　おれはみたんだ。そもそもおまえがカオス・トライアルに参加《さんか》するのがまちがいなんだ。気の元素のトライアルがないんだからな。だから、おまえの存在《そんざい》は違法《いほう》だよ。おまえなんか刑務所《けいむしょ》に入れられてしまえ！」仲間の手を振りはらうと、アラステアはスカンダーのアーマーについている真っ赤な石をつかもうとした。

「いい加減《かげん》にしなさい」きき慣《な》れた声が大きく響《ひび》いた。

アークティック・スワンソングにまたがったアガサがアラステアに近づいた。完全な成体《せいたい》になった気のユニコーンに圧倒《あっとう》されて、アラステアはあとずさってスカンダーから離《はな》れた。地面に唾を吐《は》いてから、こそこそ逃げていった。「クズ野郎め！」

アガサはこれを無視《むし》してスワンからおりた。クリップボードを取りだして、赤い袋《ふくろ》を鞍《くら》からはずす。夏至《げし》の石を回収《かいしゅう》しにきたのだ。

「アラステアはどうして、スカンダーが石を盗んだと思ったのかしら？」フローがいった。トライアルが終わってから初《はじ》めて、スカンダーの顔をまっすぐにみた。「そんなこと、してないわよね？」

「ぼくじゃないよ！　いったいなんの話かわからない。フロー、なにか知って――」しかし、スカンダーの言葉はアガサにさえぎられた。

「だいじょうぶか？」アガサはスカンダーの全身に視線を走らせた。けががないかどうか、確《たし》かめているんだろう。「半分終わった段階《だんかい》で、まだ生きているな。素晴《すば》らしい。では、石をこちらへ。記録をつける」

「トライアルのエリアの中に、ウィーヴァーがいました」フローがあえぐようにいった。ウィーヴァーを目撃したことが、よほどのストレスになっていたらしい。「今回はわたしがみたんです」

アガサの顔がわずかに青くなった。「本当か？」ききながら、視線はスカンダーに向けていた。スカンダーのいうことなら信じる、といっているみたいだ。

スカンダーはうなずいた。「溶岩湖でウィーヴァーのマントが燃《も》えているのをみた。絶対《ぜったい》あそこにいたんだ」前回の目撃報告を信じなかったのを謝ってくれるんじゃないか、スカンダーは心のどこかでそれを期待していたが、アガサは謝らなかった。変異《へんい》の表れた頬《ほお》をこすり、ひとりごとのようにいった。「エリカはいったいなにをするつもりなんだ？」

「だれかを探していたみたいです」フローはいって、スカンダーに目をやった。「わたしがみかけたとき、あたりをぐるっとみまわしていたんです」

アガサの顔がさらに青くなった。「首長に話しておこう。石をこちらへ。早く」

スカンダーとボビーとフローは、火の石を差《さ》しだした。アガサが期待をこめた目でミッチェルをみると、ミッチェルはうつむいた。

「だいじょうぶだよ」スカンダーはいった。「みんなで挽回《ばんかい》しよう」

ミッチェルは暗い顔のままうなずいた。アガサがミッチェルの名前の横に×印《じるし》をつけるのをみて、スカンダーは気分が悪くなった。

「だいじょうぶだよ」もう一度いった。ミッチェルにいったというより、自分自身に向けた言葉だった。


火のトライアルが終わってから隠し部屋のダンスパーティーまでの日々は、とても奇妙《きみょう》なものだった。フレッジリングたちは互《たが》いを避《さ》けるように生活していた。以前《いぜん》なら、火のゾーンでたき火を囲《かこ》んでおしゃべりしたり、水のゾーンで月を映《うつ》した水たまりを眺めたりして、夜の生活を楽しんでいたのに、そんな遊びをすることもなく、さっさとベッドに入ってしまう。なにもかもが不自然《ふしぜん》で気まずい感じだった。スカンダーが、ハヤブサ隊《たい》のミーティングでこのことをマーカスに話すと、マーカスは同情《どうじょう》のこもったため息をついた。「わかる気はするよ。カオス・トライアルの内容《ないよう》は毎年変《か》わるが、おそらく、火のトライアルは、みんなを敵《てき》だと思わなきゃならないような戦《たたか》いだったんじゃないか？　みんなの本性《ほんしょう》が表れたんだよ。ぼくたちのときもそうだった。もうだれも信用《しんよう》できない、そう思ったものさ」

「実際《じっさい》、そうよね」近くで話をきいていたフェンがいった。「まずは自分が生《い》き残《のこ》る、それがカオス・トライアルのテーマなのよ」

「それって正しいの？」スカンダーはききながら、スカンダレルにまたがった。これから卵《たまご》の捜《そう》索《さく》にでかけるのだ。「仲間同士で戦うようなこと、どうしてやらなきゃいけないんだろう」

フェンは肩《かた》をすくめた。「気にしない、気にしない。だって、そうしないとエアリーに残れないんだもの。カオスカップに出場したり、ひいては首長になったりするためにはね。結局《けっきょく》、そこまでの野心があるかないかってことじゃない？」

スカンダーはケンナのことを考えた。スカンダーにとって大切なのは、カオスカップに出場することだけではない。エアリーでの訓練を一年終えるたび、気の元素を法的《ほうてき》に認《みと》めてもらうという未来《みらい》に一歩近づくことになる。それに、メンダーとしてケンナに正しい絆《きずな》を作ってあげられれば、ケンナが真のライダーになる手助けをすることにもなる。まもなくやってくるクリスマスには、ケンナに会いにいこうと決めている。ただ、アガサには黙《だま》っておいたほうがよさそうだ。話せばきっと止められる。ケンナに会うまでに、報告できることがひとつでも増《ふ》えていてほしい。そのためにはジェイミーの協力《きょうりょく》が必要だ。

火のトライアルのあと、スカンダレルのアーマーの具合を確かめにきたジェイミーに、眠《ねむ》りの歌のことをきいてみた。するとジェイミーはすぐに、お母さんに話を通してくれた。隠し部屋のダンスパーティーが始まる前日の夜、お母さんはエアリーを訪《たず》ねてくれるそうだ。お母さんの助けを得《え》てメンダーの夢をゆっくりみることができれば、ゴショークの運命のライダーがだれなのか、わかるかもしれない。

ジェイミーのお母さんがやってくる日の午後、スカンダーとボビーとミッチェルとフローは、それぞれのユニコーンといっしょにフレッジリングの訓練場《くんれんじょう》にやってきた。次のカオス・トライアルの元素は水。しばらくは水の元素を使った訓練が中心になりそうだ。

水のテントの前に並《なら》んだとき、明るい顔をしている者はひとりもいなかった。この一週間、フローはいつも以上におとなしくしている。スカンダーとまた言葉を交《か》わすようにはなったが、腹を割《わ》って話すことはなかった。ふたりとも妙《みょう》に礼儀《れいぎ》正《ただ》しくふるまっているし、火のトライアル以《い》降《こう》、いっしょに朝食をとりにいくこともなくなってしまった。スカンダーは毎朝フローを待っているのに、フローがリビングにでてこないのだ。そんなとき、スカンダーは夢にでてくるぼやけた顔をスケッチブックに描《か》くようにしている。食べたかった朝食のイラストも描いていた。

ボビーはファルコンの首に〈ハッチェリー・ヘラルド〉紙を置《お》いていた。訓練のまえに隅《すみ》から隅まで読もうとしていたかのようだ。しかしスカンダーは、その目的《もくてき》を知っていた。ボビーは、卵の捜索についての記事を探しているのだ。ハヤブサ隊のミーティングからもどり、成果《せいか》はなかったと話したとき、ボビーの表情が暗く沈んだのをおぼえている。

ミッチェルはずっとひとりごとをいっていて、レッドがたてがみに何度火をつけてもしかろうとしない。そのうちボビーがキレた。「ちょっと、新聞に火がついたら燃えちゃうでしょ。ミッチェル、あんた、どうかしたの？」

「わかってるだろ。緊張《きんちょう》してるんだよ」

「なにが？　長く眠らされるのはあんたじゃないのに」

「そうだけど、ジェイミーのお母さんに会うことになってるからさ。気に入ってもらえなかったらどうしようって」

「なんでいつも、人にきらわれたらどうしよう、みたいなことをいうの？」スカンダーがきいた。「自己評価《じこひょうか》が低《ひく》すぎるよ」

「スカンダー、ぼくは自分の父さんに愛《あい》されてるってことが去年わかったばかりなんだよ。父親が息子《むすこ》を愛するのは当たり前なはずなのに。だから、ほかの人たちの気持ちなんて、ぼくにはまったくわからないんだ」

「でも、ジェイミーのご両親には、もう会ってるじゃない？」フローがいった。「去年、気の隠し部屋で」

「うん、でも――」ミッチェルが動揺《どうよう》しているのは明らかだ。炎の髪《かみ》の毛《け》がいつも以上に明るく燃えている。「それは状況《じょうきょう》がちがう。今回は特別《とくべつ》な感情《かんじょう》があるから……。ぼくたち、いっしょにダンスパーティーにいくんだ！」

「特別な感情？」ボビーが早口でからかう。「なにそれ、十八世紀《せいき》の人みたいな言葉！」

ミッチェルはそれを無視した。「それに、ジェイミーのお母さんは、すごく高名な吟遊詩人《ぎんゆうしじん》なんだ。そんな人に火のトライアルのことをきかれたらどうしよう？　合格できなかったって答えなきゃならない！」

「なにも心配いらないわよ」フローが優《やさ》しくいった。「ジェイミーのお母さんも、わたしたちと同じくらい、ミッチェルのことを好《す》きになってくれると思うわ」

「わたしたちって？」ボビーがいったので、フローはボビーのすねに蹴《け》りを入れた。

オサリヴァン教官がフレッジリングたちに声をかけた。二人一組になれ、とのこと。スカンダーはボビーと組み、ファルコンとスカンダレルは、水浸《みずびた》しの芝生《しばふ》で互いに向き合った。

「今日の訓練では、水の元素の魔法でものの形を変える方法《ほうほう》を学んでもらいます」オサリヴァン教官は、セレスティアル・シーバードに乗ったまま説明した。「ひとりのライダーが、大量《たいりょう》の水を放出します。ジェット水流でもいいし、小さな波でもいい。ほら、コビー、ちゃんときいていなさい」コビーはにやにや笑《わら》うだけだった。「攻撃を受けたパートナーは、その水の形を変えることで武器《ぶき》を作るのです。剣《けん》でもいいし、槍《やり》やメイスでもいいし――」

「弓矢でもいいんですか？」アートがきいた。アートのお気に入りの武器が弓矢だということは、いまはだれもが知っていた。

オサリヴァン教官はくすくす笑った。「アート、あなたとフューリアス・インフェルノは、二ーヴとスノウ・スイマーの水の攻撃を受けるんですよ。痛手《いたで》を負わないうちにその水を弓矢に変えられたら、明日は一日寝《ね》ていてもかまいません」

「本当に？」アートは真剣《しんけん》だった。「訓練を休んでもいいんですか？」

教官は首をかしげた。渦巻《うずま》きの目が輝《かがや》いて、おもしろがっているのがわかる。

フレッジリングたちはすぐに現実《げんじつ》を学ぶことになった。すごい勢《いきお》いで飛んでくる水から弓矢を作るのは、口でいうよりずっと難《むずか》しい。

ボビーとスカンダーはそれぞれ別の問題を抱《かか》えることになった。どちらも同じくらい難しい問題だった。ファルコンは水にぬれることがとにかくきらいなので、スカンダーとスカンダレルがジェット水流を放つたび、それが自分の身に届《とど》く前に凍《こお》らせてしまう。

「ファルコン！」ボビーは叫んだ。「向かってくる水を武器に変えなきゃならないんだってば！凍らせるのはズルだよ！」

スカンダーのほうは、ほかのライダーたちと同じで、速度の問題に苦しんでいた。ボビーが放ってきた水に魔法の力を加《くわ》えて、得意《とくい》なサーベルの形を作ろうとするのだが、時間的《じかんてき》に間に合わない。気づいたときには攻撃を受けてしまっているのだ。スカンダーもスカンダレルもびしょぬれだった。スカンダレルはこの訓練がおもしろくないと思ったらしく、ファルコンを攻撃しようとする。

スカンダーはボビーに次の攻撃をしようとしたが、ボビーが手を振ってそれを止め、その場から離れていった。

「あんたたち、ぬれネズミみたいで最悪《さいあく》の見た目だよ」

「ほめ言葉をありがとう」スカンダーはうなった。前髪《まえがみ》から水が滴《したた》って、目に入ってくる。

「ねえ、気の使い手くん」ボビーが急に真顔になった。「眠りの歌を今夜試《ため》してみるって、本気なの？」

スカンダーにとっては意外な質問《しつもん》だった。ボビーはリスクを負うことをいとわないタイプだ。あぶないよとか気をつけてとかいうのは、いつもフローだ。ただ、いまのフローはめったに話しかけてこない。

ボビーはため息をついた。「あんたがメンダーの夢をみながら叫んでるのをきいたことがあるんだ。とんでもない声だったよ。すごく苦しそうでさ。むりしてがまんしてるんじゃない？　ケンナのためだからって。でも、これって本当に危険なことなんだよね？　命がかかってるんでしょ？」

「ジェイミーのお母さんがそばについててくれる。ボビー、きみたちもそばにいてくれるんだろう？　まずいことが起こったら、なにか投げつけて起こしてくれればいいよ」

ボビーは笑《わら》い声《ごえ》をあげた。「わかった。あんたがその気ならやればいいと思う。でも、気をつけてね」

「うん、約束《やくそく》するよ」

ボビーは納得《なっとく》したようで、水の訓練を再開《さいかい》した。しかしスカンダーは、なんだか怖《こわ》くなってしまった。夢に現れる人の顔をはっきりみて、その似顔《にがお》絵《え》を描いてニーナに渡《わた》したい――そればかりを考えて、メンダーの夢は危険だというアガサの意見に耳を貸《か》さなかった。でも、目覚《めざ》めることなく眠り続けたら、どんなに苦しい思いをすることになるのかわからない。

その日の夜、ほかのライダーたちがみなエアリーの壁《かべ》の外にいってしまったあと、ジェイミーがスカンダレルの厩舎《きゅうしゃ》にやってきた。四人組が出迎《でむか》える。

「母さんがきて、吟遊詩人の肖像《しょうぞう》画《が》がどうのこうのと話し始めたら、無視していいからね」ジェイミーはうんざりしたようにいった。「おれの肖像画を歌の学校に掲示《けいじ》するっていうんだ。今年、真実の歌を歌ったからさ。その話をするのがいやで、おれ、母さんのことをずっと避けてるんだ」

「歌の学校って？」スカンダーがきいた。

「ライダーがエアリーで訓練を受けるように、吟遊詩人は歌の学校にいくんだよ。おれはそれがいやで、ずっと避けてきたんだ」ジェイミーはそういって、レッドの乱《みだ》れたたてがみをほぐし始めた。

「ジェイミー、ぼくに――ぼくたちに手を貸してくれたこと、心から感謝《かんしゃ》するよ」ミッチェルが小さな声でいうと、ジェイミーは笑《え》みを返した。

「エアリーの入り口まで母さんを迎《むか》えにいかないと」ジェイミーはそういってため息をついたが、ミッチェルといっしょに厩舎をでて歩きだそうとしたとき、ひとりの女性《じょせい》が歩いてくるのがみえた。薄茶色《うすちゃいろ》のロングヘアに赤紫色《あかむらさきいろ》のロングドレス。まわりの人たちまで笑顔《えがお》にしてしまうような、素敵《すてき》な笑みを浮かべている。

「ジェイミー、久《ひさ》しぶり！」女性はジェイミーをハグした。

「母さん！」ジェイミーは抵抗しようとしたが、ハグされたままなので声がこもっていた。「どうやってここまで入ってきたの？」

「まあ、やりかたはいろいろあるわよ。母さんの魅力《みりょく》を過小評価《かしょうひょうか》しないことね」女性はジェイミーを解放《かいほう》し、すぐにミッチェルの手を握った。その動きがあまりにも激《はげ》しかったので、ミッチェルの眼鏡《めがね》が落ちそうになった。

「ミッチェル！　会いたかったわ。わたしのおぼえているミッチェルよりハンサムね。それに、ずいぶん賢《かしこ》い子だってきいてるわ。そうでしょ、ジェイミーちゃん」

ミッチェルの髪《かみ》が燃えさかった。まわりのものに火がついてしまいそうだ。照《て》れくささと喜《よろこ》びが入りまじったような顔をしている。

ボビーは笑いだしたいのをこらえている。「ジェイミーちゃん？」声にはださずにジェイミーをからかった。ジェイミーは肩をすくめるだけで、相手にしなかった。

ジェイミーのお母さんはスカンダーたちにも近づいてきた。「また会えてうれしいわ、スカンダー、フロー、ボビー。わたしのことはタリアと呼んでね」

ジェイミーのミッチェルに向けた言葉がスカンダーの耳にも入った。「ほら、気に入ってくれるっていったろ?」

「お母さんにもっといろいろ質問したほうがよかったかな? なんかおもしろいことをいうべきだった? けどぼく、あんまりおもしろいタイプじゃないから、冗談《じょうだん》をいっても失敗《しっぱい》するかも」

「もういいって」ジェイミーは半分笑いながらミッチェルの手を取った。「いまのままでじゅうぶんおもしろいし、賢いし、勇敢《ゆうかん》だよ。ミッチェルはミッチェル。そんなミッチェルが、おれは好きなんだ」

ミッチェルは満面《まんめん》の笑みをみせたが、すぐに眉《まゆ》をひそめた。「ぼくはすごく賢いから、これ以上賢くはなれないよ」

ジェイミーは弾《はじ》けたように笑いだした。「ほら、やっぱりきみはおもしろい!」

「うーん……冗談のつもりじゃなかったんだけどな」

「わたし、困《こま》っていることがあるの。ジェイミーが肖像画を描かせるのをいやがっていてね」もじもじしているフローに、タリアはいった。「わたしは歌の学校で教えているんだけど、専門《せんもん》は戦闘の歌なの」耳につけたイヤリングに触《ふ》れる。垂《た》れさがるタイプのイヤリングで、剣と剣のように音符《おんぷ》と音符をクロスさせたデザインになっている。

「けど、おれは吟遊詩人じゃない」ジェイミーは淡々《たんたん》といった。「それに、忙《いそが》しいんだよ。今年はフレッジリングのライダーを担当《たんとう》してるんだけど、それがどんなに大変《たいへん》なことか、母さんは知らないだろう？　季節《きせつ》ごとに、特定《とくてい》の元素のトライアルがある。それに合わせてアーマーを作らなきゃならないんだ」

　スカンダーは申《もう》し訳《わけ》ないような気持ちになった。自分の問題のことでいつも頭がいっぱいで、エアリーでスカンダレルのアーマーを作るジェイミーがどんなに苦労《くろう》しているか、ほとんど気づきもしなかった。お礼の代わりに、ジェイミーとミッチェルがふたりでゆっくり過《す》ごせる時間をつくってあげよう。

「ジェイミーはこのへんじゃいちばんの腕《うで》利《き》きなんですよ」スカンダーはあわててフォローした。「ジェイミーがいなかったら、どうしていいかわからないくらいです」

「なるほどね。それはそうとして、本題に移《うつ》りましょうか」タリアはスカンダーをまじまじとみた。「あなたはメンダーなのね。吟遊詩人がメンダーに協力するなんて、いったい何年ぶりかしらねえ」

「えっ、メンダーのことをご存《ぞん》じなんですか？」スカンダーは胸が高鳴るのを抑《おさ》えながらきいた。

「ええ、知っているわ」タリアはそういって、遠い目をした。「吟遊詩人はいろんな記憶《きおく》を大切にしてる。島が忘れてほしいと思っていることもね」まばたきをして、スカンダレルの厩舎に集まった四人組に目をやった。「まあまあ、みんな、すごく疲れてるみたいね。カオス・トライアルのことは、うちの息子からきいているわ。ずいぶん大変な戦いなんですって？」

「そうなんです」フローは簡単《かんたん》に答えた。

「眠りの歌については、なにも心配しないでちょうだい。傷《きず》ついたユニコーンのために歌うことには慣れてるの」タリアはスカンダーの肩に手を置いた。「入りましょうか」

タリアとともに厩舎に入ったスカンダーは、だいじょうぶだよ、安心していていいよ、という気持ちを絆に送りこもうとした。問題は、スカンダーがいま不安《ふあん》になっていることだ。タリアのさっきの言葉が気になる。傷ついたユニコーンのために歌う、といっていた。先にアガサに相談しておくべきだったかもしれない——そんな気持ちが生まれ始めていた。

タリアが敷《し》き藁《わら》にひざをつくと、スカンダレルは不安そうにいなないた。スカンダーは赤いジェリーベイビーをひとつ食べさせ、自分も勇気《ゆうき》をだすためにひとつ食べた。ケンナのためにがんばろう。

「待って！」フローがあわてて声をかけてきた。「似顔絵を描くんでしょ？」鉛筆《えんぴつ》とスケッチブックをスカンダーに渡し、新しいページを開いた。

「ありがとう」スカンダーは声を絞《しぼ》りだすようにしていった。四人組とジェイミーは厩舎の扉《とびら》から身を乗りだしている。みんな、すごく心配そうだ。

「いつもの位置《いち》に寝てくれる？」タリアがいう。「翼の下なの？ そう、それはいいわね。あなたよりわたしのほうが先にトランス状態《じょうたい》になるかもしれないけど、心配しないでね」

スカンダーはスカンダレルの黒い翼に包《つつ》まれて、緊張をほぐそうとした。しかし、なかなか難しい。眠るところをだれかにみられることには慣れていない。

「じゃ、天国で会おうね」ボビーがいうと、みんなは眠りの歌がきこえないように耳栓《みみせん》をした。

スカンダーはほっとした。タリアが突然口を開いて歌いだすと、彼女《かのじょ》の全身で元素の魔法が踊《おど》りだしたからだ。夢のことをもっとよく話しておきたかった。そういえば……タリアもトランス状態になるといっていたような気がする……。考えているうちに、言葉が心の中に流れこんできた。魔法の力のせいなのか、それらの言葉をきいていると、ただただ眠たくなってくる。赤い熾《おき》火《び》。優しい雨の音。あたたかいそよ風。気持ちを落ち着けてくれるラベンダーの香《かお》り――。いつのまにか、眠くてなにも考えられなくなっていた。ひとつだけ、意識《いしき》の中に残っていたことがある。なにかあったら起こして。ぼくが叫びだしたら、必《かなら》ず起こして。しかし、いつしかそれさえ消えてしまい、スカンダーとスカンダレルは眠りに落ち、夢をみ始めた。


自分のものではない両目で、なにかをみている。だれかを探している。どきどきするような、恐《おそ》ろしいような気分だった。自分のものではない体から離れようとした。顔がみたい。ところが、そう思った瞬間《しゅんかん》、別の体に入っていた。脚《あし》を組んで地面にすわっている。草を引きぬいて、それが風に乗って崖《がけ》を越《こ》えていくのを見守った。

きみはだれ？　強く念《ねん》じると、胸《むね》が痛《いた》くなってきた。顔がみたいんだ。

突然、視点《してん》が変わった。脚を組んですわった人のとなりにいる。でも、がっかりだ。やっぱり顔はみえない。特徴《とくちょう》なんて、ひとつもわからない。胸が痛い。苦しい。いつもならここで目覚めるのだが、眠りの歌のせいで、夢の続きをみていることができた。なにか別の方法を使ってみよう。謎《なぞ》の人間の手をつかもうとした。こぶしのところに痣《あざ》がある。物理的《ぶつりてき》な接触《せっしょく》はしていないのに、輪郭《りんかく》がはっきりみえてきた。少年の顔が現れる。金髪《きんぱつ》。はっとするような灰色の目。白い頬《ほお》に散《ち》らばったそばかす。年齢《ねんれい》は、エアリーのハッチリングくらいだ。

強く引かれる感覚《かんかく》があった。スカンダー自身の絆が光っている。スカンダレルが、場所を交換しようといっているのだ。少年の運命のユニコーンをみせるために。

絆の反対側《はんたいがわ》に移動《いどう》すると、スカンダレルの視点でまわりがみられるようになった。野生のユニコーンがいる。これまでの夢にでてきたユニコーンとはちがう。悲しみも苦しみもなく、混乱《こんらん》と怒《いか》りを感じる。そして、血を渇望《かつぼう》している。それだけではない。あるはずのない感情を、そのユニコーンは持っている――ほんのわずかな喜びだ。なにかの理由で、この野生のユニコーンは、ほかのユニコーンより幸せなのだ。なにかの理由で、永遠《えいえん》の命が、生きる価値《かち》のあるものになっている。

痛みのせいで頭が破裂《はれつ》しそうだ。息ができない。いつもなら目覚めるはずの状態をはるかに越えてしまっている。でも、まだ目覚めない。まるでおぼれているみたいだ。野生のユニコーンの

体と心の中に閉《と》じこめられている。苦しい。苦しくて、もう耐《た》えられない。苦しすぎて声もだせない。このまま死ぬんだろうか。むりをしすぎたんだろうか。

ケンナ。**必死で念じた。**ケンナを置いて死ぬことはできない。このまま二度と会えないなんて、いやだ。

ケンナの顔がはっきりと脳裏《のうり》に浮かんだとき、スカンダーは、スカンダー自身になっていた。

野生のユニコーンが目の前にいる。

夢からさめる直前、確信《かくしん》した。そこにいるのはゴショーク・フュアリーだ。

苦しみにあえぎながら目をさました。厩舎にいる仲間たちがいっせいに声をかけてくる。その言葉がぼんやりときこえた。耳栓の効《き》き目《め》がなくて、みんなも眠ってしまったという。起こしてあげられなくてごめんなさい、と口々にいっている。しかしスカンダーの頭の中にある思いはひとつだけだった。スカンダレルの足元にあったスケッチブックを取り、記憶にある少年の顔を描き始めた。ブロンドの髪。チャコールグレーの瞳《ひとみ》。

ボビーとフローとミッチェルはそばにひざをつき、スカンダーの体を支《ささ》えた。スカンダーは少年の顔にそばかすを、手に痣を描きいれた。そのとき、自分の鼻になにかがついているような気がして、手でぬぐった。血？　しかし、かまうことなく似顔絵を完成《かんせい》させた。

鉛筆を置き、スケッチブックをみる。もうへとへとだった。

夢の中で脚を組んですわっていた少年が、スケッチブックからこちらをみている。

「ゴショークの運命のライダーだ」スカンダーは声にならない声をスカンダレルにかけた。「ぼくたち、やったよ」

そのとき、スカンダレルは苦しそうな声をあげた。スカンダーは意識を失い、暗い闇《やみ》に落ちていった。

DOUBT

ケンナ

疑念《ぎねん》

ケンナ・スミスにはわからないことがあった。

どうして、自分の顔を描《えが》いたポスターが、木々の幹《みき》に貼《は》られているのか。アルバートが、ゾーンのはずれでお尋《たず》ね者《もの》を捜索《そうさく》する衛兵《えいへい》たちをみたという。それ以来《いらい》、友だちに囲《かこ》まれていても安心していられない。

どうして、わからないことがこんなにあるんだろう。放浪者《ほうろうしゃ》にかくまわれてはいるけれど、ここが自分の居場所《いばしょ》なの？　自分はこの先何者になるの？　将来《しょうらい》の夢《ゆめ》はどうなるの？

どうして、ゴショークの怒《いか》りが胸《むね》に伝《つた》わってくるんだろう。野生のユニコーンの力を、島の平和を訴《うった》える歌で抑《おさ》えようとしているから？　次の変《へん》異《い》が怖《こわ》い。変異は次々に起こるはずだ。

どうして、こんなに悲しい気持ちになるの？

毎朝目覚《めざ》めては、夜のうちにスカンダーがきてくれなかったのを知って、がっかりする。午後になると、午前中にスカンダーがきてくれなかったのを知って、がっかりする。夜になると、今日も弟に会えなかったと思って、がっかりする。わたしのことをわかってくれているのはスカンダーだけ。夢を思いださせてくれるのも、スカンダーだけ。

放浪者たちが火のゾーンに移動《いどう》する前の夜、ケンナとアルバートは、温水のたまった洞窟《どうくつ》のくぼみの縁《ふち》にすわり、足をぶらぶらさせていた。元素《げんそ》の季節《きせつ》が土から火に変《か》わってからだいぶたつ。たくさんの衛兵たちがケンナを探《さが》しているので、エローラはこれまで移動をためらっていた。

しかし、衛兵たちが水のゾーンと風のゾーンに移《うつ》っていったことに偵察係《ていさつがかり》が気づいたので、荷物をまとめることになった。移動は夜中。卵《たまご》を探す人々とも、野生のユニコーンを連《つ》れた少女を探す人々とも、夜中なら出会うことがないはずだ。それでも、この二か月ほど、我《わ》が家《や》として過《す》ごしてきた洞窟を離《はな》れるとなると、ケンナは心配でたまらなかった。

「火のゾーンに移動するわたしやゴショークの姿《すがた》をだれかにみられたら、どうすればいい？」ケンナは不安《ふあん》を漏《も》らした。

アルバートはブロンドのポニーテールの先をいじった。心配事があるときのアルバートの癖《くせ》だと、ケンナは気づいていた。「だいじょうぶだよ」アルバートはケンナをなだめようとした。「衛兵たちは探すエリアを変えたし、そもそもぼくらは夜中に移動するんだ。それに、島の人たちが存在《そんざい》もおぼえていないような、人里離れた道を通っていくんだから」

「納得《なっとく》がいかない」ケンナはため息をついて、足を強く振《ふ》った。温水がはねる。「わたしはなにもしてないのに、犯罪者《はんざいしゃ》みたいに扱《あつか》われてる。でも、いまさら驚《おどろ》くようなことでもないわよね。あなただって、そんなふうにしてエアリーから追いだされたわけだし」

アルバートは肩《かた》をすくめた。「ノマドはみんな、そういう扱いを受けるんだ。ぼくは、彼《かれ》らが思う〝ライダーはこうあるべき〟という理想像《りそうぞう》からはずれていたんだね。ぼくもそのとおりだと思う。ぼくもイーグルも、火の魔法《まほう》をうまくコントロールできなかった。バランスも悪かったし」

「だったら、ちゃんとできるように教えてくれればよかったのにね。ここの人たちは教えてくれる」ケンナは怒りをあらわにした。「大切なピンバッジを粉々《こなごな》に砕《くだ》いてしまうなんて、ひどい！」

ケンナの大げさな表現《ひょうげん》をきいて、アルバートは苦笑《にがわら》いした。「粉々じゃなくて、四つに割《わ》っただけだけどね、ケン」

ケンナははっとした。

アルバートは焦《あせ》っているようだ。「ごめん、ケンなんて呼《よ》びかた、するべきじゃなかった。きみをそう呼ぶのはスカンダーだけだよね」

ケンナは深く息を吸《す》った。「ううん、別《べつ》にいいの。スカンダーはなかなか迎《むか》えにきてくれないし。ニックネームを呼んでもらえるのはうれしい」

アルバートの顔が、変異したこぶしと同じくらい赤くなった。「きっともうすぐきてくれるよ」

「ううん、こないよ」ケンナは怒りをこめていった。「スカンダーは、楽しいエアリーでの暮《く》らしが大切なのよ。トラブルメーカーの姉がいなくなったわけだし」本心以上《いじょう》に怒りの気持ちがふくらんで、喉《のど》がしめつけられた。ゴショークも怒《おこ》っているんだ、と思った。絆《きずな》がお互《たが》いの怒りでいっぱいになっている。そのパワーに圧倒《あっとう》されて、視界《しかい》がかすみ、一瞬《いっしゅん》世の中が闇《やみ》に沈《しず》んだようにみえた。まばたきをすると、その奇妙《きみょう》な感覚《かんかく》は消えていった。

ケンナの様子に気づいていたのかどうかわからないが、アルバートはなにもいわず、本土で過ごした子ども時代に好《す》きだった音楽のことに話題を変えた。両親が毎月律儀《りちぎ》に送ってくれるというチョコレートを分けてくれた。このチョコレートがないと生きていけないんだ、とアルバートはいう。本土出身の放浪者の多くは、いまもこうして家族と連絡《れんらく》を取っている。連絡手段《しゅだん》は、フォーポイントにあるポストの木。ケンナとちがって、放浪者の多くは役人に追われる身ではないから、フォーポイントにいくことができる。

でも、アルバートはどうして、本土のことばかり話したがるんだろう。恋《こい》しく思っているから？　お兄さんの話をしょっちゅうしている。アルバートがエアリーにくる前、きょうだいで旅行にいったこと。獣医《じゅうい》さんになった経緯《けいい》。いっしょにテレビでカオスカップをみたときのこと。ケンナは、本土時代の思い出をすべて忘《わす》れようとしている。将来のことはまだなにもわからないが、少なくとも、本土に帰ることはないだろうと思っている。だって、本土では、テレビの画面でしかユニコーンに会えないから。

そんなわけで、アルバートの話は適当《てきとう》にききながし、ときどき相槌《あいづち》を打つだけにした。それより、さっききいたアルバートの言葉で頭がいっぱいだった。疑念がわいて、吐《は》き気《け》のように全身を支配《しはい》していく。

ぼくは、彼らが思う〝ライダーはこうあるべき〟という理想像からはずれていたんだね。

こんなに優《やさ》しくて思慮深《しりょぶか》い、火の使い手であるアルバートがライダー失格《しっかく》なら、わたしは？

わたしの居場所はどこにあるの？

FAIRFAX FLEES

第11章

フェアファクスの失踪《しっそう》

スカンダーは、あんたはばかだ、というボビーの声で目をさました。

「いいたくないけど――ううん、待って。いいたくなくない。あたし、前にもいったよね。あんたはきく耳を持ってくれた？　持たなかったよね？　無敵《むてき》のスカンダー・スミスだって、メンダーの夢《ゆめ》には勝てないんだって。結局《けっきょく》、もうちょっとで死ぬところだったじゃん！」

　スカンダーは何度かまばたきをして、目を開けた。日差《ひざ》しがまぶしい。

　ボビーは言葉を切った。「あ、起きた？」スカンダーの顔をのぞきこむ。優《やさ》しい表情《ひょうじょう》になっていた。「ここは治療師《ちりょうし》のツリーハウスだよ。あんた、ひと晩《ばん》じゅう意識《いしき》を失《うしな》ってたんだけど……だいじょうぶ？」

　記憶《きおく》が一気によみがえってきた。メンダーの夢。金髪《きんぱつ》の少年。ゴショーク。

「スケッチブックは――」スカンダーは必死《ひっし》にあたりをみまわした。寝《ね》ているハンモックが揺《ゆ》れる。「――どこにある？　ぼく、ゴショークの運命のライダーの似顔絵《にがおえ》を描《か》いたんだ。どこに――」

「落ち着いてよ。教官《きょうかん》たちには、気の使い手ならではの事故《じこ》かなんかで、って話しておいた。みんな信《しん》じてくれたけど、アガサは別《べつ》。めちゃくちゃ怒《おこ》ってたよ。あたしたち、それから評議《ひょうぎ》会《かい》広《ひろ》場《ば》にいったの。ニーナに会えるまで帰らないってがんばったら、会わせてくれた。ミッチェルが似顔絵を持っていって、ニーナにみせたの」

「ミッチェルが？」痛《いた》む全身に安堵《あんど》が広がった。

「もちろん」ボビーは肩《かた》をすくめた。

「ニーナはなにかいってた？」スカンダーはすがるようにきいた。

「いまのところ、なにも」ボビーは眠《ねむ》い目をこすった。「あたしたち、一瞬《いっしゅん》、あんたが死んじゃったと思ったんだよ」

スカンダーはごくりと唾《つば》を飲み、片肘《かたひじ》を立てて体を起こした。「信じられないよ。似顔絵を描けたなんて。うまくいったんだ！」

ボビーは悲しそうな笑《え》みを浮《う》かべた。「あんたって本当にお人好《ひとよ》しだよね。でも、それだけお姉さんのことが好《す》きなんだろうな。なんか――」途中《とちゅう》で言葉を切り、咳払《せきばら》いをした。

「なに？」スカンダーは眉《まゆ》をひそめた。

「最後《さいご》に妹に会ったとき、あたしがなんていったか、わかる？『イザ、あたしのあとを追っかけてこないで。この部屋にいて。このドアからでないで。島には絶対《ぜったい》にこないで』そういったの。そのときは本気でそう思ってたから。最悪《さいあく》なのは、どんな理由でけんかをしたのかもおぼえてないってこと」ボビーは唾を飲んだ。「それもあって、孵化場《ふかじょう》の卵《たまご》をどうしてもみつけたいと思ってる。あたし、もっといいお姉さんになる。イザの運命のユニコーンの卵が、なくなった卵の中にあるはずなんだ。絶対そう」

スカンダーはボビーの手をつかみ、強く握《にぎ》った。「ニーナがみつけてくれるよ。きみと同じ風の使い手だからね」

「みつからなかったら？」ボビーは真剣《しんけん》に訴《うった》えた。「クリスマスの日にケンナに会いにいくんでしょ？　卵のこと、きいてね」

スカンダーはむっとした。「卵のことなら前にもきいたよ。話したよね？　ケンナはなにも知らない」

「ねえ、あたし、ケンナ・スミスっていう大スターの大ファンなんだってば。でも、大スターだからって嘘《うそ》をついてないとはいえないじゃない？」

「嘘なんかついてないよ」スカンダーは譲《ゆず》らなかった。「ぼくには嘘をつかない」

ボビーはため息をついた。「あんたがそういうなら、そうなのかもね」そういって、話題を変《か》えた。「ねえ、さっき治療師に運ばれてきたとき、すごく具合が悪そうだったよね。隠《かく》し部屋のダンスパーティーにいけるのかって心配だったんだけど、この調子ならいけそうで、よかったね」

「まあね」スカンダーは皮肉をこめていった。「いけなかったら大ショックだったよ」

四つの元素《げんそ》の隠し部屋でのダンスパーティーは、ふたつが冬至《とうじ》のまえに、ふたつが冬至のあとに開かれた。スカンダーがきいたところによると、どのパーティーも朝まで続《つづ》いたとのこと。元素をテーマにした料理《りょうり》を食べたり、どんちゃん騒《さわ》ぎをして楽しんだり。夜明けまで起きていた参《さん》加者《かしゃ》には、豪華《ごうか》な朝食までふるまわれたという。スカンダーの学校時代にみんなが使っていたディスコという言葉より、隠し部屋のダンスパーティーという言葉のほうがだいぶましだし、スカンダーもそれなりに楽しめそうだった。ただ、フローとの友情《ゆうじょう》のことを考えると、そんな気にはなれなかった。メンダーの夢でスカンダーが死にかけて以降《いこう》、フローの態度《たいど》は前ほど冷《つめ》たくなくなったが、それでも、以前《いぜん》とはちがっていた。さらに、最初《さいしょ》のパーティー――溶鉱炉《ファーネス》のダンスパーティーの日以降、フローはまたそっけない態度を取るようになっていた。

その日の夜、夕食のあと、ツリーハウスの雰囲気《ふんいき》は、外の空気と同じくらい冷たいものになっていた。ボビーが上の階ででかける準備《じゅんび》をしていたこともあり、三人はただ黙《だま》りこくっていた。フローは、火のトライアルの最中《さいちゅう》に焦《こ》げたジャケットを繕《つくろ》っていて、ミッチェルは隠し部屋のダンスパーティーの歴史《れきし》について書かれた本を読んでいた。スカンダーはスケッチブックに絵を描いて、気まずさをやりすごそうとしていた。

フローが突然《とつぜん》、もう寝るといってリビングをでていった。ふだんより三時間も早い。残《のこ》されたスカンダーはミッチェルにいった。「ぼく、もう耐《た》えられないよ！」

「どういう意味だよ？」ミッチェルはいった。「平和で静《しず》かな夜じゃないか。ぼく、そろそろ溶鉱炉《ファーネス》のダンスパーティーにいこうかな。しっかり予習もできたし。なにか質問《しつもん》があればどうぞ」読んでいた本をスカンダーにみせる。スカンダーが顔をしかめると、ミッチェルはいった。

「じゃ、楽しいパーティーにはいかないのか？」それまでより優しい口調になっていた。

「フローのことが気になって。フローはまだぼくのことを……。なんだかぎこちない関係《かんけい》になっちゃってさ」

「あのさ」ミッチェルはいった。「話し合ってみた？」

「どうやって話し合ったらいいか、わからないよ」スカンダーは両手で顔をおおった。「なんていえばいい？」

「フローは友だちだろ？　正直にいえばいいんじゃないか？　ハヤブサ隊《たい》のことを優先《ゆうせん》しちゃって申《もう》し訳《わけ》ないと思ってるって。そもそも、謝《あやま》ったのか？」

「あ――謝ろうとしたけど、なんか……怖《こわ》くて」実際《じっさい》、何度か謝ろうとした。とにかく仲直《なかなお》りがしたかった。しかしフローはいつもどこかにいってしまうか、だれかほかの人とおしゃべりを始めてしまう。だから、どんどん話しかけにくくなってしまった。もうきらわれちゃったのかな、と思った。また前みたいな友だち同士《どうし》になりたくないとフローが思っているとしたら、どうしたらいいんだろう。

「怖いのはわかるよ」ミッチェルはいった。「けど、フローもスカンダーも、ぼくが知ってるなかでいちばん勇敢《ゆうかん》で優しい人たちじゃないか。なんとかなるよ」

　胸《むね》がきりきりする。「でも、素直《すなお》に謝っても許《ゆる》してもらえなかったら？」

「そのときは、もっと視野《しや》を大きくして考えるんだな。なにかほかのことで気を紛《まぎ》らわせたいなら、ぼくの靴《くつ》でも磨《みが》いておいてよ」

「うん、ありがとう」

「どういたしまして」

　たしかに、靴磨きは気が紛れた。一時間後、ミッチェルはおめかしをしてスカンダーの前に現《あらわ》れたものの、不安《ふあん》そうだった。ジェイミーがもっとおしゃれをしているんじゃないか、と思っているのだ。赤いジャンプスーツ姿《すがた》のボビーがでてきたときもまだ、ミッチェルはスカンダーにきいていた。「シャツの赤い色が強すぎないかな？」さいわいなことに、はしごをのぼって着替《きか》えてくる時間はもうなかった。ちょうどそのとき、ジェイミーがツリーハウスのドアを開けて入ってきたからだ。

「ジェイミー、すごくきりっとしてるね」ミッチェルはジェイミーにいった。ジェイミーは暗紅《あんこう》色《しょく》のスーツを着ていた。赤いズボンに、赤いブレザーの前を開けて、中に着ている白いカジュアルなTシャツをみせている。

　ボビーは目を丸くした。「吟遊詩人《ぎんゆうしじん》の鍛冶職人《かじしょくにん》、なかなかイケてるじゃない」

しかしその言葉は、ジェイミーの耳には入らなかったようだ。にこにこ笑《わら》ってミッチェルに近づき、腕《うで》を取ると、そのまま外の冷たい空気の中にでていった。ふたりとも振《ふ》り返《かえ》らない。ボビーもすぐにでかけていった。今日のダンスに誘《さそ》ってくれた火の使い手が待っているらしい。

ひとりになったスカンダーは、リビングをうろうろ歩き始めた。明日開かれる井戸《ウェル》のダンスパーティーになんか、いきたくない！　急に足を止めた。待てよ。参加《さんか》しなくてもいいんじゃないか？　アンバーを隠し部屋まで連《つ》れていって、すぐに帰ってくればいい。帰りたいというのをだれにも止められないだろう。そしてフローと過《す》ごせばいいんだ！　視野を大きく持てというミッチェルの言葉のとおりだ。

そのとき、ある考えが浮かんできた。脳《のう》が音をたててフル回転するのを感じながら、外にでた。ダンスパーティーに遅刻《ちこく》しても平気な水の使い手を探《さが》し始《はじ》めた。

二十四時間後。スカンダーの計画は整った。まずはボビーを待つ。ボビーは今日、何人かの友だちといっしょに井戸《ウェル》のダンスパーティーにいくが、そのメンバーだけで五つの元素がそろうことになる。スカンダーは、新品の青いシャツの裾《すそ》を引《ひ》っ張《ぱ》った。新しい服を買うことなんかめったにないので、なんだか緊張《きんちょう》してしまう。しかもこのシャツは、普通《ふつう》のボタンの代わりに真珠《しんじゅ》が使われている。

「ふだんからもっと髪《かみ》をブラッシングしなきゃだめだよ」ボビーがはしごの最後の段《だん》から飛《と》びお

りて、スカンダーを驚《おどろ》かせた。「でもまあ……いい感じだね」

「それはどうも」ほめ言葉なのかどうかわからず、スカンダーはあいまいに答えた。「ボビーも素敵《すてき》だね」これは本気だった。

ボビーは長袖《ながそで》の青いワンピースを着ていた。大きくて真っ白な襟《えり》がついている。ボビーがくるりと一回転すると、スカートがふわりと広がった。「ちなみに、あたしがパーティーを無事《ぶじ》に楽しめるのは、ダンスのおかげなの。だからダンスはまじめにやる」

「無事に楽しむって？」

「あたし、パーティーは好きなんだけど、人が多いから、ときどきパニックになっちゃう。そんなとき、ダンスをしてると落ち着くんだ」

ノックの音がした。

「ヘイデンだと思う」ボビーがいった。大歓迎《だいかんげい》という口調ではない。

「いや、もしかしたら――」

戸口に立っていたのは、アンバー・フェアファクスだった。スカンダーがみたこともないようなきらきらのドレスを着ている。丈《たけ》は短くて、色はアクアマリン。全体に、小さなダイヤモンドの縁取《ふちど》りがある。栗色《くりいろ》の髪を高い位置《いち》でポニーテールにして、きらきらの髪飾《かみかざ》りをつけているので、額《ひたい》の星の変異《へんい》がいつも以上《いじょう》に目立っている。

ボビーがドアを開けたとき、アンバーは微妙《びみょう》な表情をしていたが、それはすぐに冷笑《れいしょう》に変わった。ボビーが「フェアファクス、そんなきらきらのドレスを着ていったら、みんなの目がおかしくなっちゃうよ」といったからだ。

「ブルーナ、あんたこそ、なんて時代遅《おく》れの服を着てんのよ」

「やあ！」ヘイデンだ。このツリーハウスに近づいてきたばかりで、ここで戦争《せんそう》が勃発《ぼっぱつ》していることに気づいていない。

「あなた、だれ？」アンバーが無礼《ぶれい》なききかたをして、鼻をつんと上に向けた。

「ヘイデンだよ。ルーキーの」ボビーは、よちよち歩きの子どもを相手にしているみたいに、ゆっくり答えた。「あたしをダンスに招待《しょうたい》してくれた人。ヘイデン、いこう」

「みんな、行き先は同じじゃないのか？」ヘイデンはいったが、フレッジリングのやりとりをきいて、笑顔《えがお》が少しぎこちなくなっていた。

ボビーは大げさにため息をついた。

アンバーがツリーハウスのドアを蹴《け》る。

スカンダーは、パーティーにいったらすぐ帰ってくると決めておいてよかった、と思った。

ヘイデンが先頭に立ち、つり橋を渡《わた》ってはしごをおりる。ヘイデンは褐色《かっしょく》の巻《ま》き毛《げ》をしていて、スカンダーよりずっと背《せ》が高い。真っ白な肌《はだ》に、川のように流れる血管《けっかん》が青く光っている。

地面に飛びおりると、ヘイデンはボビーに手を差《さ》しだした。しかしボビーはその手を払《はら》いのけた。

「やめてよ、ヘイデン。手はポケットにしまっておいて」

ヘイデンは決まり悪そうに両手をポケットに入れ、先頭を歩き続ける。やがて一同は水のゾーンに入っていった。行き先がわかっているってありがたいな、とスカンダーは思った。

「ボビーのユニコーンって、名前はなんだっけ？」ヘイデンがきいたが、そのときボビーとアンバーはうしろのほうで口論《こうろん》を始めていた。

「ファルコンズ・ロース」

「ああ、そうだった！　鳥の名前がついた風のユニコーンは強いんだよ。川の名前がついた水のユニコーンが強いのと同じだ。ぼくのユニコーンはオックスボウ・リベンジだ」

「おもしろいね」スカンダーは何気なくいった。その手の話は本土でもよくきいていた。

「なあ、スカンダー。仲《なか》を取り持ってくれないかな？」ヘイデンは目を輝《かがや》かせていった。

スカンダーは眉をひそめた。「うーん、あの子はあまり人なつこくないからなあ。身だしなみはすごくいいんだけど、こないだなんか、鼻先に触《さわ》ろうとしただけなのに、ぼくの手を食いちぎろうとしたんだ」

「ボビーが？」

「え？　ちがうよ、ファルコンの話だよ」

ヘイデンは大笑《おおわら》いした。「ユニコーンとの仲を取り持ってもらおうなんて思わないよ。そうじゃなくて、ボビーが隠し部屋のダンスパーティー全部に参加したがってるってうわさをきいたんだ。それはいいんだけど、一応《いちおう》今日はぼくの誘いに乗ってくれたんだから、仲良《なかよ》くなれないかなと思ってさ」

「ああ、なるほど。それならいいよ」そう答えたのが大きなまちがいだった。

「ありがとう。感謝《かんしゃ》するよ」

ボビーはなんていうだろう。男女の仲介役《ちゅうかいやく》なんてやってんじゃないわよ、とでもいって怒るだろうか――スカンダーがそんなことを考えていたとき、前方に人影《ひとかげ》がみえた。コビーがいる。青いボウタイをつけたコビーは、ひどく気まずそうにうつむいて、水の使い手のフレッジリングふたりと歩いている。ひとりはニーヴ。クリスタルのネックレスが、耳から生えた氷のとげを引きたてている。もうひとりはマリアム。青く輝くスカーフを頭に巻《ま》いている。

三人に追いついたスカンダーは、すぐそばに大きな沼《ぬま》があることに気がついた。ここまでくる途中にも沼がいくつかあったが、これがいちばん大きい。巨大《きょだい》なスイレンの葉の上で、カエルがゲロゲロ鳴いている。

沼のほとりにリケシュが立っている。青いジャケットに金属《きんぞく》の羽根飾《はねかざ》りを輝かせ、プリムと腕を組んでいる。ハヤブサ隊の隊長と副《ふく》隊長をみると、どういうわけかスカンダーの気持ちが落ち着いた。

「この沼に入ってもぬれないんだ」水の使い手ではないライダーたちに説明《せつめい》しながら、リケシュは気取った手つきで髪をかきあげた。「だれか、やってみないか？」

「いつもそうやってみんなの注目を浴《あ》びようとするんだから」プリムがからかうようにいった。

「風の使い手になればよかったのに」

リケシュは大げさに肩をすくめると、足を前に踏《ふ》みだした。水の使い手ではないライダーたちが息をのむ。しかし、水しぶきひとつあがらなかった。勝ちほこったようにこぶしを突《つ》きあげたリケシュの姿が、切《き》り株《かぶ》の上に現れる。続いて、濁《にご》った水の中からいくつかの切り株がでてきた。その上を歩いていった先に、中が空洞《くうどう》になった巨大な切り株が現れた。ちょうど沼の中央だ。

「これができるのは水の使い手だけだぞ！」リケシュは明らかにスカンダーをみてウインクした。「まあ、泳ぎたいなら止めないが」プリムに手を差しだし、沈《しず》みかけた切り株の上を行き来しながらふたりで踊《おど》ったかと思うと、中央の切り株の中に姿を消した。

「ハヤブサ隊のみんな、パーティーの始まりだ！」リケシュの声が木立に響《ひび》きわたる。沼の中央の切り株は水中に消えていった。

次はヘイデンが沼のほとりに立った。水の上に足を踏みだしたとき、そこに隠し部屋の入り口が現れた。ボビーに手を差しだしたが、ボビーは応《おう》じなかった。

「ちょっと待ちなさいよ！」アンバーが命令《めいれい》口調《くちょう》でいった。「スカンダーはそんなことできないんだから、いっしょにいかせて！」

スカンダーとアンバーはヘイデンとボビーのあとを追い、切り株の上を進んだ。四人の体はなんとか中央の切り株のくぼみにおさまった。

「狭っ！」苦笑《にがわら》いするアンバーの脇腹《わきばら》を、ボビーが小突《こづ》いた。

「おりるぞ！」ヘイデンが叫《さけ》ぶ。気の隠し部屋に入ったときと同じように、スカンダーは幹《みき》の内《うち》側《がわ》のハンドルをつかみ、一気に降《こう》下《か》していった。

井戸《ウェル》の中には滝《たき》のカーテンがあり、その向こうはきらきらと輝いていた。スカンダーはアンバーに続いて滝のすきまを通り、中に入った。思わず途中で足を止め、あたりをみまわした。隠し部屋の中央にはりっぱなユニコーンの氷像《ひょうぞう》がある。後足立ちになって歯をむいた姿だ。ライダーは孵化の傷跡《きずあと》のついたてのひらを前に向け、輝く石を握っている。そこへ襲《おそ》いかかる巨大な波も作られていた。壁《かべ》はコピーのまつげみたいな氷の結晶《けっしょう》で埋《う》めつくされ、輝いている。氷の輝きがないところでは、カラフルな魚や、奇妙《きみょう》な姿の水の生物が、集まったライダーたちには目もくれずに泳ぎまわる。もしかしたら、オサリヴァン教官が世話をした魚は、元気になったあと、ここで暮《く》らしているんだろうか。

あちこちに小さな井《い》戸《ど》があって、さまざまな濃《こ》さの青い光で照《て》らされている。井戸の水にはお菓《か》子《し》が浮かべてあり、パーティーの客が棒《ぼう》を使って釣《つ》りあげようとしている。スカンダーはそれをみて、何年も前にケンナといったディール・カーニバルを思いだした。プラスチックのアヒルを釣りあげるゲームを楽しんだものだ。しかし、特《とく》に興味《きょうみ》を惹《ひ》かれるのは、巨大なチョコレートケーキがでてくる井戸だ。それを食べたあとは、天井《てんじょう》からつりさげられた巨大なアイスキャンディも試《ため》してみたい。そのとき、急にうしろめたい思いにとらわれた。パーティーなんか楽しんでいる場合か？　ケンナはひそかに身を隠し、エアリーにもどってくることもできずにいるのに。

　ボビーとヘイデンは、アイススケートの列に並《なら》んでいる。すいすいとリンクを滑《すべ》るボビーの姿を、アンバーが真剣な目でみつめていた。リンクは青い水滴《すいてき》の形をしていて、どんどん明るさを増《ま》している。それこそが井戸《ウェル》のダンスフロアなのだ。人もどんどん増《ふ》えてきた。アンバーは、リンクを取《と》りかこむ壁につかまってボビーに手を振っているヘイデンをみて、ふんと鼻で笑った。

　ボビーはスピンの真《ま》っ最中《さいちゅう》だ。青いドレスのスカートが大きくふくらんでいる。吟遊詩人のグループがその近くを滑りながら、アップテンポな歌を歌いだした。

　リケシュが音楽に合わせてステップを踏みながら近づいてきた。「フェンが、準備できたってさ。上に送ってやるよ」

「うん」スカンダーは答えた。不安で胸がむかむかする。「アンバー？」

「べつに、ずっとそばにいてくれなくてもいいのよ。とってもありがたいけどね、でも――」

「ぼく、もう帰る」スカンダーはアンバーの言葉をさえぎった。「きみを招待したかっただけなんだ」

　アンバーは首をかしげた。「スカンダー・スミス、あなたって人は、やることがでたらめね」さっと手を動かして髪をはねあげ、うっとうしい羽虫を追いはらうかのように手を振った。

　スカンダーはリケシュのあとを歩いていった。温水のプールから湯気がもうもうとあがっていて、滝のカーテンがみえなくなった。

「ちょっといいかしら」空色の仮面《かめん》をつけた女性《じょせい》が現れて、スカンダーの行く手をふさいだ。スカンダーの返事も待たず、女性はスカンダーひとりを壁際《かべぎわ》に連れていった。

湯気が消えて、顔がみえるようになった。女性の手をみた瞬間《しゅんかん》、それがだれなのか、スカンダーにははっきりわかった。親指につけている心の指輪《ゆびわ》が青く光っている。

「カザマ首長」スカンダーはつぶやいた。

「こんにちは、スカンダー。驚かせたのならごめんなさい。目立ちたくないから、仮面をつけてきたの」

「でも、どうやってここへ？　水の使い手じゃないと、ひとりじゃ入ってこられないはずなのに」

「そうね、でもわたしは首長だもの」ニーナはいたずらっぽい表情でいった。「島の責任者《せきにんしゃ》が入ることのできないパーティーなんて、あったら困《こま》るでしょ？」声を低《ひく》くした。「あの少年の似顔絵、島と本土の役人にみせたわ。それと、レックスに頼《たの》んで銀の要塞《ようさい》に入れてもらった。失われた気の使い手のリストをみるためだったんだけど、そのことはレックスには話してないわ。

残念《ざんねん》ながら、島にいる失われた気の使い手のなかには、あなたの描いた似顔絵と一致《いっち》する少年はいなかった。ということは、本土の人間なんだと思う。それと、今朝、警察《けいさつ》が捜査《そうさ》を始めたわ。わたしのアドバイザーの何人かが、ひそかに彼《かれ》らと連絡《れんらく》を取り合ってる」

「警察の捜査って、卵のこと？」

「アガサにきいたんだけど、火のトライアルの最中、あなたたちはウィーヴァーに会ったんですってね。でも、ウィーヴァーは本土にいる可能性《かのうせい》のほうがずっと高いと思うの」ニーナは一瞬困ったような目をした。スカンダーははっとした。野生のユニコーンが本土で生まれてしまうんだろうか。本土には父さんがいるのに。ニーナはスカンダーの思いを読みとったかのように、いった。「その心配はないわ。ゴショークの運命のライダーをみつけるほうがずっと簡単《かんたん》なはず。銀の要塞の記録《きろく》の中から、可能性のありそうな少年の名前をいくつか選《えら》んであるわ。似顔絵がよく描けているから、探しだすのに時間はかからないと思う」

「本当に？」スカンダーの胸に希望《きぼう》がふくらんだ。「本当にみつかると思う？」

「ええ、その可能性がとても高いと思うわ」ニーナは笑顔でいった。「今後の相談をしたいんだけど、いい？」

「スカンダー、もういくぞ！」リケシュが滝のそばから声をかけてきた。

「え、もう帰るの？　パーティーは？」ニーナはびっくりしていた。「どうして？」

スカンダーはにやりと笑った。「パーティーよりだいじなことがあって。というか、だいじな人がいるから」

「なるほどね。じゃ、また」ニーナは人ごみの中に姿を消した。

リケシュはスカンダーを隠し部屋の外に送り、うまくやれよといってくれた。スカンダーは揺れる通路を走り、自分のツリーハウスにもどった。

フローは暖炉《だんろ》のそばのビーンバッグチェアにすわり、片手《かたて》に本を、片手にカスタードクリームのビスケットを重ねて持っていた。スカンダーの姿をみたとたん、派手《はで》にむせた。「スカー！なにやってるの？」

「えっと……」スカンダーの声はいつもより半オクターブくらい高くなっていた。「フローと話がしたくて帰ってきたんだ」

「ダンスパーティーは？」フローはわけがわからないという顔をしている。

「ふたりで散歩《さんぽ》でもしない？」

「散歩？　でも、外は寒いわ」

「頼むよ」スカンダーはかすれた声でいった。「話がしたいんだ」

ところが、いざ外にでてみると、なにもいえなくなってしまった。胸がどきどきするし、フローの顔をまともにみられない。さっき走ってきた道を黙って歩くことしかできなかった。十二月の冷たい空気の中、ふたりの吐《は》く息が白く凍《こお》った。

水のエリアの、木におおわれたところまでやってくると、フローが口を開いた。「スカンダー、いったいなんなの」

「もうすぐ着くんだ。目を閉《と》じてくれる？」

フローは濃い褐色の額にしわを寄《よ》せたが、スカンダーにいわれたとおり目を閉じた。いい兆候《ちょうこう》だ、とスカンダーは思わずにいられなかった。もう少しだけこわごわ歩いてから、スカンダーは足を使って一本の枝《えだ》を折《お》った。ぽきりという大きな音がする。到着《とうちゃく》の合図だ。

「オーケー。目を開けていいよ」

フローはランタンの光をみてまばたきしてから、目を大きくみひらいた。「スカー、雪が降《ふ》ってる！　どうして？　スカーがやったの？」

スカンダーは肩をすくめた。緊張をほぐそうと、両手をジャケットのポケットにつっこんだ。フローを連れてきたのは、水のエリアにある、背の高いマツの木に囲《かこ》まれた場所だった。ここなら空がよくみえる。スカンダーの計画にぴったりの場所だった。エアリーにきた一年目に雪が降ったとき、フローはすごく喜《よろこ》んだ。島ではめったに雪が降らないからだ。そんなわけで、リケシュとフェンの力を借《か》り、元素の魔法《まほう》も少しだけ使って、ここの地面を雪でおおった。さらにフェンに頼んで雪雲を作ってもらったのだ。

スカンダーはうつむいた。フローの顔をまっすぐみることができない。そして唐突《とうとつ》にいった。

「ごめん。最初からハヤブサ隊の誘いを断《ことわ》ってしまえばよかったんだ。フローはぼくの親友だよ。いつもいっしょにいたいし、いっしょにお菓子を食べたいと思ってる。なのに——ぼくってばかだな」そういってから顔をあげた。

雪玉が顔を直撃《ちょくげき》した。

フローが離《はな》れたところでいたずらっぽく笑っている。うれしそうに目を輝かせて、「本当にばかよね」といった。また雪玉が飛んできた。スカンダーはよけたが、雪玉は肩に当たった。

「先にわたしに話してくれれば、それでよかったのに」フローは三つ目の雪玉を投げてきた。スカンダーは今度はかがんでよけた。雪玉はうしろの木のアーマーに当たって、大きな音をたてた。「でも、許してあげる」フローは積《つ》もったばかりの雪を踏んで、スカンダーに向かってきた。

　ふたりは並んで腰《こし》をおろし、黒くて重いブーツで雪に足跡《あしあと》をつけた。やがて、フローが話し始めた。「わたしが怒っちゃったのは、昔から、あの子はだいじょうぶ、あの子はうるさいことをいわない、みたいにみんなから思われてきたからなの。大きくなってくると、何人かを選んでチームをつくったり、パーティーに招待したり、なんてことがあるでしょ。そういうとき、わたしはいつも選ばれない。みんなにきらわれてるからじゃないけど、そこまで好かれてるわけじゃないってこと。しかも、選ばれなかったからって、わたしがうるさく騒ぎたてるタイプじゃないって、みんなが知ってるからなのよ。次に会っても、いつもどおり、にっこり笑って話ができるってわかってるの。だから、わたしを選ばなくてもだれも傷《きず》つかないってわけ」

　フローは深く息を吸《す》った。「小さい頃《ころ》、よく友だちが、週末《しゅうまつ》にこんな楽しいことをしたんだよ、なんてわたしにいってきた。わたしは参加してなかったのに。そんなとき、こう思ったわ。**わたしにだって感情《かんじょう》はあるって、わからないの？　あなたたちほど表にださないだけなのよ。**だけど、エアリーにきてあなたたちに出会って、すべてが変わった。わたし、四人組の一員なんだなって実感できた」

「そのとおりだよ！」

　フローは続けた。「そんなとき、ボビーがすべてのダンスパーティーに参加するっていいだした。ミッチェルはジェイミーを誘うって。そしてスカーは――わたしたちの約束《やくそく》を忘《わす》れてしまった。そんな約束はどうでもいい、みたいに。やっぱりわたしは選ばれないんだって思った。昔みたいに。もうあんなことはないって思ったのに。だからわたし、自分にいいきかせたの。みんな、わたしみたいな子には飽《あ》き飽《あ》きしちゃったんだって。ほかの子と仲良くなりたいんだって。**わたしはスカンダーのことが好きだけど、スカンダーはそうでもない。わたしにとってスカンダーは大切な友だちだけど、スカンダーにとって、わたしはそんなに大切じゃない。だったら、約束なんかおぼえてるわけないじゃない？**　自分がばかみたいに思えた。フローはやっぱりフローなのに、それを忘れてたなんて。あの子は放っておいても傷つかないし、気にしない、みんなにそう思われるのがフローなのに。だけどね、スカー、わたしはすごく傷つくんだ」

「フロー、本当にごめん。それと、きみがみんなにそんなふうに扱《あつか》われてきたこと、ぼくも悲しいよ」スカンダーは小さな声でいった。

　フローのことを忘れたことなんかない。一瞬たりとも、ない。ツリーハウスに帰ってきたとき、いちばんに探すのは、フローの姿だ。朝起きたとき、いちばんに会いたいのはフローだ。なにかあったら真っ先に話をきいてもらいたいのはフローだ。

「ぼくはフローのことをそんなふうに思ってたわけじゃないよ」スカンダーはいった。「ぼくだって、ツリーハウスにいてフローといっしょに過ごしたかった。ダンスパーティーなんかいきたくなかった。ハヤブサ隊の計画に巻きこまれて、いわれたとおりのことをやるしかなかった。ぼくが本当にやりたいことはほかにあったのに。やるべきことはほかにあったのに。それに、なかなかちゃんと謝れなくて、本当にごめん。もう許してもらえないんじゃないかと思って、怖かったんだ。フローがもうぼくの友だちになってくれないんじゃないかと思って」

フローは笑顔でスカンダーをみた。それでも、口元には悲しげな表情がかすかに残っていた。

「わたしはいつもスカンダーの友だちよ。なにがあっても、それは変わらない。信じて」

「信じるよ、フロー。本当に」

フローは顔をあげ、落ちてくる雪をみた。雪は木の幹に小さな影《かげ》を落として、ちらちらと踊りながら落ちてくる。「あ、念《ねん》のためいっておくけど、とってもいいお詫《わ》びだったわよ」

積もった雪にスノーエンジェル「新雪の上につけた人型《ひとがた》。寝ころんで腕を動かすと、天使の翼《つばさ》のようになる」を作っていると、エアリーに大声が響きわたった。

「いまの、きこえた?」

フローが体を起こした。髪に雪がついている。「なにかあったのかしら」

さらに声がきこえたので、ふたりとも立ちあがった。ライトニング・ミステイクが走っていくのがみえた。両側《りょうがわ》に銀の仮面をつけた衛兵《えいへい》がいる。

「ニーナは井戸《ウェル》のパーティーにきてた?」フローが眉をひそめてきいた。

「うん、そういえば話してなかったね……」スカンダーはいいかけたが、途中で言葉がとぎれた。だれかが木のそばで地面に倒《たお》れこんでいた。すすり泣《な》きもきこえる。

「あれって――」

「アンバー？」スカンダーはすでにフローより二歩前に進んでいた。そのままアンバーのそばに駆《か》け寄《よ》った。「どうしたの？」

そばかすの散《ち》ったアンバーの顔は真っ青になっていた。スカンダーをみようともせずに、こういった。「パパが――脱獄《だつごく》した」

驚きで全身が震《ふる》えた。「サイモン・フェアファクスだよね？　それって――どういうこと？」

「ウィーヴァーが刑務所《けいむしょ》から連《つ》れだしたの。パパと、ジョビー・ウォーシャムと、エリース・ヒシントン。三人は気の使い手でウィーヴァーの信奉者《しんぽうしゃ》なの。刑務所の衛兵の何人かがウィーヴァーに協力《きょうりょく》したみたい」

「だれか、ウィーヴァーをみたの？　追いかけた？　卵はみつかった？」スカンダーはきいた。パニックのせいで呼吸《こきゅう》が浅《あさ》くなる。衛兵たちがエリカに協力したって？　急に、ウィーヴァーがどこにいてもおかしくないような気がしてきた。

アンバーは首を振った。「だれもなにもみてない。気がついたら、もう手遅《ておく》れだった。三人とも、警備《けいび》の厳重《げんじゅう》な独房《どくぼう》に入っていたのに。司法担当《しほうたんとう》の評議員《ひょうぎいん》もオフィスにいたけど、物音には気づかなかったんだって」アンバーはスカンダーをまっすぐにみた。激怒《げきど》と絶望《ぜつぼう》が同時に伝《つた》わってくるような目をしていた。「パパはどうして、いつもこうなの？　なにもかもぶちこわしてしまう！」

「わたし、刑務所でパパに面会したことがあるの」アンバーは耳障《みみざわ》りな笑《わら》い声《ごえ》をあげた。「ママには内緒《ないしょ》にしてた。ママは、わたしがパパの話をするだけでもいやがるから。けど、わたしは会いたかった。だって、父親のことが好きなのは当然《とうぜん》でしょう？　わたし、パパのことを理解《りかい》したくて。そうでないと……」

「理解できたの？」スカンダーは優しくたずねた。

「うん」アンバーはふっと笑った。「ただの悲しそうな囚人《しゅうじん》でしかなかった。なんだか気《き》の毒《どく》に思ったわ。でも、見知らぬ他人のようにも思えた。普通の両親を持ってる人にはわからない感《かん》覚《かく》でしょうね。親子なんだから、あの人に共感《きょうかん》できなきゃおかしい、そんなふうに思ってたけど、共感なんてできなかった。ただ、約束してくれたの。ウィーヴァーにはもう関《かか》わらないって。刑務所からでたら、ママに謝って、夫婦《ふうふ》がちゃんと理解し合えるように努力《どりょく》するって。いつかおいしいものでも食べにいこうって……。嘘だったんだ。そうだよね」

「アンバー、つらいだろうね」スカンダーは心からそういった。エリカ・エヴァーハートの顔が頭に浮かぶ。どうしてなのかはアンバーにはいえなかったが、親に失望《しつぼう》したときの残念な気持ちはよく理解できる。親は自分を愛《あい》してくれるはずの人間なのに、まったく愛してくれていないんだと思わせられるのだから。

「いやになっちゃう。なんでわたしはフェアファクスなの！」アンバーはきらきら光る青い爪《つめ》で地面を引っかいた。「知ってた？　フェアファクス家は昔、エヴァーハート家のとなりに住んでたのよ」

「そうなの？」スカンダーは余計《よけい》なことをいわないようにした。ケンナと自分はスミス家の人間ではあるが、エヴァーハート家の人間でもあるということは、四人組とアガサしか知らない。アンバーは絞《しぼ》りだすように笑った。「うちの家族はウィーヴァーの隣人《りんじん》だったってことよ。気の使い手同士、仲良くしてたわけ。そのときのツリーハウスはいまもそこにあるわ」

　頭がくらくらする。エヴァーハート家のツリーハウスのことなんて、考えたこともなかった。アガサとエリカの住んでいた家が、いまも存在《そんざい》しているなんて。

「いまのわたしは――」アンバーは怒《いか》りをこめて続けた。「――ハヤブサ隊に友だちもできた。サイモン・フェアファクスの娘《むすめ》だってことを、みんなが忘れかけている。そんなときに、ウィーヴァーが……。サイモン・フェアファクスが逃《に》げたってことが、みんなの話題になってしまう。わたしを白い目でみるはずよ。最悪なのは、わたしに同情《どうじょう》する人まででてくるってこと」

「ハヤブサ隊はそんなことないよ」スカンダーはアンバーをなだめようとした。

「そうかもね」アンバーは鼻をすすった。「でもわたし、四人組の仲間《なかま》にもうきらわれてるし」

「いつでもいいから、ぼくたちのツリーハウスにきなよ」

「そうよ。そうして」フローが優しく声をかける。

　アンバーは鼻を鳴らした。「ブルーナはこれをきいて喜ぶでしょうね。ヘンダーソンも。子どもの頃、わたしはあの子にいじわるしてたから」

「昔は昔だよ。あのふたりは、はみだし者に優しいんだ」スカンダーはそういって、ぎこちない笑みをアンバーにみせた。「それに、ボビーはきみとのいい合いを楽しんでるんじゃないかな。ボビーにとっては、永遠《えいえん》に終わらないお楽しみなんだよ」

アンバーはしゃくりあげてからいった。「本当に？」そして眉をひそめる。「スカンダー、どうしていつもそんなに優しくしてくれるの？」

「ぼくたちには、きみが思ってるよりたくさんの共通点《きょうつうてん》があるんだよ」

一瞬、沈黙《ちんもく》が流れた。

「服装《ふくそう》のセンスは別だけどね」アンバーはスカンダーの青いシャツに目をやった。「真珠のボタンなんて、悪趣味《あくしゅみ》」

「たしかにね」フローがいう。

三人は同時に笑い声をあげた。

CHRISTMAS CHAOS

第12章
クリスマスのカオス

クリスマスの日の夜明け、スカンダーは仲間《なかま》を連《つ》れず、スカンダレルに乗って火のゾーンにいった。タカの形の笛を吹《ふ》く。笛の音は、岩だらけの土地と砂漠《さばく》とを分ける断層線《だんそうせん》に沿《そ》って響《ひび》いていった。スカンダーの気分は明るかった。牢破《ろうやぶ》りの事《じ》件《けん》があっても、関係《かんけい》ない。今日はクリスマスだ。またケンナに会える！　絆《きずな》の入《い》れ替《か》えについての計画を話したい。それに、計画がうまくいったらケンナをエアリーにもどしてあげられるだろう、とニーナはいってくれた。その話をしたら、ケンナはどんな顔をするだろう。ただ、気になることがひとつある。メンダーの夢《ゆめ》の中で、ゴショークから小さな喜《よろこ》びが伝《つた》わってきたことだ。それを思いだすたび、わずかな迷《まよ》いが生まれてしまう。もしもゴショークが運命のライダーを求《もと》めていなかったら？　ケンナと結《むす》ばれたままでいたいと思っていたら？　ケンナも同じように感じているとしたら?

いや、そんなことを考えるのはやめよう。隠《かく》し部屋のダンスパーティーはすべて終わった。フローとの関係も元どおりになった。次の日にふたりで朝食をとりにいったとき、フローに、アーマーをつけていって、といわれた。「念《ねん》のためよ。スカー、お願《ねが》い」現状《げんじょう》はこうだ。ウィーヴァーが牢破りをして、気の使い手の仲間を逃《に》がした。孵《ふ》化場《かじょう》にあったすべての卵《たまご》をウィーヴァーがどこかに隠しもっている。そして、島全体が——本土の人たちも——いまはウィーヴァーを探《さが》している。だったら、卵はすぐにみつかるんじゃないか?

「スカンダー!」

イーグル・ドーンが、ひづめから砂《すな》を飛《と》ばしながらやってきた。スカンダレルはゆっくり歩いてイーグルの横に並《なら》ぶ。アルバートの指示《しじ》で、二頭のユニコーンは断層線から離《はな》れた。

「ケンナが、今日はきてくれるだろうって期待してる。ぼくもずっと耳をすませてたんだ」アルバートはそういって笑《わら》った。スカンダーはヘルメットを取った。「きみの知った顔が迎《むか》えにこないとまずいだろうと思ってさ。最近《さいきん》、このへんは衛兵《えいへい》だらけなんだ」

「卵を探してるの?」

アルバートはためらってから答えた。「うん……それと、ケンナをね。先週は牢破りもあったことだし」

「ケンナは元気?」スカンダーは心配になった。

「うまくみんなとなじんでる」アルバートはそういってイーグルの手綱《たづな》を引き、前とは逆方向《ぎゃくほうこう》に進ませた。スカンダレルはいらだったようにいなないて、イーグルのあとを追った。「ただ……」アルバートは口ごもった。

「なに？」

「ケンナは強がってるんじゃないかと思うんだ。ゴショークに乗っているときや、みんなの用事を手伝《てつだ》ってるときや、島のことを勉強してるときなんかは、すごく元気そうにしてる。けど、だれにもみられてないと思ってるときなんかは、いろいろと考えごとをしているみたいだ。ともあれ、楽しく暮《く》らしてるよ。きみと別《わか》れてからずっと、早く会いたい早く会いたいっていってた」

アルバートはユッカの木を小声で数え始めた。スカンダーは眼下《がんか》に広がる風景《ふうけい》にみとれていた。トライアルの最中《さいちゅう》に戦《たたか》っているときは、景色《けしき》を楽しむ余裕《よゆう》なんかない。でもいまは、信《しん》じられない思いでいっぱいだ。つい二日ほど前にはフローと雪の中にいたのに、今日は暑くて乾燥《かんそう》した砂漠を眺《なが》めている。元素《げんそ》の魔法《まほう》の持つ力にはつくづく感心させられる。

「あの二本の木のあいだだ」アルバートがいった。二頭のユニコーンがそこを通ると、ユッカの木が揺《ゆ》れ、緑色のこぶしをピンク色の朝焼《あさや》けの空に突《つ》きあげた。

スカンダーは驚《おどろ》いて、思わず口をぽかんと開けた。前方に小さな泉《いずみ》があり、なめらかな水面が美しくきらめいている。その左右には砂丘《さきゅう》。泉は、青々としたヤシの木やサボテン、エメラルドグリーンの低木《ていぼく》とカラフルな砂漠の花々に、そのまわりを彩《いろど》られていた。たくさんのユニコーン

——運命の絆のあるユニコーンもいるし、野生のユニコーンもいる——が角を低《ひく》く下げ、青く輝《かがや》く水を飲んでいる。薄《うす》い茶色のゴショークの姿《すがた》も、そのなかにあった。

アルバートは、スカンダーの感嘆《かんたん》の表情《ひょうじょう》に気がついたらしい。「砂漠のオアシスだよ。あの泉は真水だから、緑が豊《ゆた》かなんだ。本土にいたとき、地理の授業《じゅぎょう》でここのことを習った気がする」

スカンダーは笑った。「地理の授業で習ったことなんか、ぼくはすっかり忘《わす》れちゃったよ！」

不思議《ふしぎ》なことだが、本土での生活を思いだすことはほとんどない。スカンダレルと四人組が現《あらわ》れ、自分が気の使い手だとわかってからは、それが人生そのものになってしまったからだろう。

「火のゾーンの砂漠にはオアシスがいくつかあるけど、これがいちばん大きいんだよ」アルバートはいった。「けど、案内《あんない》がないと、なかなかみつからない。さあ、ケンナのところにいこう」

スカンダーはスカンダレルからおりた。チェーンメイルが金属音《きんぞくおん》をたてる。スカンダレルは早足で泉に近づき、ほかのユニコーンといっしょに水を飲み始めた。

エアリーのライダーと同じように、放浪者《ほうろうしゃ》は、火のゾーンではハンモックで眠《ねむ》る。ヤシの木の幾重《いくえ》もの葉の下でなら、たいていの天候《てんこう》に耐《た》えることができる。最《もっと》も危険《きけん》なのは、ココナッツが落ちてくることだ。

「ケンナのハンモックはあそこだよ」アルバートが指差《ゆびさ》した。「あとで会おう。そうだ、メリークリスマス！」なにかをスカンダーに差《さ》しだした。

「本土のチョコレートだよね？」

「小さいやつだけどね」アルバートは肩《かた》をすくめた。「本土の家をなつかしむのもいいかなと思って」

「アルバート、ぼくからはなにもないんだ！」スカンダーはあわてた。リュックサックに入っているのはケンナへのプレゼントばかり。ほかの人にあげるものはひとつもない。

「きみがきてくれただけで、ケンナは幸せになる」アルバートはほほえんだ。「ぼくはそれだけでうれしいよ」

　スカンダーはヤシの木々のあいだを歩いていき、ケンナをみつけた。ケンナの寝姿《ねすがた》は、ここであろうとどこであろうと、ひと目でみわけることができただろう。そう思うと、笑いたくもなったし、泣《な》きたくもなった。昔とはいろいろ変《か》わってしまって、なにがなんだかわからなくなる。自分自身についても、まだ臆病《おくびょう》で小さな男の子――将来《しょうらい》はユニコーンのライダーになるなんて、だれも想像《そうぞう》しなかったような子ども――のままなんじゃないかと思うことがある。なのに、そんな幼《おさな》い頃《ころ》の自分の姿をほとんど思いだせなくなるときもある。

　ケンナがハンモックの上で身をよじった。「スカー？」眠そうな声でいうと、片肘《かたひじ》をついて体を起こした。「本当に、スカー？　本物なの？」

「ケン！　メリークリスマス！」

　ケンナはまだだるそうな様子で、ハンモックの端《はし》にすわった姿勢《しせい》になった。「きてくれたんだ。やっと」

スカンダーはうしろめたさを感じて、胃《い》が痛《いた》くなった。「もっと早くきたかったけど、アガサに止められてた。ぼくがいったらケンナの身を危険にさらすことになるって。それに、火のトライアルもあったからね。隠し部屋のダンスパーティーも――」

「ダンスパーティー？」ケンナの目つきが鋭《するど》くなった。「しょうがないわね。ダンスパーティーにいくのをじゃまするわけにはいかないもの」皮肉たっぷりの口調だった。「そのあいだ、わたしは放浪者といっしょにいた。知らない人たちと暮らしてたのよ。スカーに置《お》き去《ざ》りにされて、何か月たったと思う？　九月からずっとなのよ！」

「放浪者との暮らしがつらかったの？　アルバートは、ケンナがうまくみんなになじんでるっていってたんだけど」

ケンナは突然《とつぜん》立ちあがり、腰《こし》に手をあてた。「そういうことじゃないよ。そうでしょ、スカンダー」

スカーではなくスカンダーと呼《よ》ばれたことで、胸《むね》の前に鉄の棒《ぼう》を立てられたような気分になった。そんな呼びかた、ケンナはめったにしない。

ケンナは深く息を吸《す》い、片手《かたて》で近くのヤシの木をつかんだ。「会えてうれしいよ。ただ、もっと早くきてくれるんじゃないかと思ってたんだ。火のトライアルが終わったらくるっていってたじゃない？　だからすごく寂《さび》しかった。放浪者といっしょに暮らすのは悪くないけど、本来ならエアリーで訓練《くんれん》を受けられるはずだったんだよ。ここにいる人たちは、島のやりかたを拒絶《きょぜつ》した人か、拒絶された人か、どっちかでしょ。でもわたしは、まだそれを試《ため》してもいない。こんな状《じょう》況《きょう》、わたしが望《のぞ》んでたのとは全然《ぜんぜん》ちがう」

「ごめん」スカンダーはつぶやいた。「アガサのいうことなんかきかなきゃよかった。もっと早くくればよかった」

「で、わたしはいつエアリーにもどれるの？　いますぐ？」ケンナは希望《きぼう》をこめていった。

「ケン、それはまだむりなんだ」ケンナの顔がゆがむのをみて、スカンダーは胸がつぶれるような思いがした。あわてて続《つづ》きを話す。「けど、計画があるんだ。それをきいてほしかった。うまくいけば、そんなに長く待たないうちに問題がすべて片《かた》づくと思う」

　ケンナは頬《ほお》の涙《なみだ》をさっと拭《ふ》いた。「牢破りもあったんだものね。わたしが期待しすぎたんだと思う。だって……」そして、とても明るい調子で――というより、不自然《ふしぜん》なほど明るい調子で――続けた。「ごめんね。スカーにやつあたりしちゃったみたい。スカーは最善《さいぜん》を尽《つ》くしてくれたんだよね。でも、ときどきゴショークの気持ちが伝わってくるっていうか――」言葉がとぎれた。

「なに？」スカンダーは不安《ふあん》になってきいた。「もう感情《かんじょう》を共有《きょうゆう》してるの？」

　ケンナは肩をすくめた。「そんな感じ。でも、いい感情じゃないの。ここにいるベテランのライダーたちがいうには、この段階《だんかい》でユニコーンと感情を共有するのは、ずいぶん早いねって」その後、急に話題を変《か》えた。「ねえ、クリスマスだよ。クリスマスらしいことをしようよ。プレゼント、持ってきてくれた？」

スカンダーは笑おうとした。メンダーの夢での経験《けいけん》から、野生のユニコーンと感情を共有するのがどういうものか、わかっている。ケンナはいつもあの感覚《かんかく》を味わっているんだろうか。

ケンナがくすくす笑うのをききながら、スカンダーはバッグを開けた。

「アルバートとはもう会ってるのよね？」ケンナがいう。「正直、あのチョコレート――ちょっとどうかと思うわよね」

ケンナは、スカンダーからのプレゼントを、どれも同じように喜んで受け取ってくれた。島の歴史《れきし》がつづられた革表紙《かわびょうし》の本も、バトル・バーゲンという店でスカンダーが買った丸い盾《たて》の飾《かざ》り物《もの》も、同じくらいうれしそうに手にする。スミス家は昔から貧乏《びんぼう》で、プレゼントなんか買えなかった。だから、プレゼントの中身より、プレゼントをすることじたいが重要《じゅうよう》なのだ。自分を愛《あい》してくれる人からの贈《おく》り物《もの》を開けるとき、その人は、もしできることなら、世界全部をプレゼントしてくれるんだろうと思うことができる。

ケンナは、オットーという名の放浪者の力を借《か》りて、スカンダーへのプレゼントを用意してくれていた。黒曜石を削《けず》って作った、ユニコーンの頭部をかたどった飾り物だ。頭に白い線が入っているから、モデルはスカンダレルだとわかった。

「父さんがいないところでクリスマスを祝《いわ》うって、なんか変な感じね」ふたり並んですわると、ケンナはいった。ハンモックがプレゼントでいっぱいになっている。

「あ、そうだ！　父さんからのクリスマスカードが届《とど》いたんだ」
赤鼻のトナカイの絵が描《か》かれたクリスマスカードをみて、本土のアフィントンから島の鏡《かがみ》の崖《がけ》までライダーを輸送《ゆそう》するヘリコプターのコードネームが、サンタクロースのトナカイの名前からつけられている、という話をせずにはいられなかった。ケンナが大笑《おおわら》いしてくれたので、スカンダーも楽しい気分になった。そして、ふたりはカードに書かれたメッセージを読んだ。

愛するスカンダーとケンナへ
　メリークリスマス！　おまえたちもユニコーンたちも、元気にやっているか？　年度《ねんど》末《まつ》に遊びにいく日を指折《ゆびお》り数えているよ。ふたりがいなくて寂しいんだ。だが、仕事はうまくいっている。近所の人がミンスパイ［ドライフルーツなどが入ったパイ］を持ってきてくれた。三〇号室のマギーだ。というわけで、まあまあの日々を送ってる。スカンダー、もっと絵を送ってくれよ。ケンナ、おまえのユニコーンがどんな姿なのかも気になるな。言葉で説明《せつめい》されても、父さんの想像力《そうぞうりょく》だとよくわからないんだ。
　書くところが少なくなってきた。ふたりとも、愛してるよ。父さんより

追伸《ついしん》　ケンナへ
おまえの友だちが何人か訪《たず》ねてきて、いまどこにいるのか知りたがっていた。メッセ

ージは伝わっているか、と気にしていたよ。よかったら連絡《れんらく》してやるといい。ユニコーンとの新しい暮らしで忙《いそが》しいんだろうが、友だちが心配していたからな。

「マギーって、父さんのことが好《す》きなのかな？」ケンナがくすくす笑って、カードをつかもうとした。

しかしスカンダーは、父親の恋愛事情《れんあいじじょう》などどうでもよかった。ケンナに最後《さいご》のプレゼントをあげたかった。

「ケン？」何週間もかけて描いた絵を渡《わた》す。「ケンがエアリーにもどれるようにするための計画、きいてほしいな」

ケンナはスカンダーのスケッチブックに視線《しせん》を落とした。まだら模様《もよう》のユニコーンがエアリーの上空から降下《こうか》しているところが描かれている。その背中《せなか》には、褐色《かっしょく》の髪《かみ》と褐色の目をした少女。うれしそうに笑いながら、白い半透明《はんとうめい》の矢を、白く輝く弓につがえている。これまでにスカンダーが描いた絵の中でも最高《さいこう》の出来だ。できる限《かぎ》りの希望をこめて描いたからだろう。

しかしケンナは、なんのことかわからないという顔をした。「ゴショークじゃないよね」

「ケンの運命のユニコーンなんだ。去年荒野《こうや》で会ったユニコーンだよ」

「灰色《はいいろ》のまだら模様のユニコーンね」ケンナの声が震《ふる》えていた。「でも、わたしはゴショーク・フュアリーと絆で結ばれてる。そんな、どうして――」

「ケンナと運命のユニコーンを絆で結ぶ安全な方法《ほうほう》があると思うんだ。これだよ」スカンダーは絵の一点を指差した。「ゴショークの運命のライダーを探せばいいんだ。そんなのみつかりっこないと思うかもしれないけど、じつはもうメンダーの夢でそのライダーをみて、似顔絵《にがおえ》を描いた。いまはカザマ首長が本土でその少年を探してる」

「待って、どういうこと？」ケンナは立ちあがっていた。手にはスケッチブックを持ったままだ。

「ニーナがいうには、ケンナに運命の絆ができれば、エアリーにもどってもかまわないそうだ。そしたら、ぼくが最後まで訓練を受けられればの話だけど、ケンナは正式に気の使い手のライダーとして認《みと》められることになる。アガサはエアリーのほかのライダーたちより早めに訓練を始めさせてくれるんじゃないかな」

スカンダーはそこで口をつぐんだ。ケンナの表情に気がついたからだ。それは純粋《じゅんすい》な怒《いか》りの表情だった。

「ゴショークとわたしを引《ひ》き裂《さ》くつもり？　スカー、あんたはわたしの弟でしょ？　なのに、わたしとゴショークの絆を断《た》ち切《き》るっていうの？　わたしはゴショークを愛してる。それを知ってるくせに！」

「絆を断ち切るんじゃなくて――」

「あんたもほかのみんなと同じなのね！」ケンナは叫《さけ》んだ。「わたしがみんなとちがうのがいやなんだ！　わたしをみんなと同じにしたいんでしょ！」

「ケン、このままだと変異《へんい》で体がどうなるか」スカンダーも立ちあがり、必死《ひっし》で訴《うった》えた。「ケンがゴショークを愛してるのはわかってる。けど、これからまだ四つも変異が起こるんだよ。体に取り返しのつかない損傷《そんしょう》を受けるかもしれない。それに、偽《にせ》の絆のせいでウィーヴァーがどうなったか、考えてみてよ！　大変《たいへん》なことになるよ。体力を奪《うば》われて、生きていられなくなる！」

「わたしはあの人とはちがう！」ケンナはまた叫んだ。「あんたはわかってくれると思ってた。ほかのみんながわかってくれなくてもね」

「そんなこと、わかってるよ。ケンナはウィーヴァーとはちがう。でも、ぼくたちがいっしょにいるためには、こうするしかないんだ」

「あんたがこっちにくればいいじゃない」ケンナは涙を流していた。「放浪者からいろんな魔法を教えてもらってるの。あんただってそうすればいい。だめなの？」

　スカンダーはそれでも説得《せっとく》を続けた。「ゴショークが野生のユニコーンじゃなくなるんだ。運命のライダーに出会って、絆で結ばれるから。ぼくが夢でみた少年だよ。運命の絆は、偽の絆とはちがう」

「そんなこと、どうしてわかるの？」ケンナがスカンダーをにらみつける。「偽の絆がどういうものかなんて、あんたにわかるの？」

「運命の絆とはちがうってことはわかる」スカンダーは懇願《こんがん》するように続けた。「ゴショークと結ばれたままだと、ケンナはエアリーにもどれない。考えてみてよ。頼《たの》むから」

「ゴショークの存在《そんざい》と引《ひ》き換《か》えなら、エアリーにもどれなくてもいい！」ケンナは叫び、まだら模様のユニコーンの絵をまっぷたつに引き裂き、砂のほうに走っていった。

「ケン！　もどってきてよ！　お願いだ！」スカンダーは呼びかけたが、ケンナはもどってこなかった。破られて地面に落ちた絵をみつめる。体に力が入らない。いらだちと痛みしか感じない。ぼくはそんなにまちがってる？　ケンナを危険にさらしたくない。離ればなれはもういやだ。それだけだ。ケンナがゴショークを愛しているのは知っている。でも、運命の絆を持てばすべての問題が解決《かいけつ》するってことを、ケンナはどうしてわかってくれないんだろう。

数分後、ききおぼえのある甲高《かんだか》い鳴き声がきこえた。頭の中で堂々巡《どうどうめぐ》りを繰《く》り返《かえ》していたスカンダーは、はっとして顔をあげた。スカンダレルがヤシの木立のあいだを駆《か》けてくる。絆からは恐怖《きょうふ》と焦《あせ》りの感情があふれそうになっている。続いて、だれかの怒鳴《どな》り声《ごえ》がきこえた。木々の向こうの泉からきこえてくるようだ。元素の魔法が爆発《ばくはつ》したらしく、空が不気味《ぶきみ》な赤に染《そ》まっている。

スカンダーはスカンダレルの鞍《くら》にまたがった。何人かずつで集まっている放浪者のあいだを走りまわって、ケンナの顔を探す。すると、ケンナではなくエローラの姿が目に入った。エローラのまたがった銀色のユニコーンは、すごい勢《いきお》いで走っている。スカンダーはそのあとを追い、木立のそばを進んでいった。

衛兵の乗ったユニコーンが二十頭ほど、水飲み場のそばに並んでいる。銀色の仮面《かめん》が、真昼の強い日差《ひざ》しを浴《あ》びてぎらついている。衛兵たちは、ひとりのライダーと一頭のユニコーンにゆっくり近づいていく。野生のユニコーンだ。

ケンナとゴショークだ。完全《かんぜん》に包囲《ほうい》されている。

恐怖がスカンダーの心臓《しんぞう》をわしづかみにした。頭にあるのは、ケンナを助けなきゃということだけだった。スカンダレルの手綱をつかむ。アーマーをつけていって、といってくれたフローに無言《むごん》の感謝《かんしゃ》を捧《ささ》げた。しかし、スカンダレルが一歩前にでるかでないかのうちに、衛兵たちが攻《こう》撃《げき》を始めた。

火と水と砂と稲妻《いなずま》が放たれて、爆発しながらケンナとゴショークに向かっていく。

「助けなきゃ！」スカンダーは大声で放浪者たちに訴えた。ところが、でてきた放浪者たちは、その場で凍《こお》りついたようにじっとしている。「どうしてなにもしないんだ？」

エローラの顔には落胆《らくたん》の色があるのみだった。「わたしたちは戦わない。それがわたしたちの生きかただから」先導者《せんどうしゃ》は泣きそうになっていた。「わたしにすがってもむだ。わたしの魔法は戦闘《せんとう》で使うためのものじゃないわ」

エローラがなにをいっているのか、スカンダーには理解《りかい》できなかった。しかし、議論《ぎろん》している時間などない。放浪者がなにもしてくれないのなら、ぼくが空から衛兵たちを攻撃するまでだ。そうすればケンナのそばにいけるだろう。ところが、スカンダレルが高く舞《ま》いあがるまでの数秒間のうちに、戦況《せんきょう》は一変《いっぺん》していた。

ゴショークが後足立ちになった。目は真っ赤で、浮《う》きでた骨《ほね》が日差しを受けて光っている。

ケンナがてのひらを黄色く光らせ、低い声でいった。「エローラ、ごめんなさい！」竜巻《たつまき》が生まれた。周囲《しゅうい》に巻《ま》きひげのような黒い煙《けむり》を吐《は》きちらす。その力は絶大《ぜつだい》だった。衛兵のユニコーンたちからアーマーを剝《は》ぎとり、衛兵たちの銀の仮面を弾《はじ》き飛ばす。放浪者たちは「離れていろ」と口々に叫んでいる。スカンダーは、いまはなにをしても意味がないと悟《さと》った。

ケンナに助けなど必要《ひつよう》ないのが、みてとれる。

ユニコーンから落ちてうめき声をあげる衛兵もいるが、まだ攻撃を続ける衛兵もいる。ケンナは彼《かれ》らに奇声《きせい》を浴びせ、次々に苦もなく盾を作りだしては攻撃を防《ふせ》ぐ。「放っておいて！　わたしたちにかまわないで！」

やがて、ケンナのてのひらが青く光った。生まれた高波が衛兵たちを一気に襲《おそ》う。後ろ向きに倒《たお》れるユニコーンもいれば、バランスを崩《くず》して水飲み場に落ちるユニコーンもいる。煙に包《つつ》まれた波の切っ先が泉に触《ふ》れたとたん、死んだ魚が水面に浮かんだ。スカンダーがみたことのあるエアリーのどのライダーより、ケンナは強い。いや、エアリーのライダーだけじゃない……。それ以上《いじょう》考えるのはやめておこう、とスカンダーは思った。

衛兵たちは混乱状態《こんらんじょうたい》だ。捕獲対象《ほかくたいしょう》がこんなに強いとは思わなかったのだろう。それと、ケンナと放浪者が友好関係《ゆうこうかんけい》にあることも意外だったにちがいない。放浪者たちが衛兵を直接《ちょくせつ》攻撃することはないが、ユニコーンたちが――絆のあるユニコーンもいれば、野生のユニコーンもいる――いっせいに動くと、砂漠の地形が動いているようにみえる。エローラが水際《みずぎわ》の砂を爆発させて大きな穴《あな》をいくつも作るので、衛兵たちはむやみに動くことができなくなった。南国の鳥たちが、銀色の仮面をつけた衛兵たちに向かって滑空《かっくう》し、視界《しかい》をさえぎる。アルバートとイーグル・ドーンは水飲み場を操《あやつ》った。水がはねて、衛兵たちの気を散《ち》らす。魔法の水流が起きて、衛兵たちを泉に引きこむ。

スカンダーとスカンダレルは、この機《き》に乗じて前にでた。この数か月はありえなかったほど、息が合っている感じがする。スカンダレルは、スカンダーにとってケンナがどれだけ大切な存在か、知っているのだ。スカンダーは、電気を帯《お》びた槍《やり》を次々に投げ、氷でできたトライデントを三本放ち、ダイアモンドの刃《は》がついた短剣《たんけん》の雨を降《ふ》らせた。スカンダレルは、ひづめから稲妻を放ち、口から火の球を吹いた。野生のユニコーンたちの協力《きょうりょく》もあった。空中にいる黒いユニコーンを狙《ねら》う衛兵たちを攻撃してくれる。まるで、野生のユニコーンたちが気の使い手を守っているかのような図式だ。スカンダーは、ウィーヴァーと初《はじ》めて戦ったときのことを思いだした。あのときも、野生のユニコーンたちが助けてくれたのだ。

そのうち、スカンダレルとゴショークは背中あわせになって後足立ちになった。銀の仮面の衛兵たちが延々《えんえん》と繰りだしてくる攻撃を、きょうだいではね返す。

はかりしれないほどのエネルギーがケンナから伝わってくる。エネルギーは低いうなりをあげ、細かい光を発しながら、ケンナを包んでいる。嵐《あらし》の前の空気が電気を帯びているのと似《に》た感じだ。そして、そのエネルギーには闇《やみ》の要素《ようそ》がある。スカンダーは首すじの毛が逆立《さかだ》つような不気味さを感じた。ケンナはてのひらに元素の魔法を次々に呼びだし、敵《てき》の姿をみることもなく、無差別《むさべつ》に攻撃を繰りだしている。魔法の影《かげ》の部分が近くのヤシの木に触れるだけで、葉が黒こげになる。ケンナの魔法は、どういうわけか、触れるものをしおれさせたり、腐《くさ》らせたりするらしい。ゴショークの腐りつつある体を映《うつ》すかのような魔法だ。そんな魔法を使いながら、ケンナは涙を流していた。やがて、ケンナの持つ絆の色がぼやけてきた。さまざまな元素を続けざまに呼びだすので、混《ま》ざってしまっているのだ。現《あらわ》れるのは炎《ほのお》、氷、嵐、石。

「退却《たいきゃく》！」エローラと衛兵たちが同時に叫んだ。衛兵たちは、野生のユニコーンにまたがった少女を恐《おそ》れるあまり、団結力《だんけつりょく》を急に取りもどしていた。

「ケン！　力をゆるめて！　敵が退却してる！」スカンダーは叫んだが、ケンナはきかなかった。

「モンスター！」「魔女《まじょ》！」「ウィーヴァー！」衛兵たちの罵声《ばせい》がスカンダーの耳にも届く。認めたくないが、スカンダー自身もケンナが怖《こわ》かった。ノマドの木が倒れたとき、ケンナの力のすごさをある程度《ていど》は予測《よそく》していた。しかし、それがこれほどだとは、いまのいままでわかっていなかった。ちゃんとした訓練を受けていないのに、エリカ・エヴァーハートがみせつけてきたどんなものよりもパワフルな魔法を使いこなしている。二回も首長になったエリカをしのいでいる。

　いったいどうなってしまうんだろう。ケンナはゴショーク・フュアリーとの絆を手放すつもりがない。しかしこのままでは、島はケンナを放っておいてくれないだろう。地球の果《は》てまでケンナを追いまわす。なぜかといえば、ケンナのことが怖いからだ。島は、恐怖の対象を捕《つか》まえ、攻撃する。

　戦いの最中に、ケンナが突然叫んだ。水面が大きく揺れ、焼《や》けた砂にかかって、じゅうっと音をたてた。怒りではなく痛みを訴える声だった。衛兵たちはどんどん離れていく。そのすきに、放浪者はライダーのきょうだいと衛兵たちのあいだに集まって壁《かべ》を作った。イーグル・ドーンに乗ったアルバートが、心配そうに呼びかける。エローラもケンナの名前を叫んでいた。

　スカンダーは振《ふ》り返《かえ》ったが、鞍にすわったままなにもできなかった。ゴショークは後足立ちのまま低くうなった。真っ赤な目に怒りをみなぎらせている。ゴショークの首にしがみついたケンナの首もとに、氷のとげが次々に生えてきた。悪夢《あくむ》のネックレスみたいだ。二番目の変異が起こっている。しかし、それだけでは終わらない。ケンナは両手を耳にあてて、再《ふたた》び痛みのあまり悲鳴をあげた。ハチミツ色の羽根が、両耳の輪郭《りんかく》に沿って生えてきた。ピアスの穴を十個《こ》、同時に開けたようなものだ。衛兵たちも驚いて、おびえた顔をしている。

「ケン！　ケン！　それって……」スカンダーはスカンダレルからおりて、ケンナをゴショークの背から引きおろした。ゴショークがスカンダーを威嚇《いかく》する。その口元は食べかすと血で汚《よご》れていた。スカンダーの腕《うで》の中で、ケンナの全身が震える。ふたりは地面にうずくまった状態だ。放浪者たちが近づいてきた。土の魔法で砂のバリアを何重にも作っている。

「だいじょうぶよ」ケンナは弱々しい声でいった。スカンダーを安心させるためではなく、自分自身を力づけるための言葉にきこえた。「だいじょうぶ」左手をあげて、右腕《みぎうで》に持っていく。そこに生えているとげの状態を確《たし》かめてから、首もとに並ぶ氷のとげに触れた。次に触れたのは耳。外側《そとがわ》の曲線を飾《かざ》るように、羽根が並んで生えている。

「これで三つ」ケンナは吐息《といき》まじりにいった。きょうだいのそばで、風を受けた砂丘が形を変えていく。「変異が三つ」

ケンナは地面に両ひざをつき、上体を少し起こした。無意識《むいしき》のうちに手が動き、髪を耳にかけようとしたが、変異の羽根に髪が引っかかってうまくいかなかった。

「慣《な》れるまでに少し時間がかかりそう」ひどくかすれた声でいうと、ケンナはゴショークの腐りかけた鼻をなでた。

「本当にだいじょうぶ？」スカンダーの声も震えていた。砂のバリアはいつまで持ちこたえてくれるだろうか。

「ええ、だいじょうぶよ。疲《つか》れただけ。ほら、前もそうだったじゃない」しかし、そう話しているあいだにも、ケンナのまぶたは下がってくる。体からも力がぬけて、スカンダーの腕に重くのしかかった。

そのとき、新たに五十人の衛兵がやってきた。

砂が舞いあがった。アーマーをつけたユニコーンたちが、砂丘を越《こ》えて迫《せま》ってくる。第一陣《じん》の衛兵たちが漏《も》らす安堵《あんど》の声と、放浪者たちがあげる警戒《けいかい》の声が同時に響く。まもなく、四つの元素が入《い》り混《ま》じった、つんとするにおいがあたりに広がった。放浪者が倒れ始めた。スカンダーがみたところ、少なくとも五人が砂の上に倒れている。彼らはそれでも直接的《ちょくせつてき》な攻撃を返そうとしない。魔法を使うのは、まわりにあるものを操るためだけ。しかも、敵に直接的なダメージを与《あた》えることがないように気をつけている。その結果《けっか》、劣勢《れっせい》になっている。

ケンナは意識《いしき》が朦朧《もうろう》としている。二種類《しゅるい》の変異が同時に表れたせいで、銀の仮面の衛兵たちが増員《ぞういん》したことにも気づいていない。

「ケン！」スカンダーは必死でケンナの肩を揺すぶった。「ここから離れなきゃだめだ！」

アルバートがジェスチャーでなにかを伝えようとしているのが、煙ごしにみえる。放浪者たちは、ユニコーンを持たない仲間を自分のユニコーンに乗せて、オアシスから逃げだそうとしている。ヤシの木々のあいだに悲鳴と怒号《どごう》が飛ぶ。隠れている放浪者を衛兵が探し、そこに野生のユニコーンが現れる。ユニコーンが発するつんとするにおいの爆風《ばくふう》と煙があたりに広がり、ハンモックからハンモックへと火が移《うつ》る。

突然、エローラとシルヴァー・ソルジャーが、スカンダーの目の前に現れた。エローラは額《ひたい》に切《き》り傷《きず》を負っていた。いつもは穏《おだ》やかな顔が、なにかに取りつかれたような表情になっていた。

「逃げなきゃだめ。いますぐ！　仲間がすでにふたり死んだわ。けが人は十人。これ以上失《うしな》うわけにはいかない。戦闘の魔法はあくまでも使わせない」

「ケンナの意識がほとんどないんだ！　これじゃユニコーンには乗れないよ！」スカンダーは叫びながらケンナの体を支《ささ》えた。

　エローラはユニコーンからおり、ケンナのかたわらにひざをついた。「驚いたわね」新しい変異に気づいてそういった。

　近くで爆発が起きて、あたりが砂だらけになった。口の中がざらざらして、目もちくちくする。ゴホゴホと咳《せ》きこみ、砂を吐きだしながらも、スカンダーは危険を察知《さっち》した。鉄っぽい灰色のユニコーンに乗った衛兵が、巻きあがる砂のなか、こちらに近づいてくる。スカンダレルも警告《けいこく》のうなり声をあげる。スカンダーは片手でスカンダレルに触れ、気の元素を絆に呼びだすと、いつでも攻撃できるようにした。ところが、やってきた衛兵はユニコーンからおりて仮面を取った。目の奥《おく》に炎が踊《おど》っている。火の変異だ。衛兵がケンナに近づこうとしたので、エローラとスカンダーが間に立ち、それをはばんだ。

「わたしの助けなくしては、彼女《かのじょ》をここから助けだすことはできない」衛兵は大声でいった。ケンナのまぶたが震え、開いた。すぐに状況がのみこめたらしい。銀の仮面を光らせた衛兵たち、逃げていく放浪者、破壊《はかい》されたオアシスの野営地《やえいち》。そのときスカンダーは思った。ケンナの表情が変わった——褐色の目に厳《きび》しさが宿った。

「この人といっしょにいく」ケンナがきっぱりといった。首のとげがきらりと光る。

「ケン、この人は衛兵だ。信じるわけにはは——」

「知ってる人なの。去年、銀の要塞《ようさい》でも助けてくれた」ケンナはふらつきながら立ちあがり、炎の目をした男に助けられてゴショークの背中にまたがった。まだ疲れているだろうに、ゴショークのもつれたたてがみをしっかりつかんだ。

ケンナが進んで衛兵とともに逃げることを選《えら》んだのをみたエローラは、驚きを顔にださなかった。「ケンナ、また会いましょう」そして、炎の目をした男に向かって、強い口調でいった。「彼女はわたしたちの仲間です。この騒《さわ》ぎが終わって再会《さいかい》したとき、無事《ぶじ》であってほしいと思っています」

衛兵は頭を下げ、ユニコーンに乗った。

スカンダーもスカンダレルの背中にまたがった。

エローラのアメジストの目が鋭く光る。「スカンダー、いっしょにいってはだめよ」

スカンダーが反論《はんろん》しようと口を開いたとき、エローラはほっそりした手をあげて、それをさえぎった。「空に混乱を起こしてちょうだい。元素を爆発させてもいい。武器《ぶき》を作ってもいい。なにをしてもいいわ。あなたはエアリーで守られる立場。衛兵たちは、あなたには手をださないでしょう。放浪者は砂漠に逃げる。ケンナはこの衛兵と、別の方角に逃げていくでしょう。わかった？」エローラはスカンダーをまっすぐみつめ、それから炎の目の男をみた。

同意なんかしたくない。でも、ほかに方法はない。スカンダーはケンナをみた。まだぐったりしているのがわかる。「離ればなれになりたくないよ」

「いつもそんなことをいうのね」ケンナは眠そうにつぶやいた。「すぐ離れていっちゃうくせに」

「これでうまくいくわ」エローラはそういって、シルヴァー・ソルジャーに乗った。そして、スカンダーだけにきこえるような小さな声でいった。「お姉さんに無事でいてほしければ、わたしたち放浪者を二度と探さないように。あなたの動向はみんなにみられてる。特《とく》に、衛兵たちが今日ここでみたことを報告《ほうこく》したら、監視《かんし》は厳しくなるわ」

「でも、無事かどうかをどうやって確かめればいいんだろう」スカンダーは動揺《どうよう》していた。「あの男が何者かもわからないのに！」同時に、ゴショークの運命のライダーである金髪《きんぱつ》の少年のことも考えていた。ケンナには偽の絆をあきらめてほしいけど、どこにいるのかもわからないケンナを、どうやって説得したらいいんだろう。

「アガサに頼《たよ》りなさい」エローラが声を殺《ころ》していった。そして声を張《は》りあげる。「作戦《さくせん》実行まで、あと十秒」

炎の目をした衛兵は、はずしていた仮面をつけ、自分のユニコーンのそばにゴショークを引《ひ》き寄《よ》せた。

あと八秒。

「ぼくがなんとかする！」

ケンナは悲しそうな目でスカンダーをみた。昔から交《か》わしていた、あのまなざしだ。いつもなら、ケンナがなにを考えているか、その目をみればはっきりわかった。でもいまはわからない。

ケンナはこういった。「スカー、あんたにはむりよ。でも、やるだけやってみたら？　わたしは責《せ》めない。そのことをおぼえておいて」

あと六秒。五秒。四秒。

「愛してるよ、ケン！」スカンダーの頬を涙が流れおちる。どうしてだろう――この別れは、なんだかいつもとちがう。ケンナからのクリスマスプレゼントのことを思いだした。ハンモックに置《お》いたままになってしまった。そのとき、生まれて初めて思った。結局《けっきょく》、島になんかこないで、本土で暮らしていたほうがよかったんだろうか。夢なんか追いかけないで、ケンナといっしょにいればよかった。

あと二秒。

しかし、スカンダレルにまたがった瞬間《しゅんかん》、絆から歌がきこえた。やっぱり島にくるしかなかったんだ、と思った。島からの呼《よ》び声《ごえ》を無視《むし》することも、運命のユニコーンと出会わずにいることも、ぼくの人生にはありえない選択《せんたく》だった。

あと一秒。

スカンダレルが後足立ちになり、立派《りっぱ》な翼《つばさ》をばたつかせた。そのまま泉のほうに走っていく。衛兵たちが、白い炎をまとった黒いユニコーンの姿に気づき、大声をあげる。お尋《たず》ね者《もの》の少女の弟だ！

「問題の少女もいっしょにいるのか？」叫《さけ》び声《ごえ》がスカンダーの耳にも届いた。砂を踏《ふ》むひづめの音が背後《はいご》から追いかけてくる。水に飛びこむかにみせて、スカンダレルは空に飛びだした。

「スカンダレル、ショーの始まりだ」スカンダーは嚙《か》みしめた歯のあいだからいった。風の元素を呼びだし、燃《も》えるオアシスの上空で円を描く。さらに、絆の中に気の元素を送りこんだ。スカンダレルの黒い角が電気を帯びる。電気は頭、首、全身へと広がっていった。追いかけてきた衛兵たちのユニコーンが、空中でスピードをゆるめた。気のユニコーンが元素の魔法を使うところを初めてみたのだろう。そこへ、スカンダーもてのひらから稲妻を放った。空気が割《わ》れるような音が響き、火花が散る。

　次は火の元素。さっきまで電気に包まれていたスカンダレルの体が、今度はごうごうと燃える炎をまとった。炎はスカンダレルの体だけでなく、スカンダーのアーマーをつけた脚《あし》をも包む。スカンダーが火の弓矢をつがえると、衛兵たちのユニコーンが次々に地面から飛びたった。まるで花火が炸裂《さくれつ》したように、燃える矢の雨が降る。衛兵たちは水の盾を作って頭上にかざした。

　スカンダーはスカンダレルの翼ごしに周囲の様子をみた。放浪者のユニコーンは戦場《せんじょう》からどんどん離れ、いくつかのグループに分かれて飛んでいく。追手との距離《きょり》が広がっているのがわかる。スカンダレルは高く飛びすぎたようだ。ケンナとゴショーク、炎の目をした衛兵がどこにいるのかわからない。とっくに視界から消えてしまうほど遠くにいってしまったんだと思いたい。

　衛兵たちが勇猛《ゆうもう》さを取りもどした。炎に包まれた気のユニコーンに、元素の攻撃をしかけてくる。そろそろ潮時《しおどき》だ。スカンダーがてのひらを閉《と》じると、スカンダレルはいつもの黒い体になった。できるだけ遠くまで飛ぼう。速度には自信《じしん》がある。ハヤブサ隊《たい》のメンバーに選ばれたのには、理由があるのだ。衛兵たちを余裕で引《ひ》き離《はな》し、熱気《ねっき》に満《み》ちた火のゾーンを脱出《だっしゅつ》した。

エアリーの木々がみえてくる頃には、十二月の午後らしい空気の冷《つめ》たさを感じていた。もう一度うしろを振り返ったが、空に追手の姿はみえなかった。

スカンダレルを厩舎《きゅうしゃ》にもどし、いつものはしごをのぼる。しかし、自分のツリーハウスにはまだもどらない。アガサに報告をしなければならない。ドアを強く叩《たた》くと、アガサがむっとした顔で開けてくれた。しかし、甥《おい》の疲れきった顔をみると、その表情は一変した。

「ケンナのところにいったんじゃなかったのか？」

スカンダーはうなずいた。そして突然泣きだした。

GUILT

ケンナ

罪《つみ》

ケンナ・スミスは罪の意識《いしき》にさいなまれていた。

罪は、オアシスを焼《や》きはらってしまったこと。若《わか》い野生のユニコーンたちは、彼《かれ》らを守ると誓《ちか》ってくれた人たちを置《お》いて、遠くへ逃《のが》れていった。もろい友情《ゆうじょう》は断《た》ち切《き》れてしまった。

罪は、あらがわなかったこと。偽《にせ》の絆《きずな》に心を強くつかまれたとき、その力に身をゆだねてしまった。破壊《はかい》を渇望《かつぼう》するゴショークを止めなかった。自分の心の中にある野生を抑《おさ》えなかった。

罪は、放浪者《ほうろうしゃ》たちをすみかから追いたてたこと。だれよりも平和を愛《あい》する人々を戦闘《せんとう》に参加《さんか》させてしまった。アメジストの目は悲しみをたたえていた。

罪は、恥《は》ずべき行動をとったこと。自分の持つ力を解《と》きはなってしまった。破《やぶ》ってはいけないルールを破ってしまった。自分は安全だなんて、一度でも信《しん》じてしまった。

あれから何日ものあいだ、ゾーンからゾーンへとひたすら飛《と》び続《つづ》けたあと、炎《ほのお》の目をした男は、ケンナとゴショーク・フュアリーを滝《たき》の裏側《うらがわ》に残《のこ》していった。あれから三日たった。休みなく滝壺《たきつぼ》へ流れおちる水をみているうち、ケンナは一種《いっしゅ》のトランス状態《じょうたい》になった。数時間たっているのに、数秒しかたっていないように思える。ほんの数分が数日のように感じられる。男が置いていった食べ物は口にしなかった。毛布《もうふ》にくるまり、ただそこにすわっていた。せりだした岩の天井《てんじょう》の下で、生きたカーテンみたいな滝の裏側にいると、世界と隔絶《かくぜつ》されているような気分になった。滝は、過去《かこ》と未来《みらい》の隔壁《かくへき》でもあった。

甘《あま》んじて罪悪感《ざいあくかん》を受け入れながら、オアシスでの出来事を思い返した。ヤシの木々から黒煙《こくえん》があがり、恐怖《きょうふ》に満《み》ちた悲鳴がきこえた。若い野生のユニコーンが逃《に》げていく。砂《すな》の上に横たわっていたけが人の姿《すがた》を、あえて思いうかべた。けが人のなかには、自分が攻撃《こうげき》した銀の仮面《かめん》の衛兵《えいへい》もいたし、反撃《はんげき》することを拒《こば》んだ放浪者もいた。自分の身を守るために持てる力を遠慮《えんりょ》なくだしきったことも、あえて思いだした。血が騒《さわ》ぐような感覚《かんかく》。止めようのない快感《かいかん》。若いユニコーンや友人たちの顔に浮《う》かんだ恐怖の色。スカンダーの顔からも、恐怖はみてとれた。あのときのわたしは、元素《げんそ》の力のダークサイドを使っていた。

スカンダーは、いまも探《さが》してくれているだろうか。あの無惨《むざん》な破壊のあと、エアリーに帰り、ツリーハウスでいままでどおりに暮《く》らしているんだろうか。わたしはここで、孤独《こどく》と戦《たたか》っているというのに。

忘《わす》れられないことがある。スカンダーは、わたしとゴショーク・フュアリーを引《ひ》き離《はな》そうとしている。わたしが選《えら》び、わたしが愛したユニコーンを、夢《ゆめ》でみたという赤の他人と結《むす》びつけようとしている。わたしを変《か》えたいって？　離《はな》れていったのは、わたしがそれを断《ことわ》ったせい？　わたしのことをモンスターだと思っているの？

　ゴショークが少し近づいてきた。その翼《つばさ》で、わたしの体をすっぽり包《つつ》んでくれる。少し明るい気分になったときは、オアシスでのあの出来事のおかげで、少なくともひとつはいいことがあったと思うことができる。それは、ゴショークとのあいだに親密《しんみつ》さが生まれたこと。前はなかったものだ。以前《いぜん》のゴショークは、世の中とそこにあるものすべてに対して、憎悪《ぞうお》を抱《だ》いていた。でもいまは、ゴショーク自身だけでなく、ライダーのことを気にかけてくれる瞬間《しゅんかん》がある。以前のゴショークは、自分の感情《かんじょう》を絆に叩《たた》きこむだけだった。でもいまは、お互《たが》いの感情を共有《きょうゆう》しているという実感がある。特《とく》にわたしが焦《あせ》ったり恐怖を感じたりしているとき、ゴショークから伝《つた》わってくる怒《いか》りが弱くなる。こちらの話に耳を傾《かたむ》けて、だいじょうぶ？　と気づかってくれているみたいだ。

「ゴショーク、ありがとう」そっとささやいて、ハチミツ色の翼をなでた。羽根が一枚《いちまい》抜《ぬ》けて、てのひらに残った。ときどき忘れていることはできるが、ゴショークは、一刻一秒《いっこくいちびょう》休むことなく死《し》に続《つづ》けている。永遠《えいえん》に死に続ける。わたしが死んだあとも。

　ふと顔をあげた。瀑布《ばくふ》の音をしのぐ、白鳥の甲高《かんだか》い鳴き声がきこえる。しつこく何度も鳴いている。ゴショークが立ちあがった。幽霊《ゆうれい》みたいな角を滝に向けている。鳴き声はさらに続《つづ》いて、ケンナもそれを無視《むし》できなくなった。滝の端《はし》から向こうをみる。水しぶきがかかって髪《かみ》も顔もぬれてしまった。

滝壺にいるのは傷《きず》ついた白鳥ではなかった。銀のユニコーンがぐるぐるまわっている。背《せ》に乗った女性《じょせい》の唇《くちびる》に、木製《もくせい》の笛があった。

「エローラ！」ケンナは喜《よろこ》びの声をあげた。

先導者《せんどうしゃ》は白鳥の笛を吹《ふ》くのをやめて、滝の裏側にシルヴァー・ソルジャーを移動《いどう》させた。ユニコーンからおりたエローラに、ケンナは抱きついた。ソルジャーが体をぶるっと震《ふる》わせて、翼についた水滴《すいてき》を落とす様子を、笑顔《えがお》で眺《なが》める。ゴショークは不快《ふかい》そうにうなった。

「よかった、ようやくみつけられて」エローラは息を弾《はず》ませた。ケンナの体を離して顔をのぞきこむ。「衛兵は？　もういないの？」

ケンナはうなずいた。ききたかったことが次々に口からでてくる。「またわたしをかくまってくれるの？　いまは水のゾーンにいるの？」放浪者たちとの生活をいかに恋《こい》しく思っているか、このとき初《はじ》めて気がついた。

しかしエローラはかぶりを振《ふ》った。「ごめんなさい、ケンナ。放浪者たちはいま、四つのゾーンに散《ち》らばって暮らしてる。いまはわたしたちも衛兵に追われているのよ。だから隠《かく》れて暮らすしかない」

「じゃ、わたしはそういうグループのひとつに入れてもらえるの?」

先導者は目をそらした。「ある意味、そういうことになるかしらね。毎日ちがう放浪者を訪問《ほうもん》させるわ。あなたが無事《ぶじ》かどうかを確《たし》かめて、食料《しょくりょう》を運んで、話し相手になるために。もちろん、アルバートは自分から手を挙《あ》げてくれたわよ」

ケンナはごくりと唾《つば》を飲んだ。恐怖と怒りのせいで喉《のど》がしめつけられる。「訪問……?　つまり、わたしはみんなから隔離《かくり》されて、ひとりきりで生きていくってことなの?」

「当面はそうするっていうだけよ」エローラはケンナをなだめようと手をのばしたが、ケンナはその手を振りはらった。まるで手負いの動物みたいな激《はげ》しい動きだった。ゴショークがしゅうっと鼻息をもらす。

数時間後、エローラの訪問が終わった。エローラを乗せたシルヴァー・ソルジャーが滝の向こうにいってしまうのをみて、ケンナは悲しみと痛《いた》みと寂《さび》しさとうしろめたさを感じた。いや、それだけではない。放浪者と引《ひ》き離《はな》されたいま、恐怖が生まれた。

自分自身が怖《こわ》くてたまらない。

BIRTHDAY SURPRISES

第13章

誕生日《たんじょうび》のサプライズ

続《つづ》く一週間、アガサは各《かく》ゾーンをめぐって、ケンナのニュースを探《さが》し続《つづ》けた。オアシスでの出来事をスカンダーからきいたとき、ケンナのパワーのすごさを知っても、アガサは驚《おどろ》いた顔をしなかった。それより、衛兵《えいへい》としての任務《にんむ》を離《はな》れてケンナを助けようとした、炎《ほのお》の目をした衛兵のことが気になってならなかった。

　しかし、十二月が終わって一月になっても、ケンナの近況《きんきょう》はどこからもきこえてこない。これ以《い》上《じょう》じっとしてはいられない、とスカンダーは思った。四人組の仲間《なかま》たちに、リスクの高い計画をあれこれと話してきかせた。四つのゾーンにでかけてケンナを探すつもりだ、とかなんとか。そして、仲間たちに反対されるたび、きつい言葉を返すのだった。常《つね》に気が立っていた。元気をだしてよ、とスカンダレルが絆《きずな》を通して呼《よ》びかけてきても、機嫌《きげん》が直ることはなかった。

一月も終わりに近づいた。水の祭ももうすぐというある日の夜、スカンダーは、炎の目をした男の似顔絵《にがおえ》を描《か》いていた。これで何度目だろう。謎《なぞ》の衛兵の正体が知りたいという思いを振《ふ》りはらうことができない。いつもは黒板を持ったミッチェルに対して感じる強い好奇心《こうきしん》を、いまはそのことだけに向けていた。ほかのことに関心《かんしん》を向けるのは、ポストの木をみにいくときだけ。しかし、ニーナからの知らせはない。ゴショークの運命のライダーがだれなのか、まだ調べがついていないらしい。

ボビーが背後《はいご》から近づいてきて、スカンダーがださないことにした父さんへの手紙を踏《ふ》みつけそうになった。「ケンナはその衛兵のことを、知ってる人だっていったんだよね？　どんな説明《せつめい》をしてた？」

「銀の要塞《ようさい》で助けてくれた人だって」スカンダーは男の顔の一部を消した。オアシスでみたとおりの顔を描きたかった。

「つまり、逃《に》げるのに力を貸《か》してくれたってこと？　あれって、嵐《あらし》のせいじゃなかったの？」

「わからない」スカンダーは歯噛《はが》みしながら答えた。「あの男がだれなのか、あの男といっしょにいてケンナが無事《ぶじ》でいられるのか、わからないんだ。それだけだよ――あっ！」鉛筆《えんぴつ》を紙に強く押《お》しつけすぎて、芯《しん》が折《お》れてしまった。

フローが帰ってきて、ジャケットをツリーハウスのドアのそばにかけた。

「シルヴァー・サークルの会合、どうだった？」ミッチェルが明るくきいた。ジェイミーといっしょに溶鉱炉《ファーネス》のダンスパーティーにいって以来《いらい》、うっとうしいくらいに機嫌がいい。

フローは緑色のビーンバッグチェアをストーブのそばに持っていった。「むだな時間だったわ。今日は先輩《せんぱい》ライダーたちと、元素《げんそ》の切《き》り換《か》えを練習するはずだったの。銀のユニコーンにとって、それってすごく難《むずか》しいことなのよ。ところがみんな、緊急《きんきゅう》ミーティングとかでレックスのところにいっちゃってて」

スカンダーは背《せ》すじをのばした。「緊急ミーティング？」

「卵《たまご》がみつかったの？」ボビーがきく。

フローは首を横に振った。「残念《ざんねん》ながらそうじゃないわ、ボビー。どうやら、牢破《ろうやぶ》り事件《じけん》以来、危機管理講座《ききかんりこうざ》みたいなのをしょっちゅうやってるみたいなの。今回は、火のゾーンからもどってきた衛兵たちの報告《ほうこく》がらみでね……」

「ケンナをみたって話だよね」スカンダーはいった。

「そのとおり。衛兵たちがなにをみたのか、レックスが詳《くわ》しく知りたがってるの。ニーナにいわれて、偽《にせ》の絆を持つユニコーンとライダーにどんな能力《のうりょく》があるのかを調べてるみたい。どれくらい強いかってことよ。ウィーヴァーが偽の絆をもっとたくさん作ったとき、それがどれほどの脅《きょう》威《い》になるかを知りたいんでしょうね」

「なんでぼくにきかないんだろう？」スカンダーは苦々しい気持ちでいった。「ぼくもあそこにいて、みてたのに」

「うん、たしかにそうだよね」ボビーがいった。「スカンダーはどうして無罪放免《むざいほうめん》なのかな。ケンナが捕《つか》まらないように、衛兵たちを攻撃《こうげき》したのにさ」妙《みょう》に誇《ほこ》らしげな口調だった。

スカンダーも同じことを考えていた。オアシスからもどったらすぐ、評議会広場《ひょうぎかいひろば》に連《つ》れていかれるものとばかり思っていたのだ。

「父さんがいうには、ニーナが守ってるんだろうって。スカーと……ケンナを」フローは穏《おだ》やかにいった。「いまは卵の捜索《そうさく》に集中するべきだって主張《しゅちょう》してるらしいわ。十代の少女と野生のユニコーンを探すことより、卵のほうがだいじだって」

ボビーはため息をついた。「さすがニーナだよね。うん、卵に集中するべきだよ。こないだ妹が手紙をくれたんだ。島にはなにを持っていけばいいのかってきいてきた。なんて答えたらいいかわかんないよ」

「ニーナから手紙がきてないか、ちょっとみてくる」スカンダーはいったが、三人が顔をみあわせているのに気づいて足を止めた。

「なに？」

フローが深く息を吸《す》った。「スカー、ゴショークの運命のライダーをみつけるって計画のことだけど、続行《ぞっこう》すべきだと思う？　ケンナはそれをきいて怒《おこ》ったんでしょ？」

「それに、絆を入《い》れ替《か》えたとき、ケンナやその少年の身にどんな影響《えいきょう》があるか、わからないんだよね？」ミッチェルが続けた。「そもそも、うまくいくかどうかも。それについて書かれた本が一冊《さつ》もないんだ。クレイグとふたりで探したんだけど、みつからない。未検証《みけんしょう》の仮説《かせつ》ってわけだ」

スカンダーは反論《はんろん》しようとしたが、仲間たちのいうことに一理あるのはわかった。ケンナとゴショークの絆は、思っていたよりずっと強いものなのだ。作りだす魔法《まほう》も、驚くほど強力なものだった。そもそも、入れ替えの方法《ほうほう》じたい、なにもわかっていない。それでもあきらめることはできなかった。仲間たちはケンナの新しい変異《へんい》をみていない。苦しむケンナをみていない。

「銀の要塞にいたとき、エローラがその手のことに詳しかったそうだ」スカンダーが話し始めたとき——

バーン！

アガサが戸口に立っていた。部屋をみまわす褐色《かっしょく》の目がスカンダーをとらえた。

「ケンナは無事だ」アガサはかすれた声でいった。「エローラがある場所にかくまっている」

「炎の目の衛兵は？」

「いなくなった」

張《は》りつめていたスカンダーの胸《むね》が、それをきいて楽になった。ケンナはまた放浪者《ほうろうしゃ》たちといっしょにいる。彼《かれ》らがケンナを守ってくれる。

「ありがとう、アガ——エヴァーハート教官《きょうかん》」スカンダーはほっと息をついた。しかしアガサは心配そうな表情《ひょうじょう》のままだ。「まだなにかあるの？」

　アガサは答えたくなさそうな顔をした。「エローラが、ケンナの変異のことを心配している。次はなにが起こるのか、と。一度にふたつの変異が起こったので、ケンナはすっかり参《まい》っている」

「どういう意味？」

　アガサは唾《つば》を飲んで、続けた。「ケンナの身には、これから火の変異と気の変異が起こるはずだ。それがケンナの体に深刻《しんこく》な負担《ふたん》をかけるんじゃないか、とエローラはいっている。最悪《さいあく》の場合――」

「命にかかわるってこと？」ミッチェルが消え入りそうな声でいった。

「ヘンダーソン、ここぞというときにみんなを落ち着かせてくれるのがおまえの役目だと思っていたのだが」アガサは皮肉まじりにいった。「エローラはそうはいっていない。ただ、ケンナの将来《しょうらい》のことが心配だと」

「でもそれって、命にかかわるかどうかっていうのと同じことじゃない？」ボビーがいう。

「そうとは限《かぎ》らない」アガサは、ビーンバッグチェアに体をうずめた四人を順《じゅん》にみた。「ここではお茶もでないのか？」

「お茶を飲んでる場合じゃないよ！」スカンダーはいった。

「こういうときこそお茶を飲むべきだ」アガサの口調があまりに厳《きび》しいものだったので、スカンダーは口がきけなくなった。

フローが火の祭で買ってきたお茶を探しているあいだも、スカンダーの頭の中はぐちゃぐちゃだった。ケンナの偽の絆についての計画を、いまアガサに話すべきだろうか？　前は止められると思って躊躇《ちゅうちょ》してしまったが、ケンナの身に次に起こる変異が致命的《ちめいてき》なものになるかもしれないと考えたら、そうもいっていられない。ゴショークの運命のライダーがみつかったらすぐ、動けるようにしておくべきだ。

お茶の用意ができると、アガサはストーブのそばで脚《あし》を組んですわった。「ケンナの命の心配をする前に、事実を並《なら》べてみよう」お茶をひと口飲み、熱《あつ》くて唇《くちびる》をやけどしたと文句《もんく》をいった。「島はいま、大混乱《だいこんらん》におちいっている。もちろん、だれもわたしの話などきかない。だが、偽の絆に関《かん》しては、たいていの人間よりはわたしのほうが詳しいはずだ。エリカとふたりで、父親のサイラスが持っていた禁制《きんせい》の本を読んで研究したのだから――」

スカンダーはそこで口をはさんだ。勇気《ゆうき》がなえる前に話してしまいたかった。「アガ――エヴァーハート教官、エローラが、ある理論《りろん》を話してくれたんだ。偽の絆ひとつを、運命の絆ふたつに作りかえる方法だよ。ぼくは、ケンナの運命のユニコーンを知ってる。カザマ首長は、ゴショークの運命のライダーを探すための手配をしてくれた。それができれば、ケンナは安全になると思うんだ。ちがう？」

並大抵《なみたいてい》のことで驚くアガサではない。しかしこのときばかりは、その顔に動揺《どうよう》が走った。「なるほど、気の少年、おまえが忙《いそが》しくしていたわけだ。正直、わたしはそんな理論をきいたことがない。ただ、ケンナはそれをきいて喜《よろこ》ばなかったんじゃないか？」

すでにケンナに話したという前提《ぜんてい》になっているのはどうしてだろう。

「先導者《せんどうしゃ》は、ケンナの残《のこ》るふたつの変異について、必要《ひつよう》以上に心配している」アガサの話はさらに続く。「記憶《きおく》にある限り、わたしとエリカが読んだ本には、野生の変異が危険《きけん》だとか、ましてや命にかかわるなどということは、書かれていなかった。前にも話したが、エリカはもともと、わたしに偽の絆を作ろうとしたんだ。もしわたしに運命のユニコーンがいなくても、姉妹《しまい》いっしょにいられるようにと。わたしを傷《きず》つけようとしたわけではない。当時もそうだったし、その気持ちはいまも変《か》わらないと思う」

アガサが帰るとき、スカンダーもいっしょにベランダにでた。なにひとつ希望《きぼう》がないと思えた。勇気をだして絆の入れ替えについて話したら、アガサはいやいやながらも、入れ替えの具体《ぐたい》的《てき》な方法についてアドバイスをくれるんじゃないかと思っていた。こうなると、自分ひとりの力で、ケンナを野生のユニコーンとの絆から守らなければならない。そんなことができるんだろうか。

ツリーハウスにもどってくると、フローとボビーがミッチェルの黒板の前にすわっていた。ミッチェルはすでに、黒板になにかを書き始めている。

「なんなの？」スカンダーがきくと、フローは自分のとなりに置《お》いた青いビーンバッグチェアをぽんぽんと叩《たた》いた。

ミッチェルの声が響《ひび》く。「第五十三回四人組会議《かいぎ》へようこそ！」

「五十三回って本当？　勝手に作ってるよね？」ボビーがいう。

ミッチェルはそれを無視《むし》した。「いまのところ、ケンナの偽の絆についてわかっていることはなんだろう？　次になにが起きるか、予測《よそく》できるだろうか？　ゴショークの運命のライダーをみつける計画は、どこまで進んでいるのか？　その計画の実行可能性《かのうせい》は？」筆記体の文字で、疑問《ぎもん》文《ぶん》がいくつも書かれていく。スカンダーは感謝《かんしゃ》の気持ちで胸がいっぱいになった。みんな、ぼくのことを気にかけてくれている。ケンナが危険にさらされていることも理解《りかい》して、味方になってくれている。

ぼくはひとりぼっちじゃない。

水の季節《きせつ》が始まると、四人組の生活はひどく忙しいものになった。夜遅《よるおそ》くまで続くミーティングが何度も開かれるし、偽の絆について調べる必要もある。もちろん訓練《くんれん》もある。訓練は、思うように進まなかった。フレッジリングのユニコーンたちはすぐに練習に飽《あ》きて、ライダーたちを限界《げんかい》まで試《ため》そうとする。ファルコンは、ボビーが絆に元素を呼びだそうとすると、それを妨害《ぼうがい》したり、ほかの元素と入れ替えたりし始めた。スカンダーはボビーに手を貸そうとした。ハッチリングの年のスカンダレルも、気の元素を使えないせいか、同じいたずらをよくやっていた。しかしボビーのいらだちはひどく、また、プライドが高いせいで、素直《すなお》にアドバイスをきこうとしない。ファルコンのほうも、ライダーと同じくらい頑固《がんこ》な性格《せいかく》をしていた。

　スカンダレルとレッドは、訓練そっちのけでゲームを始めることがよくある。二頭で訓練場《くんれんじょう》を駆《か》けまわったり、芝生《しばふ》で横になったり、どちらが早く眠《ねむ》りにつけるかを競《きそ》ったりする。スカンダーもミッチェルも、なすすべがなくみているしかない。いちばん腹立《はらだ》たしいのは、二頭が突然《とつぜん》エアリーにもどってしまうことだ。途中《とちゅう》で野生の動物を襲《おそ》っておやつにすることもある。

　ブレードもひどいものだった。とうていフローの手に負えない状態《じょうたい》なので、訓練から追いだされることもよくある。一度など、激《はげ》しい雹《ひょう》を降《ふ》らせたので、何人ものライダーがひどい青痣《あおあざ》を作ることになった。エアリーで、だれも傷つけたくないという性格のフローをなぐさめられるのは、フローと同じ銀のライダー、レックス・マニングだけだった。レックスは、自分がエアリーで訓練を受けていたときの話を始めた。ソーサレスがしでかしたさまざまないたずらの話をきいているうちに、フローはようやく笑顔《えがお》になった。

　三月までに、フレッジリングのライダーはみんな、神経《しんけい》がぴりぴりし始めた。水のトライアルについての発表がない。そこで、元素に関する本を片《かた》っ端《ぱし》から読んで、偽の絆についての情報《じょうほう》を探す一方で、ミッチェルは過去《かこ》の水のトライアルに関する記述《きじゅつ》を頭に刻《きざ》みこんでいった。

「知ってたか？　一九二七年の水のトライアルは、完全《かんぜん》に水中で行われたんだ」

「そんなの知らないよ」ボビーはそういって、あきれたように目をむいた。

「一九八九年のトライアルのことは知ってる？　方向感覚《ほうこうかんかく》をなくしたフレッジリングが十人、海に向かって飛《と》んでいったんだって」

「ミッチェル……もういい加減《かげん》にしてよ……」

激しい訓練を受け、ハヤブサ隊《たい》の一員として卵を捜索し、ゴショークの運命のライダーについての情報を待つスカンダーの日々は、飛ぶように過《す》ぎていった。そして三月もそろそろ終わるというある日の朝。この日はちょうどスカンダーの誕生日だったが、カオスカップの最終予選《さいしゅうよせん》が行われる日でもあった。

スカンダーはその日の朝を、スカンダレルの厩舎《きゅうしゃ》で迎《むか》えた。メンダーの夢《ゆめ》をみて、朝から疲《つか》れはてていた。


背が高い。背が低《ひく》い。そばかすだらけの手。ピンク色の爪《つめ》。短く刈《か》りこんだ髪《かみ》。禿《は》げた頭。ビーズをつけた三《み》つ編《あ》み。立っている。すわっている。やせている。肩幅《かたはば》が広い。筋肉質《きんにくしつ》。やせっぽち。

スカンダーのものではない目に、いろんなものが映《うつ》る。スカンダーは知らない人の体から体へと乗りうつりながら、それをみていた。さまざまな人たちがいる。みんな、なにかを待っている。いったい何人の体に入りこめばいいんだろう？　もううんざりだ。でも、知りたいことがたくさんあった。みんな、どうしてここにいるんだろう。どうしてこんなにたくさんの人が、同じ

場所にいるんだろう？　他人の体から抜《ぬ》けだして、自分の目で確《たし》かめてみたい。いくらそう思っていても、まただれかの体につかまって、胸が苦しくなる。

空をみている。冬の荒波《あらなみ》をみている。森をみている。両手を重ねた上にあごをのせて、横になっている。崖《がけ》の上で脚を組み、草を引きぬいては飛ばしている。待って。**必死《ひっし》で考えた。このままじゃどうにかなってしまう。目がみえない。息ができない——**

目覚《めざ》めたときには息が切れていた。もう一度吟遊詩人《ぎんゆうしじん》に眠りの歌を歌わせるようなことをしたら刑務所《けいむしょ》にぶちこんでやる、とアガサからはいわれている。だから、夢でみたことを詳細《しょうさい》に書きのこしていくしかなかった。夢にでてくるのは、まったく見知らぬものばかりというわけではなかった。森や海や空の風景《ふうけい》について考えても意味はない。どこの景色《けしき》かわからないし、毎回ちがう場所がみえているのかもしれないからだ。けれど……最後《さいご》に現《あらわ》れた人間は——崖の上から草を放っていた人間は——ゴショークの運命のライダーだ。金髪《きんぱつ》の少年は、これまでにスカンダーとスカンダレルの夢にでてきたたくさんの人々と、いっしょにいるんだろうか？　場所は？　本土？

　そこまで考えると、少しだけ望《のぞ》みがでてきた。夢のおかげで、いつかなにかがわかるかもしれない。ただ、ひどい頭痛《ずつう》は、誕生日プレゼントとしてはかなり微妙《びみょう》だ。一日の始まりの朝食も、今日はいまひとつ。ケンナのパワーのすごさが知れわたっているので、スカンダーとフローは最《さい》近《きん》、なるべく早い時間にトロフにいくようにしている。でないと、スカンダーとケンナのことをみんながひそひそ話しているのがきこえてしまう。でも今日は、遅《おそ》めの時間になった。メンダーの夢をみていたこともあるが、ボビーが、非常事態用《ひじょうじたいよう》サンドイッチの誕生日バージョンを作るといってきかなかったせいでもある。普段《ふだん》のサンドイッチとのちがいは、ジェリーベイビーが入っていること。スカンダーはあとで食べるといい、四人でツリーハウスをでた。

四人がトロフに入っても、多くのライダーは声を抑《おさ》えようともしなかった。

「あいつの姉さん、衛兵を二十人、いっぺんにやっつけたんだってさ」

「あいつ、姉さんを逃がしたんだろ」

「わたしがきいたのは、あの子のお姉さんがウィーヴァーより強いってこと」

「あたしがきいたのは――」ボビーが大きな声でいいながら、皿にパンケーキを積《つ》みあげた。

「うわさ話もいい加減にしないと、ボビー・ブルーナのパンチが顔面をお見舞《みま》いするってこと」

トロフは静《しず》まりかえった。

「ありがとう、ボビー」スカンダーは小声でいった。

「まあ、今日はあんたの誕生日だしね」ボビーはウインクした。

いつものテーブルにいったが、そこはルーキーのグループに占領《せんりょう》されていた。ヘイデンもいる。井戸《ウェル》のダンスパーティー以来、ボビーが避《さ》けている相手だ。

ボビーは身をかがめ、「退却《たいきゃく》！　退却！」といった。四人は近くのつり橋めがけて移動《いどう》した。

「あの人、そんなにいやなやつなの？　せいぜいハンバーガーに入ってる鼻くそくらいの小物でしょ？」フローがいった。

「いまのところはね。でも、鼻くそが大きくなるとやっかいだし」ボビーがいうと、フローはうれしそうな顔をした。

　あいたテーブルに向かうあいだ、ミッチェルがいつものように理屈《りくつ》をこねだした。「だけどさ、誕生日って、実際《じっさい》、なにを祝《いわ》うものなんだろうな。生まれてくることって、本人が努力《どりょく》してやりとげたことじゃないよね？　『おめでとう！　また一年、死なずにこの日を迎えたね』って意味だとしたら、あんまりうれしくないと思う」

「ミッチェル、やめてよ！」ボビーがあきれた表情でいった。「せっかくの誕生日なんだから、黙《だま》ってて」

「でも、島では誕生日をあまり大々的《だいだいてき》に祝わないわよね」フローがいった。「ニーナみたいな例《れい》は別《べつ》だけど。ニーナは風の季節に生まれた風の使い手でしょ。そういうのって、強運をもたらすっていわれてる」

「ニーナに強運なんていらないのにね」ボビーは誇らしそうにいった。「風の使い手は、生まれながらにして偉大《いだい》なんだから。ニーナの足に電気が流れてるの、知ってる？　つま先あたりからブーンって音がしてて、火花も散《ち》ってるんだよ」

「それ、だれからきいたの？」ミッチェルがきいた。

「だからダンスが好《す》きなんだろうなあ。あたしと同じ」ボビーは満足《まんぞく》そうにため息をついた。「あたしたち、似《に》てるところが多いんだ」

スカンダーは黙っていた。今朝もすでにポストの木をチェック済《ず》みだ。父さんからのカードが入っていた。でも、当然《とうぜん》ながら、ケンナからはなにもきていない。あえて思いださないようにしているが、本土にいた頃《ころ》は、ケンナが盛大《せいだい》に誕生日を祝ってくれたものだ。ユニコーンのケーキを焼《や》いてくれたり、何か月も前からお小遣《こづか》いを貯《た》めて限定版《げんていばん》のカオスカードを買ってくれたり。今年の誕生日にほしいのは、ケンナが無事だという確証《かくしょう》だけだ。力なくテーブルについた。

ボビーがとなりの椅子《いす》を引いた。

「だめだ！　ここはだめだよ！」ミッチェルが大声でいった。「ここにすわっちゃだめなんだ」

「え……なんで？」スカンダーはきいた。

「このテーブルは呪《のろ》われてる。ここにすわっちゃだめだ！」ミッチェルはそういって、スカンダーの体を椅子から引きあげようとした。

「わたしもきいたことがあるわ」フローは大げさに椅子を避けた。

「え、本気？」ボビーがいう。

「本気中の本気だよ」ミッチェルが答えた。「トライアルが始まって以降《いこう》、このテーブルで食事をしたフレッジリングは、石を失《うしな》うんだって」

「そんなの、ただの偶然《ぐうぜん》じゃないの？」

スカンダーは意外だった。事実をもとに物事を考えるタイプのミッチェルが、ただのテーブルのことをそんなふうにいうなんて。

「ミッチェル、あんたは火の石を持ってないよね」ボビーがずけずけといった。「このテーブルで食事したわけでもないのに」

「それが、ちがうんだ。土のトライアルのあと、ジェイミーとここでランチを食べた。ジェイミーがスカンダーのアーマーを修理《しゅうり》しにきたときだよ。そう、まさにこのテーブルだった」

「ばかなこといわないで」ボビーがふんと鼻を鳴らす。

「とにかく、ぼくはこのテーブルはいやだ」ミッチェルの声が大きく、高くなった。「ぼくには火の石がない。水や風の石まで失うわけにはいかないんだよ。ただでさえ、父さんが……」ミッチェルはいいかけてやめた。

「お父さんがどうしたの？」スカンダーはきいた。「今年は応援《おうえん》してくれてるっていってたよね」

「うん、応援してくれてた」ミッチェルの目がうるんだ。「火のトライアルで失敗《しっぱい》するまではね。隠《かく》し部屋のダンスパーティーが全部終わったあと、父さんから手紙がきた。努力が足りないって書いてあったよ。ジェイミーに会うのはやめろ、でないと訓練に集中できなくなる、ってね」ミッチェルはいまにも泣《な》きそうな様子で息を吸った。「父さんは変わってくれた、そう思ってたのに。なにがあっても味方をしてくれるって思ってたのに。でもいまは……」

「どうして黙ってたの？」フローが優《やさ》しく声をかけた。

ミッチェルの髪が燃《も》えあがった。「こんなこと、恥《は》ずかしくていえなかった。父さんが昔みたいになっちゃったことも、ぼくの失敗みたいに思えてさ」

「恥ずかしいのはお父さんのほうだよ」スカンダーは立ちあがり、ミッチェルをハグした。

それ以上の議論《ぎろん》はせず、四人組は別のベランダに移動した。三人がおしゃべりするのをききながら、スカンダーはようやく父さんからのバースデーカードを開けた。喉《のど》がぎゅっとしめつけられる思いだった。

スカンダーへ
誕生日おめでとう！　あと少しでおまえとケンナに会える。待ちきれないよ。
愛《あい》をこめて、父さんより

「レックス・マニングが最終予選にでるって、きいた？」ミッチェルがフローにきいたとき、スカンダーは涙《なみだ》を押しころしていた。ケンナのことをどんなに心配しているか、父さんに話せたらいいのに。

フローはひと口食べてからうなずいた。「このあいだ、訓練のあとにきいたわ。すごいわよね。もしレックスが予選を勝《か》ち残《のこ》ったら、本土との協定《きょうてい》が結《むす》ばれて以降、カオスカップに出場する初《はじ》めての銀のライダーになるのよ。それと、ニーナが勝ち残ったら、三期連続《れんぞく》で首長を務《つと》めることになるかもしれない。あら、スカー――それはなに？」

スカンダーは、手にした紙の走り書きをじっとみつめていた。

「封筒《ふうとう》の裏《うら》に貼《は》りついてた」まともな声にならない。みんなに読めるよう、紙をテーブルに置いた。

少年の名前はタイラー・トムソン。本土の警察《けいさつ》が居場所《いばしょ》を特定中《とくていちゅう》。N

「ゴショークの運命のライダーね？」フローがいった。

スカンダーはうなずいた。**タイラー**。

「居場所を特定中。まだ特定できてないってことか」ミッチェルは眉《まゆ》をひそめた。「なにか障害《しょうがい》になることがあるのかな？」

「名前と特徴《とくちょう》がわかってるんだから、すぐにみつかるわよ」フローは明るくいった。

「気の使い手くん、誕生日おめでとう」ボビーに腕《うで》をパンチされて、スカンダーは笑顔を返した。いいニュースが入ってきたのはうれしいが、久《ひさ》しぶりすぎて妙な感じだ。でも、ライダーの名前がわかったことで、計画に現実味《げんじつみ》がでてきた。タイラー。

「いけない！　忘《わす》れてた」フローが叫《さけ》んで、ポケットから小さな茶色の包《つつ》みを四つ取りだした。

三人にひとつずつ渡《わた》し、残るひとつを自分のものにする。

「えっとね……わたしが馬具の糸で作ったの。本土では、誕生日にプレゼントをあげるんでしょ？　でも、わたしが誕生日を知ってるのはスカンダーのだけだから、今日、全員にプレゼントをしようと思って」焦《あせ》ったような口調になっていた。

包みを開けるとブレスレットがでてきた。すべての元素の色の糸が使われているが、〈スカンダーとスカンダレル〉という文字は白い糸で刺繍《ししゅう》されていた。となりをみると、〈ボビーとファルコン〉は黄色の刺繍だった。

「気に入らなかったら、つけなくてもいいからね」フローは緊張《きんちょう》して、息もろくにできないようだ。

「フローの手作りなの？」ミッチェルがいって、ブレスレットを手首につけた。「ジャケットのつぎあてがうまいのは知ってたけど、これはすごいよ！」

ボビーも感じいったように、手首につけたブレスレットをみていた。「気に入っちゃった。めっちゃイケてる！」

「ありがとう、フロー」スカンダーはいった。純粋《じゅんすい》な喜びで全身が満《み》たされていた。

「ああっ！」ミッチェルが変な声をだした。折りたたんだ紙がテーブルに落ちてきた。

どこから落ちてきたのかと思い、スカンダーは顔をあげた。ゲイブリエル、サリカ、ザック、メイベルの四人が、上のベランダにいる。メイベルの氷のそばかすが、木漏《こも》れ日《び》を受けてきらきらしている。そのメイベルが、紙を開いてみて、というしぐさをした。

ミッチェルが青いくしゃくしゃの紙を平らにのばして、目をみひらいた。「ありがとう！」上に向かっていった。


水は、適応性《てきおうせい》と柔軟性《じゅうなんせい》に満ちた元素で、好きなところへ流れていきます。それを踏まえ、三回目のトライアルでは〝選択《せんたく》〟をテーマにします。だれひとり水の石を持たない状態で、トライアルは始まります。道を切り開いていくか、他人が切り開いた道を進んでいくか、ライダーは選択せねばなりません。

成功《せいこう》への道はひとつではありません。水は利益《りえき》を与《あた》えますが、代償《だいしょう》を求《もと》めます。その慈悲深《じひぶか》さから、流れに逆《さか》らって泳ぐことに最大《さいだい》の尽力《じんりょく》をした者たちに、報酬《ほうしゅう》を与えるでしょう。報酬を得《え》られれば、この先に待ち受ける荒海《あらうみ》を鎮《しず》めるのが楽になるはずです。


「だれひとり水の石を持たない状態で……」スカンダーはつぶやいた。

「つまり、石は手に入れやすいってことだよね」ミッチェルはほっとしたようだ。

「しかも、報酬がある！」ボビーは紙の左のほうを指差《ゆびさ》した。「ミッチェルのぶんの火の石をゲットできるよ」

「そうね、きっともらえるわ」フローは熱意《ねつい》をこめていった。

「どうしてメイベルの四人組が、これを持ってたんだろう」スカンダーはいった。

「知らせてくれるなんて、親切よね」フローはうれしそうだ。

ミッチェルとボビーは顔をみあわせた。

「いまのところ、いちばんうまくいってるのはニーヴの四人組だよね。余分《よぶん》な石をたくさん持ってる」ボビーがいった。

「ロバータ、ぼくもまったく同じことを考えてたよ。あの四人組を味方につけて損《そん》はない。土、水、火の石を余分に持ってる」

スカンダーは困惑《こんわく》しながらみていた。ミッチェルは青い紙で紙飛行機《かみひこうき》を折り、ひとつうなずいてボビーに手渡《てわた》した。

「完璧《かんぺき》だ！」ミッチェルは手を叩いた。紙飛行機が、ニーヴ、ベンジー、アート、ファルークのテーブルに着地したのだ。ベンジーが翼《つばさ》のついた眉をつりあげ、紙を開いた。

「きみたちふたりが力を合わせると、すごいことになるんだな」スカンダーは小声でいった。

「つまり、ニーヴの四人組に気に入ってもらおうっていう作戦《さくせん》ね」フローがいった。

「あの四人、あたしたちよりいい成績《せいせき》をあげてるからね」ボビーが苦々しく答えた。

「水のトライアルについての説明書《せつめいしょ》が一枚《いちまい》しかないってこと？」スカンダーははっとした。そういうことか。「だれがだれに知らせるかっていうのも、試されてるんじゃないかな？」

「スカンダー、これはカオス・トライアルだからね」ミッチェルは熱い口調でいった。「ぼくたちは、あらゆることで試されているんだよ」

BAIT

第14章
おとり

その日の昼前、フォーポイントの脇道《わきみち》で動物を捕《つか》まえておやつにするユニコーンたちをみて、四人組はほっとしていた。カオスカップの最終予選《さいしゅうよせん》をみるためにでかけたのはいいが、ファルコンとブレードの態度《たいど》には特《とく》に手を焼《や》いていたのだ。二頭はどういうわけか仲違《なかたが》いして、近くを飛《と》ぼうとしない。ましてや、フォーポイントの町中で肩《かた》を並《なら》べて歩くことは無理難題《むりなんだい》としか思えなかった。

ジェイミーは鍛冶場《かじば》のそばで四人組と落ちあい、ミッチェルとボビーのあいだを歩き始めた。最終予選をみにきた人々で、どこも混雑《こんざつ》していたし、お祭りムードが広がっていた。しかしスカンダーはどこか上の空だった。**タイラー**。ニーナのおかげで、ゴショークの運命のライダーがみつかるのは時間の問題という状況《じょうきょう》だが、ケンナがいまもゴショークとの絆《きずな》を大切にしたいと思っているとしたら、どうしたらいいんだろう。自分は社会の除《の》け者《もの》になってもいい、ケンナがそう思っているとしたら、スカンダーが気の元素《げんそ》をエアリーに復活《ふっかつ》させるために尽力《じんりょく》しても、意味がない。どうしたらいいんだろう？

「スカー、だいじょうぶ？」フローがそっと声をかけてきた。

「うーん、どうかな」スカンダーは弱々しい笑《え》みを返した。「なんか、大変《たいへん》だよね」

「うん、本当に」

「今年は特にそう思うよ」

「フレッジリングだから、大変なのは当然《とうぜん》よ」

「いや、カオス・トライアルのことをいってるんじゃないんだ。ケンナが島にいるから大変なんだと思ってさ。こんなこといいたくないけど、ケンナが本土にいたときは、少なくとも、ケンナはいつも無事《ぶじ》だと思っていることができた。いつか島でいっしょに暮《く》らすにはどうしたらいいか、みたいなことを考えているだけでよかったんだ。きっとうまくいくだろう、ってね。けど、実際《じっさい》にケンナが島にきたら――なにもかも問題だらけじゃないか。ぼく、ケンナがどうしたいのかがわからないんだよ。なんか、ケンナのことがわからなくなっちゃったっていうか」

「そんなことないわよ。スカンダーはケンナのことをよくわかってる」フローは足を止め、スカンダーの肩に手を置《お》いた。「ほかのだれよりも、ケンナを理解《りかい》しているわ」

オアシスでの戦闘《せんとう》で、野生の魔法《まほう》を使っていたケンナ。あのときのケンナの目は、それまでにみたことのないものだった。「前はそうだった。ぼくがケンナを置いて島にきてから、ケンナは変《か》わっちゃったんだと思う」

「ケンナを置いてきたっていうのはちがうんじゃない？　だって、そうするしかなかったんだから」

「本土にとどまることもできたはずだ。アガサがサンセットハイツにきたとき、耳を貸《か》さないっていう選択肢《せんたくし》もあった」

「ケンナがスカンダーの立場だったら、そうしたと思う？」

　スカンダーは唾《つば》を飲んだ。「わからない」フローの質問《しつもん》は、スカンダーが避《さ》けてきた問題そのものだった。ぼくが父さんとふたりきりで本土に残《のこ》ることになるなら、ケンナも本土に残ったかもしれない。なのにぼくは、ケンナを置いて島にきてしまった。結局《けっきょく》、ケンナが偽《にせ》の絆を持つことになったのは、ぼくのせいだったんじゃないか。

「わたしは、ケンナはスカンダーを置いて島にきただろうと思う」フローは頑《がん》としていった。「ケンナはユニコーンのライダーになりたかったんだもの。その思いはスカーと同じ――ううん、スカー以上《いじょう》に強かったかも」

　そうはいっても、本当のところはわからない。

　フローはさまざまな事実を指摘《してき》し始めた。スカンダーを元気づけるためなのは明らかだった。祭りのときとちがって、今日は、ライダーたちが自分の元素の色の服を着ている。あたりは赤と青と緑と黄色のごちゃまぜ状態《じょうたい》で、それがさらに、街《まち》に活気を与《あた》えていた。アリーナのまわりには、元素の色のテントがたくさん建《た》てられていた。治療師《ちりょうし》のテントもあれば、鍛冶職人《かじしょくにん》のテントや、馬具《ばぐ》工房《こうぼう》のテントもある。シェコニ工房のオレンジ色のテントがスカンダーの目に入った。風を受けてパタパタ音をたてている。

「ほら、こっち！」ボビーが叫《さけ》んだ。いちばん近いアリーナの入り口から、人ごみをかきわけて中に入る。「アナウンスがきこえた。次のレースにはニーナ・カザマとレックス・マニングがでるんだって」

やっとのことで五人がいっしょにすわれる席《せき》をみつけたときには、レースはもう始まっていた。ミッチェルが、役目を果《は》たすときがきたとばかりに、予選会《よせんかい》のしくみを説明《せつめい》する。「ミッチェル、そんなの知ってるって」とボビーに何度いわれても、説明をやめなかった。

「今日は予選の最終日《さいしゅうび》だよ。一般公開《いっぱんこうかい》されるのは今日だけなんだ。これまでに予選は四日間あったけど、どれも短めの試合《しあい》でね。人数を絞《しぼ》るためのものだった。というのも、出場希望者《しゅつじょうきぼうしゃ》がめちゃくちゃ多いんだよ。カオスカップは、ルーキー以上のライダーならだれでも出場できることになってるからね」

「だけど、ルーキーやプレッズで決勝に残るライダーはほとんどいないよね」ジェイミーがいった。「たいてい、エアリーでの訓練《くんれん》が終わったあと、各元素《かくげんそ》の練習場で二年か三年練習を積《つ》んで、それからようやくって感じだよ。ニーナのケースは例外《れいがい》だね。エアリーを卒業《そつぎょう》してすぐカオスカップにでられたんだから。そうだよな、ミッチェル」

ジェイミーが話しているあいだ、ミッチェルはばかみたいににやにや笑《わら》いながら、その顔をみていた。「うん、そう、そうだよ、そのとおり」少しあわてて続《つづ》けた。「というわけで、えっと、今日はレースが四回あるんだ。ひとつのレースに二十五人が出場する。カオスカップと同じだね。で、各《かく》レースの六位《い》までのライダーと、ひとりだけワイルドカードとして選《えら》ばれるライダーが、カオスカップにでられるんだ」

「ワイルドカード？」

この質問にはフローが答えた。始まった空中戦《くうちゅうせん》を映《うつ》すスクリーンに目が釘付《くぎづ》けになったボビーのうしろから身を乗りだす。「ワイルドカードっていうのは、予選審査委員会《よせんしんさいいんかい》が選ぶ特別枠《とくべつわく》。予選で惜《お》しくも負けたけど、別《べつ》のグループだったら六位以内《いない》に入れたんじゃないか、みたいな人が選ばれる。タイムとか、総合的《そうごうてき》なパフォーマンスとか、そういうのが審査対象《たいしょう》になるんだって」

「フローのお父さんは審査委員会に入ってないの？」ミッチェルがきいた。

「入ってるわ」フローは誇《ほこ》らしげにいった。「審査委員会には、馬具工房や鍛冶職人、それに――」

「ニーナが勝ってる！」ボビーが叫んだ。スカンダーも目の前の大スクリーンをみた。

大勢《おおぜい》の観客《かんきゃく》がいっせいに立ちあがった。ユニコーンたちがゴールに向けて降下《こうか》を始めたからだ。ニーナ・カザマはシェコニ工房の鞍《くら》の上で体をよじり、雷《かみなり》の弓矢をつがえると、追ってくるライダーたちにそれを放った。クルミ色のユニコーン、ライトニング・ミステイクは、翼《つばさ》を大きく上下させ、ひづめから後ろ向きに電流を放つ。ニーナと完璧《かんぺき》に息が合っている。フレッジリングのときのライトニングがニーナに少しでも反抗《はんこう》したなんて、とても想像《そうぞう》できない。

「どんな場面でも、ニーナはバランスを崩《くず》すことがありません」解説者《かいせつしゃ》が感心してコメントした。

「しかし、レックス・マニングとシルヴァー・ソーサレスがコース内側《うちがわ》から追いあげています。カオスカップの最終予選に、若《わか》い銀のユニコーンが参戦《さんせん》するのは初《はじ》めてのことです。ここまで、素晴《すば》らしいパフォーマンスをみせてくれています」別の解説者がいう。

「すごい！　レックスも勝《か》ち残《のこ》るわ！」フローが歓声《かんせい》をあげる。

しかし、まだレースは終わっていない。疾走《しっそう》するライトニングとソーサレスの上で、元素の魔法が炸裂《さくれつ》した。破片《はへん》が観客席《かんきゃくせき》に落ちてくる。レース終盤《しゅうばん》で魔法の戦闘がみられるのはめずらしい。多くのライダーは、一刻《いっこく》も早くゴールラインを抜《ぬ》けることを優先《ゆうせん》するからだ。

「ニーナ、どうしてゴールに直進しないの？」ボビーがいった。

「レックスをやっつけようとしてるみたいだ！」ミッチェルが応《おう》じる。

「どうして？」フローは複雑《ふくざつ》な気持ちだったのだろう。レックスとは親しいが、ニーナの鞍はシエコニ工房のものだ。

スカンダーは理由がわかったような気がした。レックスが卵泥棒《たまごどろぼう》の件《けん》を発表したことで、ニーナがこういっていたのを思いだした。**権力《けんりょく》。シルヴァー・サークルの人たちはどこまでも貪欲《どんよく》なの。**

おそらくニーナは、レックスにいま以上の権力を与えるわけにはいかないと考えて、レックスを叩《たた》きおとしにかかったのだ。レックスを攻撃《こうげき》できるのはレース中だけだ。

ユニコーンたちがアリーナの砂地《すなじ》を目指して速度を競《きそ》う。ニーナはてのひらからジェット水流を放った。水流がレックスのアーマーを直撃《ちょくげき》したときの音はすさまじく、群衆《ぐんしゅう》の歓声をかきけすほどだった。レックスは鞍から落ちそうになったが、なんとか持ちこたえ、すばやく火の槍《やり》を作りだした。ごうごうと燃《も》える炎《ほのお》のせいで、レックスの全身が煙《けむり》に包《つつ》まれてみえなくなった。

「レックス、気をつけて」フローがつぶやいた。「銀の魔法を使おうとしてる」

解説者がフローと同じことをいった。「火の槍を作ったのがかえってあだとなったのでしょうか、レックス・マニングがコントロールを失《うしな》いつつあります」

レックスは火の槍でニーナを狙《ねら》ったが、もう手遅《ておく》れだった。ライトニング・ミステイクはひと足先に着地し、ゴールのアーチを駆《か》けぬけた。ニーナが勝利《しょうり》のこぶしを振《ふ》りあげる。観客は現職《げんしょく》の首長の勝利をみて歓声をあげたが、さらに大きな声援《せいえん》をレックスとソーサレスに送った。スカンダーは黙《だま》っていた。いまのところ、レックスが危険《きけん》な人物だとは思えない。ただ、カオスカップで銀のライダーが優勝《ゆうしょう》したら、ケンナが無事にエアリーにもどれる日はこないような気がする。

「どうですか、デクラン。本当に素晴らしいレースでしたね」解説者が声をあげる。

「レックス・マニングとシルヴァー・ソーサレスも、余裕《よゆう》でカオスカップ参加《さんか》を決めましたね。銀のライダーとユニコーンがカオスカップに出場するのは、いったい何年ぶりでしょうか。優勝候補《こうほ》といえるのではないかと――」

第14章　おとり

「ニーナ・カザマの存在《そんざい》は大きいですよ」もうひとりの解説者がいう。「カオスカップに三連勝《れんしょう》となれば、島の歴史《れきし》を書きかえることになります。彼女《かのじょ》はカオスカップで優勝した初《はつ》の本土出身者であり、今回も優勝すれば、三期連続《れんぞく》で首長を務《つと》める史上初《しじょうはつ》のライダーということになります」

三期連続で首長を務めるかもしれなかったライダーはもうひとりいる。スカンダーはそのことを考えずにはいられなかった。エリカ・エヴァーハートとブラッドムーン・エクウィノクスだ。

アリーナでは、レックスとニーナが砂《すな》の上でユニコーンからおりたところだった。そこへ五人の評議員《ひょうぎいん》が駆《か》け寄《よ》った。

「なにかあったのかな？」ジェイミーがミッチェルの横でいった。

「なにかしら？」フローもいう。

ニーナはなにやら指示《しじ》をだしているようだ。レックスとソーサレスは急いでアリーナをでていった。

「フロー？」スカンダーはフローのほうをみた。「なにが起きたのか、お父さんにきいてみないか」

五人は観客をかきわけて歩き始めた。みんな、次のレースがなかなか始まらないので、いらいらして文句《もんく》をいっている。

フローはオレンジ色のテント入った。「父さん？」

オル・シェコニは、ふたりの鞍職人たちと話をしていた。ふたりは四人組とジェイミーが入ってきたのをみて、会釈《えしゃく》をしてテントをでていった。オルはほっとしたようにフローをハグした。

「なにかあったの？」フローは身をよじって父親の腕《うで》から離《はな》れた。「わたしはだいじょうぶよ！」

「シェコニさん、なにかご存《ぞん》じですか？」スカンダーはきいた。「次のレースがまだ始まらないんですが」

オルは咳払《せきばら》いをした。ひどく心配そうな顔をしている。「銀の要塞《ようさい》で、衛兵《えいへい》三十人が暴動《ぼうどう》を起こした。運命を我《わ》が手に、と叫んでいるようだ。カオスカップのライダーたちより立場が低《ひく》いことには、もう耐《た》えられないと」

スカンダーは、二年前に荒野《こうや》できいたエリカ・エヴァーハートの言葉を思いだした。自分の仲《なか》間《ま》になれと、スカンダーを説得《せっとく》しようとしていたときの言葉だ。運命などかまうものか。

「ウィーヴァーと手を組んだ、そういうことですか？」

オルはうなずいた。「逮捕《たいほ》された衛兵は、そのように話しているらしい。ウィーヴァーのつくる〝新しい世代〟がどうのこうのといっているらしいが、卵がどこにあるかは白状《はくじょう》していない。去年の夏至《げし》の日、多くの衛兵がウィーヴァーに手を貸したということらしいんだが」

「衛兵は逮捕されたってことですか？」ミッチェルが希望《きぼう》をこめてきいた。

オルは顔をしかめた。「衛兵の一部だ。きみたちのユニコーンはフォーポイントにいるのか？」

四人組は同時にうなずいた。

「では、急いでエアリーに帰りなさい。ジェイミー、きみも仕事場へ。このニュースが広まれば、フォーポイントは大混乱《だいこんらん》になる」

五人はテントをでた。スカンダーの頭の中は、スカンダレルを早く迎《むか》えにいきたいという気持ちでいっぱいだった。ところが、ユニコーンたちのそばには意外な人物が立っていた。クレイグだ。まとめた髪《かみ》の毛《け》を激《はげ》しく上下させながら、四人組を出迎《でむか》えた。

「帰ってきたな、よかった」

「衛兵が反乱《はんらん》を起こしたときいて」ミッチェルがいって、レッドにまたがった。

しかし、書店の主は首を横に振った。「いや、わたしがここにきたのはそのこととは関係《かんけい》ない。スカンダー、偽の絆のことでわかったことがあるんだ。たまたま古い本を読んでいたら、偽の絆について一つだけでてきたんだよ。検閲《けんえつ》でみすごされたのかもしれないな、驚《おどろ》きだよ。気の元素についても書かれている」

「クレイグ、申《もう》し訳《わけ》ないんだけど、わたしたち、できるだけ早くここをでなくちゃならないの」

フローが震《ふる》える声でいった。遠くのほうから叫《さけ》び声《ごえ》がきこえる。

「スカンダー、その本によると、偽の絆を持つことができるのは、ライダーになる運命を持った人間だけとのことだ。だれでもいいわけじゃないんだ。わかるか?」

言葉が頭の中にゆっくり入っていく。「つまり、ウィーヴァーのつくる新世代のライダーたちは、運命のユニコーンがいる人たち――孵化場《ふかじょう》の扉《とびら》を開けられなかった人たちってことだよね?」

「それにあてはまるのはどういう人たちだ?　孵化場の扉を何年ものあいだ開けられなかったグ

ループは？」

スカンダーはあんぐりと口を開けた。「失われた気の使い手」

「そのとおり」クレイグは暗い顔でいった。

四人組は無言《むごん》でエアリーにもどり、ユニコーンたちを厩舎《きゅうしゃ》に入れた。

「スカー」スカンダーがスカンダレルの厩舎をでたとき、フローが声をかけてきた。フローはおびえきった顔をしている。それをみたスカンダーは、ぼくと同じことを考えているんだな、と思った。

「ウィーヴァーは、ぼくのことをじゃまだといった」スカンダーはつぶやいた。「土のトライアルのときにね。おまえはじゃまだ、スカンダー・スミス、と」

「え？」ミッチェルとボビーも追いついて、会話に加《くわ》わった。

「つまり、こういうことよね」フローは泣《な》きそうだった。「ウィーヴァーが失われた気の使い手を集めて新世代をつくろうとしているとしたら、その計画にとって最大《さいだい》の脅威《きょうい》になるのは——彼《かれ》らとユニコーンを結《むす》びつけることができるアガサ以外《いがい》の人間。つまり、スカンダーなのよ。スカンダーはメンダーだから！」

「ぼくができるのは、単《たん》にライダーとユニコーンを結びつけることじゃない」スカンダーは真剣《しんけん》な顔でいった。「ライダーと運命のユニコーンを結びつけることだ」両手が震えていた。「だから、ぼくがじゃまなんだ」

「ウィーヴァーはカオス・トライアルの現場《げんば》にきてたんだよね。それは……スカンダーを殺《ころ》すため？」ミッチェルは顔面蒼白《がんめんそうはく》になっていた。

「もしそうだとしたら、なんで本気で殺そうとしないの？」ボビーは鼻で笑うようにいった。

「本気をだすのはこれからなのよ！」フローはスカンダーの顔をみた。「スカー、残りのトライアルにはでちゃだめよ。ウィーヴァーに狙われる。危険だわ！」

「だけど、トライアルにでないと、水の石も風の石ももらえないよ」ミッチェルが当然のことをいった。

「そんなの、どうでもいいわよ！」フローは叫んだ。悲しみが伝《つた》わったのか、ブレードが低くうなった。「ウィーヴァーに命を取られるよりはいいでしょ！」

長いこと、だれもなにもいわなかった。

スカンダーが最初《さいしょ》に口を開いた。「フロー、ぼくはカオス・トライアルにはでるよ。でなきゃならない。ぼくがいまあきらめたら、気の使い手は孵化場の扉を永遠《えいえん》に開けられなくなる。ケンナも永遠に追われる身になる。ウィーヴァーには負けない」

スカンダーはその場をいったりきたり歩き始めた。スカンダレルの目がスカンダーを追う。

「メンダーの夢《ゆめ》にでてくるのは、失われた気の使い手だと思うんだ。エリカが彼らを捕まえて、どこかに隠《かく》してるんじゃないかな。来年の夏至まで」

「でも、エリカはどうやって、失われた気の使い手を探《さが》しだしたのかな」ミッチェルがいった。

「銀の要塞に記録《きろく》があるわ」フローがすぐに答えた。「今回の暴動に加わった衛兵たちは、何か月も前から、リストにある名前をウィーヴァーに教えていたのかも」

スカンダーは深く息を吸《す》った。「本土の警察《けいさつ》がタイラーをみつけられないのは、そういうわけなのか。今朝の夢にもタイラーはでてきた。ウィーヴァーの計画のためにとらえられているんだろう。具体的《ぐたいてき》な場所はわからないけど、ウィーヴァーの手中にあるのはたしかだね」口にだしていうと、胃《い》がよじれるような感じがした。

変異《へんい》が起こったときのケンナの痛《いた》み。野生のユニコーンの怒《いか》り。野生の魔法の危険性《きけんせい》。罪《つみ》もないたくさんの人たちに、そんなリスクを負わせるわけにはいかない。失われた気の使い手たちには、それぞれ運命のユニコーンがいて、本物の絆で結ばれる日を荒野で待っているのだ。

「ウィーヴァーにそんな卑劣《ひれつ》なことをさせるわけにはいかない。許《ゆる》さない」スカンダーは決意をこめていった。「問題は、タイラーのことだけじゃないし、ウィーヴァーが集めているほかの気の使い手たちのことだけでもない。彼らが五つの元素に結びついて苦しむってことだけでもない。ボビーの妹はどうなる？　盗《ぬす》まれた卵と結ばれるはずのライダー候補が、ほかにもたくさんいるんだ。あきらめちゃだめだ。ニーナの手助けをしよう」スカンダーはふと足を止めた。うしろめたさが胸《むね》に広がる。「ボビー、ごめん。盗まれた卵のこと、最初からもっと真剣に考えるべきだった。ケンナのことばかり考えて、きみの話をちゃんときかなかった」

「気持ちはわかるよ、気の使い手くん。でも、卵がみつかったら、イザもケンナも救《すく》われるよね。ゴショークの運命のライダーもみつかる。イザは来年の夏至に運命のユニコーンと結ばれる」

「ウィーヴァーが新世代をつくる計画も止められる」スカンダーはきっぱりいった。

「でも、スカー、トライアルの最中《さいちゅう》にウィーヴァーが狙ってくること、ニーナに話しちゃだめなの？　話せばウィーヴァーを捕まえてくれるかもしれないし、スカンダーの身も守られるわ」フローはまだ泣《な》き声《ごえ》だった。

「わかってることは全部、ニーナに話すよ」スカンダーは約束《やくそく》した。「フローのいうとおりだ。ウィーヴァーを捕まえることさえできれば、いろんな問題が片《かた》づくかもしれない」

「スカンダーをおとりにするっていうのが、なんかいやだけど」ボビーが不吉《ふきつ》な言葉を口にした。

　翌日《よくじつ》の夕方、夕陽《ゆうひ》のベランダに舞《ま》いおりたカザマ首長とライトニング・ミステイクの姿《すがた》を、日《にち》没《ぼつ》前のかすかな光が浮《う》かびあがらせた。エアリーでいちばん高い場所で会おう、というのはニーナのアイデアだった。銀の要塞で暴動があった直後なので、スカンダーが評議会広場《ひょうぎかいひろば》に近づかないほうがいいという判断《はんだん》なのかもしれない。ジェイミーによると、暴動に加わった衛兵たちとケンナが手を組んでいるといううわさが出回っているそうだ。スカンダーはいやな気持ちになった。そして、炎の目をした衛兵のことを考えた。あの男はウィーヴァーの仲間なんだろうか？　もしそうなら、ケンナはエリカ・エヴァーハートとまだつながっているということなのか。いや、そんなはずはない。ケンナは放浪者《ほうろうしゃ》たちにかくまわれている。アガサはそういっていた。

「スカンダー、だいじょうぶ？」ニーナはそういいながら近づいてきた。ほかのライダーと同じように黒い服を着て、元素の季節《きせつ》に合わせた青のジャケットをはおっている。繕《つくろ》いだらけのジャケットだ。さまざまな濃《こ》さの青い布《ぬの》を使ってつぎはぎされている。ひどく焦《こ》げたところには稲妻《いなずま》の刺繍《ししゅう》。大きなかぎ裂《ざ》きのところは、四角く切ったチェーンメイルでおおってある。エアリーで訓練を受けていた頃《ころ》からずっと着ているジャケットなのだろう。

「スカンダレルは？」ニーナがきいた。

「あの、その……ちょっと姿を消してて」スカンダーは気まずい思いで答えた。「よくいなくなるんだ。フレッジリングだからだと思うけど」

ニーナは不思議《ふしぎ》そうな顔をした。「じゃ、どうやってここにきたの？」

「自力で登ってきた。できないことじゃないんだけど、お勧《すす》めはしないかな。一時間もかかったよ」髪《かみ》についていた木の葉を払《はら》いおとした。「話したいことがあるんだ」

スカンダーとニーナはベランダに脚《あし》を組んですわった。ハヤブサ隊《たい》のみんなとマシュマロを焼くときみたいだ。スカンダーの話を、ニーナは真剣にきいてくれた。

「ウィーヴァーがスカンダーを狙ってるって？　本気でそう信《しん》じてるの？」話が終わると、ニーナはそういった。

「失われた気の使い手と運命のユニコーンとのあいだに本物の絆を作れるのは、ぼくだけなんだ。ウィーヴァーが作るのは偽の絆、ぼくが作るのは本物の絆。ウィーヴァーはどこかでそれを知ったんだと思う」スカンダーは深く息を吸った。「本土の警察は、ゴショークの運命のライダーをみつけられずにいるんだよね？」

　ニーナはうなずいた。「行方《ゆくえ》不明《ふめい》なんですって。あなたの考えているとおりだと思うわ。タイラーはもう、ウィーヴァーに捕まっているのよ。島にいるか、あるいは――」片手《かたて》を空に向けた。

「本土にいる可能性《かのうせい》は？」

「本土の警察は、手がかりひとつみつけていない」

　スカンダーはほっとせずにはいられなかった。本土の人たちは――父さんも含《ふく》めて――無防備《むぼうび》な状態にある。五つの元素と結びついたライダーたちが悪事を働《はたら》いたら、本土の人たちはどうすることもできない。島なら、少なくとも、運命のライダーと結ばれたユニコーンたちがいる。こっちが勝つチャンスはある。

「メンダーの夢をこれからもみて、気の使い手たちがどこに隠されているかを突《つ》きとめるつもりだよ。ところで、暴動を起こした衛兵たちは、卵のことをなにか話してる？」

「まだなにも。レックスが――マニング教官《きょうかん》が――全員を逮捕したわ。シルヴァー・サークルの新代表には、もっとしっかりしてほしいわよね」ニーナはきつい口調でいった。「いまの言葉は忘《わす》れて。ちょっと……配慮《はいりょ》に欠《か》けたわね」

「了解《りょうかい》」

　ニーナはため息をついた。「ここにいるとこうなっちゃうね。ハヤブサ隊に入った頃の自分にもどっちゃう。ライトニングとソーサレスは、肩を並べて競ったものよ。あの頃はよかったわ」

「待って……レックス・マニングもハヤブサ隊にいたの？」スカンダーは驚いてたずねた。「そんなこと、初耳《はつみみ》だよ！」

ニーナは、親指にはめた心の指輪《ゆびわ》をくるくるまわした。「そうね。エアリーにいた頃、レックスとわたしは親しい友人同士《どうし》だった。最初のうちは、やけに堅苦《かたくる》しい人だと思った。いつもわたしよりまじめで、訓練も真剣に受けてて、口にはださないけど負けずぎらいで。でも、ネスリングの年にふたりともハヤブサ隊に選ばれたら、少しゆるくなったというか——飛ぶのを楽しむことで、心にのしかかっていたものを少しは忘れられたのかもしれないわね」

スカンダーにもそれはよくわかった。

「ふたりで笑い合ったものよ。レックスは、本土で過《す》ごした私の子ども時代の話をするのが好きだったわ。そして、ルーキーの年の終わりに、新しい隊長《たいちょう》を決めることになった。レックスは、新隊長には自分がふさわしいと思ってたはず。銀のライダーだものね。でも、選ばれたのはわたしだった。わたしはレックスに、副隊長《ふくたいちょう》になってほしいといった。ばかみたいだけど、ふたりでハヤブサ隊を率《ひき》いていくという申し出を、彼が喜《よろこ》んで受けてくれると思ってた」

「でも、そうじゃなかったの？」

「彼はハヤブサ隊を抜けた」ニーナはシンプルにいった。「怒りもせず、わたしに対して声を荒《あら》らげることもしなかった。黙って金属《きんぞく》の羽根飾《はねかざ》りをはずし、わたしに差《さ》しだすと、もうここにはこないといった。それ以降《いこう》、去年の六月、シルヴァー・サークルの新代表の座をわたしがレックスにオファーするまで、わたしたちのあいだに会話はいっさいなかったわ。いまになって思うんだけど、あの判断が正しかったのかどうか――」ニーナは言葉を切った。「というのも、レックスとは協力《きょうりょく》していろいろやっていかなきゃならないのに、うまくいかないの。レックスにはいつか、自分ひとりで勝つより、ふたりいっしょに勝つことのほうが素晴らしいってことに気づいてほしいわね」

ニーナはライトニング・ミステイクにまたがった。「トライアルのことは心配しないで。ウィーヴァーが現《あらわ》れたら、わたしたちが捕まえる。それと、卵の捜索《そうさく》には全力を尽《つ》くすわ。タイラーもね。まだ時間はある」

「ニーナ、いろいろとありがとう」スカンダーは心から礼をいった。「リスクもあるのに」

「正しいことをするのには、リスクがつきまとうものよ」ニーナはほほえんだ。「それに、本土出身の人間同士、助け合わなきゃね」

「ききたいことがあるんだけど」ニーナがうなずくのをみて、スカンダーは続けた。「カオス・トライアルを勝ちぬくには――いつか首長になる可能性を得《え》るには――どんな代償《だいしょう》を払ってでも勝たなければならない。そういわれてるんだ。けど、ニーナは、夏至の石を手に入れるために友だちを裏切《うらぎ》るような人にはみえない」火のトライアルのときからずっと考えていたことだった。

「そうかしら？」ニーナはぼそりといった。一瞬《いっしゅん》、表情《ひょうじょう》に影《かげ》が差す。「スカンダー、あなたが知らないだけよ。わたしがどうやっていまの地位《ちい》を手に入れたか。ただ、ひとつだけアドバイスをあげるわね。あんな人間になれとかこんな人間になれとか、人にいわれても気にしないこと。いろんなタイプの首長がいるわ。いろんなタイプの気の使い手がいるのと同じ。そうでしょ？」

THE WATER TRIAL

第15章
水のトライアル

予選会《よせんかい》が終わった。水のトライアルは四月初《はじ》めに行われる。それまでの一週間のうちに、スカンダー、フロー、ミッチェル、ボビーの四人は、空中での四人組会議《かいぎ》を何度も開いていた。いまいちばん重要《じゅうよう》なのは、卵《たまご》と失《うしな》われた気の使い手をみつけること。そのためには一刻一秒《いっこくいちびょう》を惜《お》しんででも捜索《そうさく》をする必要《ひつよう》がある、とミッチェルが宣言《せんげん》した。とにかく建設的《けんせつてき》な行動を取れるのが、スカンダーにはうれしかった。なにもせずにケンナの心配をしたり、自分が実の母親であるウィーヴァーに命を狙《ねら》われているという問題についてくよくよ考えたりしているより、そのほうがずっといい。

　四人は島全体をめぐる複雑《ふくざつ》なルートを、空中、地上の両方で設定《せってい》した。そのルートのとおりに捜索すれば、崖《がけ》の端《はし》までみおとすことがない。ボビーは、卵の隠《かく》し場所をケンナが知っているはずだ、と訴《うった》えるのをやめてくれた。ただ、口にはださないだけで、お互《たが》いのユニコーンの翼《つばさ》のあいだに微妙《びみょう》な空気が漂《ただよ》うことはあった。

ニーナも、卵の捜索により多くの人員を割《さ》くようになった。五年目の訓練生《くんれんせい》――プレッズ――全員が捜索に参加《さんか》する。彼《かれ》らの姿《すがた》は、海岸付近《ふきん》で目撃《もくげき》されることがよくあった。ウィーヴァーがはしけや船に卵を隠しているのではないか、と考えているのだろう。

訓練《くんれん》と捜索の合間に、アガサとは定期的《ていきてき》に会ってお茶を飲んでいた。偽《にせ》の絆《きずな》についてクレイグがみつけた情報《じょうほう》を伝《つた》えると、アガサは不安《ふあん》な表情《ひょうじょう》をみせた。

「つまり、エリカはわたしに偽の絆を作ろうとしていたが、いずれにしてもうまくいかなかったということか」

「運命のユニコーンがいない人には、たとえエリカ・エヴァーハートだって絆を作れないんだ」

ミッチェルが答えた。

「エリカの考えはまちがっていたのか」アガサはつぶやいた。「信《しん》じられない」

「当時のエリカは……十四歳《さい》とかだったんでしょう？」ボビーがいった。「うちの妹は四月に十三歳になるの。自分はだれよりも賢《かしこ》いって信じてるみたいだけど、実際《じっさい》は――」

「わたしの姉は、十四歳にして天才少女だった」アガサはきつい口調で返した。スカンダーはあわてて話題を変《か》えた。

アガサは、五十人ものライダーと卵を偽の絆で結《むす》びつけるだけの力はウィーヴァーにはない、という意見を変えなかった。しかしスカンダーは、メンダーの夢《ゆめ》に現《あらわ》れる人の数が毎回増《ふ》えてい

第15章　水のトライアル

ることに気づいていた。ウィーヴァーが失われた気の使い手をとらえて一か所に集めているのはなんのためなのか。全員にユニコーンを与《あた》えるのには、何年もかかってしまう。それは別《べつ》として、ウィーヴァーに命を狙われているという思いは、スカンダーの頭にこびりついてしまった。黒いマントをつけたライダーが荒野《こうや》を渡《わた》って追いかけてくる――そんな悪夢《あくむ》を何度もみた。

四月がきた。いよいよ水のトライアルだ。心配事がたくさんありすぎて、三回目と四回目のカオス・トライアルへの心の準備《じゅんび》ができていない。

フレッジリングたちはオサリヴァン教官《きょうかん》の指示《しじ》に従《したが》い、浅瀬《あさせ》の湖のほとりに着地した。島で最《さい》大《だい》の、魚が住む湖だ。まだ弱い朝の光の中に、セレスティアル・シーバードの姿がぼんやりと浮《う》かびあがった。

ボビーがファルコンの背中《せなか》であくびをした。「このばかみたいなトライアルって、いっつも朝早いんだよね。なんでだろ」

たしかにボビーは眠《ねむ》くてつらいだろう、とスカンダーは思った。いつもみんなより早起きをして、ファルコンの身だしなみを整えてやらなければならないからだ。

「フレッジリングのみなさん！」オサリヴァン教官が声を張《は》りあげた。両脇《りょうわき》にアンダーソン教官とエヴァーハート教官がいる。「水のトライアルにようこそ。まわされた指示書《しじしょ》を目にした人も多いと思いますが、ここで、詳細《しょうさい》を付《つ》け加《くわ》えることにします」

フレッジリングたちは無言《むごん》になった。ユニコーンも声ひとつださない。いつもの訓練では退屈《たいくつ》そうにしているユニコーンたちも、カオス・トライアルの重要性《じゅうようせい》を理解《りかい》し始めたのかもしれない。

「このトライアルでは、問題解決《もんだいかいけつ》、論理的思考《ろんりてきしこう》、決断力《けつだんりょく》が問われます。スタート時点では水の石は配られません。しかし、各《かく》グループに、三つのヒントが与えられます。火の使い手にひとつ、土の使い手にひとつ、風の使い手にひとつ。ひとつひとつのヒントから、水の石の場所を突《つ》きとめてもらうことになります」

「ヒント？　論理的思考？　問題解決？」ミッチェルはタイティン工房《こうぼう》の鞍《くら》の上で、うれしそうに体を弾《はず》ませた。レッド・ナイト・ディライトが甲高《かんだか》い声をあげてミッチェルに応《こた》える。

オサリヴァン教官の目の渦巻《うずま》きが高速で回転した。「水の使い手には、ヒントは与えられません。水の使い手はグループの仲間《なかま》たちに協力《きょうりょく》して、三つの石をみつけることになります。それら三つの石それぞれに少しずつ、四つ目の石のありかを示《しめ》すヒントが含《ふく》まれています」

ボビーが高く手を挙《あ》げ、教官の指名を待たずに質問《しつもん》した。「報酬《ほうしゅう》は？　指示書には、報酬があると書いてありました！」何人かのフレッジリングが、そうだそうだとつぶやいた。

アンダーソン教官が笑《わら》った。耳のまわりの炎《ほのお》がちらちら揺《ゆ》れる。「ああ、あるよ。四人組が協力して最後《さいご》のヒントの意味を解《と》きあかしたら、報酬は得《え》られる。水の石だけでなく、夏至《げし》の石をひとつ余分《よぶん》にもらえるということだ。石の数をそろえるのに役立つことだろう」

よし！　スカンダーはミッチェルと視線《しせん》を交《か》わした。火の石を手に入れられる可能性《かのうせい》が急に高くなったように思えた。

「トライアルは夜明けとともにスタートします」オサリヴァン教官がいった。「日没《にちぼつ》までに、三《さん》角州《かくす》の山側《やまがわ》の頂点《ちょうてん》に作られたゴール地点にくること。では、これからヒントを伝えます」

　これまでのように、アガサがスカンダーの四人組のところへまっすぐ近づいてきた。眉間《みけん》にしわが寄《よ》っている。「このトライアルで最《もっと》も危険《きけん》なのは、ラストの二百メートルだ。飛《と》んでゴールを目指してはいけない。着地するスペースがないんだ。土手の幅《はば》が狭《せま》くて、ライダー同士《どうし》が密着《みっちゃく》することになる」

　ミッチェルはわけがわからないという顔をした。「でも、危険なところがあるのはどうして？　このトライアルで問われるのは問題解決力なのに」

「ヘンダーソン、そんなに呑気《のんき》でどうする」アガサがぴしゃりといった。「ライダーはみんな、石を手に入れようと必死《ひっし》になっている。ヒントの意味を考えるより、ゴール近くで待《ま》ち伏《ぶ》せをして、ほかのグループの石を盗《ぬす》もうとするかもしれない。わたしもそうするかもしれないな」

「アガサがトライアルにくるのって、このことのため？」ボビーがアガサにたずねた。「気をつけろって、あたしたちに警告《けいこく》するため？　なんか、さすがに気がついちゃった」

　アガサはアークティック・スワンソングの首をなでた。「ほかの教官たちより、わたしのほうが楽な気持ちでトライアルにこられるんだ。担当《たんとう》する教え子がひとりだけだからな」スカンダーを指差《ゆびさ》した。

「そっか」さすがボビーも、失礼《しつれい》なことをいったと思ったらしく、申《もう》し訳《わけ》なさそうな顔をした。

フローは恥《は》ずかしそうにしている。

アガサは青い袋《ふくろ》に手を入れた。中身がガチャガチャと音をたてる。「ヒントだ」

ホタテの貝殻《かいがら》をひとつ、フローに手渡《てわた》した。次にミッチェル、最後にボビー。貝殻の外側《そとがわ》は真っ白で、1、2、3と番号だけが書いてある。しかし、内側《うちがわ》には青いインクで言葉が書いてある。

そのとき、ライトニング・ミステイクが空中に現れた。衛兵《えいへい》のユニコーンを十頭ほど引きつれている。多くのライダーはうれしそうにささやきあった。首長がトライアルをみにきてくれた、と思ったのだろう。しかしスカンダーの四人組は、ニーナがきた目的《もくてき》を知っていた。パトロールのためだ。

「ニーナが近くにいたら、エリカはなにもできないだろう」アガサは、水のゾーンの地図をスカンダーの手に押《お》しつけた。「しかし、油断《ゆだん》はするな。気をつけなさい」最後の言葉は、いつものようなぶっきらぼうな口調ではなかった。離《はな》れていくアガサをみて、スカンダーの不安は増《ま》した。

「貝殻をポケットにしまって」ミッチェルがボビーにいった。「ボビーとぼくのヒントについては、まだ考えなくていい。番号が書いてあるのには意味があるはずだ。まずはフローのもらったヒントに取りくもう。ヒントを声にだして読まないように。だれかにきかれたら、ぼくたちより先に石をみつけられてしまうかもしれない」

四人はユニコーンに乗ったまま、フローの貝殻の内側に書いてあるヒントをまわし読みした。

木々は川の裏切《うらぎ》りを嘆《なげ》き悲《かな》しむ。

「これのどこがヒントなの！」ボビーが声を殺《ころ》していった。「なぞなぞじゃん！　ユニコーンのライダーになってなぞなぞを解かなきゃならないってわかってたら、あたし、本土に残《のこ》ったかも」

オサリヴァン教官が、明るくなってきた空に水の塊《かたまり》を打ちあげた。教官たちがそれを追うように舞《ま》いあがり、ゾーンの上空を旋回《せんかい》し始めた。水のトライアルが始まった。

土のトライアルや火のトライアルがスタートしたときとはちがって、フレッジリングたちはあわてて駆《か》けだしたりしなかった。多くは四人組で顔をつきあわせ、ヒントをにらみつけている。いまはまだ、だれかから石を盗もうにも盗めないのだ。

ミッチェルは声をださずに何度もヒントを読んだ。しばらくして、解答《かいとう》に一歩近づいたのはフローだった。

「嘆き悲しむって言葉、泣《な》くって言葉に似《に》てるわよね」小声でいう。「泣く木って意味だったりする？」

「木は泣かないでしょ！」ボビーがばかにしたようにいう。

「涙《なみだ》を流すって意味じゃないよ。木の名前だね」スカンダーは興奮《こうふん》を抑《おさ》えていった。「シダレヤナギだよ！　フロー、お手柄《てがら》だ」

「そうか！」ミッチェルが叫《さけ》んだ。三人がしーっとたしなめる。

「いいたくないけど」ボビーがつぶやいた。「ここって、水のゾーンだよ。シダレヤナギが自生してる。ここからだって、五本もみえる」

スカンダーは浅瀬の湖をみわたした。たしかに、葦《あし》でおおわれた土手の何か所かにシダレヤナギの木立があり、水面に向かって枝葉《えだは》を垂《た》らしている。

「残りの部分を考えよう。急いで」ミッチェルは歯噛《はが》みしながらいった。「ライダーひとりひとりが別々《べつべつ》のヒントを与えられてるはずだけど、ぼくらの石がたまたまみつかって、取られちゃうかもしれないからね」

近くの四人組がときおり歓声《かんせい》をあげたり、空に飛びだしていったりするので、気が気ではなかった。

ボビーのいらだちがどんどん強くなる。「移動《いどう》しながら解いちゃだめなの？」

「移動するって、どこに？」ミッチェルが皮肉をこめていった。「ヒントの意味がわからないと、どっちにいけばいいのかもわからないじゃないか」

ボビーがこういうのを苦手としているのは、スカンダーにもよくわかっていた。笑顔《えがお》を送って気持ちをなだめてあげたかったが、ボビーはファルコンのたてがみを一心になでながら深呼吸《しんこきゅう》をしている。スカンダーはスカンダレルをファルコンのそばに進めてボビーに手を差《さ》しだすと、パニックの発作《ほっさ》がおさまるまで、握《にぎ》らせてやった。

「痛っ！」思わず叫んだ。すごい力で握られたのだ。

ボビーが苦しそうに笑う。スカンダーも笑顔を返した。

ボビーの呼吸《こきゅう》が落ち着くと、スカンダーはアガサがくれた地図を開いた。川を指でなぞっていく。去年の初めに野生のユニコーンの死骸《しがい》をみつけた場所で、指を止めた。あのときの土手の景《け》色《しき》が頭の中によみがえる。川のまん中に小さな中州《なかす》があって、そこにシダレヤナギが二本生えていた。

待てよ。記憶《きおく》を頼《たよ》りに地図を確《たし》かめる。あった。二本の川が交わるところに、小さな点がひとつある。**裏切り。つまり、二心を持つこと。寝返《ねがえ》ること。**

「わかったような気がする」スカンダーは声を低《ひく》くするのも忘《わす》れていった。湖畔《こはん》に残っているのは、自分たち四人組と、ロミリー、イライアス、マリアム、ウォーカーの四人組だけだ。

「**川の裏切り**、だよね。地図のここのところで、二本の川が二回交差《こうさ》してるんだ。ふたつのあいだをいったりきたりするのって、裏切りじゃないかな？」同意を求《もと》めてフローの顔をみた。

フローは強くうなずいた。

「川は、ここと、ここで交差してる。地図を指差した。「その二点のあいだに、小さい中州があるんだ。前にピクニックしたよね。おぼえてる？　そこにシダレヤナギが二本生えてた」

ボビーは早くもファルコンの手綱《たづな》を握っていた。「それでじゅうぶんだよ、気の使い手くん」

フローがにっこり笑った。「お手柄ね」

「本当にすごいよ」ミッチェルは眼鏡《めがね》を押しあげた。

空を飛んでいくことにした。ほとんどのフレッジリングは最初《さいしょ》のヒントと格闘中《かくとうちゅう》で、他人の石を奪《うば》う余裕《よゆう》はまだないだろう。ミッチェルはいつも頼りにしているコンパスを使い、三人を先導《せんどう》し始めた。

人気《ひとけ》のまるでない場所だった。野生の低木《ていぼく》や茂《しげ》みにおおわれている。ユニコーンからおりた四人は、川と川が交わるところにある二本のシダレヤナギをみつめた。

「中州は狭いから、ユニコーンじゃいけないよね」スカンダレルは用心深くなっていた。

「ファルコンとあたしが強行してもいいよ」ボビーがいった。

「だめよ」フローがあわてていう。「さえぎるものがないから、みんなにみられちゃう」

ボビーは腕組《うでぐ》みした。「だったらどうやってあそこにいくの、フローレンスお嬢《じょう》さん」

フローレンスはすでに青いジャケットとブーツと靴下《くつした》を脱《ぬ》いでいた。Tシャツも脱ごうとしている。

「ちょっと、どうしちゃったの？」ボビーはスカンダーにささやいた。「まだ四月なのに！」

「おいおい、フロー」ミッチェルもいった。「どういうつもり……」

フローは水色の水着姿《みずぎすがた》で川べりに立っていた。かたわらにつややかなブレードの姿がある。フローは仲間たちの表情をみておもしろがっているようだ。片手《かたて》を腰《こし》にあてて、ボビーの口《くち》まねをする。「水のトライアルだってのに、あんたたち、水着も着ないでてきたの？」

全員が大笑《おおわら》いした。

「しーっ！」フローもくすくす笑っていたが、真顔になって続《つづ》けた。「わたしがいくわ。ブレードがここから動かないように、ちゃんとみててね。わたしが水に入ったら、あわてるかもしれないから」銀のユニコーンの手綱をスカンダーに渡した。ブレードの目がぐるぐる渦巻いて、赤い溶岩《ようがん》のようになった。**ぼくが動いたらだめなの？　止められるもんなら止めてみなよ。**そういっているかのようだ。

　フローは水に入った。最初は歩いていたが、ある程度《ていど》深くなると、泳ぎ始めた。スカンダーとボビーとミッチェルは、黒と銀色の髪《かみ》が水面を上下しながら遠くへ遠くへ離れていくのを見守った。やがて、小さな中州の手前で再《ふたた》び姿がみえた。一瞬《いっしゅん》、二本のヤナギのあいだでフローの姿がみえなくなった。ヤナギはお互いの方向に枝《えだ》を垂らしていて、まるで年老《としお》いた夫婦《ふうふ》のようだ。

　ふいに、スカンダーの背後《はいご》から物音がきこえた。枝が折《お》れ、葉がこすれるような音。

「いまの、なんだろう」ミッチェルがうしろを振《ふ》り返《かえ》った。

　スカンダーも振り返った。衛兵のユニコーンが二頭飛んできて、低いところをぐるぐるまわっている。スカンダーの脈拍《みゃくはく》が元にもどった。ニーナの警備員《けいびいん》たちが近くでみていてくれるなら、ウィーヴァーだってなにもしてこないだろう。

　ボビーの目は中州に釘付《くぎづ》けだ。

　ミッチェルは茂みの奥《おく》をもう一度のぞきこんだ。「ウサギかなんかかな」

「フローがもうみつけたみたい！」ボビーが小声でいった。スカンダーは川のほうに視線をもどした。

フローはヤナギのあいだに姿を現し、やったわというようにこぶしを振りあげた。青い石が朝日を浴《あ》びて輝《かがや》いた。スカンダーは拍手喝采《はくしゅかっさい》したかったが、石をみつけたことをほかのグループに知られてはならないと思い、ボビーやミッチェルといっしょに、川べりでばかみたいな無言のダンスをした。

フローが岸にあがった。水のしたたる体をがたがたと震《ふる》わせている。

「わ、わ、わたしのバッグに、タ、タ、タオルが……」自分で自分を抱《だ》きしめながら、やっとのことでそういった。

スカンダーがすぐに動き、フローにタオルを手渡した。「よかったら――」

フローはスカンダーに答える代わりにタオルを体に巻《ま》きつけ、歯をがちがち鳴らした。結局《けっきょく》、スカンダーはフローに両手をまわして抱きしめた。

「あ、あ、ありがとう。ス、スカー」フローの言葉をきいて、スカンダーは体を離した。頬《ほお》が燃《も》えるように熱《あつ》かった。

「やるじゃん、スカンダー！」ボビーが冷《ひ》やかした。

フローはいつも、自分には勇気《ゆうき》がないといっている。しかし今回は、水のゾーンの川の流れがどんなものかもわからないのに、進んで冷《つめ》たい水に入って中州にいってくれた。フローが自分のことをもっと客観的《きゃっかんてき》にみることができたら自己評価《じこひょうか》もあがるのにな、とスカンダーは思った。

フローが体を拭《ふ》いて落ち着くと、四人は土手にすわって、フローが取ってきた水の石をながめた。教官に説明《せつめい》されたとおり、石は、四つ目の石をみつけるのに必要なヒントの一部を与えてくれた。青い石に金属《きんぞく》のチェーンと札《ふだ》がついていて、札には言葉がひとつだけ書かれていた。**ユリ。**

「ひとつ片《かた》づいたね」ボビーが力強くいった。「あとふたつ。ミッチェル、あんたのばかみたいなヒントをみせて。次はあんたのだよね？」

「ああ、ぼくのやつは、アガサにもらった瞬間《しゅんかん》に意味がわかったよ」ミッチェルは、なんてことないよ、という口調でいった。

怒《おこ》るべきなのか喜《よろこ》ぶべきなのかわからない、という顔をしたボビーに、ミッチェルは貝殻を渡した。「次のヒントのことはまだ考えるなっていってたくせに」ボビーがいう。

「それは、みんなを混乱《こんらん》させないためだよ。問題は番号順《ばんごうじゅん》に解くことになってる。順番《じゅんばん》を飛ばして先の問題を考えたりしてほしくなかったんだ」

ボビーは両手で貝殻を持ち、上下に返しながら観察《かんさつ》した。スカンダーとフローもそばにいって貝殻をみる。青いインクで書かれていたのは、この一文だった。**貝がしっかり閉《と》じているとき、力は光を作る。**

「うーん、なんにもわかんない」ボビーはいった。「みんなは？」

スカンダーとフローは首を横に振った。

ミッチェルは得意満面《とくいまんめん》だった。「力って言葉からぼくは筋肉《きんにく》を連想《れんそう》した。ただ、筋肉のつづりはmuscle《マッスル》だけど、mussel《マッセル》だったらどうかな？　ムール貝だ。ムール貝の中には、真《しん》珠《じゅ》を作るものもある。真珠は光だと思う。だって、きらきらしてるからね。ほら、簡単《かんたん》だろ？水のゾーンには淡水《たんすい》パールの養殖場《ようしょくじょう》があるよ」

　三人はミッチェルをみつめた。

「わたしのヒントより難《むずか》しかったわよね」フローがいった。

　スカンダーは感心して首を横に振った。「ミッチェル、すごいよ」

　ボビーはミッチェルの炎の髪をくしゃくしゃとなでた。「身近に天才がいる」

　ボビーからミッチェルへのほめ言葉としては最高《さいこう》ランクかもしれない、とスカンダーは思った。

　四人は蛇行《だこう》する川沿《かわぞ》いに移動した。途中《とちゅう》で、ゾーンの住人たちのツリーハウスをみかけた。青いリボンみたいな川の上に橋を渡して、ツリーハウス同士をつないでいる。移動の途中で、マテオ、ディヴィヤ、ハーパー、ナオミの四人組を、少し離れたところから目撃した。どちらもあいさつはせず、お互いに気づかないふりをしていた。それもこれも、石をみつけることで頭がいっぱいだったからだ。やがて、スカンダー、ボビー、フロー、ミッチェルの四人組は、真珠の養殖場に到着《とうちゃく》した。小さな湖の水面に何百ものブイが浮いている。ブイの下に網《あみ》があって、そこにムール貝がついて大きくなるんだ、とミッチェルが説明した。

「そんなところで、どうやって石をみつけたらいいの？」ボビーはいらだちを隠さない。自分の石をみつける時間がなくなったらどうしよう、と焦《あせ》っているんだろう。それはスカンダーも同じだ。もう正午を過《す》ぎている。

「うーん、わからないな」ミッチェルはつぶやいた。「湖の底《そこ》にあるのかもしれない。ユニコーンに乗ったまま水にもぐることもできるけど、網にからまると面倒《めんどう》だ」

「ファルコンはもぐってくれないよ。水がきれいかどうかもわかんないし。そんなことさせたら、あたしのことを絶対《ぜったい》許《ゆる》してくれない」

「待って！」スカンダーは、丸いブイのひとつが日差《ひざ》しを受けてきらめいているのに気がついた。「あそこだ！　みえる！」

水面を四分の一くらいいったところにあるブイを指差した。石はブイのてっぺんに載《の》せられている。稀少《きしょう》な鳥の卵みたいだ。

ミッチェルは手綱を握った。「やった！　レッドに乗って近づいて、手をのばせば取れるだろう」

「スカンダーにやってもらったら？」ボビーがいった。「飛ぶのが早いもん。なんとかいう鳥のクラブに入ってるくらいだし」

ミッチェルはしゅんとした。「たしかにそうだな」

スカンダーはためらった。カオス・ライダーになるためにはなにを犠牲《ぎせい》にしてでも勝利《しょうり》を目指さなければならない、それを学ぶのがカオス・トライアルなのだとわかっているが、ニーナと話したあと、自分がどんな人間になりたいのかをよく考えるようになった。いまは、いい友だちでありたいと思っている。ミッチェルとレッドなら石を取ってこられるはずだ。

「いや、ミッチェルが適任《てきにん》だと思うよ。そもそもミッチェルの石なんだし」

ミッチェルが土手を飛びたったとき、レッド・ナイト・ディライトはとても誇《ほこ》らしげだった。しっぽを赤く燃やして飛ぶ姿が、一瞬フェニックスのようにみえた。

「目立たないようにしろ、なんてむりな話だよね」ボビーがいった。

レッドは低く飛んで、ブイに近づいていく。いまのところいい感じだ。ミッチェルが手をのばし、石を取ろうとしたが——

失敗《しっぱい》。レッドがわきにそれて、水面から飛びあがった魚を狙いにいってしまった。

「ミッチェル、がんばって」ボビーが歯を噛みしめる。

レッドがさっと舞いあがる。大きな翼をはばたかせると、水面にさざ波が立った。ミッチェルはレッドの真っ赤な首をなでて、励《はげ》ました。もう一度降下《こうか》してブイに近づく。今回は、のばしたミッチェルの手が水面に届《とど》きそうになった。石までもうすぐ。レッドは安定している。ミッチェルが指を折って青い石をつかもうとしたとき——

水の中から緑がかった灰色《はいいろ》の腕《うで》が現れて、指が——いや、爪《つめ》だろうか——ミッチェルの手首をつかんだ。ミッチェルは驚《おどろ》いて悲鳴をあげたが、手首はがっちりつかまれたままだ。スカンダーは戦慄《せんりつ》した。湖のモンスターがミッチェルを鞍から落とし、水中に引きずりこもうとしている。

背中の重みがなくなったのを感じるとすぐ、レッドが甲高くいなないた。燃える目で自分のライダーを探《さが》す。

「助けて！」ミッチェルの頭が水面からでたり沈《しず》んだりしている。「放してくれないんだ！」じたばたともがいて水をはねあげるが、モンスターの爪は手首に食いこんで離れない。

　レッドは急降下《きゅうこうか》し、頭を途中まで沈めてミッチェルを自分につかまらせようとしたが、モンスターの力は強く、ミッチェルを下へ下へと引《ひ》っ張《ぱ》り続ける。

　スカンダレルも心配そうにいななく。それに応えてレッドが低く吠《ほ》えた。ユニコーンは、なにがあってもライダーを落としてはいけないと知っているのだ。

　スカンダーはためらうことなくスカンダレルの手綱をつかんだ。スカンダレルは翼を広げ、三歩の助走で湖の上に飛びたった。黒い弾丸《だんがん》のように空気を切りさき、ミッチェルに近づく。ミッチェルは沈まないように必死でもがいていた。スカンダーがきたのに気づいたミッチェルの顔に安堵《あんど》の表情が浮かんだ。しかし、その顔はすぐに水中に沈んだ。のばした片手だけが水面からでている。

　スカンダレルはスカンダーが望《のぞ》むとおりのことをしてくれた。ライダーの心を読み取ってくれたかのようだ。力強くはばたいて、ミッチェルの腕のすぐそばでホバリングする。スカンダーは、水面からでた唯一《ゆいいつ》の部分、ミッチェルの手首をつかんだ。

　その瞬間、モンスターがミッチェルを引っ張り返したのがわかった。スカンダーはシェコニ工房の鞍に全力でつかまった。一瞬、元素《げんそ》の魔法《まほう》を使おうかと思ったが、波立った水面近くでそんなことをしたら、ミッチェルを傷《きず》つけてしまうかもしれない。

　できることはただひとつ。鞍にしっかりつかまりながら、スカンダレルを強くはばたかせ、ミッチェルを引きあげるだけだ。スカンダレルの全身の筋肉に力がこもるのがわかる。

　ミッチェルの頭、首、そして全身が、ゆっくり水からでてきた。

　モンスターもいっしょに現れた。

「まだ離れない！」ミッチェルが叫んだ。ぬるぬるの粘液《ねんえき》に包《つつ》まれた爪が、ミッチェルの手首をつかんでいる。「体がちぎれちゃいそうだ！」

　そのとき、レッド・ナイト・ディライトが動いた。ミッチェルの手にぶらさがる格好《かっこう》のモンスターに向かっていく。ふだんのレッドは穏《おだ》やかで、楽しいことが大好《だいす》きだ。でも、今日はちがう。謎《なぞ》のモンスターが、大好きなライダーを殺そうとしているのだ。レッドは元素の魔法を使うこともなく、力で勝負することにしたらしい。モンスターのどろどろした胸《むね》の部分を、角で一気に貫《つらぬ》いた。

　モンスターは身の毛のよだつようなうめき声をあげて、ミッチェルの腕を放した。

　一瞬、スカンダーはほっとしたものの、ミッチェルの全体重が自分の片手にかかっているのを思いだした。レッドがすぐに反応《はんのう》してくれた。モンスターの体から角をはずす。モンスターがどぶんと水に落ちると、レッドはミッチェルの体の横でホバリングした。ミッチェルはやっとのことで鞍にまたがることができた。褐色《かっしょく》の肌《はだ》から血の気が引いているのがわかる。スカンダレルとレッドは並《なら》んで岸にもどった。

レッドが着地するとすぐ、ミッチェルも地面におりて、土手に体を投げだした。三人がそのまわりに集まり、ひどいけがをしていないか確かめた。スカンダーはミッチェルの腕の様子をみた。フローはタオルでミッチェルの体を包み、ボビーは非常事態用《ひじょうじたいよう》サンドイッチを差しだした。その瞬間、ミッチェルはボビーに向かって湖の水を大量《たいりょう》に吐《は》きだした。

ある程度回復《かいふく》して体を起こせるようになると、ミッチェルはしわがれた声でいった。「あれはウンディーネだと思う」

「まったく、ミッチェルったら――何者だったとしても同じことじゃん。ミッチェルを殺そうとしたんだよ！」

「ジェイミーに早く話したいな。すごくレアなモンスターをみたって。ウンディーネって、吟遊《ぎんゆう》詩人《しじん》の古い歌に、よくでてくるんだ。真珠を守る水の精《せい》でね。アシカだっていう人もいるけど……」言葉がとぎれた。なにを話しているのか、自分でもわからなくなったらしい。

長い沈黙《ちんもく》があった。「で、どうする？　石はモンスターに取られちゃったんだよね？　あいつとまた戦《たたか》う気にはなれないな」スカンダーは体を震わせた。

「あんなのと戦っちゃだめよ」フローはいつもより強い口調でいった。「ボビーのヒントに取りくみましょうよ」

「そんなわけにはいかないよ！」ボビーは立ちあがった。「ミッチェルの石がふたつ足りないことになるじゃない。それに、スカンダーの石のヒントもわからなくなっちゃう。そしたらあたしたち、カオス・トライアルを勝《か》ち抜《ぬ》けない。四人がばらばらになってもいいの?」

そのとき、地面がぐらりと揺れた。ボビー・ブルーナが泣いたせいだ。

フローも立ちあがり、ボビーの肩《かた》に手を置《お》いた。「だいじょうぶよ、ボビー」

ボビーは怒った顔で涙を拭いた。「あたしが――あたしがカオス・トライアルを勝ち抜きたいのは、妹が島にきたとき――」さらに涙がでてくる。「――ううん、妹が島にこられたとしたら、そのとき、四人組がそろっててほしいからじゃない。あたしはいつも、みんなのことなんかどうでもいいって態度《たいど》をとってるよね。いちばんの人気者はあたしよ、みたいに。まあ、それは本当なんだけど。実際、友だちをつくりたければいくらでもつくれる。でも、あたしはあんたたちが好きなの。去年仲違《なかたが》いをしたとき、すごくいやな気分だった。あたしのことをちゃんと理解してくれるのは、あんたたちだけ。パニックの発作のこともわかってくれてるし、助けてくれるし。みんな、ありのままのあたしを受け入れてくれてる。また離ればなれになるなんていやだよ。だれひとり失いたくない。それがミッチェルでもね」泣きながら笑った。「なのにいま、火の石がひとつ足りない。水の石も手に入らなかったら――」

ようやくミッチェルもよろよろと立ちあがった。混乱したような表情でボビーをみる。「ロバータ・ブルーナ、いったいなんの話をしてるんだ?」

ミッチェルは握っていた手を開いた。ウンディーネにつかまれていたほうの手だ。

ボビーはあんぐりと口を開けた。フローがはっと息をのむ。スカンダーは歓声をあげた。

青い夏至の石が、ミッチェルのてのひらのまん中で輝いていた。

LONELINESS

ケンナ
孤独《こどく》

ケンナ・スミスはどうしようもなく孤独だった。

孤独は、朝に鳥が鳴こうが鳴くまいがどうでもよくなること。なるべく遅《おそ》くまで寝《ね》ていれば、孤独に耐《た》える時間がそのぶん短くなる。ひとりですわっているのがつらいから、立って食事をする。

孤独は、痛《いた》み。皮膚《ひふ》のしわからマグマがしみだしてくる痛み。泣《な》いていてもだれにも気づいてもらえない痛み。四つ目の変異《へんい》のせいで、島の人にはもう受け入れてもらえないだろう。

孤独は、訪問者《ほうもんしゃ》がきてもなにを話していいかわからないこと。天気や木々のことくらいしか話せない。そんなことより、ただ叫《さけ》びたい。帰らないで。置《お》いていかないで!

孤独は、待つこと。一日じゅう、弟がくるのを待っている。あまりに長いこと待っているせいで、もし弟がきてくれても、怒《いか》りのせいでなにも話せないだろう。もうなにもかもどうでもいいと思えるくらい、待っている。

岩の上でひざをかかえてすわり、高いところから落ちてきた水が滝壺《たきつぼ》で泡立《あわだ》つのを見守った。ここ数日、ちゃんと眠《ねむ》れていない。水の音のリズムをきくことで、自分を疲《つか》れさせるつもりだった。でも、頭にあるのは新しい変異のことばかり。

さらにもうひとつ変異が起こるのかと思うと、恐《おそ》ろしくてたまらない。

四つ目の変異が起こった日、ひとりぼっちで目をさました。本当にひとりぼっちになることはないと、わかっている。それはゴショークがいてくれるおかげだと、頭でも心でも理解《りかい》している。でも、ゴショークの怒りが絆《きずな》から伝《つた》わってきて、それに耐えられないときは、朝起きるのがつらくなる。父さんの気持ちがいまならわかる、と思える日もあるくらいだ。父さんに会って、ハグしたい。でも、自分のことが怖《こわ》くなる。

変異が起きた日、目覚《めざ》めたときには、滝《たき》のカーテンを通して光が差《さ》していた。それをみて、ゴショークと魔法《まほう》の練習に取りかかろうと思いたった。練習のスケジュールは自分で考えてある。毎朝、合法《ごうほう》の元素《げんそ》――火、土、水、風――の魔法を集中的《しゅうちゅうてき》に練習した。ゴショークの反応《はんのう》を早くするのが狙《ねら》いだ。自分の魔法にときどき入りこんでくる悪意のようなものをコントロールする練習もした。でないと、水に毒《どく》が混《ま》じってしまう。こうした練習のことは、放浪者《ほうろうしゃ》たちには話さなかった。アルバートにも黙《だま》っていた。

気の元素の魔法は、午後にとっておく。毎日欠《か》かさず練習した。銀の要塞《ようさい》の塔《とう》に閉《と》じこめられていたとき、ドリアン・マニングからもらった『気の書』の内容《ないよう》はほとんどおぼえている。気の元素を使うのは得意《とくい》だ。自分でもそれがわかる。

てのひらに白い光を呼《よ》びだすのは簡単《かんたん》だ。ただ、ほかの元素の魔法を使うときと同じで、謎《なぞ》の悪意が入りこんでくることがある。自分はもともと気の使い手なんだと確信《かくしん》していた。まばたきひとつで気の剣《けん》を呼びだせるし、真珠《しんじゅ》のような光沢《こうたく》のある、自分の頭より大きなメイスも作りだせる。本に書いてあったように、実際《じっさい》には存在《そんざい》しない幻《まぼろし》の武器《ぶき》を作れれば、敵《てき》をあざむくこともできるようになるだろう。それに、断《た》ち切《き》るべき絆を持っている人がいれば、それもできるのではないか。

変異が起きた日は、滝壺のへりに立ち、炎《ほのお》の弓をつがえる練習をしていた。そのとき、火の魔法の力が強くなりすぎたようだ。ゴショークが絆から魔法を送りこんできたせいなのか、たまたま変異が始まるときがやってきたのか、いまでもよくわからない。弓が大きくなり、黒煙《こくえん》が濃《こ》くなり、滝のまわりの植物がしおれ、枯《か》れ始《はじ》めた。てのひらを閉じて魔法を消そうと試《こころ》みたが、ゴショークのたてがみとしっぽにも火がついていた。翼《つばさ》に残《のこ》っているぼさぼさの羽根も、燃《も》えていた。ゴショークは激《はげ》しくうなり、火のついた灰《はい》を水面に吐《は》きだした。ケンナと同じように、ゴショークも魔法の火を消そうとしていたのかもしれない。

そのとき、痛みが始まった。オアシスのときと同じように、まずはほかの変異がぱっと燃えあがった——まるで警告《けいこく》のように。右腕《みぎうで》のとげ、首まわりの氷のとげ、耳の羽根に続《つづ》いて、左の手首に激しい痛みが走った。

みなければよかった。皮膚がひび割《わ》れて、液状《えきじょう》の火がしみだしてくる。それはぶくぶくと泡立って蛇行《だこう》しながら、肘《ひじ》まで流れていった。左腕《ひだりうで》が熱《あつ》くてたまらない。ゴショークの背中《せなか》に乗っていることもできず、滝壺に飛《と》びこんだ。冷《つめ》たい水に腕《うで》をつけると、痛みがいくぶんおさまった。とはいえ、もしも医師《いし》に「痛みを一から十までの数字で表すといくつですか」ときかれたら、答えようがなかっただろう。一から十までなんて、そんな数字では表せない。スケールがちがう。

　どうしてだれもそばにいてくれないの、とだけ考えていた。だいじょうぶだよ、と声をかけてほしいのに。滝はごうごうと音をたて続ける。孤独な少女がマグマで溶《と》けた腕を水で冷《ひ》やしていることになど、まるで気づいていないかのように。

　そのとき、ゴショーク・フュアリーが滝壺に近づいて、煙《けむり》をだす赤い目をケンナに向けた。ケンナが振《ふ》り返《かえ》ると、絆からかすかな振動《しんどう》が伝わってきた。野生のユニコーンがおびえている。自分のことを心配してくれている。痛みのせいではなく、ゴショークの思いのせいで、ケンナはとうとう泣きだした。幸福の涙《なみだ》であり、孤独の涙でもあった。変異やゴショーク・フュアリーの思いやりのことをだれかに話したいのに、話せない。スカンダーにきいてもらいたい。

　腕を流れたマグマを観察《かんさつ》していると、小さな褐色《かっしょく》のミソサザイがやってきて、ケンナがすわっている岩に止まった。丸い体をしっぽといっしょに上下させ、羽根の白い斑点《はんてん》をときおりのぞかせながら、首をかしげてケンナをみあげる。視線《しせん》を返しているうちに、ケンナははっと気がついた。こんなに小さな生き物の体にも血が流れている。独自《どくじ》のメロディーをかなでながら、小さな心臓《しんぞう》が動いている。

手を差しだしてみた。鳥はさえずり続け、見知らぬ人間の腕がひなたの岩の上にのびてきたのをみても、ちっとも怖がらない。ケンナはゆっくり手を広げ、そっと閉じた。ミソサザイの心臓の激しい動きが伝わってくる。

突然《とつぜん》、滝壺から水しぶきが飛んできた。ケンナははっとして、自分がなにをしようとしていたかに気がついた。さっと手を引っこめる。自分が怖かった。ゴショークの影響《えいきょう》なんだろうか。それとも、自分の中にもともとそういう部分があったんだろうか。

もう、なにもわからない。

CHEATED

第16章
裏切《うらぎ》り

ミッチェルはウンディーネに襲《おそ》われながらも夏《げ》至《し》の石を手放さなかったが、ヒントの言葉が書かれた金属《きんぞく》の札《ふだ》は、はずれてしまっていた。そのことがわかったとき、スカンダーの心は沈《しず》んだ。ボビーの水の石を時間内にみつけたとしても、三つあるはずの言葉のうちふたつしかない状態《じょうたい》で、最《さい》後《ご》の石はみつかるんだろうか。いまのところ、手に入れた言葉は「ユリ」ただひとつ。

四人組は、土手ぞいの茂《しげ》みの中にもどった。ここならだいじょうぶだろう、というところまでくると、スカンダーとフローとミッチェルは、ファルコンのまわりに自分たちのユニコーンを近づけた。ボビーが貝殻《かいがら》を取りだす。

そのとき、スカンダーの首の毛が逆立《さかだ》った。どうしてなのか、説明《せつめい》できない。ただ、存在《そんざい》を感じた。枝《えだ》を踏《ふ》む音がきこえる。茂みを歩いてくる音もする。ききまちがいではない。スカンダレルがうなった。

「だれかにつけられてる」スカンダーは小声でいった。

フローはスカンダーの視線《しせん》を追い、木陰《こかげ》をみた。「ウィーヴァー？　でも、どうして襲ってこないの？」

「あおらないでよ」ボビーがいう。

本能的《ほんのうてき》に、四人のライダーはひとかたまりになり、全員が外側《そとがわ》を向いた。てのひらに元素《げんそ》の光を宿らせる。

そのまま待った。待ち続けた。

「ほかの四人組だったのかな？」ミッチェルがささやいた。

「どういうこと？　だれもいないじゃない」ボビーは、もういいでしょ、といわんばかりだ。

「あたしの石を探《さが》そうよ。日が沈んじゃうよ！」

「ここはいやだな」フローがいった。「スカーが狙《ねら》われるかもしれない」

「みんな、落ち着いて」ミッチェルがいったが、本人もおびえた顔をしていた。「ボビー、貝殻をしっかりつかんでいてくれよ。だれも、声にだして読んじゃだめだ。ほかの四人組に石を盗《ぬす》まれるといけない。ヒントの意味がわかったら、すぐにここを離《はな》れよう」

スカンダーはボビーの貝殻に書かれたヒントを読んだが、意味はまったくわからなかった。

ザ・ギルド・ギルド・ウェアズ・ウェアズ・ユーズ・ユーズ——エラのあるギルドは、雌羊《めひつじ》が使

う陶器《とうき》を身につける。魚に関係《かんけい》があるのか、それとも羊に関係があるのか。

しかし、ミッチェルとフローはなるほどという視線を交《か》わし、笑《え》みを浮《う》かべた。

「なによ、ふたりして。ばかみたいににやにやしてないで、さっさと教えてよ」ボビーがうめくようにいって、貝殻をジャケットのポケットに入れた。「なぞなぞなんて大きらい。あたしは戦《せん》闘《とう》のほうが好《す》きなの。言葉なんて、なにがおもしろいの」

「どこにいけばいいか、わかったわ」フローが静《しず》かにいった。「ピンポイントでわかったわけじゃないけど、どのあたりかはわかる。いきましょう」

スカンダーは、その場所を離れられるのがありがたかった。あとをつけられているという感覚《かんかく》を振《ふ》りはらうことが、まだできずにいた。ひづめの音がした、と何度か確信《かくしん》したものの、それはスカンダレルが土手で石を蹴《け》ってしまった音だった。すっかり気が立ってしまっているのだ。カザマ首長のユニコーンが頭上にみえたとしても、恐怖《きょうふ》が消えることはないだろう。

「ずいぶんびくびくしてるじゃない、気の使い手くん」ボビーがファルコンをスカンダレルの横に並《なら》べて、声をかけてきた。行き先がはっきりしているので、元気がでてきたようだ。「今日のが終わったら、トライアルはあとひとつだよ。お父さんはくるの？」

「え？」スカンダーは上の空だった。「あ、うん、すごく楽しみにしてるってさ」

「あんたはあまり楽しみじゃないみたいだね」

「うん。だって……父さんがケンナの模擬《もぎ》レースのことを何度もきいてくるから。ぼく、嘘《うそ》をつくのがいやになっちゃったんだ。なにもかも嘘まみれなんだよ」本心が言葉になってすらすらとでてきた。こんな気持ちをためこんでいたことに、自分でも気づいていなかった。

「将来《しょうらい》のことを考えてみたら?」ボビーがいった。「あたし、パニックの発作《ほっさ》を起こしたときは、いつもそうしてるんだ。時間を早送りするつもりで、発作がおさまったときのことを考える。楽に呼吸《こきゅう》している自分を想像《そうぞう》する。ね、考えてみなよ。将来はどうなると思う? エアリーでの五年間の訓練《くんれん》を終えて、気の元素はもう違法《いほう》じゃなくなってる。最高《さいこう》の友だちボビー・ブルーナがカオスカップで優勝《ゆうしょう》して——」

「あはは!」

「じゃましないでよ。いいところなんだから。ディヴァイドが光って、七人の新しい気の使い手を迎《むか》える。その中に、ケンナとまだら模様《もよう》のユニコーンもいる。スカンダーのお父さんもみにきてる。新しい首長になったあたしが招待《しょうたい》するんだ。ウィーヴァーはやっつけられて、みんなはずっと幸せに暮《く》らす」

スカンダーはなにもいえなかった。ボビーの言葉はスカンダーの望《のぞ》みそのものだったからだ。

「でも、ケンナはゴショーク・フュアリーをあきらめられるかな」スカンダーは低《ひく》い声でいった。「野生の絆《きずな》と運命の絆との入《い》れ替《か》えを、ぼくができるようになったとしても」

「二年前、アスペン・マグラスの件《けん》はうまくいったじゃない」ボビーはそういって肩《かた》をすくめた。「ニューエイジ・フロストとの絆をどうやって繕《つくろ》うか、だれにも教わってなかったんでしょ?

だから、絆の入れ替えだってうまくいくよ。あんたは賢《かしこ》い——ときもあるから」

「おい！」

ボビーはウインクを返した。「ねえ、前にいってた、骨《ほね》が光るとかなんとかいうやつ、ケンナにみせてあげたら？」

「魂《たましい》の輝《かがや》き？」

「そう。まだら模様のユニコーンが輝いて、ケンナと魂がつながってるって事実を目にしたら、ケンナだって納得《なっとく》するかもしれないよ。ゴショーク・フュアリーとタイラーの輝きも、みせてあげるといい。普通《ふつう》に運命のユニコーンと出会ったからって、骨が光るわけじゃないんでしょ？」

スカンダーは小さく笑《わら》った。「うん、それがいいね」

あとになって、スカンダーは気づいた。そんな話をしているうちに、あとをつけられているという不安《ふあん》を忘《わす》れることができた。ボビーのおかげだ。

しばらくして、川に何艘《なんそう》かの舟《ふね》がみえてきた。細長い舟で、船尾《せんび》に立って長い棒《ぼう》を持った人に操《あやつ》られているようだ。驚《おどろ》くほど速い舟もあるし、荷物でいっぱいの舟もある。リンゴの木箱や家具、そのほかいろんなものを積《つ》んでいる。

さらに進むと、川岸の茂みがまばらになってきた。人の声がきこえる。たくさんのツリーハウスが並び、にぎやかな様子だ。いつのまにか、三角州《さんかくす》に入っていた。島の人々が舟からおりて、幅《はば》の広い浮き板の上を歩いている。浮き板には小さな屋台が並び、店主が大声を張《は》りあげている。子どもたちが追いかけっこをして、ぷかぷかと上下するカヤックに乗ったりおりたりする。これが有名な水上マーケットだ。

　トライアルの最中《さいちゅう》だというのに、マーケットを間近からみていると、胸《むね》がわくわくしてくる。人々のざわめきのおかげで、四人は声を抑《おさ》えることなくボビーのヒントについて話すことができた。土手に並ぶ金属の輪《わ》に、ユニコーンの手綱《たづな》を結《ゆ》わえる。

「意味がはっきりわかるのは、二番目のウェアズの部分だね。もの、商品、売り物、という意味だ」ミッチェルが説明する。

「わたしたちふたりとも、水上マーケットのことを考えたのよ。島でいちばん有名なショッピングエリアだから。けど、いまのところわかったのはそこまで」フローは眉《まゆ》をひそめた。「実際《じっさい》にきてみたら、もっといろいろわかるかもと思ったんだけど……とにかく人が多いわね」フローは騒《さわ》がしい場所がきらいだ。静かで平和な野草の丘《おか》で育ったので、人が多いと圧倒《あっとう》されてしまうらしい。

「**ザ・ギルド・ギルド・ウェアズ・ウェアズ・ユーズ・ユーズ**」ボビーは貝殻をもう一度取りだした。「ひとつめのユーズって、雌羊のことでしょ？　ウールの商品でも探してみる？」

「それ、いいかもしれないな」ミッチェルは驚きを隠《かく》していった。ボビーはうれしそうに浮き板の上を歩きだした。三人がそのあとを追って、人ごみの中に入っていった。

　食べ物の屋台が並んでいる。フレッドの泡立《あわだ》つフィッシュスティックという店があり、溶《と》けたバターのにおいが漂《ただよ》ってくると、胃《い》がぐるぐると音をたてた。ひとつひとつの屋台に専用《せんよう》の浮き板があり、それらが海草まみれのロープでつながっている。客は板から板へとジャンプして移動《いどう》するのだ。三人は遅《おく》れないようにがんばったが、ボビーはどんどん進んでいく。板から板へと飛《と》びうつり、やがて、毛布《もうふ》やクッション、カオスカップのTシャツや、さまざまな布製品《ぬのせいひん》を扱《あつか》う店の前で足を止めた。

　ボビーの興奮《こうふん》はすぐにおさまったようで、三人のところにもどってきた。「ウールのものだらけだよ。なにから調べればいい？」

　フローは空をみた。太陽の位置《いち》からして、もう午後も遅《おそ》い時間だ。日没《にちぼつ》まであと二時間ほどというところか。

「**ギルド・ギルド**」ミッチェルはつぶやいた。「最初《さいしょ》のギルドは、エラ。魚のエラだ。二番のギルドは、人々のグループだよね？　そのグループの人たちは、ウールの服を着るってことかな？　けど、魚は？」

「キッパー・ニッター！」フローがいった。近くの店の看板《かんばん》に目をやる。そのうち、フローの顔に笑みが広がった。

「どういうこと？」ボビーは困惑《こんわく》している。

　答える代わりに、フローはボビーの腕《うで》を取り、いくつか先の浮き板まで連《つ》れていった。

「すみません！　ごめんなさい！」礼儀正《れいぎただ》しく声をかけながら、集まった人々のあいだを進む。

ミッチェルとスカンダーも、揺《ゆ》れる浮き板に足を取られそうになりながら、あとを追った。

フローが足を止めた。ありとあらゆる色のニットウェアやニットの小物を扱う店の前だった。真冬に着るセーターが多い。着ているだけで、なにかにハグされているくらいあたたかくなりそうだ。

「なに？　全然《ぜんぜん》わから――」ボビーがいいかけたとき、フローはいった。

「店の名前をみて！」

キッパー・ニッター・クラブと書いてある。どのセーターにもついているシンボルマークは、二本の編《あ》み棒《ぼう》をクロスさせたもの。編み棒の端《はし》が魚のしっぽになっている。

ミッチェルが笑いだした。スカンダーはフローの説明を待った。

「いい？」フローがいう。「魚にはエラがあるでしょ。これが最初のギルド。キッパーは魚の種《しゅ》類《るい》。ニットを編《あ》む人たちが何人かいれば、それは編《あ》み物《もの》クラブ。クラブって、ギルドみたいなものでしょ。これが二番目のギルド。ギルド・ギルドよ。で、ここの商品はどれも、ウールでできてる。ウールは羊の毛。雌羊。最初のユーズね。ユーズ・ユーズ」興奮を抑えきれないという表情《ひょうじょう》だ。

ボビーは、店のテーブルに重ねられたセーターに目を走らせた。「この店のことをいってるんだとして、あたしの石はどこにあるの？　全部広げて探さなきゃいけないの？」

「あの青いセーターは？」スカンダーは、自分でもばかみたいだと思ったが、それでもなにかアイデアをださずにはいられなかった。「水の元素の青色だよね」店の主人が、そうだよといわんばかりにうなずいた。セーターが売れそうだと期待していませんように、とスカンダーは思った。

ボビーがテーブルに近づいた。火花もびっくりの早業《はやわざ》だった。セーターの山の下のほうにある青いセーターを引《ひ》っ張《ぱ》りだすと、山が崩《くず》れてしまった。フローは、店主の冷《つめ》たい視線を浴《あ》びながら、崩れたセーターを積み直した。

コロン。大きな音がして、ボビーが歓声《かんせい》をあげた。テーブルの下に手をのばし、青いセーターに隠れていたものを拾いあげる。

「やった！　みつけたよ！」ボビーは叫《さけ》んだ。水の石の側面《そくめん》が夕陽《ゆうひ》を浴びてきらりと光る。興奮さめやらぬ様子でそれをみせ、フローをハグした。

店主はむっとした表情で首を振った。「フレッジリングってのは」ため息をつき、すべてのセーターをたたみ直した。

「金属の札はついてる？」スカンダーは必死《ひっし》な気持ちを隠すことができなかった。

ボビーはうなずき、ついている札をみせた。

橋。

「**ユリ**と**橋**？」ミッチェルがいった。「みたことがあるぞ……」水のゾーンの地図を取りだし、人ごみのまん中にすわりこんだ。

どういうわけか、フローはセーターの店の主人となにか話しこんでいる。店主が明るい表情になった。客が集まってくる。ひとりの男が紫色《むらさきいろ》のセーターを手にして、小さな息子《むすこ》の体にあてた。青いフードつきのマントを着た女性《じょせい》は毛糸の帽子《ぼうし》をみている。その横にいるフローはなにをしているんだろう。スカンダーがみていると、フローはポケットからなにかを取りだして、エメラルド色のセーターを受け取った。

「まだセーターを持ってるの？」もどってきたフローをみて、ボビーがいった。

「買ったの！」フローは青いジャケットを脱《ぬ》いで、セーターを着た。トライアルの思い出にね。でもそれだけじゃない。まだ体が冷《ひ》えてるの」

ミッチェルが地図から顔をあげた。「フローは冷たい川で泳ぎ、ぼくはウンディーネに捕《つか》まっておぼれそうになり、ボビーは初めて泣《な》いた。スカンダーはたぶんウィーヴァーに追われてる。そんな日の思い出、ねえ」

フローは肩をすくめた。「四人いっしょにがんばった日の思い出よ」

ボビーが含《ふく》み笑《わら》いをした。「いいじゃない。ミッチェル、そんなネガティブにならないでよ」

「わかったよ。ごめんごめん」ミッチェルは目をこすった。「ただ、スカンダーのヒントがまだわからない。時間も遅い。しかも、ユリの橋ってのが実在《じつざい》するんだけど、ここからすごく遠いんだ。橋は百個《こ》くらいあるし、そもそも、ユリとひと口にいっても、いろんな種類があるんじゃないか？　普通のユリの花かもしれないし、スイレン《リリーパッド》かもしれない」

「ねえ、スイレン橋はどこにある？」フローが明るい表情でいった。「ユリの橋を探してるって

第16章　裏切り

いったら、まず思い浮かぶのはスイレン橋だなって」

ミッチェルは目を皿のようにして地図をみた。「あった！　これだ！　ここからゴールまでの途中《とちゅう》にあるぞ！」

　フローはにっこり笑った。「地図もいいけど、人の意見も役に立つものね」

「いこう！　報酬《ほうしゅう》をもらわなきゃ！」ボビーが叫んだ。「もちろん、スカンダーの水の石もね」

気まずそうに付《つ》け加《くわ》えた。

　スイレン橋までは飛んでいくしかない。ミッチェルの目算では、三角州のフォーポイント側《がわ》の端までは一時間もかからないという。スカンダレルが蛇行《だこう》する川の上空高く舞《ま》いあがった。ほかの四人組も飛んでいるのがみえる。みんなは石を全部みつけたんだろうか。コースの最後で待《ま》ち伏《ぶ》せて、他人の石を奪《うば》おうという四人組は、どれくらいいるんだろう。

「ねえ、あれってワールウィンド・シーフじゃない？」ボビーがファルコンのたてる翼《つばさ》の音に負けないよう、声を張りあげた。

　たしかに、あれはアンバーだ。でも、ほかの三人がいない。

「アンバー、だいじょうぶかしら」フローがいった。

「あまり近づくな」ミッチェルがいったが、レッドは大きくいなないてシーフにあいさつした。

「石を盗まれるかもしれないぞ。アンバーだけほかの三人に協力《きょうりょく》してもらえなかったとしたら、なおさらだ」アーマーの胸のところに手をやって、自分の青い石がついていることを確認《かくにん》した。

スカンダーはミッチェルの言葉を無視《むし》して、スカンダレルを左に寄《よ》せた。大声をだせばきこえる程度《ていど》までアンバーに近づく。スカンダーはまだ石を持っていないから、盗まれる心配がないということもある。

「だいじょうぶ？」

「なに？」アンバーも大声を返してきた。額《ひたい》の星の変異《へんい》がひび割《わ》れる。

スカンダーは親指を立ててみせた。風を受けて、ゴショーク・フュアリーにやけどさせられたところが痛《いた》む。「だいじょうぶ？」

アンバーの顔に笑みが広がった。親指を立ててから、胸につけた水の石を指差《ゆびさ》してみせる。そしてこう叫んだ。「ゴールで会いましょう、負け犬くん！」あまりにも明るい口調だったので、スカンダーは負け犬と呼《よ》ばれたことがまったく気にならなかった。

スイレン橋は、上空からでもすぐにみつかった。橋の両側《りょうがわ》の水面には、緑色の円盤形《えんばんがた》をした葉っぱがたくさん浮いている。大きさはさまざま。ひとつひとつに白やピンクの花がついている。スカンダーはスカンダレルからおり、みんなより先に橋に駆《か》け寄《よ》った。青い石がすぐにみつかりますように、と願《ねが》っていた。

しかし、ブイに石が載っていたのとはちがって、橋の上に石はない。板が並んでいるだけだ。

「水の中！」ボビーが叫んだ。フローがしっといったが、遅かった。三人がスカンダーに追いつくと、ボビーが身を乗りだして一点を指差した。たしかに、小枝《こえだ》を編んだ巣《す》のようなものが大きな葉の上にある。橋の真下だ。スカンダーの場所からは、石はみえない。スイレンの白い花の陰《かげ》になっているんだろう。しかし、どうやって石をとればいいのか、はっきりわかった。

橋の上に腹這《はらば》いになる。「脚《あし》をつかんでいてくれ！」ほかの三人に叫んだ。「少しずつ体を押《お》しだしてくれ。そんなに遠くない。きっと届《とど》くと思う」

「なにか支《ささ》えがないと」フローがいって、シルヴァー・ブレードのところへもどった。土の元素を呼びだし、スイレン橋に向かって植物のつるを何本か飛ばした。ボビーがその意味をすぐに理《り》解《かい》して、つるをつかむと、橋の板にくくりつけ、反対の端をスカンダーの足首に結わえた。

つるで固定《こてい》された上に、仲間《なかま》たちが足首をつかんでいてくれるので、スカンダーはぎりぎりまで身を乗りだすことができた。スカンダレルが心配そうにいななくのをきいて、スカンダーは、だいじょうぶだよという気持ちを絆に送りこんだ。

まもなく、全身が橋からぶらさがった格好《かっこう》になった。仲間たちが力をこめて踏んばっている。もう少しで手が届く。あとほんの少しだ。そして——

届いた。巣全体をつかむと、ミッチェル、フロー、ボビーの三人に、引きあげてくれと頼《たの》んだ。

「石がもうひとつある！　火の石だ！　やったぞ。スカンダー、ありがとう！」スカンダーの体が橋の上にもどるとすぐ、ミッチェルが叫んだ。赤い夏至の石を取って胸に押しあてると、スカンダーとフローとボビーをハグした。ボビーは「離してよ、ミッチェル！」と文句《もんく》をいった。

スカンダーは巣に目をやった。青く輝く石が……どこにある？

「スカー？」フローがためらいがちにいった。「どうしたの？」

　スカンダーは無言《むごん》で巣を指差した。水の石が消えていた。


　太陽が沈もうとしている。四人組はユニコーンに乗り、三角州の頂点《ちょうてん》に向かった。アガサのいうとおり、分岐《ぶんき》した川のあいだの土地はとても狭《せま》いのがわかった。最後の曲がり角を過《す》ぎたところで、スカンダーは視線を感じた。土手のわきの茂みに隠れたフレッジリングたちが、こちらを狙っているのだ。トライアル中、ウィーヴァーの攻撃《こうげき》は受けずにすんだが、ここでの戦《たたか》いは避《さ》けられそうにない。ミッチェルは青と赤の石をつけているので、余計《よけい》に目立っている。スカンダーは、なにもついていない自分のアーマーをみないようにした。なんだか裏切りにあったような気分だ。すべてのヒントの意味を解明《かいめい》し、チームとして力を合わせ、がんばった。なのに自分だけが水の石を手に入れられなかったのだ。トラフのあのテーブルは、本当に呪《のろ》われているんだろうか。

　ボビーはまだ、石がなくなったことをあれこれいっている。「だれかに取られたってこと？　でも、水の石だけを取って火の石を残《のこ》しておくなんて、おかしいよね？」

　フローはため息をついた。「火の石が足りている人が、親切のつもりで残しておいたのかも」

「親切のつもり？」ボビーが怒《いか》りを爆発《ばくはつ》させた。「フローレンス、これはカオス・トライアルなんだよ。親切な人なんかいるはずないでしょ！」

第16章　裏切り

ミッチェルが咳払《せきばら》いをした。「方針《ほうしん》を決めよう。選択肢《せんたくし》はふたつ。このままできるだけ急いでゴール地点までいくか、ほかのフレッジリングと戦って、スカンダーのぶんの水の石を手に入れるか」

「だめだよ」スカンダーは即答《そくとう》した。「攻撃をすれば、きみたちの石を失《うしな》うリスクがある。選択肢はもうひとつあるよ。きみたちが先にゴールにいって、ぼくひとりで自分の石を狙う」

「敵《てき》がこんなにうじゃうじゃしてるところに、あんたひとりを置《お》いていけないよ」ボビーがいった。いまにも飛びかかってこようとしているライダーたちを、目を細くしてにらみつけた。「たしかにあんたは石を盗まれるおそれがないけど、あんたは気の使い手でしょ。そのことをよく思わない人もいる」

「それに、ウィーヴァーも……」ミッチェルが重々しく付け足した。

「そうよ」フローもいう。「スカーを置いてなんかいけない」

スカンダーは、仲間たちがどうするつもりなのかを理解した。リスクを負ってでも力になるよ、といってくれているのだ。でも、そんなことはさせられない。「じゃあ、みんなでゴールを目指そう」

「でも、トライアルはあと一回しかない」ミッチェルがいった。

「わかってる」スカンダーは決意をこめていった。「ぼくたちには、優秀《ゆうしゅう》な風の使い手がいるじゃないか」ボビーをみてほほえんだ。「いまのところ、報酬は毎回あったよね。最終回《さいしゅうかい》は、ぼくたちが報酬をもらえる可能性《かのうせい》が高いと思うよ」

ボビーはうれしそうに笑った。「まかしといて」

「わかった」ミッチェルがいった。「十数えるよ。同時に駆けだそう」

「三でいいじゃん」ボビーがいった。「時間の余裕《よゆう》はないんだからさ！」

ミッチェルはため息をついた。「わかった。三」

スカンダーは手綱を握《にぎ》り、ひとつの願いを絆に送りこんだ。**できるだけ早くゴールまで連れていって。頼むよ。**

「二」

四人は鞍《くら》の上で身を低くかまえた。アーマーが金属音《きんぞくおん》をたてる。できるだけ風の抵抗《ていこう》を受けずに走るための姿勢《しせい》だった。

「一！」ミッチェルが叫ぶ。四頭のユニコーンは、最後の一直線を爆走《ばくそう》し始めた。

土手の両側から元素の魔法《まほう》が飛んでくる。ジェット火炎《かえん》、稲妻《いなずま》、矢、雹《ひょう》。ダイヤモンドの斧《おの》がスカンダレルのチェーンメイルにぶつかる。スカンダレルは激怒《げきど》の声をあげた。ユニコーンとライダーが、次々に襲いかかってきた。数えきれないくらいだ。

あっという間に囲《かこ》まれてしまった。スカンダー、フロー、ボビー、ミッチェルの四人は、なるべく身を寄せて菱形《ひしがた》の隊形《たいけい》を作り、突進《とっしん》した。だれがなんの魔法を使っているのかもわからない。ただ、ダイヤモンドの斧はアラステアの仕業《しわざ》だろう。

元素の魔法の破片《はへん》が消えていくと、コピーが氷の槍《やり》をミッチェルに投げてきた。ミッチェルは炎《ほのお》の盾《たて》を作り、ぎりぎりのタイミングで氷を溶かした。オールド・スターライトが砂《すな》を吹《ふ》きかけてくる。マリアムも小さな竜巻《たつまき》を作り、フローとブレードを狙った。フローの手が緑色に光ったかと思うと、ガラスの盾が生まれた。攻撃をふせぐことはできたが、突風《とっぷう》にあおられて、あぶないところだった。半狂乱《はんきょうらん》になったマリッサを乗せたデモニック・ニンフが後足立ちになり、ひづめからジェット水流を放ってボビーを攻撃する。ボビーはすばやく稲妻の盾を引っこめて感電を防《ふせ》ぎ、砂の盾で水を吸収《きゅうしゅう》した。

スカンダーは、自分が攻撃されていないことにすぐ気がついた。これまでの島での生活を振《ふ》り返《かえ》ると、なんとも不思議《ふしぎ》な感じがする。しかし、理由は明らかだった。石を持っていないからだ。日没が近いこともあり、むだなエネルギーを使うのは得策《とくさく》ではないと、みんなが判断《はんだん》したのだろう。ということは、仲間たちを助けながらゴールに向かうことができる。

まわりのフレッジリングたちに気づかれることなく、スカンダーは気の元素を呼びだした。仲間たちの絆がそれぞれの元素の色に光っている。自分たち四人組を狙うライダーたちの魔法を無《む》力化《りょくか》することにした。気の元素の細い巻《ま》きひげを作り、マリアムの絆に送りこむ。次にコピー、マリッサにも同じことをした。攻撃が力を失う。三人はなにがなんだかわからず、顔をみあわせた。

彼《かれ》らが再《ふたた》び元素の魔法を呼びだすまでの一瞬《いっしゅん》をついて、スカンダーは仲間たちに声をかけた。

「五秒後、マリッサとコビーとマリアムは、うしろを振り返る。混乱《こんらん》するはずだ。そのすきにゴールに向かおう」

「なにを――」ミッチェルがきこうとした。。

「信《しん》じて」

気の元素独特《どくとく》のシナモンの香《かお》りがスカンダーを包《つつ》む。スカンダレルも協力体勢《たいせい》だ。翼の先端《せんたん》を光らせて、ライダーの動きに集中している。コビーのてのひらが再び青く光ったとき、スカンダーは、これまでの人生では経験《けいけん》したことがないほどの集中力で、ある言葉を念《ねん》じた。

コビー、うしろをみろ。

マリアム、うしろをみろ。

マリッサ、うしろをみろ。

三人は同時に振り返った。そしてまたスカンダーをみた。マリッサは青い眼鏡《めがね》のレンズをごしごしとこする。三人の脳《のう》は、どちらのスカンダーが本物なのかわからず、混乱しているのだ。

ブレード、ファルコン、レッドはチャンスを逃《のが》さなかった。敵のユニコーンたちを引《ひ》き離《はな》し、ゴールへと猛進《もうしん》する。

そして、スカンダー自身も逃走《とうそう》した。腕を上下させて輝く気の盾を作った。盾の輝きはどんどん増《ま》していき、やがて、スカンダレルの輪郭《りんかく》さえぼやけるほどになった。

おまえを捕《つか》まえてやる。今度はさっきより大きな声になるようにした。マリアムの悲鳴がきこえる。

おまえを捕まえてやる。コピーもおびえて叫んだ。

おまえを捕まえてやる。マリッサが助けを求《もと》める声をあげた。

スカンダーは盾をおろし、おびえる敵をあとに残してスカンダレルを疾走《しっそう》させた。仲間たちのあとを追い、ゴールを目指す。

スカンダレルが三角州の起点にたどりつくと、オサリヴァン教官《きょうかん》が拍手《はくしゅ》してくれた。しかし、スカンダレルの胸に水の石がないことに気づくと、その表情は沈んだ。

数分後、土手に並ぶテントのひとつから、ボビーとミッチェルがロブスターのピザを持ってもどってきた。ユニコーンたちは近くで血の滴《したた》る肉を食べている。長い一日だったので、ライダー同様ユニコーンたちもおなかがぺこぺこらしい。ボビーは、ピザを求めるライダーたちの列で耳にしたゴシップをきかせてくれた。

「パー四人組は――」

「ボビー、そんないいかたしちゃだめ」フローがしかった。

「わかったよ。マテオ、ディヴィヤ、ナオミ、ハーパーの四人組のこと。石をひとつも取れてなかったじゃない？　今回は三つのヒントを解《と》いて、四つ目の石もみつけたらしいよ」

「よかったね」スカンダーはピザをほおばりながらいった。

「それが、そうでもないんだってば」ボビーが指を左右に振る。「最初にみつけた水の石を、だれかに盗まれたんだって。で、いじわる四銃士《じゅうし》……三銃士かな？　あの子たちに、残りの三つを取られたらしいよ。ゴール目前でね」

「アンバーは自分の石を自力でみつけたってことか。残りの三人を放っておいて」ミッチェルがいった。

　アンバーの胸に石がついているのをみたとき、スカンダーも同じ推理《すいり》をしていた。

　ボビーは指を使って数え始めた。「ゲイブリエルの四人組は、石が全部そろってる。ニーヴの四人組は、全部そろってるだけじゃなく、火の石を余計に持ってる。マリアムはアイシャの石をゴール直前で奪った。あの子たち、友だち同士《どうし》だったよね。ひどい話。ウォーカーは自分の石をみつけられなくて……」

　アガサが石の回収《かいしゅう》にやってきた。スカンダーは文字どおりミッチェルの背中《せなか》に隠れた。ミッチェルは胸を張って、火と水の石を差《さ》しだした。

「ヘンダーソン、これで前回のぶんを取《と》りもどしたというわけか」アガサはよくやったという顔でそういうと、石を青い袋《ふくろ》にもどした。

「スカンダー？」アガサの目が、石のついていないアーマーをとらえた。「水の石はどうした？　ヘンダーソンが火の石を持っているということは、おまえの水の石もあったんじゃないのか？　最後のヒントを解いたんだから」

　スカンダーは首を振った。「みつけたときにはなくなってたんだ」

「そんなばかなことがあるものか」アガサはいった。「水の石を取って、火の石を残しておいたということか。だれがそんなことを……」

「ほらね」ボビーがいう。

　スカンダーはいらいらしてきた。石がひとつ足りない状態で、最後のカオス・トライアルに参《さん》加《か》することになる。それだけでもいやな気分だ。しかも、風のトライアルをみにきてくれる父さんに、息子がノマドを宣告《せんこく》されるところをみせることになる。「もういいよ。だれが石を取ったのか知らないけど、これが現状《げんじょう》なんだ」

　動揺《どうよう》を表情にあらわしたまま、アガサはスカンダー以外《いがい》の三人の顔をみた。「風のトライアルで、水の石を手に入れる必要《ひつよう》がある。三人で協力して、スカンダーをしっかり支えるように。スカンダーに恩返《おんがえ》しするつもりでがんばりなさい」そしてスカンダーにはこういった。「気の言葉を使って敵を混乱させているところをみた。よくできていた」

「ありが――」

　スカンダーが最後までいう前に、アガサはきいた。「エリカの気配は？」

　アガサが姉の名前を気軽に呼ぶのをきくと、スカンダーはいつもはっとする。しかし、すぐに落ち着いて答えた。「だれかにあとをつけられている感じはしたけど、姿《すがた》はみえなかった」

　アガサはうなった。「ニーナがいたから、手がだせなかったんだろう。ほかのフレッジリングの足音だったのかもしれない。無事《ぶじ》でよかった」最後はつっけんどんにいった。

これでも感情《かんじょう》がこもっているほうだ、とスカンダーは思った。いつもはもっとぶっきらぼうな話しかたしかしてくれない。スカンダーが答える前に、アガサは離れていった。白いマントが風になびいていた。

その日の夜、四人はツリーハウスへと向かっていた。疲《つか》れはてたスカンダーは、頭がぼんやりして、ひとつのことをじっくり考えられなかった。ケンナはどうしているだろう。今年の初めは、四人組といっしょに行動していたのに、また肩を並べてエアリーを歩くという未来《みらい》が、はてしなく遠いものに感じられる。夢《ゆめ》でみたゴショークの姿が頭から離れない。あのとき、野生のユニコーンはたしかに喜《よろこ》びを感じていた。そして、ゴショークとの絆を解く計画を話したときのケンナの怒りも、何度となくよみがえってくる。

「レックス、これは権力《けんりょく》の乱用《らんよう》です。信頼関係《しんらいかんけい》を損《そこ》ねることになりますよ！」オサリヴァン教官の声が響《ひび》いた。青いマントの教官が、スカンダーたちのツリーハウスの外にいる。まもなく、銀の仮面《かめん》をつけた衛兵《えいへい》たちが、ツリーハウスの扉《とびら》を開けてでてきた。

「なにがあったの？」スカンダーはレックスと、その左右にいる衛兵たちをみた。

「あたしたちのツリーハウスで、なにをやってたの？」ボビーは衛兵たちをにらみつけた。

オサリヴァン教官の目がぐるぐると渦《うず》を巻きながら、レックスをみつめた。「あなたから話してください。それともわたしが話しましょうか？」

第16章　裏切り

「ペルセポネ、落ち着いてください。これは、島のセキュリティに関《かん》して最重要《さいじゅうよう》かつ極秘《ごくひ》の情報《じょうほう》なんです。フレッジリングを巻きこむわけにはいきません。混乱を招《まね》いてしまう」

「そういうことは、フレッジリングのツリーハウスに侵入《しんにゅう》する前に考えるべきだったのでは？」

オサリヴァン教官は怒りをにじませた。

若《わか》いシルヴァー・サークル代表は、真剣《しんけん》な口調で四人組にいった。「夏至の石が行方不明《ゆくえふめい》になっている。ひとつがなくなった段階《だんかい》では、数えまちがいかと思った。ふたつなくなった時点で、心配になった。そして三つ。こうなると、だれかが盗んでいるにちがいない」

「きれいな石だもんね。でも、島のセキュリティとどんな関係があるの？」ボビーがいった。同時にフローもいう。「銀の要塞《ようさい》から盗まれたってこと？　暴動《ぼうどう》を起こした衛兵たちが盗んだんじゃないの？」

　レックスの顔に動揺が走った。衛兵たちの裏切りに、いまも傷《きず》ついているらしい。「いや、カオス・トライアルの最中に盗まれたとみている。石が保管《ほかん》してある場所に入れるのはぼくだけだ。トライアルの関係者《かんけいしゃ》が盗んだと考えるしかないだろう。だから、このツリーハウスを捜索《そうさく》するのが道理だと判断した」レックスの口調は、いつもとちがって堅苦《かたくる》しいものだった。頬骨《ほおぼね》に生えた変異の巻きひげが電気を放っている。

「ここ以外に何か所のツリーハウスを捜索したの？」スカンダーはとげのある質問《しつもん》をした。「あててみようか。一か所かな」

「エヴァーハート教官はこの事態《じたい》の深刻《しんこく》さを理解して、非常《ひじょう》に協力的《きょうりょくてき》だった」

「そんなはずないよな」ミッチェルがつぶやく。

「実際」レックスが続《つづ》ける。「アークティック・スワンソングと再会《さいかい》させてから、アガサとぼくは非常に友好的《ゆうこうてき》な関係になった。それと、安心してほしい。部屋は捜索前と同じ状態にもどしてある」

はあ？　丁寧《ていねい》な捜索をしてくれて、感謝《かんしゃ》すべきなのか？　スカンダーはそう思ったが、レックスが理詰《りづ》めで話している以上《いじょう》、こちらが怒《おこ》るわけにはいかない。

「正直にいおう」レックスの緑色の目は、哀願《あいがん》するかのようだった。「夏至の石の責任者《せきにんしゃ》はぼくなんだ。シルヴァー・サークルの代表になってまだ一年もたっていないというのに、大失態《だいしったい》だ。だからこうして調べるしかない。申《もう》し訳《わけ》ないが、みんなのポケットの中を調べさせてほしい。あらゆる可能性をつぶすという意味で」

「そんなことはさせません」オサリヴァン教官は激怒していた。スカンダーがみたことのない表情だった。

「しかし……」レックスはためらった。だれも動かない。「たしかに、やりすぎだったかもしれない。許《ゆる》してほしい」いまにも泣きそうな声でそういうと、きびすを返して歩き始めた。

「質問に答えてくれてないじゃない」ボビーが声をあげた。「石がなくなることが、どうしてそんなに問題なの？」

「きみにはわからないよ」レックスはいった。

「おとなはいつもそうだ！」スカンダーの怒りに再び火がついた。「ぼくたちを疑《うたが》ったり責《せ》めたりするんじゃなく、ただ話してくれればいいのに。部屋に押《お》し入《い》って調べるんじゃなく、質問してくれればいいのに。そうしたら、ぼくたちだって力になろうと思ったかもしれないのに」

「そのとおりだな、スカンダー。次はそんなふうにしてみるよ。知りたいことがあれば質問する。本当に申し訳ないと――」

スカンダーはレックスの言葉をさえぎった。若い銀のライダーに、理解してほしい。父親のまちがいを繰《く》り返《かえ》さないでほしい。「正直、ツリーハウスを捜索されたことなんか、どうだっていいんだ。今日だって、明日だって、いつだって。ポケットだって、調べてくれてかまわない。なにもみつからないんだから。ぼくが気の使い手だからって、悪いことをするとは限《かぎ》らないんだよ。レックス、それをわかってくれないか」

教官をファーストネームで呼《よ》び捨《す》てしたのを、オサリヴァン教官にとがめられるだろうか。しかしオサリヴァン教官はレックスをみて、エアリーの全権威をこめていった。「スカンダーはとても寛大《かんだい》だと思いますよ。けれど、ツリーハウスやポケットを調べることには、わたしは絶対《ぜったい》に反対です。忠実《ちゅうじつ》な子分たちを連れて、いますぐエアリーからでていきなさい」

「ペルセポネ、ぼくは島を守ろうとしてるだけだ。卵《たまご》もまだみつからないし、今度は夏至の石が――」

「そうかもしれませんが、恐《おそ》れることがあるからといって、権力を乱用することは許されません。このやりかたはまちがっています」

「申し訳ありません」レックスは全員に謝《あやま》った。ブロンドの髪《かみ》の生《は》え際《ぎわ》を赤く染《そ》めて、ベランダをでていった。

ボビーはツリーハウスのドアの中をのぞきこんで、息をのんだ。「捜索前と同じ状態にもどしたっていってたのに、みてよ！　あたしのマーマイト、瓶《びん》が割られてる！」

フローは愕然《がくぜん》としているボビーに駆け寄った。フローも相当混乱しているらしい、とスカンダーは思った。今日のレックスはいつもとちがいすぎる。

「ただでさえ、卵がなくなったことが心配でたまらないのに」ボビーは激怒している。「本土から新しいマーマイトを送ってもらうにしたって、何週間もかかるのに」

「ごめんなさいね、本当に」オサリヴァン教官は重々しい声でいうと、ツリーハウスに目をやった。「エアリーは、若いライダーの聖域《せいいき》のような場所なのです。こんなことが起こってはなりません」

「レックス、プレッシャーがひどいんだろうな。ぼくはわかる。気にしないでください」スカンダーはつぶやくようにいった。

しかしオサリヴァン教官は首を横に振った。「そういうわけにはいかないわ。はっきりいっておきます。わたしは、彼が今日やったことを絶対に忘れません。あなたたちもおぼえていてください」

三十分後、四人組は火のゾーンのお茶をいれてリビングでくつろいだ。

「ねえ、気がついた？」ボビーがいった。「レックスはあたしの質問に答えなかった。夏至の石の本当の意味はなに？　なくなったことを、どうしてそんなに気にしてるのかな？」

「ぼくも同じことを考えてた」ミッチェルがいった。みんなが予想していたことだが、すでに本《ほん》棚《だな》から四冊《さつ》もの本を取ってきて、熱心《ねっしん》にページを繰っている。

「レックスが石がなくなったのに気づいたのが何時間も前のことなら、わたしたちフレッジリングも気づいてるはずよね。だって、トライアルの最中のことなんだから」フローがいった。

混乱していたスカンダーは、急にあることをひらめいた。あまりに突然《とつぜん》のひらめきだったので、電気ショックを受けたような気分だった。「ライダーたちが気づいてたとしたら？　気づいていたけど、ほかのフレッジリングに奪われただけだと思っていたのかもしれないよね。だって、石の奪《うば》い合《あ》いをしてたんだから」

「どういう意味？」ボビーがきいた。

「ああ、そうか！」フローが大きく息を吐《は》いた。「火のトライアル！」

「そうだよ！」スカンダーは立ちあがっていた。ボビーの顔をみて続ける。「火のトライアルのあと、アラステアがいってたじゃないか、ぼくに石を盗まれたって。あたりはもう暗くて、煙《けむり》や魔法の破片だらけだったよね。アラステアの知らないうちに、ウィーヴァーが石を盗んだんじゃないかな。ウィーヴァーはあの場にいたんだから。フローがみたんだ！」

「土のトライアルもそうだった！」フローがいった。「コビーとアラステアとメィイーは、ナオミから石を盗んだりしてないっていってた。わたしたちはそれを信じなかったわよね？　だって、あの子たちに攻撃されたんだから。でも、三人のいうことは本当だったのかもよ」

「そして、今日の水のトライアル」ボビーがはっとして、話を継《つ》いだ。「スカンダーは確信してたよね、だれかにあとをつけられてるって。やっぱりウィーヴァーだったのかも。スカンダーの水の石を盗んだのって、ウィーヴァーなんじゃない？」

「火の石を残しておいたのは、もうアラステアから盗んだからだ！」スカンダーは叫んだ。

「じゃ、わたしたちの考えはまちがってたってこと？　ウィーヴァーは石を盗もうとしてただけで、スカンダーを殺《ころ》そうなんて思ってなかった」フローは希望《きぼう》をこめていった。

「両方じゃないかと、ぼくは思うけどね」スカンダーは穏《おだ》やかにいった。

「ミッチェル！」ボビーが声を張りあげる。「あたしたち、すっごくだいじな話をしてるんだよ。参加してよ！」

　ミッチェルはようやく本から顔をあげた。ミッチェルのことをよくわかっているスカンダーは、これから悪いニュースをきかされそうだと覚悟《かくご》した。「どうやら、夏至の石は、単《たん》にきれいなだけの石じゃなさそうだ」ミッチェルはかすれた声でいった。「ウィーヴァーが集めようとした理由も、たぶんわかった」

「なんだ、話をきいてたの」ボビーは責めるようにいった。

ミッチェルは、ひざの上に開いた本を指差した。「これ、島で昔起こった戦争《せんそう》についての本なんだ。夏至の石は長いこと、パワーの源《みなもと》として使われていたらしい。最初のライダーの頃から。石にはライダーが持ってる元素の力をたくわえることができるんだ」

「つまり、夏至の石は――」ボビーはいったん口をつぐみ、言葉を探した。「――元素の蓄電池《ちくでんち》みたいなもの？」

ミッチェルは重々しくうなずいた。「『遂行《すいこう》される戦争と勝利《しょうり》』によると、ライダーは石を力の源として使い、そのことで、戦闘中のアドバンテージを得《え》ていたそうだ。ライダーが各元素《かくげんそ》の石をひとつずつ持つのが普通《ふつう》で、それによって最大限《さいだいげん》の効果《こうか》が得られた。戦闘の前に、自分のパワーを石に込《こ》めておいたんだって」

「でも、どうやってそのパワーを取りだすの？」ボビーがきいた。

これについても、ミッチェルは答えを知っていた。「孵化《ふか》の傷跡《きずあと》に石をかざすと、石に貯《た》めておいたパワーと、いま自分が持っているパワーとをひとつに合わせることができたそうだ」

スカンダーはあることを思いだした。「井戸《ウェル》の中に、ライダーの像《ぞう》があったんだ。そのライダーは石をひとつ持ってた。そのときは、それが夏至の石だとは気づかなかったけど、きっとそうだったんだね！」

「というわけで、ウィーヴァーは、土、火、水の石を手に入れた」ボビーは指を折《お》りながらいった。「全種類《ぜんしゅるい》そろえるつもりに決まってるよね？　あたしたちと同じように」

恐怖がセメントのようにスカンダーの胸に広がった。「石のパワーを使って、すべての卵に絆を作るってことか。大昔のライダーたちが注入したパワーを使うつもりなんだ」

「ぼくもそう思う」ミッチェルはそういって、部屋の中を歩きまわり始めた。「それなら、彼女《かのじょ》に足りないパワーを補《おぎな》える」

フローは眉間《みけん》にしわを寄せた。「でも、なんかしっくりこない。エアリーはわたしたちに、石をめぐる戦いをさせてるわけでしょ。そんなだいじな石なのに、どうしてもっと気をつけろっていわないの？　大昔のライダーのパワーを、たまたま空中戦《くうちゅうせん》とかで消費《しょうひ》しちゃうかもしれないでしょ？　教官たちは、カオス・トライアルの前に、石にパワーが貯まっていないことを確認してるのかな？」

「そこまでは考えてなかったな」ミッチェルがいった。

「空の蓄電池ってこと？」ボビーがいった。

フローはうなずいた。「ウィーヴァーが盗んだ石は、どれも中身が空なんだわ」

フローがいいおわる前から、スカンダーは首を振っていた。「そうだとしても、ウィーヴァー自身が、夏至の日までに自分のパワーを注入しておけばいいんだよ。偽《にせ》の絆を作る前に」

四人はその意味を理解して、無言になった。

しばらくして、ボビーがスカンダーの悲観的《ひかんてき》な仮説《かせつ》に反論《はんろん》した。「でも、まだ全種類そろったわけじゃないし！　風の石も、気の石も、まだ持ってないんだよ。その計画のためには、全部必要なんでしょ？　だからこそ、捕まるリスクを冒《おか》してまで、トライアルの現場《げんば》にいってるんだ」

「アガサがいってた。気の石は全部破壊《はかい》されたって」スカンダーは記憶《きおく》をたどっていった。気分が少しだけ明るくなった。

「ほら！」ボビーはスカンダーにいった。「五種類の中でまだ三つだけじゃない」

　ボビーの考えにしっかりとした根拠《こんきょ》はない。それはわかっていても、そうであってほしいと心から願っていた。卵がみつからなかったとしても、ウィーヴァーの計画が失敗《しっぱい》する可能性はある

――そう思っていたかった。

THE AIR FESTIVAL

第17章
風の祭

四月に入って空気があたたかくなると、夏至《げし》が急に迫《せま》ってきたかのような、不安《ふあん》な気持ちになってきた。予選会《よせんかい》の結果《けっか》により力を得《え》たのか、カザマ首長は、今年の予備試験《よびしけん》を通常《つうじょう》どおりに実施《じっし》する予定であると発表した。新しい孵化場総責任者《ふかじょうそうせきにんしゃ》を任命《にんめい》し、卵《たまご》が帰ってきたときのことや、夏至に行われる孵化の儀式《ぎしき》に備《そな》えるとのこと。広範囲《こうはんい》で行われている卵の捜索《そうさく》についてもインタビューを受けた。最悪《さいあく》のケースについてきかれると、夏至の日にウィーヴァーが現《あらわ》れて、偽《にせ》の絆《きずな》を作ろうとするだろうと話した。島はその事態《じたい》に備えている、ともいった。カザマ首長は民衆《みんしゅう》がパニックを起こさないようにするため、そういう説明《せつめい》をしているんだろうか。スカンダーには実際《じっさい》のところがわからないが、それが真実だと思いたかった。

ところが、ニーナの落ち着いた対応《たいおう》をもってしても、〈ハッチェリー・ヘラルド〉紙が記事にした、多くの人間が行方不明《ゆくえふめい》になっているという事実から、人々の関心《かんしん》をそらすことはできなかった。三週間前、鍛冶職人《かじしょくにん》の娘《むすめ》が水のゾーンでハイキングにでかけ、帰ってこなかった。図書館司《し》書《しょ》のボーイフレンドが、アイランド・タコスという店に夕食を買いにいき、そのまま行方がわからなくなった。スカンダーは、ウィーヴァーは島の人たちを警戒《けいかい》させないように、まずは本土の人たちを狙《ねら》ったんじゃないかと思った。暴動《ぼうどう》を起こした衛兵《えいへい》たちを味方につけたいまは、失《うしな》われた気の使い手の誘拐《ゆうかい》を島でも行うようになった――そういうことではないか。

四人組には、もうすぐ行われる風のトライアルについて、大きな心配事が三つあった。スカンダーが水の石を手に入れていないこと。ウィーヴァーがトライアルを利用《りよう》して風の石を手に入れようとするかもしれないこと。ウィーヴァーが同じくトライアルを利用して、メンダーである実の息子《むすこ》の命を狙うかもしれないこと。

ウィーヴァーが夏至の石に貯《た》めたパワーを頼《たよ》りにするつもりだというミッチェルの考えをきいたアガサは、さまざまな意見を返してくれた。楽観的《らっかんてき》な意見、悲観的《ひかんてき》な意見、さまざまだった。

「もちろん、石にパワーはもう残《のこ》っていない」アガサは火のゾーンのお茶を持ってストーブのそばにすわった。「もし太古のライダーたちのパワーが石に残っているなら、そんなものをフレッジリングに使わせると思うか？」

「ほらね！」フローはこぶしを突《つ》きあげた。フローらしくないしぐさだった。

「けど、どうしてわかるの？」ミッチェルがきいた。「エアリーの図書館には、そういう資料《しりょう》はなにもないのに」

アガサは肩《かた》をすくめた。「夏至の石は、カオスカップが始まった直後くらいから使われなくなった。レースでの使用を禁止《きんし》され、石を持ち歩くのはその人に弱点があるからと考えられるようになった」お茶をすすった。「夏至の石のパワーが使いはたされているかどうかは、かなり簡単《かんたん》に判別《はんべつ》できる。てのひらに石をのせて、石と同じ元素《げんそ》を呼《よ》びだす。石に刻《きざ》まれたシンボルだけが光って、石そのものが光らないなら、石にパワーはない」

「石そのものが光ったら、パワーが満《まん》タンだってこと?」ミッチェルがきいた。

「そのとおり。気になるなら、風のトライアルの前にやってみなさい。風のシンボルであるらせんのマークが光るだけだろう。いや、パワーの源《みなもと》として夏至の石を使うことも、カオス・トライアルでは禁止されているから、やらないほうがいいか」アガサは眉《まゆ》を片方《かたほう》だけつりあげてボビーをみた。ボビーはふんと笑《わら》った。「あたしは余計《よけい》なパワーなんかいらない」

「だけど、パワーが残ってないなら、シルヴァー・サークルはどうして、トライアルごとに石を集めて厳重保管《げんじゅうほかん》していたの?」スカンダーがきいた。

「今年の初《はじ》め、レックスがいってたわ。島のパワーを示《しめ》す神聖《しんせい》なシンボルなんですって。でも、それだけなのかな?」フローがいった。

「シルヴァー・サークルは、鍵《かぎ》のかかるところにいろんなものをしまっておきたがる」アガサは自分自身を指差《ゆびさ》した。「それと、おまえのもうひとつの仮説《かせつ》だが――エリカが夏至の石に自分のパワーを注《そそ》ぎ込《こ》もうとしている、というわけだな?」

「うん」ミッチェルは即答《そくとう》した。

アガサはスカンダーを真剣《しんけん》な目でみつめた。スカンダーは、いつもは感情《かんじょう》をあらわすことのない叔母《おば》の目に、恐怖《きょうふ》の色がちらついていることに気がついた。

「ありえる」アガサはいった。「わたしも一度、石にパワーをこめてみたことがある。いや、ヘンダーソン、理由についてはきかないでほしい」指を一本立てて、口を開いたミッチェルを制《せい》した。「だが、どうなったと思う? その後一週間、元素の魔法《まほう》がいっさい使えなくなった。石にパワーを注ぎこむには、膨大《ぼうだい》なエネルギーが必要《ひつよう》なんだ」

「風のトライアルを中止するように、レックスに働《はたら》きかけるべきなんじゃない?」フローがいった。「ウィーヴァーが風の石を盗《ぬす》めないようにしなきゃ。念《ねん》のため」

「それはだめだ。スカンダーの石がひとつ足りない状態《じょうたい》なんだ。もしエアリーが風のトライアルを中止したら、スカンダーはノマドを宣告《せんこく》されてしまうかもしれない。これまで何度もいったように、エリカはすべての卵に絆を作るほどのパワーを持っていない。仮《かり》に、石を全種類《ぜんしゅるい》そろえたとしても」

しかしスカンダーは、アガサの表情《ひょうじょう》から不安を感じとっていた。いまの言葉に信憑性《しんぴょうせい》はない。

ありがたいことに、四月の末《すえ》——風の祭の前夜——に、放浪者《ほうろうしゃ》たちがケンナの近況《きんきょう》を知らせてくれた。アガサがツリーハウスの戸口を通るか通らないかのうちに、スカンダーがその手から紙をもぎとり、自分で読んだ。

　Kは無事《ぶじ》、元気です。四番目は火。魔法の力が日に日に強くなっています。Sに会いたがっています。CCの日なら安全。ツバメのゾーン。まもなく五番目。先導者《せんどうしゃ》

　何度か読んでから、アガサをみた。わからないところがある。

「カオスカップの日に、おまえはケンナに会えるということだ。衛兵のほとんどはフォーポイントのパトロールに当たっているから、みつかるリスクは低《ひく》いだろうと、放浪者は考えているのだろう。ケンナがいるのは風のゾーン。たぶん見張《みは》りをつけてくれると思う。ばかばかしいことだとは思うが……」アガサはそこまでいって、スカンダーの顔に喜《よろこ》びと安堵《あんど》の表情が浮《う》かんでいるのをみて、いったん言葉を切った。「まあ、だいじょうぶだろう。今回はきちんと計画を立てて訪《たず》ねるわけだから」

「四番目は火って？」スカンダーははっとした。「これって、ケンナの変異《へんい》のこと？　変異が起きたけどだいじょうぶってことだよね？」

「そのようだ」アガサはやわらかい表情になっていた。「無事だろうと、わたしもいっていたはずだ」

　それでも、メッセージはスカンダーの頭の中で何度も繰《く》り返《かえ》されて、夜にハンモックに入って

も眠《ねむ》ることができなかった。まもなく五番目。最後《さいご》の変異だ。気の変異。**魔法の力が日に日に強くなっています。**

強くなっている？　闇《やみ》の中で、スカンダーの不安がふくらんだ。オアシスでの戦闘《せんとう》でケンナがみせた力は、息をのむほど強烈《きょうれつ》なものだった。あれより強いって、どういうことなんだろう。

五月一日の朝。気温は高く、外は明るい。スカンダーはツリーハウスのはしごをおりて、フローを待った。気分が少し前向きになっていた。ベランダにすわり、フローが誕生日《たんじょうび》にくれたブレスレットを何気なくもてあそぶ。朝日が木の葉ごしにあたりを照《て》らす。マツの木《こ》漏《も》れ日《び》を受けて、スカンダーのジャケットにつけられた気と水のピンバッジが輝《かがや》いた。希望《きぼう》を持ってもいいのでは、と一瞬《いっしゅん》思った。もうすぐ父さんに会える。ただ、ケンナのことで嘘《うそ》をつかなければならない。その前に、ようやくケンナに会える。エローラは、ケンナは強いといっていた。四つの変異が起こっても元気にしているという。それなら、五つ目の変異が起きてもだいじょうぶかもしれない。ニーナは、卵をみつける自信《じしん》があるようだ。もしも卵がみつからないうちに夏至の日がきてしまっても、ウィーヴァーが偽の絆を作れる卵の数は、せいぜいふたつほどではないか。風の石をまだ持っていないし、気の石は手に入らない。たぶんなにもかも——

「スカー、これ、みた？」フローのあわてた声が春の空気に響《ひび》きわたった。フローはまだツリーハウスの中にいて、扉《とびら》を少しだけ開けている。

スカンダーが急いでツリーハウスにもどると、フローはミッチェルといっしょに掲示板《けいじばん》のそばにいた。ボビーもパジャマ姿《すがた》のままでおりてきた。

黄色い紙が掲示板に張《は》ってある。最後のカオス・トライアルの指示書《しじしょ》だ。

風はパワフルで気ままな元素であり、空をすばやくかけぬけます。したがって、最後のトライアルとなる今回は、自信をテーマとします。フレッジリングは全員、風の石を身につけてスタートし、ゴールしなければなりません。ただ、それだけではこのトライアルで勝利《しょうり》をおさめることはできません。

ゴールにたどりつくには、迷《まよ》いなき信念《しんねん》が必要です。風は、どんな障害《しょうがい》をも乗りこえることのできる、究極的《きゅうきょくてき》な献身《けんしん》を求《もと》めます。その代わり、スピードを落とすことなく、トップでゴールに飛《と》びこんだ者に、報酬《ほうしゅう》を与《あた》えます。この報酬があれば、今後のライダー生活がほかのだれより素晴《すば》らしいものになるでしょう。

ボビーは歓声《かんせい》をあげた。「そうこなくっちゃ！　今度はレースだね！」

ミッチェルはうなずいた。「そうみたいだ。空をすばやくかけぬけるとか、スピードを落とすことなくとか書いてある。カオスカップみたいな形のレースなのかな？　ゴールするところを観《かん》客《きゃく》が見守る感じの」ミッチェルはお父さんのことを考えているんだろう、とスカンダーは思った。水のトライアルのあと、アイラ・ヘンダーソンから届《とど》いた祝福《しゅくふく》の手紙を、ミッチェルは破《やぶ》りすててしまった。「父さんには、どんなときでも父さんでいてほしいんだ。息子の成果《せいか》をまわりに自慢《じまん》したいときだけ父親ぶるなんて、やめてほしい」そういって怒《おこ》っていた。

「報酬があるって書いてあるよね！」ボビーはうれしそうにスカンダーの腕《うで》をパンチした。

「痛《いた》いよ！」

「気の使い手くん、あたしにまかせて！　あんたの水の石を手に入れてあげる」

「水の石があるかどうか、まだわからないじゃないか」スカンダーはそういったものの、そうなるといいなと思った。この四人組以外《いがい》のフレッジリングで、エアリーの入り口に立った気の使い手に石を渡《わた》してくれる者がいるとは思えない。それに、レックスにツリーハウスを捜索されたことで、みんなの疑《うたが》いの目がまたスカンダーに向けられているのだ。若《わか》くて威勢《いせい》のよい風の教官《きょうかん》のほうを、みんなは信頼《しんらい》している。野生のユニコーンと結《むす》ばれた姉を持つ気の使い手は、疑惑《ぎわく》の目でみられるだけだ。

「ゴールに飛びこむって書いてあるわね」フローは不安そうに袖口《そでぐち》を引《ひ》っ張《ぱ》った。「それと、どんな障害をも乗りこえることのできる、究極的な献身、迷いなき信念……。これって、コース上に障害物《しょうがいぶつ》がいろいろあるってことかしら」

「最高《さいこう》」ボビーはうっとりしている。

その日、風の訓練《くんれん》に集まったフレッジリングたちのあいだには、いつもとちがう空気が漂《ただよ》っていた。みんながにこにこしている。ユニコーンたちも機嫌《きげん》がよさそうだ。わからないことが多すぎて不安だったカオス・トライアルがようやく最終回《さいしゅうかい》を迎《むか》えることで、ほっとしているんだろうか。スカンダーがミッチェルにそういうと、ミッチェルはうなずいた。「レースだと、同盟《どうめい》を組んでもしかたがないからな。みんな、自分を信《しん》じるしかない。それに、個人《こじん》レースなら前にもやったことがあるから、プレッシャーが消えたんじゃないか」

ファルコンに乗ったボビーが笑《わら》い声《ごえ》をあげた。「あんたたちって、本当にお人好《ひとよ》しね。みんながやけに愛想《あいそ》よくしてるのは、石が足りてない人が多いからだよ。石をたくさん持ってる人に助けてもらおうと思って、機嫌を取ってるんじゃないの?」

フローはブレードを落ち着かせようとしてぐるぐる歩かせていたが、やっと会話に加《くわ》わった。

「ボビー、それはちょっとひねくれた考えかたなんじゃない? ただみんながにこにこしてるだけ、そんなふうには思えないの?」

「だって、みてよ!」ボビーは、黄色いテントのそばにいるニーヴ、ファルーク、アート、ベンジーの四人を指差した。「あの四人組は、四つの元素すべてを余分《よぶん》に持ってるんだよ。わざわざあいさつにきてるのはだれ? まずロミリー。あの子は火の石がない。ウォーカーとマリッサがきた。ふたりとも、火の石と水の石がない。アイシャは水の石がないんだけど……ほら、あいさつにきた。それから、ほら、ゲイブリエルがきた。あの子も火の石がないの。ね? あたしのいったこと、まちがってないと思わない？」

「ボビーみたいな人って、ときどきすごく落ちこまない？」ミッチェルがいった。

ボビーは肩をすくめた。「あたしがどうこうっていうんじゃなく、真実を知ると落ちこむってだけじゃない？」

笛の鋭《するど》い音が響いた。ウェブ教官が苔《こけ》のからまった髪《かみ》を神経質《しんけいしつ》になでつけている。「ああ、わかった、残念《ざんねん》だったな。若くて颯爽《さっそう》としたマニング教官でなくて、悪かった。マニング教官はここにはいない。シルヴァー・サークルが緊急会議《きんきゅうかいぎ》を開くそうだ。そんなわけで、今日の風の元素の訓練は、彼《かれ》に比《くら》べると少し残念な顔をしたわたしが担当《たんとう》することになる」

ボビーは甲高《かんだか》い笑い声をあげた。「バーナードってば、あんなにおもしろい人だったんだ！」

スカンダーも含《ふく》み笑《わら》いをした。「皮肉まできかせてる」

ウェブ教官が続《つづ》けた。「土と風の元素は正反対だといってもいいだろう。しかし、おぼえておいてほしいことがある。最後のトライアルで勝《か》ち残《のこ》るためには、風の使い手の力を利用することが必要不可欠《ひつようふかけつ》だ。だが、ほかの元素の力も必要なのだ」

「そんなこと、わかりきってるのにね」フローが小声でいう。

「いいから、最後まできこうよ！」ミッチェルが声を殺《ころ》し、必死《ひっし》に訴《うった》える。「トライアルまでに、できるだけたくさんの情報《じょうほう》を手に入れておかないと」

ウェブ教官の話がだらだら続く。教官をのせているムーンライト・ダストは、退屈《たいくつ》そうにもじもじしている。「そしてもちろん、好《す》きな種類《しゅるい》の石を四つ選《えら》べるのであれば、各自《かくじ》が最善《さいぜん》を尽《つ》くしてくれるものと思っている」

「四つ？」「四種類の石をひとつずつもらえるってこと？」訓練場に声が広がる。ウェブ教官は、情報を漏《も》らしすぎたと思ったようだ。

教官は咳払《せきばら》いをした。

「さて、さて、そろそろ訓練を始めよう。まずは飛行《ひこう》訓練だな」

ウェブ教官は基本的《きほんてき》な訓練が好きだった。訓練場の端《はし》から端までいって、またもどってくるというもの。ハヤブサ隊《たい》のアンバーとスカンダーにとっては退屈としかいいようがない。あっという間にほかのみんなを追いこしてしまう。

スカンダレル・ラックとワールウィンド・シーフは、ほぼ同時にゴールした。かつてのスカンダーにとってはアンバー・フェアファクスとふたりきりになるのは絶対《ぜったい》に避《さ》けたい状況《じょうきょう》だったが、井戸《ウェル》でのダンスパーティーのあとは、そうでもなくなった。フローと三人で朝食をとったことも何度かある。

「こんな練習、なんの意味があるの？」ほかのみんながゴールするのを待ちながら、アンバーはいった。「トライアルまで、風の訓練の回数は限《かぎ》られてるんだから、もっとちゃんとした練習をさせてほしいと思わない？　マニング教官はどうしたのよ？」

「さあね」スカンダーは肩をすくめた。夏至の石を盗んだと疑われて以来《いらい》、レックスとの関係《かんけい》は気まずいものになってしまった。

「あんた、水の石がないんですってね」アンバーはいった。前のように、他人の不幸《ふこう》を喜ぶ口調ではない。

「うん、まあ」スカンダーはいった。「そっちは？」

「土の石」アンバーは答えた。「さっき、ウェブ教官は、石が四つもらえるっていってたわよね。希望がでてきたっていうか……」

「うん、わかるよ」

「わたしがノマドを宣告されたら、母さんは口もきいてくれなくなるだろうな」アンバーは力なく話した。「どうしたらいいかわからない」

「だいじょうぶだよ」スカンダーも不安だったが、それを隠《かく》していった。「ぼくたちはハヤブサ隊のライダーなんだ。レースなら楽勝だよ」

「カオス・トライアルで、楽勝なんて思える瞬間《しゅんかん》はなかった」アンバーは悲しそうにいって、コビーとアラステアとメイイーが同時にゴールするのをみた。

そうだね、といおうとしたとき、スカンダーは異変《いへん》を感じた。熱《あつ》い。反射的《はんしゃてき》に自分のてのひらをみた。しかし、赤く光ってはいない。身を乗りだしてスカンダレルの様子をみたが、火を吹《ふ》いているわけでもない。どういうことだろう。

「飛べ！　早く」ウェブ教官の震《ふる》える声が響いた。

スカンダレルがうなった。足元の草地が溶岩《ようがん》に変《か》わっていることに、スカンダーは気づいた。

「スカンダー、飛んで！」アンバーがいった。ワールウィンド・シーフが翼《つばさ》を広げる。「いったいなんなの？　訓練場全体が燃《も》えてる！」

アンバーのいったとおりだった。緑におおわれていたエアリーの丘《おか》全体が、真っ赤に燃えている。ひづめにやけどを負い、パニックを起こしたユニコーンもいる。スカンダレルは危険《きけん》を察知《さっち》して、わずかな助走で飛びあがった。

空中からみると、どうしてこうなったのかがすぐにわかった。

訓練場のまん中で、シルヴァー・ブレードが後足立ちになっている。目を真っ赤に燃やしたブレードのまわりの地面が、どろどろの溶岩に変わっていく。

「レックスを呼んで！」フローが叫《さけ》んだ。「マニング教官を呼んで！」

「フロー！」スカンダーは叫んだ。ファルコンとレッドがスカンダレルのそばにやってきた。

「とにかくレックスを呼んで！　銀のライダーが必要なの！」

しかし、フローがそういった瞬間、ブレードのひづめが地面を蹴《け》った。すると、まわりの草は燃えあがらず、ただ煙《けむり》をあげ始めた。

「どういうこと？」スカンダーはフローにきいた。ボビーとミッチェルもそばにやってきた。

フローは泣《な》きたいのを必死にこらえていた。「みてのとおりよ。みんなのユニコーンは反抗期《はんこうき》を乗りこえたのに、ブレードはいうことをきいてくれない。わたし、ブレードのことが信頼できなくなってきた」

「だいじょうぶだよ！　なんとかなるって！」ボビーがフローを励《はげ》ました。

「簡単にいわないで」フローは声を絞《しぼ》りだした。「これは銀のユニコーンの問題なんだから」

その日の夕方、四人組は風の季節《きせつ》の黄色いジャケットを着た。スカンダーは風の祭に参加《さんか》するのが初めてだった。まわりはざわざわして、みんなが祭りを楽しみにしているのが伝《つた》わってくる。今夜は――今夜だけは――楽しもう、とスカンダーは思った。卵のことも、偽の絆のことも、夏至の石のことも、考えたくない。フローも同じ気持ちらしく、訓練場での出来事に触《ふ》れようとしない。四人組はユニコーンにまたがり、フォーポイントにやってきた。

風の使い手は大胆《だいたん》で、物おじしないタイプの人が多い。それをいちばんよく表しているのが、この日の元素の広場だった。綱渡《つなわた》りを楽しむ人たちもいれば、巨大《きょだい》なトランポリンの前に列を作る人たちもいる。ハーネスをつけているので、どんなに高く跳《は》ねても安全らしい。広場のあちこちで、いろんなゲームが行われている。馬上試合《ばじょうじあい》、稲妻《いなずま》の弓を使ったアーチェリー大会。風のトンネルを通るゲームもあるが、スカンダーにはルールがさっぱりわからなかった。

ずっと空をみている人々がいる。空中でアクロバティックなパフォーマンスをやっている。みていたフローが耐《た》えきれずに目を閉《と》じた。目隠《めかく》しをしたライダーがユニコーンの背中《せなか》を離《はな》れ、空中で四回転したのだ。ユニコーンがさっと降下《こうか》して、ライダーの体を鞍《くら》で受け止める。人々が拍《はく》手喝采《しゅかっさい》した。フローが悲鳴に似《に》た声をあげる。「終わった？」

四人組は、広場の端に並《なら》んでいる食べ物の屋台に近づいていった。どの屋台も、明るい日差《ひざ》しのような黄色に塗《ぬ》られている。四頭のユニコーンは、なんでもいいから早く口に入れたい、という表情をしている。ファルコンは風のゾーンのパンを一斤《きん》、店頭から奪《うば》いとった。「すごいね、ファルコン！」ボビーはうれしそうにいったが、厳《きび》しい表情のフローがそれをつかんで店にもどした。スカンダレルはヒマワリの形の巨大なキャンディを口にして、レッドは鳥の形のチョコレートを盗んで、あっという間に溶《と》かしてしまった。ブレードは……どういうわけか、傘《かさ》を一本、くわえていた。

いつでも傘を、という店の主人が「フレッジリングのユニコーンってのはこれだから！」と叫んでいた。

スカンダーはくすくす笑いながら、フローに手を貸《か》した。きらきら光る黄色の傘をくわえたブレードの口を、なんとか開くことができた。「食べられるものだと思ったのかな？」

「ブレードはきらきらしたものが好きなのよ」フローは申《もう》し訳《わけ》なさそうにいった。「それに、今日はいろいろ大変《たいへん》だったから。この傘も、食べるためじゃなくて、自分のものにしたくて盗んだんじゃないかしら」

ボビーが、ここに並ぼうよ、といいだした。店の名前は、サイモンのぐるぐるスイーツ。看板《かんばん》には「おいしすぎて頭がバグるかも」と書きそえてある。

第17章　風の祭

「ここのお菓子《かし》、風の元素のシンボルと同じ形をしてるの」ボビーがいう。「でも、味はいろいろだよ。超《ちょう》すっぱいのと、超甘《ちょうあま》いのと、超しょっぱいのと、超辛《ちょうから》いのがある。元素の味を再現《さいげん》してるんだって」

「しょっぱいスイーツ？　むり！」ミッチェルがいった。「ぼくはやめとくよ」

「しょっぱいのは水のやつだね。だいじょうぶだから、全部試《ため》してみようよ！」ボビーはにやにやしていった。

「普通《ふつう》のお菓子なの？」フローがきく。

「そんなわけないじゃん、フローレンス。普通のお菓子なんてつまんないよ。きいた話だと、全部口に入れたら頭がバグるんだって」ボビーはうれしそうだ。

「きいた話じゃなくて、看板に書いてあるんだろ！」ミッチェルがいう。

　ボビーは肩をすくめた。「心の耳できいたんだもん」

　ガラスの容器《ようき》に入れられたらせん形のお菓子をスカンダーがみていると、祭りの雰囲気《ふんいき》が急に変わった。アクロバット飛行をしていたユニコーンたちが地面におりてきて、馬上試合のフィールドからきこえていた騒《さわ》ぎもおさまった。稲妻の矢からきこえていたざわざわという音も、もうきこえない。七人の評議員《ひょうぎいん》が、会場のまん中にやってきたのだ。二列に並んだ衛兵を引きつれている。

なんだろう。四人組はユニコーンを連《つ》れて評議員たちに近づいた。評議員たちは、式典用《しきてんよう》の黄色いマントをつけていない。普通のライダーのように、全身黒ずくめだ。彼らは四元素の彫像《ちょうぞう》の前に集まった。ふたりの衛兵が手早くステージを作り、黒い布《ぬの》をかぶせる。銀の仮面《かめん》をつけた衛兵たちが、二列に並んだまま、気をつけの姿勢《しせい》をとった。二列のあいだに狭《せま》い通路ができた。

「なんなの」ボビーが小声でいう。

ミッチェルとフローは顔をみあわせ、無言《むごん》の会話を交《か》わした。

「ニーナはどこだろう」スカンダーは首長の姿を探《さが》した。

人々がひそひそと会話をしている。衛兵たちが、黄色い屋台に黒い布をかぶせていく。シェコニ工房《こうぼう》のセイラ、オル、エブは群衆《ぐんしゅう》のあいだをすり抜《ぬ》けて、四人組に近づいてきた。エブが妹の手をぎゅっと握《にぎ》る。オルは泣いていたようだ。褐色《かっしょく》の頬《ほお》がぬれている。

衛兵たちが作った通路を、シルヴァー・ソーサレスに乗ったレックス・マニングが進んできた。シルヴァー・サークルの代表であるレックスも、ライダーとして黒い服を着ている。ジャケットの襟《えり》には銀の飾《かざ》り。顔が真っ青で、緑色の目は暗く陰《かげ》っている。評議員たちのところまでやってくると銀のユニコーンからおりて、ステージにあがった。祭りにきていた人々がいっせいに息をのんだ。

レックス・マニングの声が、元素の広場に響きわたった。

「ニーナ・カザマが亡《な》くなりました」

AGATHA'S GIFT

第18章
アガサの贈《おく》り物《もの》

「カザマ首長が亡《な》くなりました」レックスは繰《く》り返《かえ》した。

　祭りの会場はしんと静《しず》まりかえったが、次の瞬《しゅん》間《かん》、悲しみの声や驚《おどろ》きの声がわきあがった。スカンダーの頭の中で、レックスの言葉が繰り返し再《さい》生《せい》される。しかし、何度きいても意味がわからない。受け入れられない。ニーナが死ぬなんて。首長なのに。次のカオスカップの出場権《しゅつじょうけん》を、何週間か前に勝《か》ち得《え》たばかりなのに。夕陽《ゆうひ》のベランダで話をしたばかりなのに。こんなこと、ありえない。

　レックス・マニングが片手《かたて》をあげて、人々を黙《だま》らせた。「このようなお知らせをしなければならないのは、とても悲しいことです。今朝早く、エアリーで、このことをききました。首長はただ亡くなったのではありません。何者かに殺《ころ》されたのです」最後《さいご》の言葉が特《とく》に大きくとどろいた。

　あちこちで悲鳴があがった。

「詳《くわ》しいことはわかっていませんが、カザマ首長は昨夜《さくや》遅《おそ》く、ライトニング・ミステイクと練習にでかけ、帰ってこなかったそうです。鍛冶職人《かじしょくにん》のクララ・マシューズが心配し、通報《つうほう》しました。真夜中すぎに捜索隊《そうさくたい》が動き始め、ライトニング・ミステイクとニーナ・カザマは、風のゾーンで発見されました。本当に残念《ざんねん》なことですが、すでに手の施《ほどこ》しようがありませんでした」

　スカンダーの頰《ほお》を、涙《なみだ》がとめどなく流れおちた。広場にすすり泣《な》きの声が広がった。ライダーたちは黄色いジャケットを脱《ぬ》いで腕《うで》にかけた。フローは兄の肩《かた》に顔を埋《う》めた。

「現時点《げんじてん》で得られている証拠《しょうこ》からすると」レックスの話が続《つづ》く。「カザマ首長は、この島の最大《さいだい》悪《あく》──ウィーヴァー──により、島に新体制《しんたいせい》をつくる計画の一環《いっかん》で殺されたとみられます」

　空気に熱気《ねっき》が満《み》ちた。ニーナの仇《かたき》をとるべき、と人々が叫《さけ》びだす。みんな、ウィーヴァーを糾《きゅう》弾《だん》している。

「ウィーヴァーにカザマ首長を殺す力があるとすれば、島のだれもが大きな危険《きけん》にさらされていることになります」レックス・マニングの声は確信《かくしん》に満ち、力強い。「われわれは立ちあがらねばなりません。自然《しぜん》に反するライダーたちを率《ひき》いたウィーヴァーが権力《けんりょく》を握《にぎ》ろうとしているのです」

　自然に反する？　スカンダーは体を震《ふる》わせた。レックスのその言葉にはケンナも含《ふく》まれているのだ。悲しみのせいで喉《のど》がしめつけられる。ニーナは、ケンナが悪ではないと信《しん》じてくれた。ニーナは、ゴショークの運命のライダーを探《さが》すのに力を貸《か》してくれた。ニーナは友だちだった。気の使い手の味方だった。なのに、いなくなってしまった。

「シルヴァー・サークルの代表として、わたしは評議会《ひょうぎかい》の代表という重責《じゅうせき》をになうことになります。島の命運を左右するこのときを乗りこえるために、緊急措置《きんきゅうそち》を講《こう》じます。その目的《もくてき》は、ウィーヴァーの直接的《ちょくせつてき》な危険にさらされている人々を守ること。多くのかたがご存《ぞん》じのように、わたしの母も、エリカ・エヴァーハートによって苦しめられました。母のユニコーンは、〝二十四頭の犠牲《ぎせい》〟のうちの一頭だったのです。わたしはいま、そしてこれからも、母と同じ運命をたどる人がひとりもでないよう、全力をかけてみなさんを守っていきます」

「それってどういう意味なんだろう」ミッチェルはいった。スカンダーは恐《おそ》ろしくて、レックスの言葉の意味を考えることもできなかった。

「安心してください。わたしは権力をつかもうとしているわけではありません」レックスが続ける。「わたしが首長を務《つと》めるのは、カオスカップまでの短い期間だけです。カオスカップのあとは、通常《つうじょう》の規則《きそく》にしたがって、優勝《ゆうしょう》したライダーが評議会を組むことになります。それまでは、われわれの大切な友人、ニーナ・カザマとライトニング・ミステイクを悼《いた》み、喪《も》に服しましょう。歴史《れきし》をつくったライダーとユニコーンのために」

　そしてレックスは頭を下げ、シルヴァー・ソーサレスにまたがると、評議会のメンバーを引きつれて、しずしずと退場《たいじょう》していった。

「気に入らん」オルがつぶやいた。「評議員《ひょうぎいん》たちの顔をみたか？　みんな、マニングが暫定《ざんてい》首長になることを知らなかったようだ。シルヴァー・サークルでさえコントロールしきれなかったマニングが、島全体を統率《とうそつ》する？　そんな権利《けんり》がどこにあるんだ」

セイラが夫《おっと》の唇《くちびる》に指をあてた。「いまは黙って。あとで話しましょう。きかれてしまうわ」

評議員たちの退場を待っていたかのように、何百人もの人々が声を合わせて歌いだした。歌の学校から吟遊詩人《ぎんゆうしじん》たちがやってきて、島の悲しみを歌う。歌詞《かし》はない。この悲しみを表すには、どんな言葉を使っても足りないからだろう。哀悼《あいとう》の歌をききながら、スカンダーはニーナ・カザマの思い出に浸《ひた》った。正しいことをするのにはリスクがつきまとうと知りながら、正しいことをする――ニーナはそんな首長だった。

涙にぬれた目で、スカンダーはまわりをみた。エブとフローは手を握り合っている。ミッチェルの眼鏡《めがね》の奥《おく》の目は真っ赤になっている。ボビーはだれもいなくなった黒いステージをみつめている。さまざまな感情《かんじょう》が押《お》し寄《よ》せてきた。悲しみと驚きだけではない。シルヴァー・サークルの代表であるレックスが、暫定とはいえ首長を務めるなんて……。違和感《いわかん》がふくらんでいく。父親にくらべれば、気の使い手に対する考えが柔軟《じゅうなん》にみえるものの、ケンナを受け入れてくれるかどうかはわからない。ケンナとゴショークの絆《きずな》がなくなったとしても、やはり拒否《きょひ》されるかもしれない。これまでがんばってきたことがすべて、音をたてて崩《くず》れていくような気がする。

四人組がエアリーの入り口の木にもどってきたとき、事態《じたい》はさらに悪くなった。そこではアークティック・スワンソングが待っていた。ランタンの明かりのそば、アガサは透明《とうめい》な頬をこすっていた。

アガサはあいさつもせずにいった。「レックスが、年老《としお》いた気の使い手たちを銀の要塞《ようさい》に収監《しゅうかん》している。彼《かれ》らの安全のため、だそうだ」

スカンダーにはわけがわからなかった。「どういう意味？　安全のためって」

「ただの口実だ。偽《にせ》の絆を作るためにウィーヴァーに狙《ねら》われるかもしれないから、といっている。やっていることを正当化するために」

「さっき広場でいってたのはそういうことか」ミッチェルがレッドの背中《せなか》でいった。

「ユニコーンが死んでしまった気の使い手にも、ウィーヴァーは偽の絆を作れるのかな？　レックスの言い分は正しいの？」レックスがなんの理由もなく気の使い手を収監するなんて、スカンダーはまだ信じられなかった。シルヴァー・サークルの代表になったとき、レックスが初《はじ》めにやった仕事は、スワンを解放《かいほう》することだった。

アガサは肩をすくめた。「作れない理由がないだろう。ライダーが運命のユニコーンと結《むす》ばれるのは一回きりだ。つまり、考えたくもないが、失《うしな》ったユニコーンの代わりに偽の絆を作ることはできるはずだ。そうすれば、ライダーたちは再《ふたた》び元素《げんそ》の魔法《まほう》を使えるようになる。ウィーヴァーが前に作った偽の絆とはちがう。フェアファクス、ウォーシャム、ヒシントンの三人がウィーヴァーの手下になったのは、そのためではないかと思う」

「でも、もしそのとおりだとしたら」フローが小さな声でいった。「気の使い手たちをウィーヴアーの手から守ろうっていうのは、正しいことなんじゃない？　レックスのいうように」

アガサは低《ひく》くうなった。いらだっているのがわかる。「気に入らない。まったく気に入らない。保護《ほご》と収監のあいだには、細いけれど明らかな境界線《きょうかいせん》があるのだ。わたしはそれを、ほかのだれよりよく知っている。銀のライダーがその一線を越《こ》えずにいられるとは思えない」

「でも、前は、レックスのことをそういうふうにはいってなかったよね」スカンダーは眉《まゆ》をひそめた。「レックスのことを好《す》きだったはずだよ」アガサは極端《きょくたん》な考えかたをしているのでは？　レックスが銀のライダーだからって、悪い人間とは限《かぎ》らない。ツリーハウスを勝手に捜索《そうさく》するのは行《い》き過《す》ぎだと思うが、その後のレックスは申《もう》し訳《わけ》なさそうにしていた。

「スカンダー、〝好き〟というのは強い言葉だ。わたしはだれのことも好きではない」

「けど、カオスカップまでのあいだ、だれかが首長の代わりをしなきゃならないよね」ミッチェルは慎重《しんちょう》に言葉を選《えら》んだ。アガサをこれ以上怒《いじょうおこ》らせたくないからだ。

「そしてレックスは、自分がそれをやるといった」

「で、どうするの？　気の使い手たちを助けだす？」スカンダーはきいた。アガサが自分になにを求《もと》めているのかがわからない。

「とりあえずは、なにもしない。レックスがカオスカップで優勝しないことを祈《いの》るのみだ」アガサは暗い表情《ひょうじょう》でいった。「いまは訓練《くんれん》あるのみ。スカンダー、おまえがノマドを宣告《せんこく》されると話にならない。シルヴァー・サークルが実権《じっけん》を握っているいま、それはまずいのだ。ニーナもいない」アガサはごくりと唾《つば》を飲んだ。「さらにエアリーの保護もなくなれば、おまえもスカンダルも、安全に暮《く》らせる保証《ほしょう》はない。おまえがルーキーになる前に、レックスがおまえを〝保護〟することになるだろう」

「レックスがそんなことをするなんて、わたしには信じられない」フローがいった。

アガサはフローを無視《むし》して、ボビーとミッチェルにいった。「いっていることの意味がわかるか？　スカンダーのために、報酬《ほうしゅう》の石を手に入れてほしい。でないと、スカンダーには永遠《えいえん》に会えなくなる」

アガサがエアリーの入り口の扉《とびら》を開けたとき、木の幹《みき》にまばゆい白い光が広がった。スカンダーはそれをみながら、初めて本気で危機感《ききかん》をおぼえた。気の使い手は、二度と島に受け入れてもらえなくなるかもしれない。

五月が終わり、六月になった。カザマ首長を失った島の人々の動揺《どうよう》は少しずつおさまったが、悲しみを抱《かか》えたライダーたちは、エアリーのあちこちに黄色い花を飾《かざ》った。

ボビーは、カザマ首長を失った悲しみに打ちひしがれ、独自《どくじ》の考えかたをするようになった。ニーナがカオスカップで三連勝《れんしょう》して島の新記録《しんきろく》を作ることを、ウィーヴァーがおもしろくないと思ったのではないか、というのだ。ミッチェルは反論《はんろん》した。たくさんの人を殺し、ひたすら権力を求め、大量《たいりょう》の卵《たまご》を盗《ぬす》んで自分の思うままにしようともくろむウィーヴァーが、そんな小者じみたことを考えるとは思えないよ、と。スカンダーも同意せずにいられなかった。

　レックス・マニングは、ニーナが進めていた、広範囲《こうはんい》にわたる卵の捜索を引きついだ。同時に、かつての気の使い手たちをみつけて〝保護〟する動きも続けていた。すでにウィーヴァーの手に落ちた気の使い手もいるのではないか、とスカンダーは心配していた。しかし、クレイグが、書店の上にある自室に、気の使い手を十人もかくまっている。同じことをしている良心的《りょうしんてき》な人がほかにもいるかもしれない。レックスが気の使い手を自分の監視下《かんしか》に集めようとしているのをみて、アガサはスカンダーのスケジュールを厳《きび》しく管理《かんり》するようになった。スカンダーは毎朝早起きして、朝食前の二時間を、気の魔法の練習にあてるようになった。

　アガサとアークティック・スワンソングは、スカンダーがレース中に使えそうな気の元素の武《ぶ》器《き》をいろいろと作ってみせてくれた。鋭《するど》い刃《は》を持つ、幽霊《ゆうれい》のようなサーベル。美しく輝《かがや》く弓矢、輪郭《りんかく》のぼやけた白い槍《やり》。スカンダーにいらだちをぶつけてくることはあるものの、そうでないときのアガサは、とてもいい師匠《ししょう》だった。

　武器だけではない。相手の心理に働《はたら》きかける魔法も練習した。敵《てき》の絆に入りこんで、幻覚《げんかく》をみせる。相手の感情を乱《みだ》す魔法ともいえる。アガサはいっさいの手《て》加減《かげん》なしに、そのやりかたを教えてくれた。あるときは、スカンダーが砂《すな》の盾《たて》を作り、迫《せま》ってくる巨大《きょだい》な波を防《ふせ》ごうとしたが、盾はまったく役に立たず、スカンダーはずぶぬれになってしまった。というのも、アガサは実際《じっさい》には、反対の方向から波を送っていたからだ。アガサはそれから十分間も笑《わら》い続けていた。

第18章　アガサの贈り物

そして分身の魔法。スカンダーとスカンダレル両方の姿《すがた》を複製《ふくせい》するのだが、これはやはり難《むずか》しかった。スカンダレルが反抗的《はんこうてき》な日は特に、どうしようもない。しかし、スカンダレルが呼吸《こきゅう》を合わせてくれる日は、スカンダー自身とスカンダレルのどちらかを複製することができるようになった。自分の分身だけができたときは、とても不気味《ぶきみ》だった。というのも、ユニコーンの分身がいないので、スカンダーの分身だけが宙《ちゅう》に浮《う》いているようにみえたからだ。

風のトライアルまであと一週間を切った。スカンダーは眠《ねむ》い目をこすりつつ、気の魔法の練習場所に向かった。このところ、ちゃんと眠れていない。スカンダレルといっしょにメンダーの夢《ゆめ》をみることが多いし、そうでないときは、暗い部屋で横になっても、心配事が頭の中を駆《か》けめぐって、なかなか眠れない。盗まれた卵。ケンナの絆。ウィーヴァーの影《かげ》……。それに、もうすぐ父さんが島にやってくる。ケンナのことをどう話したらいいだろう。

一瞬《いっしゅん》、アガサとアークティック・スワンソングがスカンダレルに向かってきたとき、スカンダーは、まだ夢をみているのかと思った。アガサもスワンも、この日はアーマーをフル装備《そうび》していた。それも、スカンダーがみたことのないものばかり。チェーンメイルは真珠《しんじゅ》のように白く輝き、早朝の光を反射《はんしゃ》している。ライダーとユニコーン、いずれの胸板《むないた》にも、白い気の元素のシンボルが、象嵌《ぞうがん》細工でつけられている。

スカンダーがみとれていると、アガサはくすりと笑った。「かつてわたしのアーマーを担当《たんとう》していた鍛冶職人の腕は、いまも衰《おとろ》えていないようだ。気の使い手のアーマーをこんなにみごとに作ってくれた。ただ、われらが自慢《じまん》の暫定首長には、このことを話さないほうがいいだろうな。驚いて気を失うかもしれない」

スカンダーは笑った。「驚く顔がみたいな。それよりエヴァーハート教官《きょうかん》、今日はそのアーマーをつけて、どこへ？」

アガサはオオカミのような表情で笑った。「おまえと空中戦《くうちゅうせん》をやろうかと思って」

「ぼくとスカンダレルが？　アガサとスワンの相手を？」

アガサは、鞍《くら》についていたヘルメットを手にした。

「ほかにだれがいる？」

スカンダーは緊張《きんちょう》で胃《い》がせりあがってくるのを感じた。「けど、風のトライアルでは、気の使い手と戦《たたか》う必要《ひつよう》はないよね？　そんな練習をする必要は――」

「怖《こわ》いのか？」アガサはスカンダーの言葉をさえぎった。「風のトライアルでなにより大切なのは、勇気《ゆうき》だ」

「うん、でも……」スカンダーはいいよどんだ。「トライアルはもうすぐなんだ。アガ――エヴァーハート教官。生きて参加《さんか》したいんだけど」

「いや、わたしの腕もさびついている」心配するなというように腕を振《ふ》る。「全力でかかってきなさい」

心臓《しんぞう》が激《はげ》しく脈打《みゃくう》っている。最初《さいしょ》のライダーと野生のユニコーンの女王を相手に墓《はか》で戦ったと

第18章　アガサの贈り物

き以来《いらい》の感覚《かんかく》だ。アガサを相手にどうやって戦えば勝てる？　アガサは訓練と経験《けいけん》を積《つ》んだ気の使い手だ。それに対してぼくは――

「用意はいいか？」アガサがいうと、アークティック・スワンソングは空に舞《ま》いあがった。

「あっ、待って！」スカンダーは叫びながら、ヘルメットをかぶった。なぜか、その動きのせいで気持ちにスイッチが入った。これまで何度となく、スカンダレルといっしょに敵と戦ってきた。相手が自分の師匠であり、叔母《おば》であり、死刑執行人《しけいしっこうにん》であろうと、もう関係《かんけい》ない。ただの空中戦、それだけだ。

　スカンダレルはアークティック・スワンソングとの対戦《たいせん》を望《のぞ》んでいるのか、早く飛《と》びたくてうずうずしている。五歩の助走のあと、空高く舞いあがった。大きな翼《つばさ》をはばたかせ、スワンと相対する。すぐにアガサがパワーを放ってきた。

　てのひらを真っ白に光らせたアガサの手に、気の元素の剣《けん》が現れる。アークティック・スワンソングがスカンダレルに突進《とっしん》してきた。馬上試合《ばじょうじあい》の空中戦バージョンだ。スカンダーには、剣の攻撃《こうげき》を防ぐ盾を作る暇《ひま》もなかった。危機一髪《ききいっぱつ》、スカンダレルが身をかわしてくれた。

「スカンダー、逃《に》げるな！」アガサが叫ぶ。「これがレースなら、順位《じゅんい》を落としていたぞ！」

　スカンダーは深く息を吸《す》いこんだ。アガサがスワンを回転させる。

「いっしょに戦おう。戦ってこそ、万にひとつのチャンスがあるんだ」スカンダーはスカンダレルにささやいた。てのひらに気の元素を呼《よ》びだすと、シナモンの香《かお》りが鼻腔《びこう》に広がった。スカンダレルは理解《りかい》してくれたらしい。絆にやる気がみなぎってきた。

火の元素と気の元素を同時に呼びだすと、スカンダレルのたてがみが赤い炎《ほのお》になった。向かってくる敵のユニコーンに火の球を打ちこんだ。スカンダレルが咆哮《ほうこう》をあげ、口から炎を吐《は》きだす。黒い体全体が火に包《つつ》まれた。

「気の使い手同士《どうし》の戦いだからこそ、できることがある」アガサは叫び、分厚《ぶあつ》い氷の盾を作った。スカンダーの放つ炎がそれを溶《と》かしたが、スワンの全身はすでに水におおわれ、空中で揺《ゆ》れる輝きを放っていた。水の翼を激しく動かして、迫ってくる火を消す。スカンダレルの体は赤から黒にもどってしまった。アガサが楽しそうに笑う。しかしスカンダーは、すでに次の攻撃に入っていた。

てのひらが黄色く光る。絆に意識《いしき》を集中させて、スカンダレルを風の元素そのものに変《か》えた。スカンダレルのひづめから火花が散《ち》り始《はじ》めたかと思うと、火花は脚《あし》全体に広がり、やがて全身の輪郭《りんかく》が電気を帯《お》びた。アガサが驚いて目を丸くするのがみえる。スカンダーは稲妻《いなずま》の弓矢を作り、しゅうしゅうと音をたてる矢を放った。

どういうわけか、矢は途中《とちゅう》で崩れた。スカンダーのてのひらから光が消える。スカンダレルの体も漆黒《しっこく》にもどった。アガサが気の魔法を使って、スカンダーの絆から生まれる魔法の力を打ち消したのだ。

「ずるいよ！」スカンダーは叫んだ。

アガサはからからと笑った。「気の使い手と対戦するのがどういうことか、これでわかっただろう。だんだんいらいらしてくる。ちがうか？」

スカンダーは必死《ひっし》に考えた。アガサにあおられても、集中力を切らしてはならない。どうしたらアガサを出《だ》し抜《ぬ》くことができる？　力でねじ伏《ふ》せようとしてもむりだ。それに、アガサはずる賢《がしこ》い。なにか予想外の攻撃をしなければ。ぼくにはできないと、アガサが思《おも》い込《こ》んでいるような攻撃を。

「スカンダレル、頼《たの》むぞ」スカンダーはささやいた。スカンダレルとのこれまでの日々を思いだす。孵化《ふか》の瞬間、こちらをまっすぐみつめてきたスカンダレルの目。頭に表れた白い筋《すじ》。向かってくるユニコーンの群《む》れから必死で逃げたときのこと。風に乗って飛ぶスカンダレルの黒い翼。しかし、なにより大切なのは、ふたりを結ぶ絆だ。初めてその存在《そんざい》を胸《むね》に感じたときのこと。去年、離《はな》ればなれだったときに絆から伝《つた》わってきた思い。カオス・トライアルに参加するたびに深まった、いっしょにいればなんにでも立ち向かえるという信頼感《しんらいかん》。

そんなことを考えながら、気の元素を呼びだした。アークティック・スワンソングが再び突進してくる。スカンダーはてのひらに作った白い球をどんどん明るく光らせた。スカンダレルの翼も光る。そのうち、どこまでが翼でどこからが気の元素なのか、アガサもスワンも区別《くべつ》できなくなってきたとき——

もうひとりのスカンダーと、もう一頭のスカンダレルが現れた。

メンダーの夢の中にいるみたいだった。自分が本物だとはわかっているが、もうひとりの自分も自分だと思える。自分という人間がふたつに分裂《ぶんれつ》してしまったかのようだ。二頭になったスカンダレルがアークティック・スワンソングめがけて飛ぶ。スカンダーは、気の魔法で作られたもうひとりのスカンダーに指示《しじ》を送り、てのひらを前に向けさせた。魔法攻撃をするときのしぐさだ。意図はスカンダレルにも通じたらしい。偽物《にせもの》のスカンダレルが翼を激しくはばたかせた。一瞬遅《おく》れて、本物のスカンダーがてのひらを前にだす。あえてゆっくり、ぎこちなく動き、こちらが偽物であるかのような演技《えんぎ》をした。

アークティック・スワンソングが後足立ちになり、ひづめで宙を掻《か》いた。混乱《こんらん》している。アガサの目にも驚きが表れた。目を細くして、二対の敵をみくらべている。腕を引き、白い投《な》げ槍《やり》をかまえたが、どちらのスカンダーに投げるか迷《まよ》っているようだ。スカンダーは一定の呼吸を心がけた。相手の動きに反応《はんのう》してはいけない。

アガサが槍を投げた。

スカンダーとスカンダレルめがけて、槍が飛ぶ。

槍はスカンダーの体を通《とお》り抜《ぬ》けた。

その瞬間、本物のスカンダーがすかさず動いた。勝利《しょうり》は目前だ。得意《とくい》にしている気のサーベルを作り、スカンダレルをアークティック・スワンソングに向けて突進させる。アガサと同じ高さになるように近づくと、まだ盾を作りきれていないアガサの喉元《のどもと》ぎりぎりに、輝くサーベルの切っ先を当てた。

ふたりとも、激しく息を弾《はず》ませていた。

アガサがうなずいた。スカンダーは気のサーベルを消した。

アガサはヘルメットをはずした。目が輝いている。「これならだいじょうぶだ。心からおまえを誇《ほこ》りに思う」

感情が押し寄せてきて、喉がしめつけられた。子どもの頃《ころ》はいつも、母さんの自慢の息子《むすこ》になりたかった。ケンナも同じだ。いつもふたりで、母さんが自慢に思ってくれるようなライダーになろうね、と話していた。いまはアガサが母さんみたいな存在だ。そのアガサが、誇りに思うといってくれた。

ユニコーンからおりると、アガサはスワンに角砂糖《かくざとう》を食べさせ、練習場のウサギを追わせてやった。

「スカンダー、すわりなさい。渡《わた》したいものがある」

アーマーが金属音《きんぞくおん》をたてる。火のテントの焦《こ》げた階段《かいだん》に、スカンダーは腰《こし》をおろした。「プレゼント？」スカンダレルはスカンダーから離れなかったが、ときおり、捕《つか》まえたウサギをむさぼるスワンをうらやましそうに眺《なが》めている。

「まあ、そんなようなものだ」アガサはうなるようにいうと、首にかけていたチェーンを頭から抜《ぬ》いた。真珠の輝きを放つアーマーの下から、チェーンと白い袋《ふくろ》がでてきた。それを手でもてあそびながらいう。「あまり大げさには考えるな」袋の中身をてのひらにだした。

夏至《げし》の石だった。しかし、スカンダーがこれまでにみたことがあるものとはちがう。もちろん、想像《そうぞう》したことはあった。何か月も前から、アガサにそのことをたずねてもいる。白い石の表面に、いくつもの輪がからみあった模様《もよう》が彫《ほ》りこまれ、日差《ひざ》しを受けて輝いている。

「気の石だ」スカンダーは呆然《ぼうぜん》としてつぶやいた。「どこで手に入れたの？」

「手に入れたというか、もともとわたしのものだったというか」アガサはそういって、気の石をみつめた。「フレッジリングのとき、気のトライアルで手に入れた。そして、そのまま自分のものにした」

スカンダーは驚いた。「石って、教官に返さなきゃいけないんじゃないの？」

「まあ、そうなんだが……セキュリティが少々甘《あま》かった。エヴァーハート家の反逆者《はんぎゃくしゃ》はエリカだけじゃなかったってことだ」

母親の名前をきくと、現実感《げんじつかん》がどっと押し寄せてきた。

スカンダーはさっと立ちあがった。「おかしいよ！　気の石はすべて破壊《はかい》されたっていってたじゃないか？　あれは嘘《うそ》だったの？」

「嘘をついたわけじゃない」アガサは決まりの悪そうな顔をした。「ただ……これは例外《れいがい》だと思っていた」

恐ろしい考えが浮かんだ。「ウィーヴァーは知ってるの？　アガサが気の石を持ってること」

アガサはとうとう声を荒《あら》らげた。「落ち着きなさい。エリカは知らない。わたしはこれを、何十年も隠《かく》し続けた。おかげでものを隠すのがうまくなった」

「声が大きいよ」スカンダーは焦《あせ》って声をひそめた。しかし、まわりにはだれもいない。

「おまえに持っていてもらいたい」アガサはそういって、石を差《さ》しだした。

「どうして？」よりによってこんなタイミングでプレゼントだなんて、どういう風の吹《ふ》きまわしだろう、とスカンダーは思った。

「スカンダー、今年は本当によくがんばった」アガサは深いため息をついた。「状況《じょうきょう》が――エリカのことも含めて――ちがっていたら、気のトライアルで完璧《かんぺき》な勝利をおさめていただろう。風のトライアルの最中《さいちゅう》も、それを忘《わす》れないでいてほしい。おまえの居場所《いばしょ》はここだということを」

さまざまな感情が次から次へとわいてくるので、話についていくのも難しいくらいだった。アガサが気の石をくれたことがうれしい。受け取りたい。でも、気になることがもうひとつある。

「アガサ――この石には、パワーがこめられているの？」

質問《しつもん》に答える代わりに、アガサはスワンを呼びよせて、片手をその鼻先に置《お》き、気の元素を呼びだした。石の下で、孵化の傷跡《きずあと》が白く光る。気の元素のシンボルがきらきらと輝いた。石そのものは光っていない。

「空《から》なんだね」

「わたしがカオス・トライアルを終えたとき、パワーを注入した。なにかのときに使えると思ってね」アガサはぼそぼそと話した。「そして、その〝なにかのとき〟がやってきた」

「なに？」スカンダーはきいた。そういえば、石にパワーをこめた理由を、アガサはミッチェルに話そうとしなかった。

「マーゲートにいったときだ」アガサの目が輝いていた。

「ぼくが予備《よび》試験《しけん》に落ちたとき？」

「スワンとわたしがもともと持っている力では足りなかった。刑務所《けいむしょ》から逃げるには、それなりのパワーが必要だ。わかるな？」

アガサは気の石をスカンダーの手に置いた。「おまえが持つべきものだ。おまえは気の使い手なのだ。この袋に入れて、いつも身につけておきなさい。そして、約束《やくそく》してほしい――だれにもいわないこと」

スカンダーは指を折《お》り、石を包んだ。「エリカは本当に、この石のことを知らないんだね？　パワーは残《のこ》ってないけど、エリカならパワーを充塡《じゅうてん》して使おうとすると思う。アガサから……あるいは、ぼくからこれを奪《うば》ってでも」

アガサはかぶりを振った。「エリカは知らない。知っていたとしても、これほど貴重《きちょう》なものをわたしがだれかに譲《ゆず》るとは、思いもしないだろう」

「どうして？」

「わたしがエリカ以外《いがい》の人間を愛《あい》するなんて、エリカは信じないから」

スカンダーはアガサをみつめた。愛。ぼくは叔母に愛されてるってこと？　こんな状況でも、胸にあたたかいものが広がっていく。

「アガサ、ぼく……ぼく、なんていったらいいのかわからない」

叔母がぼくを守ろうとしてくれている。誇りに思ってくれている。愛してくれている。

「これでいい。叔母と甥《おい》の絆を結ぶ時間は、これでおしまいだ。エアリーにもどりなさい」

テント前の階段をおりる前に、スカンダーはためらいながら声をかけた。「アガサ？」

「ん？」アガサの視線《しせん》はすでに、アークティック・スワンソングの真っ白な体に注がれていた。片方《かたほう》の口角があがった。

「夏至まであと一週間しかないんだ。卵はまだみつからない」

「わかっている」

「ウィーヴァーが五十個《こ》の卵に偽の絆を作ったら、どうなると思う？」

「スカンダー、エリカにそれだけのパワーはない」

「でも、なにか方法《ほうほう》をみつけたとしたら？」

アガサはケンナとそっくりな目でスカンダーをみた。エリカの目にも——そしてスカンダーの目にも似《に》ている。「なにが起こるかわからない」

「みんなで戦おうよ。ウィーヴァーを止めよう」

「しかし」アガサは暗い顔でいった。「永遠に止めることはできない」

FEAR

ケンナ

恐怖《きょうふ》

ケンナ・スミスは恐怖と戦《たたか》っていた。

恐怖は、カザマ首長が森で死んだこと。世界で最強《さいきょう》のユニコーンが、風の元素《げんそ》を持つ木の下に埋《う》められていた。島は、それをだれかのせいにしたいと思っている。

恐怖は、変化《へんか》。訪《たず》ねてくる人が、週を追うごとに少なくなっている。もっと安全なところに移動《いどう》しなければならなかった。アルバートの唇《くちびる》から笑《え》みが消えた。

恐怖は、もたらされたニュース。気の使い手たちが銀の要塞《ようさい》に幽閉《ゆうへい》され、レックス・マニングが暫定《ざんてい》首長になることを宣言《せんげん》した。

恐怖は、未来《みらい》。いまとなってはありえない未来。すべてが終わりになる未来。そんな未来をみんなが迎《むか》えることになる。次になにが起ころうとも。

滝《たき》の裏《うら》より、新しい隠《かく》れ場所《ばしょ》のほうが気に入った。昔から、木は好《す》きだった。子どもの頃《ころ》は、頑丈《がんじょう》そうな木をみつけては登り、枝《えだ》のあいだに隠《かく》れたものだ。ここのアメリカスギは、これまでにみたどの木よりも高く、堂々《どうどう》としている。アルバートのあとについて、秘密《ひみつ》の足場をたどりながら太い幹《みき》に登ったときは、星までいけるんじゃないかと思ったくらいだ。ゴショークもめずらしく、イーグル・ドーンの先導《せんどう》に従《したが》ってくれた。二頭は枝を避《さ》けてはばたき、上昇《じょうしょう》する。やがてライダーとユニコーンは、木の幹にぽっかり口を開けたうろの中に体を落ち着けた。

まわりの木々にも、大きくて深い穴《あな》がいくつも開いている。「放浪者《ほうろうしゃ》が穴を作ったの？」穴の端《はし》に腰《こし》をおろし、足をぶらぶらさせながら、ケンナはきいた。ユニコーンたちは穴の中で横になっている。

アルバートはチョコレートを割《わ》り、かけらのひとつをケンナに差《さ》しだしてから、自分もそれを食べた。

「ううん、自然《しぜん》にできたうろなんだよ」アルバートはいった。「ここは空の森って呼《よ》ばれてるんだけど、ぼくたちの住まいにしてるわけじゃない。ただ、移動の途中《とちゅう》の休憩場所《きゅうけいばしょ》として使うことはある」ぎこちない口調だった。さっさと話題を変《か》えたい、とでも思っているみたいだ。

ケンナはため息をついた。「どうかしたの？」

アルバートがごくりと唾《つば》を飲む。白い喉《のど》が動くのがみえた。「次の変異《へんい》のことが気になるんだ。エローラも心配してる」

ケンナは軽く流すことにした。「だいじょうぶよ。次は気の変異。ちょっとした変化が起こるだけ」

アルバートは、石炭のようになった自分のこぶしに視線《しせん》を落とした。「気の変異は、スカンダーのやつしかみたことがない。腕《うで》の骨《ほね》や腱《けん》が透《す》けてみえてたよね。きみにはどんな変異が起こるんだろう。野生の変異なんだよね？」

もううんざり、とケンナは思った。なにもかも、うんざりだ。「そんなこと、どうだっていいでしょ？」きついいいかたをしてしまった、と思った。しかし、ゴショークがいつも絆《きずな》に悪意を送りこんでくるのだから、しかたがない。

「ケンナ、ぼくは――」

「いわないで」ケンナは言葉をかぶせた。アルバートがいいたいことはわかっていたし、それをききたくなかったのだ。ずっと前からふたりのあいだにはこの問題があって、ケンナは、アルバートにそれを口にしないでほしいと思っていた。

「わたしなんかと友だちにならなくてもよかったのに」ケンナは話をそらそうとした。アルバートの――そして自分自身の――感情《かんじょう》にふたをしたかった。

「そんなこと、いわないでくれよ」結局《けっきょく》、アルバートはそういった。

状況《じょうきょう》がちがっていたら、ケンナは謝《あやま》っていただろう。わたしたちは友だちだよね、親友だよね、といっていたかもしれない。こんなに親切で思いやりがあっていい人に愛《あい》されることを、喜《よろこ》んで受け入れていたかもしれない。でも、現実《げんじつ》は現実だ。この心は野生のユニコーンのためのもの。ほしかったものすべてを与《あた》えてくれる代わりに、ほしかったものすべてを奪《うば》っていく——そんなユニコーンに、この心を捧《ささ》げてしまったのだ。

「アルバート」ケンナはできるだけ優《やさ》しくいった。「わたしなんかのために時間をむだにしないで。ほかの人をみつけて。わたし以外《いがい》のだれかを」

驚《おどろ》いたことに、アルバートは笑《わら》い声《ごえ》をあげた。「ケン、そういうわけにはいかないよ」

「わたしのなにを知ってるの？　こんな人だろう、みたいに想像《そうぞう》してるだけでしょ。本当のわたしを知らない。自分が関《かか》わろうとしている人間の正体を知らない」

「だったら教えてよ」

ケンナは目を閉《と》じ、森の空気を吸《す》いこんだ。緑の香《かお》りと闇《やみ》に包《つつ》まれてこんなに高いところにいると、まるでエアリーにもどってきたかのようだ。目を開けたら、ランタンに照《て》らされたツリーハウスの丸い窓《まど》や、ハンモックに入っていく弟の姿《すがた》がみえるんじゃないか、と思ってしまう。揺《ゆ》れるつり橋を走って渡《わた》り、ツリーハウスのドアを叩《たた》きたい。**助けて、スカー。怖《こわ》いよ。自分がだれなのかわからない。自分がなにを求《もと》めてるのか、わからない。なにをしたらいいのか、わからない。**

「きみのすべてが知りたいんだ」アルバートがいう。

ケンナはゆっくり首を振《ふ》った。「信《しん》じて。知らないほうがいい」

SOMETHING SECRET

第19章
秘密《ひみつ》

夏至《げし》までの一週間、エアリーには不安《ふあん》が満《み》ちていた。卵《たまご》はまだみつからない。もうすぐ時間切れになる。スカンダーはハヤブサ隊《たい》の一員として、一日二回の捜索《そうさく》に加《くわ》わった。フローとミッチェルとボビーも、ハヤブサ隊とは別《べつ》の場所を飛《と》びまわった。しかし、全員がもうだめだと思っていた。

〈ハッチェリー・ヘラルド〉紙によると、本土でも捜査《そうさ》に進展《しんてん》はないとのこと。また、人々の不安をかきたてる別の記事もあった。レックス・マニング——ニーナ亡《な》きいま、カオスカップの最有力《さいゆうりょく》候補《こうほ》だといわれている——が、夏至の日に、ある戦《たたか》いを準備《じゅんび》しているとのこと。島の未来《みらい》を決める戦いだという。

「なんなんだよ」ミッチェルが吐《は》きすてるようにいい、新聞を折《お》りたたんだ。「卵がみつからない以上《いじょう》、卵をめぐる戦いもできないよな？」

「レックスは最善《さいぜん》を尽《つ》くしてる」フローが静《しず》かに

いった。「自分から首長になりたいといったわけじゃないし」

アガサがきいたら反論《はんろん》するだろう、とスカンダーは思った。

ボビーは目をぱちぱちさせた。「あたしにいわせてもらうと、人気者のレックスくんは、なんでも大げさにするのが好《す》きなんだよね。しかも、明日はカオスカップ。沈《しず》む船の船長でいたいんじゃない？　まあ、風の使い手って点ではわたしもレックスと同類《どうるい》なんだけど」

「カオスカップを中止にはできないでしょ」フローはまたレックスをかばった。「本土の人たちだって、なにかがおかしいって思うわよ」

「十三歳《さい》のライダー候補たちが全員、島に卵がないって理由で本土に送り返された時点で、なにかがおかしいって思うんじゃないか？」ミッチェルがいった。

ボビーは不安そうな顔をして、フローが作ってくれたブレスレットをいじっていた。妹のことを考えているんだろう。イザベル・ブルーナが予備試験《よびしけん》に受かったら、本土に送り返されるライダー候補のひとりになるのだ。

スカンダーだけは、カオスカップの日に明るい希望《きぼう》を持ち続けていた。島全体がレース観戦《かんせん》に気を取られているうちに、ケンナに会いにいく予定だった。オアシスでの戦闘《せんとう》以来《いらい》初《はじ》めての再会《さいかい》だ。まだら模様《もよう》のユニコーンのことを話して、野生のユニコーンから離《はな》れてはどうかと説得《せっとく》しようと思っている。ただ、ゴショークの運命のライダーは、卵がみつかるまでは、みつからないだろう。そもそも、卵が無事《ぶじ》に存在《そんざい》しているかどうかもわからない。だから、絆《きずな》の入《い》れ替《か》えについては、絶対《ぜったい》にできるというのではなく、ひとつの可能性《かのうせい》として話してみるつもりだ。今回はケンナの正直な気持ちにしっかり耳を傾《かたむ》けたい。

あくる朝、スカンダーはエアリーの丘《おか》をおりていった。四人組の仲間《なかま》たちが手を振《ふ》ってみおくってくれた。

「よろしく伝《つた》えてね!」フローがいったとたん、ミッチェルとボビーがしーっといった。

「声が大きいって!」ボビーはそういってから、小声でスカンダーにいった。「だれかさんのために作った非常事《ひじょうじ》態用《たいよう》サンドイッチ、持った?」

スカンダーはうなずいたが、あのサンドイッチを途中《とちゅう》のどこかでなくしてしまったほうがケンナには喜《よろこ》ばれるだろうな、と思った。そして、風のゾーンへと出発した。

森のはずれに着地した。信《しん》じられないくらい背《せ》の高いアメリカスギが並《なら》んでいる。前回ケンナを訪《たず》ねたときにオアシスで起こったことを考えて、警戒《けいかい》に警戒を重ねた。スカンダレルのひづめが地面を踏《ふ》む音でさえ、やけに大きく感じられる。やがて、アガサに指示《しじ》されたとおり、ジャケットのポケットから木製《もくせい》の笛——今回はツバメの形の笛だ——をだして、吹《ふ》いた。

すぐに応答《おうとう》があった。甲高《かんだか》いツバメの鳴き声が響《ひび》いたとたん、そばで待っていたのであろうエローラが、銀のユニコーンに乗って木々のあいだから現《あらわ》れた。スカンダレルとソルジャーが並んで歩きだす。スカンダーは、先導者《せんどうしゃ》の手に新しい傷《きず》があることに気がついた。オアシスで受けた傷だろうか。そう思うと申《もう》し訳《わけ》ない気持ちになった。

「会えてうれしいわ、スカンダー」ボブスタイルに整えたエローラの白い髪《かみ》が、やわらかな日差《ひざ》しを受けて輝《かがや》いた。

「こんにちは、エローラ。ケンナは元気ですか？」スカンダーはすぐにきいた。「ケンナはここに？」

「彼女《かのじょ》はでてくることができないの。この空の森の中でもフォーポイント側《がわ》のはずれには、島の人たちのツリーハウスがあるから、姿《すがた》をみられる危険《きけん》があるのよ。でも、元気よ。ケンナは……」エローラはためらった。アメジストの目に警戒の色が浮《う》かぶ。「ケンナはパワフルね。いまは魔法《まほう》のコントロールもうまくなった。理解《りかい》もしてる。火の変異《へんい》のこと、きいた？」

スカンダーはうなずいた。「その後はまだですか？」

先導者は首を横に振った。「ええ」

短い沈黙《ちんもく》があった。頭上高いところで木の葉がこすれる音と、ユニコーンたちの翼《つばさ》が枝《えだ》を揺《ゆ》らす音だけがきこえる。

「ケンナはあなたをずっと待っていた」エローラは悲しそうにいった。

「ぼくも、ずっと会いにきたかった」

「オアシスでの戦闘から何か月もたった。ケンナにとってはとてもつらい日々だったわ。ほとんどの時間をたったひとりで過《す》ごしていたの」

　スカンダーは顔をしかめた。「あなたといっしょにいたんじゃないんですか？　ケンナを放浪《ほうろう》者《しゃ》のところに送ったという衛兵《えいへい》は？」

　エローラはかぶりを振った。「放浪者は四つのゾーン全体に散《ち》らばったの。ただもちろん、わたしたちを必要《ひつよう》としている人は歓迎《かんげい》するわ。気の使い手の何人かは、レックスに〝保護《ほご》〟されるよりはと、わたしたちのところにやってきた。ケンナのところにはほぼ毎日だれかが会いにいくようにしていたけど、おおぜいといっしょにいるのは危険なのよ。みんながつらい思いをしてきたけど、特《とく》にケンナにはきつい毎日だったでしょうね」エローラは声を詰《つ》まらせた。

「オアシスでのことは、ごめんなさい。ぼくが衛兵たちを連《つ》れていったようなものだ」謝罪《しゃざい》の言葉が突然《とつぜん》でてきた。「そんなつもりじゃなかった。ぼくはただ――」

「お姉さんに会いたかったのよね」エローラはあたたかい口調でいった。「あなたのせいじゃないわ。無知《むち》と疑念《ぎねん》と偏見《へんけん》のせい」

「それでもやっぱり、ごめんなさい」スカンダーはつぶやいた。「ひどいけがをした人は？」

「着いたわ」エローラは質問《しつもん》には答えなかった。

　森の中でも特に背の高い木の下で、シルヴァー・ソルジャーが立ちどまっていた。ケンナの姿はみえない。ここにケンナがいることを示《しめ》すものも、なにもない。

「ケンナはこの木の上。アルバートといっしょにいるわ」エローラは真上を指差《ゆびさ》した。「アルバートはケンナのところにしょっちゅう通ってた。カオスカップのラジオ中継《ちゅうけい》をいっしょにきくつもりなんですって。ケンナは、あなたはこないかもしれないと思っているから」

スカンダーは頭をうしろにそらし、高いところの枝に目をやった。やはりなにもみえない。

エローラは唇《くちびる》をゆがめて笑《わら》った。「信じて。この木なの。ゴショークとイーグルもいるわ。スカンダレルは飛んでいくといい。あなたは乗っちゃだめ。枝と枝のあいだを飛んでいくには、ライダーがいないほうがいいの。木の幹《みき》に足場が作ってあるから、それを伝って登っていって。わたしはここで見張《みは》ってる。ツバメの鳴き声がきこえたときは、おりてこないで」シルヴァー・ソルジャーがきた道をもどり始めた。役目を果《は》たしたということなのだろう。

スカンダーはスカンダレルからおりて、木を登り始めた。スカンダレルが舞《ま》いあがる。

登り続けるうちに、筋肉《きんにく》が痛《いた》くなってきた。そのうち、カオスカップの放送が上のほうから小さくきこえ始めた。解説者《かいせつしゃ》の声。ほかにきこえるのは、スカンダレルの翼の音だけだ。枝にぶつからないように飛んでいるので、動きがぎこちない。

「……銀のユニコーンがいます。カオスカップではみることのなかった色ですね、ハリー。名前は？　シルヴァー・ソーサレス。ライダーとしてはまだ無名《むめい》のレックス・マニングが乗っています」

「モナ、ひと言いいかな？　みんなが思っていることを言葉にしてみよう。なんていい顔をしてるんだ！」

「たしかに、ここ実況室《じっきょうしつ》では、それが話題になっていますね。でも、ハンサムだからって、レースに強いとは限《かぎ》りませんよ」

「レックスは本土にもファンがたくさんいて……」

本土向けの実況解説《かいせつ》だ。スカンダーは二〇七号室のリビングに帰ったような気分になった。ぼろぼろのソファが目に浮かぶ。父さんが料理《りょうり》しているフライ料理のにおいが漂《ただよ》ってきそうだ。胸《むね》がわくわくしてきた。

スカンダレルがいなないた。二頭のユニコーンの角が目に入ったらしい。一本は真っ白、一本は透明《とうめい》。反対側《はんたいがわ》の木の幹に開いた巨大《きょだい》な穴《あな》から突《つ》きだしている。あいかわらずぎこちない動きで、スカンダレルは別の穴に着地した。絆からは混乱《こんらん》と興奮《こうふん》が伝わってくる。

「スカー！」手がのびてきて、大きな穴に引《ひ》っ張《ば》りこまれた。中は薄暗《うすぐら》い。目が慣《な》れてくると、ケンナの顔が一瞬《いっしゅん》みえて――思いきりハグされた。その瞬間《しゅんかん》、なにもかもどうでもよくなった。ユニコーンの卵がみつからないまま夏至を迎《むか》えてもかまわない。ウィーヴァーが野生のユニコーンのライダーで新世代をつくっても、かまわない。ケンナと抱《だ》き合《あ》っていれば、なにがあってもだいじょうぶという気持ちになれる。

しかし、その感覚《かんかく》はすぐに消え去った。ケンナが体を引いたとき、四つの変異がみえたからだ。右腕《みぎうで》には、血管《けっかん》に沿《そ》って並ぶとげ。両耳に並ぶ羽根。首まわりに並ぶ氷のとげ。そしてもうひとつ――スカンダーが初めてみる変異があった。ケンナの左腕《ひだりうで》から、溶岩《ようがん》がしみだしている。肘《ひじ》から手首にかけて、何本もの溶岩の流れをイメージしたタトゥーを入れたかのようだ。溶岩は一定の動きがある。ケンナが動いて皮膚《ひふ》にしわが寄《よ》るたび、そこから溶岩が流れだす。

「ケン」声が声にならなかった。

スカンダーの視線《しせん》に合わせて、ケンナも腕《うで》をみた。顔が一瞬暗くなる。「ああ、これ？　大昔からあるのよ。こんなのがあることも忘《わす》れちゃってたくらい。でもあのときは、滝壺《たきつぼ》に半日くらい浸《つ》かってた。それでやっと痛みがおさまったの。すごい見物《みもの》だったわよ。スカーにもみせたかった。っていうか、スカーにみせたかったものはもっとたくさんあるんだけどね」

ケンナの口調がどこか不自然《ふしぜん》に感じられた。怒《おこ》っているわけではなさそうだが、なにか思うところがありそうで、きいていると、なんだか不安になってくる。

「長いこと会いにこられなくて、悪かった。ぼくが動けば、また衛兵たちがついてくると思ったんだ。エローラがいってたけど、放浪者のみんなとはいっしょにいなかったんだってね。オアシスの一件《けん》以来、ひとりぼっちだったって。そんなこと知らなくて、本当にごめん！」

「もういいの」ケンナはこわばった表情《ひょうじょう》でいった。「スカーがいなくても平気。だれもいなくたって平気」そういいながらも、目には寂《さび》しさが表れていた。

「ぼくは平気じゃなかった」スカンダーはかすれた声でいい、手をのばした。急にケンナの気持ちがわからなくなった。言動すべてに違和感《いわかん》をおぼえる。なにかを隠《かく》しているみたいだ。怒《いか》りだろうか。傷ついた悲しみだろうか。

「ねえ、スカー、今日はそういう話はやめない？」ケンナの顔が少し明るくなった。「今日はカオスカップなんだよ！　昔を思いだして楽しみたいの！」

ケンナが楕円形《だえんけい》の穴の奥《おく》を指差した。穴は高さがあり、まっすぐ立っても頭をぶつける心配はない。それに、奥行《おくゆ》きもある。よくみると、アルバートの顔があった。アルバートは毛布《もうふ》にくるまり、ラジオをいじっている。カオスカップの中継放送がとぎれとぎれにきこえる。

ケンナは穴の端《はし》ぎりぎりに腰《こし》かけて、両足を外に垂《た》らした。となりのスペースをぽんぽんと叩《たた》く。スカンダーは、すぐにアルバートのところにいかなくてすんだのがうれしかった。しばらくはふたりきりの時間がほしい。しかし、緑色の巨大な天蓋《てんがい》の下、ふたり並んですわったとたん、スカンダーは口がきけなくなってしまった。いきなりエアリーの話をするのはためらわれる。偽《にせ》の絆を解《と》く可能性について話すのも、まだ早い。

「で、ゴショークは元気？」結局《けっきょく》、それくらいしかいえなかった。

ケンナの褐色《かっしょく》の目が、冷《さ》めたような表情をみせた。「ちょっと苦労《くろう》してる。ついゴショークのことばっかり考えちゃう。エローラにも相談してるんだけど……ネガティブな感情《かんじょう》ばかりが伝わってくるのをどうにかできないかって。ときどき、頭の中で戦争《せんそう》でもしてるような感じになるの。すごく疲《つか》れる」

「大変《たいへん》だね」

「まあね。でも、本土にもどって暮《く》らすより、ゴショークとここで暮らすほうがいい」

沈黙が流れた。

スカンダーはあたりをみまわして、話題を探《さが》した。将来《しょうらい》の話をするのはまだ早い。ケンナのこの様子では……いや、ケンナの様子をどう表現《ひょうげん》したらいいのかもわからない。やっとのことでこうきいた。「この森で、なにかみかけなかった？　ニーナとライトニング・ミステイクは、この森で亡くなっていたんだ。ウィーヴァーの姿をみなかった？」

「ニーナ・カザマを殺《ころ》したのは母さんだと思ってるの？　どうして？」

スカンダーはどきりとした。ケンナはウィーヴァーのことを母さんと呼《よ》ぶのになんの抵抗《ていこう》もないらしい。でもぼくはちがう。ぼくにとっては、あの人にはいろんな顔がありすぎる。エリカ。首長。殺人者《さつじんしゃ》。母さん。ウィーヴァー。

スカンダーは肩《かた》をすくめた。「ほかにだれがいる？」

「ニーナが死ぬことで、いちばん得《とく》をする人。ニーナが出場するカオスカップでは、絶対に優勝《ゆうしょう》できない人」

「レックス・マニングがニーナを殺したと思ってるの？」

今度はケンナが肩をすくめた。「可能性はあるでしょ」

「ケンナがレックスをきらってることは知ってるよ。衛兵たちにケンナを探させた張本人《ちょうほんにん》だからね」スカンダーはいった。「けど、人殺《ひとごろ》しなんかできるタイプじゃないよ」

「どうして？」ケンナは片方《かたほう》の眉《まゆ》をつりあげた。「そんなふうにみえないから？」

「ケン、ウィーヴァーは孵《ふ》化場《かじょう》の卵をすべて盗《ぬす》んだんだ。ライダーの新世代をつくって、島の実《じっ》権《けん》を手に入れるつもりなんだよ。そのためには、ニーナの存在がじゃまだった。ニーナはとてもパワフルな人だから――パワフルな人だったから」

「そうかもしれないけど、ひとつの推理《すいり》に過ぎないでしょ」

「ケン、おいでよ！　始まるよ！」うしろからアルバートが声をかけてきた。

　ケンナはさっと立ちあがった。

「アルバートと親しいみたいだね」スカンダーはいった。ケンというニックネームを勝手に使われたようで、気分が悪い。

「ずっといっしょにいてくれたの」

「スカンダー、こんにちは！」アルバートは快活《かいかつ》にいった。「エローラに会えたんだね。無事にここまでこられてよかった」

「うん、こんにちは、アルバート。元気に――」

「きいて！」ケンナがいった。スカンダーは、五歳の頃《ころ》にもどってケンナにしかられているような気分だった。なぜか、いやな気持ちにはならなかった。

「……中間地点をトップで通過《つうか》したのはアロディ・バーチとリヴァーリード・プリンス。彼女《かのじょ》はすっかりカオスカップのベテランですね。五年連続《れんぞく》で出場していますが、優勝にはなかなか至《いた》りません。しかし、ニーナ・カザマ亡きいま、彼女にもチャンスはありますよ。ライアン・ヘルナンデスとカーナウ・クラーケンがきました。そして、エマ・テンプルトンとマウンテン・フィア。こちらもベテランです。インコースから追いあげています」

「昔みたいだね」ケンナがスカンダーに笑顔《えがお》をみせる。「おぼえてる？　わたしはエマの大ファンだった」

　スカンダーは力強くうなずいた。ケンナと同じくらい熱狂的《ねっきょうてき》に、このレースを楽しみたかった。しかし、どうしても考えてしまう。昔とは全然《ぜんぜん》ちがう。ケンナは追われる身だ。木の上の穴に身を隠している。父さんもいない。父さん。父さんは明日、島にくる。ケンナに会えるものと思っているだろう。なんて説明《せつめい》したらいい？

　別の解説者が口をはさむ。「本土出身のカディージャ・マリクが現在《げんざい》二位《い》。しかし、ローズ・デヴィルは疲れてきたようです。……おっと！」

　観客《かんきゃく》の歓声《かんせい》が音声に入ってきた。

「なに？　どうしたの？」ケンナがラジオに叫《さけ》んだ。

「ティム、こんなものはみたことがありません。空に稲妻《いなずま》が走ったかと思うと、レックス・マニングとシルヴァー・ソーサレスが先頭集団《しゅうだん》の三人を倒《たお》して抜《ぬ》きさりました。抜かれたのは、ライアン・ヘルナンデス、トム・ナザーリ、エマ・テンプルトン。信じられません。トップクラスのライダー三人が落馬、失格《しっかく》となりました。そして新参《しんざん》のレックス・マニングとシルヴァー・ソーサレスが、現在三位。前をいくのはアロディ・バーチと、土の使い手、カディージャ・マリク。さあ、コースもいよいよ最終《さいしゅう》コーナーです」

レックスが本当に勝ってしまうのか。

「みなさん、ご安心ください。エマとトムとライアンは、三人とも無事です。地面に落ちる前に、ユニコーンが受け止めたそうです」

「コースに目をもどしましょう。ローズ・デヴィルが、アロディ・バーチが激《はげ》しく繰《く》りだす氷の攻撃《こうげき》を受け、失速《しっそく》しました。痛そうですね！」

「最後《さいご》の直線に入りました。先頭はアロディ・バーチ、二位はレックス・マニング、フェデリコ・ジョーンズとサンセット・ブラッドが追いあげます。四位はトリスタン・マクファーレンとアシディック・アーケインジェル。五位はピーター・ウィテイカーとハロウド・ハサール。おや、ソーサレスが飛びました！」

スカンダーはその様子を頭に思いえがくことができた。強くて堂々《どうどう》としたソーサレスが銀の弾《だん》丸《がん》のように空気を切りさいているんだろう。本土にレックスのファンがたくさんいるのも不思議《ふしぎ》ではない。子どもの頃のぼくだったら、絶対にレックスのファンになっていたはずだ。ハンサムで、飛ぶのがうまくて、レースに強い。しかも、群《ぐん》を抜いて優秀《ゆうしゅう》といわれる銀のユニコーンに乗っているのだ。ソーサレスかレックスのカオスカードが手に入ったら、きっと宝物《たからもの》にして、だれとも交換《こうかん》しないだろう。みるからに勝者。みるからにヒーロー。栄光《えいこう》を絵に描《か》いたようなライダーとユニコーンだ。

「アロディ、がんばれ」ケンナがスカンダーの手を握《にぎ》った。マーゲート時代と同じだ。

「レックス・マニングとシルヴァー・ソーサレスがトップに立ちました。アロディ・バーチとリヴァーリード・プリンスは抜かれたものの、銀色のしっぽのすぐうしろについています」

「客席《きゃくせき》スタンドの上空で、レックス・マニングが風の元素《げんそ》を呼びだしました。観客は熱狂的にマニングを応援《おうえん》していますね」

「レックスが作ったのは——稲妻の弓矢！　こんなに大きいのはみたことがありません！　身をよじって弓をかまえます。一方、ソーサレスはアリーナに向かって降下《こうか》を始めました。レックスが輝く矢をつがえ——放ちました。アロディ・バーチを直撃《ちょくげき》！　電気ショックを受けて、アロディが失速します」

「レックス・マニングとシルヴァー・ソーサレスが着地しました。砂《すな》の上を駆《か》けぬけます！」

「ああ……」アルバートとケンナは同時にいった。

割《わ》れんばかりの歓声があがる。解説者の声もきこえないくらいだ。

「やりました！　レックス・マニングとシルヴァー・ソーサレスが、ゴールアーチをくぐりました。カオスカップ初優勝《はつゆうしょう》！　レックス・マニングが次期首長となります。今年も風の評議会《ひょうぎかい》ということになりますね。この歓声をきいてください。彼の人気の高さがわかります。さあ、レックス・マニングが——」

「消して」ケンナが沈んだ声でいった。

アルバートがラジオを消した。アメリカスギの穴の中が、しんと静まりかえった。

　スカンダーはラジオをにらみつけた。世界が方向転換《てんかん》してしまったみたいだ。銀の首長。もう暫定《ざんてい》首長ではない。ぼくみたいな気の使い手にとって、それはなにを意味するんだろう。いいほうに考えようとした。レックスはアガサのためにアークティック・スワンソングを解放《かいほう》してくれた。シルヴァー・サークルに蔓延《まんえん》する気の使い手への憎悪《ぞうお》を、レックスが抑《おさ》えてくれるかもしれない。そう、きっと状況《じょうきょう》はよくなる。

　ケンナの顔にはちがうシナリオが表れていた。「わたしを刑務所《けいむしょ》に入れないと、レックスは満《まん》足《ぞく》しないと思う」

　アルバートはケンナの溶岩の腕に手を置《お》いたが、ケンナはすばやく手を引っこめた。

「ケン、レックスはそんなに悪いやつじゃないと思うよ。きっとだいじょうぶだ。たぶん……」

　スカンダーの言葉がとぎれた。ケンナの将来について、いま話すべきだろうか。

　しかしケンナは、それからずっと不機嫌《ふきげん》なままだった。エローラやアルバートといっしょにたき火を囲《かこ》んで食事をしているときも、なぐさめの言葉に耳を貸《か》そうとしない。スカンダーは、ゴショークに乗って魔法を使ってみせてよ、といってみた。ふたりきりになって話がしたかったのだが、ケンナは、疲れてるからむり、というだけだった。

　アガサからは、森で一泊《ぱく》してくるようにといわれていた。翌日《よくじつ》の早朝に出発すれば、カオスカップから風のゾーンに帰ってくる人たちに姿をみられずにすむ。よかった、とスカンダーは思った。ケンナとの時間がもう少し必要だ。

第19章　秘密

ユニコーンたちは、木の高いところにある穴に入って眠《ねむ》っている。奥行きのある穴はとても居心地《いごこち》がよかった。苔《こけ》におおわれているし、毛布もある。すでにいびきをかいて眠っているスカンダレルと同じ穴に入った。羽根におおわれた翼に、ときどき火花が散る。

ゴショークはスカンダレルのすぐ上の穴に入っていた。スカンダーは穴に入ってすぐのところに横になり、仰向《あおむ》けになった。ケンナはすぐ上の穴でうつぶせになっている。暗くなりつつある森の中で、ふたりは顔をみあわせていた。二段《だん》ベッドで寝《ね》ているみたいだ。

「ケン」スカンダーは声をかけた。何か月も前からずっと頭から離れなかった質問をした。「オアシスで会った衛兵って、だれなの？」

ケンナは黙《だま》ってスカンダーをみつめた。質問がきこえなかったふりをしているようだ。

「銀の要塞《ようさい》に閉《と》じこめられていたとき、あの人が助けてくれたんだよね？」

「そうよ。食べ物とかいろいろ、差《さ》し入《い》れてくれた。衛兵にもいい人がいるんだと思ったわ」冷《つめ》たい笑《わら》い声《ごえ》をあげた。「いい衛兵なんて、そうそういないものよ」

「けど、オアシスの一件のあと、あの衛兵と長いこといっしょにいたんだよね？　彼は自分の正体を明かさなかったの？　どうして助けてくれたの？」

ケンナは肩をすくめた。「あの人は、あまりしゃべらなかった。逃《に》げるので精一杯《せいいっぱい》だったから」そして話題を変《か》えた。「明日、父さんになんていうつもり？　わたしのこと」

スカンダーはため息をついた。ずっとそのことが気にかかっている。「訓練《くんれん》で忙《いそが》しいんだっていうつもりだよ。来年の六月には会えるって」

「わたしたちがけんかをしたっていえばいいじゃない。だからスカーの風のトライアルをみにこなかったんだって、納得《なっとく》してもらえるでしょ」

ケンナの言葉が宙《ちゅう》に浮いたように思えた。近くでフクロウの鳴き声が響く。ふたりはしばらく黙っていた。ぼくたち、けんかをしてるの？　スカンダーは考えながら、ケンナの呼吸《こきゅう》に耳をすませた。本土にいた頃、眠れない夜はこうしてケンナの寝息《ねいき》をきいていたものだ。眠りに落ちる寸前《すんぜん》のひとときが好きだった。いちばん安全な気がした。父さんの世話をしなくてもいいし、どこからともなくお金がでてこないかなと考えなくてもいい。ケンナがそばにいて、世界から守ってくれている。

「スカー、秘密をききたい？」ケンナが小声でいった。スカンダーのまぶたが重くなってきたときだった。子どもの頃はよく、そんなゲームをした。眠りに落ちる直前に、ばかなことをいったり、怖《こわ》い話をしたり、秘密を打ち明けたりする。安全なひとときだったから。だれにもきかれていなかったから。

「うん」スカンダーも小さく答えた。「話して」期待で胃《い》がひっくり返りそうだ。昔もそうだった。

ケンナは深く息を吸《す》った。「わたし、心のどこかで、スカーがカオス・トライアルを通過できないといいなって思ってる。ノマドを宣告《せんこく》されたら、わたしといっしょに暮らせるから。いっしょに逃げて、いっしょに無法者《むほうもの》になるの！　ねえ、ひどい話だと思う？」

胸がどきどきしてきた。そんなふうにいわれるんじゃないかと、前から思っていた。心の奥底《おくそこ》で、なんとなくわかっていた。今夜はケンナの将来の話をするだけでは終わらない。ぼくの将来についても話すことになる。「本当にそう願《ねが》ってる？　ぼくにエアリーをでてほしいって」

ケンナは片肘《かたひじ》をついて体を起こし、スカンダーをじっとみつめた。

スカンダーは心が折れそうになった。「ケン、ぼくがやってるのは重要《じゅうよう》なことなんだ。エアリーでの訓練を最後まで受けることができたら、エアリーは気の使い手をまた受け入れてくれる。あと二年なんだ。そうしたらケンだって正規《せいき》のライダーになれる。ふたりとも、昔からの夢《ゆめ》だったカオス・ライダーになれるかもしれない。ふたりいっしょにいられるんだよ」

「エアリーから逃げたって、ふたりいっしょにいられる」ケンナはいった。「それに、スカー、彼らは気の使い手をエアリーにもどしたりしないよ。スカーは他人を信じたいんでしょうけど、信じてもむだ。みんな、気の使い手を――わたしたちを――怖がってるの。それに、わたしは気の使い手じゃない。偽の絆を持ち、野生のユニコーンに乗ってる。五つの元素の使い手なの。気の元素を合法《ごうほう》として受け入れるとしても、わたしのことは受け入れてくれない」

スカンダーはためらった。オアシスで話したときより慎重《しんちょう》に言葉を選《えら》ぶ。「でもぼくは、ケンの気の変異のことが心配なんだ。前にもいったけど、ゴショークとの絆さえなければ――」

「やめて」ケンナはぴしゃりといった。「わたしとゴショークは結《むす》ばれてるの。スカーがどう思おうと、それが現実《げんじつ》。ねえ、せっかくいっしょにいるのに、そんな話をしないで。お願い」

「わかった」スカンダーは静かにいった。ケンナのために考えていたことはすべて、夜の闇《やみ》に溶《と》けていってしまった。計画を立てる前に、ケンナの思いを確《たし》かめるべきだったんだろう。ケンナはすでに四種類《しゅるい》の変異を経験《けいけん》し、パワフルな魔法もみせつけた。ケンナは昔から、ぼくより強かった。いつのまにかケンナをみくびっていたのかもしれない。「わかった」もう一度いった。さっきより、言葉が重く感じられた。

「スカンダー、エアリーをでてちょうだいとは、わたしにはいえない」ケンナは続けた。「夢をあきらめさせることなんてできない。その責任《せきにん》を取れないから。スカーはスカーでがんばって。自分のやりたいことをやって。自分にとって大切なことを。わたしのせいであきらめた、なんていわないで」

再《ふたた》び沈黙が訪《おとず》れた。スカンダーは必死《ひっし》にそれを破《やぶ》ろうとした。

「ぼくの秘密、ききたい？」闇にささやきかける。アメリカスギの葉のあいだから、明るく輝く星がたくさんみえる。だれにもいうなとアガサにいわれたが、ケンナは姉だ。なのに、すごく遠い存在になってしまった。秘密を打ち明けることで、もっと強くつながれるかもしれない。

「もちろん」

スカンダーは黄色いジャケットの内ポケットのファスナーを開け、白い袋《ふくろ》を取りだした。

「下に手をのばして」のびてきたケンナの手に、気の石を握らせた。

はっと息をのむ音がきこえる。「これ……これって、本物なの？」驚《おどろ》きに満ちた声がきこえた。

「夏至の石だよ。トライアルでは夏至の石を集めるんだけど、気のトライアルはもう行われない。でも、アガサがこれをくれた。フレッジリングのときから持ってたんだって」

「スカーにくれたの？」ケンナはささやき、てのひらの上で石をひっくり返した。

「気の魔法のトレーニングをがんばったごほうびだって」スカンダーはちょっと誇《ほこ》らしげにいった。「自分が気の使い手だからそう思うんだろうけど、いちばん素敵《すてき》な石だと思うよ」

「本当にきれい」ケンナはそういって、石を星明かりにかざした。

「そろそろしまうよ。だいじに隠しておかないと」スカンダーはいった。「最後のひとつなんだって」

ケンナが返してくれた石を、スカンダーはまたポケットにもどした。

ふたりはしばらく、お互《たが》いの呼吸の音をきいていた。「あのね、わたし、スカーがもういないってことを忘れてばかりだった」ケンナはささやくようにいった。「二〇七号室でね。スカーが島にいっちゃったことをすっかり忘れて、こんなふうに話しかけてた」

「ケン、ごめん」スカンダーもささやいた。ケンナがこういう話をするときはいつも、この二年間にケンナがどれだけつらかったか、自分はその半分もわかっていないんだと思いしらされる。

「謝《あやま》るようなことじゃないわ」

だけど……。スカンダーは、ケンナの腕に生えたとげや、耳に並んだ羽根、皮膚を焼《や》くマグマ、首まわりの氷のとげを思いうかべた。目を閉じる直前に思ったのは、やっぱりぼくが悪いんだ、ということだった。

THE AIR TRIAL

第20章
風のトライアル

　次の朝、風のトライアルに参加《さんか》するためにでかけるスカンダーを、ケンナは作《つく》り笑《わら》いとぎこちないハグで送りだしてくれた。スカンダーは、すぐにまたくるよと約束《やくそく》をしたが、ケンナの声は冷《つめ》たく響《ひび》いた。信《しん》じていないということだろう。**スカーがノマドを宣告《せんこく》されたら、わたしといっしょに暮《く》らせる。**エアリーの入り口でジェイミーと落ちあい、スカンダレルのアーマーの最終《さいしゅう》チェックをしてもらっているときも、ケンナの言葉が頭から離《はな》れなかった。四人組の仲間《なかま》たちと朝食をとるあいだも、食べないと力がでないとわかっているから、食べ物を口に押《お》しこむだけだった。マヨネーズをたっぷりかけてあるのに、ひと口ひと口がなかなか飲みこめない。罪悪感《ざいあくかん》と、トライアル前の緊張《きんちょう》とで、胸《むね》がいっぱいだった。

　ほかのトライアルとちがって、風のトライアルのスタート時刻《じこく》は夕暮《ゆうぐ》れや夜明けではなかった。

午後のレースだ。ボビーはそのことを、風の元素《げんそ》がいちばんまともで洗練《せんれん》された元素だからだよ、といっていた。それに対してミッチェルは、本土の家族がくる都合上そうなってるんじゃないの、と反論《はんろん》した。ライダーの家族だけでなく、五人の教官《きょうかん》たち――新しい首長もそのひとりだ――も風のゾーンにやってきて、最後《さいご》のトライアルを観戦《かんせん》することになっている。

正午、フレッジリングたちはエアリーの入り口から出発した。野生のユニコーンの女王の木が、カラフルな葉をつけている。その横を通るとき、ミッチェルはスカンダーとフローとボビーを順《じゅん》にみた。四人とも、それが重要《じゅうよう》な場所だと知っている。ボビーでさえ、ここでは冗談《じょうだん》を飛《と》ばさなかった。四人はこれまで、カオス・トライアルで勝《か》ち残《のこ》ることができなかったらどうなるんだろう、とは考えないようにしていた。しかし、エアリーをでて会場に向かういまは、それを考えずにはいられない。四人のうちひとりでも夏至《げし》の石を取りそこねたら、エアリーにもどってくることはできないのだ。

エアリーの壁《かべ》の外にでた瞬間《しゅんかん》、スカンダーは激《はげ》しい動揺《どうよう》をおぼえた。ケンナの言葉がさらによみがえってくる。**いっしょに逃《に》げて、いっしょに無法者《むほうもの》になるの！** 混乱《こんらん》したスカンダレルが甲《かん》高《だか》い声をあげた。手綱《たづな》を持つスカンダーの手がぴくりと震《ふる》えたせいだ。いままで家と呼《よ》んできたこの場所を離れるのがいやで、体が反抗《はんこう》しているんだろうか。いやだ。やっぱりエアリーを離れたくない。

風のジャケットのポケットをそっとなでて、気の石のふくらみがそこにあることを確《たし》かめた。

アガサがこれをくれたのは、幸運を呼び、勇気《ゆうき》をだすためだ。**忘《わす》れないでいてほしい。おまえの居場所《いばしょ》はここだということを。**アガサはそういっていた。石を身につけていると、気持ちが落ち着いた。守られているような気がした。

フレッジリングのユニコーンたちが作る長い列が、スカンダレルの前にみえる。羽根におおわれた翼《つばさ》が上下するのをみていると、まるで渡《わた》り鳥《どり》の群《む》れみたいだ。空の森のアメリカスギの上空は、すでに通りすぎた。いまは、背《せ》の高い草におおわれた草原が眼下《がんか》に広がっている。ところどころに黄色いタンポポの群生《ぐんせい》があって、黄色い毛布《もうふ》みたいだ。ヒマワリがつやつやとした頭《こうべ》を垂《た》らし、そよ風に吹《ふ》かれている。何十機《き》もの風車の上を飛んだあとは、両側《りょうがわ》が段畑《だんばた》になった渓谷《けいこく》をみおろした。どんな風も、この渓谷を通れば向きを変え、風車をまわしてくれるのだという。やがて、荒野《こうや》のすぐ手前の渓谷までできたとき、銀色に輝《かがや》くシルヴァー・ソーサレスが、谷のいちばん端《はし》のところに舞《ま》いおりた。

スカンダレルが着地したとき、スカンダーの目に飛びこんできたのは、父さんの姿《すがた》だった。前回島にきてくれたときより少し老《ふ》けたみたいだ。短く刈《か》りこんだ黒い髪《かみ》に白髪《しらが》が混《ま》じっているし、背中《せなか》も少し丸くなった。みたことのないおしゃれなストライプ柄《がら》のシャツを着て、このトライアルのためだけに作られた仮設《かせつ》スタンドに入る列に並《なら》んでいる。顔がこちらを向いているのは、フレッジリングのユニコーンたちが到着《とうちゃく》したからだろう。

親子の目が合った。スカンダーはスカンダレルからおり、父親に駆《か》け寄《よ》った。故郷《こきょう》に向かって走るような気分だった。

「おっと！」フル装備《そうび》のアーマーで突進《とっしん》したので、父さんがうなった。それでもすぐに、両手をまわして、ぎゅっと抱《だ》きしめてくれた。

「会いたかった」スカンダーは父さんの肩《かた》に声をかけた。肩。背がのびたんだ、と自覚《じかく》した。

「会いたかったよ」父さんは笑《わら》い声《ごえ》をあげ、スカンダーから体を離すと、顔をみつめた。「レースの準備《じゅんび》は万端《ばんたん》か？　新しい首長も観戦するらしいな！」

「ばっちりだよ」スカンダーは答えた。ウィーヴァーがコース上に現《あらわ》れて、石を――そしてぼくを――狙《ねら》ってくるかもしれない、とは考えないようにした。

「まだケンナに会えてないんだ」父さんはライダーの家族たちがすわる観客席《かんきゃくせき》をきょろきょろとみまわした。

恐《おそ》れていた瞬間がやってきた。スカンダーは震えを抑《おさ》えて息を吸《す》った。「父さん、ケンナはこないんだ」

父さんは眉《まゆ》をひそめ、額《ひたい》にしわを寄《よ》せた。「どうしてだ？」

「えっと……ぼくたち、ちょっとけんかしちゃって。それと、ケンナには訓練《くんれん》があるんだ。訓練を休むのには特別《とくべつ》な許可証《きょかしょう》が必要《ひつよう》らしくて、じゃあやめとこうってことになった。ちゃんと仲直《なかなお》りできてないし」半分嘘《うそ》で半分本当だった。

父さんは、いらだちと悲しみの入りまじったような顔をした。「まず、ケンナの模擬試合《もぎじあい》の招《しょう》待状《たいじょう》をもらってない。運営《うんえい》のミスってことらしいんだが、その上今日も会いにきてくれないのか。ここの運営はずいぶんひどいんだな。いい加減《かげん》、責任者《せきにんしゃ》に訴《うった》えたほうがよさそうだ」教官たちのほうに目をやる。だれに話せばいいか、考えているようだ。「娘《むすめ》に会う権利《けんり》があるはずだ。今日の訓練のあとはどうだろう」

顔をみてしまうと、訓練のあとも会えないよ、とはとてもいえない。ケンナにはこれからも長いこと会えないよ、なんて。

父さんは刺《さ》すような視線《しせん》を向けてきた。「よほどひどいけんかをしたんじゃないか？　応援《おうえん》にもこないなんて。おまえたちらしくないな。いつも仲良《なかよ》しだったのに」

スカンダーは唾《つば》を飲んだ。「ちゃんと仲直りするよ」

父さんは納得《なっとく》したようだ。「そうしてくれ。おまえたちみたいに仲のいいきょうだいはそうそういないんだ。お互《たが》いのためならなんだってする、そうだろう？　人生はいろいろあるが、仲違《なかたが》いなんかしないでほしい。おまえのケンナは世界にひとりしかいないんだからな。父さんは、ケンナみたいな娘がいてラッキーだ。おまえも、ケンナみたいな姉さんがいてラッキーだ。そうだろう？　さあ、泣《な》くんじゃない」頰《ほお》に流れた涙《なみだ》を、父さんが拭《ふ》いてくれた。「今日のレースでおまえとスカンダレルが勝てば、ケンナはきっと大喜《おおよろこ》びしてくれる」

父さんの励《はげ》ましは終わりそうにない。スカンダーは泣《な》き笑《わら》いしながらいった。「父さん、今日のレースはそんな――」

「スカンダー、おーい！」ミッチェルが声をかけてきた。「そろそろ整列だ」

父さんはもう一度ハグをしてくれた。「がんばれよ」

スカンダーとスカンダレルはフローとブレードの右側《みぎがわ》に並んだ。教官たちが、風の元素の黄色い石を配っている。アガサがカナリア色の袋《ふくろ》を持ってまっすぐこちらに向かってくるのをみると、なんだか不安《ふあん》になってきた。しかし、思いだした。今日のレースは、全員が石をひとつ持った状態《じょうたい》でスタートする。

たくさんのカットを施《ほどこ》した石をアガサから受け取ると、スカンダーは、本当にパワーがこめられていないのか、確かめたくなった。

風の教官であり、シルヴァー・サークルの代表であり、新しい首長となったレックス・マニングが、ゴホンと咳払《せきばら》いをした。緊張したフレッジリングたちはすぐに静《しず》かになった。磁気《じき》を帯《お》びた石をアーマーにつけるときの、カチカチという音しかきこえない。アガサは口の形だけでスカンダーに「がんばれ」と伝《つた》えると、アークティック・スワンソングのところにもどっていった。ほかの教官たちといっしょに、ユニコーンたちの前に立つ。

「風のトライアルへようこそ」レックス・マニングがいった。「明るい声だったが、いつもは穏《おだ》やかな顔に、ストレスの色がはっきりと表れている。もうすぐ夏至なのに卵《たまご》がまだみつからないので、ゆっくり休む暇《ひま》もないんだろう。「今回のトライアルは、これまでの三つのトライアルに比《くら》べると、きわめて短時間で終わるだろう。だからといって、油断《ゆだん》しないように。レースの基本《きほん》的《てき》な特徴《とくちょう》は、みんなもよく知っているとおり――風のゾーン全体を駆けめぐるクロスカントリー・レースだ。カオスカップと似《に》ているが、予期せぬ障害《しょうがい》がいろいろあると思ってほしい。コースは――」レックスはてのひらを黄色に光らせて、自分の右側の空間に電気を走らせた。どこからどうみても、島で最《もっと》もパワフルなライダーという風格《ふうかく》があった。

本土からきた人々は「おーー！」と歓声《かんせい》をあげて見守った。火花が散《ち》り、空気がしゅうしゅうと泡立《あわだ》っていく。火花は、みえない導火線《どうかせん》を伝うかのように、空中に線を描《えが》き始《はじ》めた。風車の上を低《ひく》く走り、いったんみえなくなったかと思うと、段畑の渓谷の上空にもどってきて、客席《きゃくせき》の上空でゴールする。

電気で描かれた線が日差《ひざ》しの中できらめくのをみながら、レックスが話を続《つづ》けた。

「電気のラインが示《しめ》しているのが、今日のレースのコースだ。スタートとゴールはここ、客席の前。コースをはずれれば失格《しっかく》となり、風の石は没収《ぼっしゅう》される。五人の教官と二十四人の衛兵《えいへい》が、すべて円滑《えんかつ》に進むようにパトロールする」どうして衛兵がいるんだろう、とスカンダーは思った。レックスからの説明《せつめい》はあるんだろうか。たとえば、ウィーヴァーが石を狙っているとか。しかし、説明はなかった。レックスは、これまでのトライアルで妙《みょう》なことはなにひとつ起こらなかったかのように、説明を続ける。

「風のゾーンをコースどおりに進んでいくと、数々の障害物《しょうがいぶつ》がある。高速で回転する風車の羽根を避《さ》け、島で最悪《さいあく》の天候《てんこう》にみまわれた草原の上を飛び、巨大《きょだい》なアメリカスギのあいだをスラロームで進み、シルフが渓谷に作りだす突風《とっぷう》を乗りこえ――その先にようやくゴールが待っている」

「シルフってなに？」スカンダーはフローにきいた。しかしフローはミッチェルのほうをみた。

「こんなの、簡単《かんたん》すぎるよ」ミッチェルがぼそりといった。「これのどこがレースなんだろう」

「報酬《ほうしゅう》は？」ボビーがひそひそ声でいう。

　ほかのフレッジリングたちも、声を抑えておしゃべりしていた。レックスが片手《かたて》をあげてみんなを黙《だま》らせた。レックスが小さく笑《わら》うと、頬のまわりに火花が散った。「ボビー、きみが疑問《ぎもん》を持つのはよくわかる。まだ説明は終わっていないんだ。では、教官のみなさん、協力《きょうりょく》をよろしく。ああ、すまない、エヴァーハート教官は別《べつ》だよ」スカンダーは、オサリヴァン教官があきれたような顔をしてアガサに目くばせしたのに気がついた。それでも、セレスティアル・シーバードはムーンライト・ダストとデザート・ファイヤーバードのあとについて飛びたった。

　マニング首長は再《ふたた》び風の元素を呼びだし、てのひらで大きな円を描いた。ほかの教官たちがこれに倣《なら》い、それぞれの元素を呼びだす。元素の魔法《まほう》のにおいが広がっても、フレッジリングたちは、なにが始まるのかわからなかった。教官たちのユニコーンが着地する。

　四つの元素の輪《わ》が、横向きに宙《ちゅう》に浮《う》いている。ちらちらする炎《ほのお》の輪、ぱちぱち火花をあげる電気の輪、いまにも砕《くだ》けそうな水の輪、からみあったつるの輪。それぞれの輪の中央に、電流のケージにおさめられた各元素《かくげんそ》の石があった。スカンダーの目は青い石に引きつけられた。水の輪があるのは、上空百メートルくらいのところ。あの石がほしい。どうしても手に入れたい。でないと来年、ルーキーになれない。

「風のトライアルを通過《つうか》するには、ただゴールまでいくだけではだめだ。風の石を失《うしな》わないためには――エアリーにもどるための石のコレクションに加《くわ》えるためには――空中でユニコーンの背から離れ、四つの元素の輪のどれかを通るように落下しなければならない。輪を通《とお》り抜《ぬ》けたあと、ユニコーンに受け止めてもらう。ユニコーンが着地したら、そのままゴールを目指すんだ。究極《きゅうきょく》の勇気と、ユニコーンとライダーの信頼関係《しんらいかんけい》が試《ため》される。これこそ迷《まよ》いなき信念《しんねん》。カオス・トライアルの最後の試練《しれん》は、この一年、ライダーとユニコーンがいかに信頼関係を築《きず》いてきたかを示すためのものだ」レックスはフレッジリングたちにほほえみかけた。「そんなに怯《おび》えるな！　きみたちにはできる。わたしはきみたちの力を信じている」

フローが恐怖《きょうふ》に満《み》ちた顔で、〝迷いなき信念〟と口を動かしているのがみえる。しかし、もっと不安そうなのがミッチェルだ。そのときスカンダーは思いだした。ミッチェルは高所恐怖症《こうしょきょうふしょう》なのだ。

「ユニコーンが受け止めてくれなかったら、どうなるの？　背中につかまれなかったら、どうなるの？」ひそひそとした話し声の中に、ロミリーの声がはっきりきこえる。スカンダーは、ロミリーも――自分と同じように――石が足りていないのを知っていた。彼女《かのじょ》が持っていないのは火の石だ。

オサリヴァン教官が、レックスが口を開く前に割《わ》りこんだ。「迷いなき信念を示す必要性は知りませんが、輪くぐりをやらないライダーは、風の石を失うことになります」

ボビーは平然《へいぜん》としていた。「輪っかの中にある石は、だれがもらえるの？　いちばん早くゴールした人？」

「そのとおりだよ、ボビー」レックスが優《やさ》しい口調でいった。「それぞれの輪を最初《さいしょ》にくぐったライダーのものになる。ただ、ひとつの輪をくぐったら、別の輪をくぐることはできない。よく考えて選《えら》ぶように」

フレッジリングの乱《みだ》れた列のあちこちから、失望《しつぼう》の声があがった。スカンダーにはその理由がわかった。石のコレクションを完成《かんせい》させるには、ふたつ以上《いじょう》の石が必要なライダーもいるのだ。輪を最初にくぐることで報酬の石を手に入れることができても、エアリーの入り口でほかのだれかから石を恵《めぐ》んでもらわない限《かぎ》り、エアリーの中にもどることはできない。

「風のトライアルは、三十分後にスタートする」レックスはいい、テントを建《た》て始《はじ》めた治療師《ちりょうし》たちにあいさつしにいった。鍛冶職人《かじしょくにん》たち――ジェイミーも含《ふく》めて――が、アーマーの最後の調整をする。スカンダーは観客席に目をやって、父さんの顔をもう一度みた。父さんはシェコニ家の人々のそばにすわっている。すぐうしろには、アイラ・ヘンダーソンの青い髪がみえる。

「戦略《せんりゃく》を立てる時間があるぞ！」ミッチェルが小声でいった。父親のほうをみようとはせず、四人組で固《かた》まって、ほかのフレッジリングたちから離れる。四人はユニコーンを並べて壁にして、相談を立ち聞きされないようにした。

「そんなの、必要なの？」ボビーは肩をすくめた。チェーンメイルが金属音《きんぞくおん》をたてる。「簡単じゃない？　もちろん、ファルコンがちゃんと受け止めてくれないとまずいけど」自分のユニコーンに語りかける。「でないとあんたも死んじゃうんだからね？」

「簡単だなんて、どうしていえるの？」フローは枯《か》れた声でいった。「空中で飛びおりるのよ？」

「でもさ、フローレンス、あんたが飛びおりるのをいやがるなら、あたしが突《つ》き落《お》としてやるからね」ボビーが警告《けいこく》した。「ここまでがんばってきたのにノマド宣告なんて、冗談じゃない」

「やるわよ。やるけど」フローレンスはつぶやいて、不安そうにブレードをみた。「楽しくはなさそうよね」

「みんな、ちょっと黙ってくれないか」ミッチェルがいった。「計画を立てよう。スカンダーは水の石が必要だ。それと、もしレースの途中《とちゅう》でウィーヴァーが襲《おそ》ってきたら、どうする？」

　フローが答えた。「みんなでスカンダーを守るっていうのはどう？　そうすればスカンダレルができるだけ速く飛んでいけて、水の石も取れるでしょ？　空中戦《くうちゅうせん》も、わたしたちがスカンダーの代わりに戦《たたか》うの」

「いいね」ミッチェルがいった。「スカンダーは四人の中でいちばん速い。それに、ハヤブサ隊《たい》のメンバーなんだから、輪くぐりだって怖《こわ》くないだろうし。スカンダー、どうかな？」

　スカンダーは気に入らなかった。ぼくのためにみんなの身を危険《きけん》にさらすなんて……しかも今回が初めてじゃない。だいたい、そこまでする価値《かち》が、ぼくにはあるのか？　ケンナのいうとおり、エアリーを離れるべきなのかもしれない。水の石だって取らなくてもいい。最初からまちがっていたのかもしれない。

ボビーは少しがっかりしたようだが、反論はせずにこういった。「スピードの点でスカンダーの最大《さいだい》のライバルといえるのは、アンバーとワールウィンド・シーフだよね。でも、アンバーがほしいのは土の石だから、アンバーがトップで輪っかのところに到着しても問題ないんじゃない？」

「調べてみたんだけど、水の石が必要なフレッジリングは十人以上いるんだよ」ミッチェルがいった。「だから、のんびりしてはいられない」

「平気だよ」ボビーがいう。「スカンダーはいちばん速いんだから。さっきもいったように、ライバルはアンバーだけで――」

「いや、それだけじゃないよ」ミッチェルは譲《ゆず》らない。「マニング首長がいってただろ。これはカオスカップのクロスカントリー・バージョンなんだって。ほかのライダーを攻撃《こうげき》しながら進んでいくレースでもあるんだよ。スカンダーはうしろから狙われる。ハヤブサ隊だからこそ、速いってことをみんなに知られてる。それに、恐ろしい気の使い手だからね。みんな、遠慮《えんりょ》なく狙ってくるんじゃないか？」

「なんか、アガサ叔母《おば》さんみたい」ボビーがうなった。

「頼《たの》むよ」スカンダーはいった。仲間たちは、スカンダーの葛藤《かっとう》に気がついていなかった。ケンナに会いにいったときのことを、スカンダーはだれにも話していなかったからだ。「ぼくを守ってくれなくてもいいよ。そのせいで、三人のうちのだれかが、風の石をなくすかもしれないだろう？　ウィーヴァーがくるかもしれない。きみたちを危険な目に――」

「守りたいのよ」フローがいった。「立場がちがえば、スカンダーだって同じことをすると思うわ」

「それに」ボビーが付《つ》け加《くわ》える。「アガサにもいわれてる。スカンダーが水の石を取るために協力しろって。協力しなかったら殺《ころ》す、くらいの勢《いきお》いだったよ。だからそうするしかないんだってば」

「ぼくたち、四人組だろ」ミッチェルがきっぱりいった。「以上、議論《ぎろん》はおしまい」

スカンダーはごくりと唾を飲んだ。そうだ。ぼくたちは四人組だ。ぼくの居場所はエアリー。この仲間たちといっしょにいるべきなんだ。

ボビーが大げさにミッチェルを指差《ゆびさ》した。「シルフってなに？　知ってることを全部教えて」フローに向き直る。「ね、フローレンス。あたし、落ち着いて物事に取りくむようになったでしょ？　鍾乳獣《しょうにゅうじゅう》のこと、おぼえてる？　わたし、おとなになったよね？　ね？」

フローは笑顔《えがお》になった。ミッチェルが説明を始める。風の元素の精霊《せいれい》であるシルフは、きわめて攻撃的《こうげきてき》な突風という形で姿を現すだけでなく、個々《ここ》の意思と不気味《ぶきみ》な顔を持っている。渓谷を支配《しはい》し、大災害《だいさいがい》を引きおこすこともある、という。フレッジリングたちは、コース終盤《しゅうばん》で、この精霊の攻撃をかわしていかなければならない。

　いつのまにか、与《あた》えられた三十分が過《す》ぎていた。フレッジリングたちは、アンダーソン教官が草に火を吹きつけて引いた黒こげのラインの前に集まった。ちょうど元素の輪の真下で、この線からスタートし、この線がゴールにもなる。スタートラインの前に整列したユニコーンたちが、さまざまな元素を爆発《ばくはつ》させる中、ライダーたちはアーマーの最後の調整を終え、ユニコーンの腹《はら》帯《おび》を締《し》め直《なお》し、ヘルメットのバイザーをおろした。

　スカンダレルは目を赤くしたり黒くしたりしながらぎょろぎょろさせ、翼に火をつけたかと思うと、次の瞬間には凍《こお》りつかせたりした。レース前で興奮《こうふん》しているらしい。ブレードの姿はほとんどみえない。全身が黒煙《こくえん》に包《つつ》まれてしまっている。レッドは五発連続《れんぞく》でおならをして、ひづめをこすって火をつけた。ファルコンだけは落ち着いている。ときおり鼻から火花をだしたり、地面をひづめで叩《たた》くだけだ。スカンダーは、神経《しんけい》のたかぶりを抑えようとした。**これもただのレースに過ぎない。いまはケンナのことは考えないようにしよう。ウィーヴァーのことも考えない。**

それに、飛ぶスピードではウィーヴァーには負けない。

　レックス・マニングがスタートラインにやってきた。てのひらが黄色く光っている。フレッジリング全員が手綱を握《にぎ》り、鞍《くら》の上で身を低くした。首長が空に稲妻《いなずま》を放つ。風のトライアルの始まりだ。

「いけ、スカンダレル！」スカンダーは叫《さけ》んだが、その必要はなかった。スカンダレルの勝ちたいという意欲《いよく》が絆《きずな》から伝わってくる。飛ぶことを愛《あい》する気持ちも感じられる。三回のカオス・トライアルを経《へ》て、今日のレースを迎《むか》えた。今日もいっしょに戦う。どんなことも、いっしょに取りくんでいく。

三歩の助走で空に飛びだした。ブレード、レッド、ファルコンも同じく空に飛びだし、すぐうしろをついてくる。左のほうで火の球が炸裂《さくれつ》した。焦《こ》げたトーストみたいなにおいがする。そして、熱《ねつ》の波が襲ってきた。それでもスピードはゆるめない。やるべきことはただひとつ。だれよりも速く飛ぶこと。水の輪に、だれよりも早くたどりつく。

風車に向かって飛び続けるあいだ、スカンダレルは心からレースを楽しんでいた。戦闘《せんとう》よりレースのほうがずっと好《す》きなのだ。いま、フレッジリングのなかでいちばん速いグループの先頭を飛んでいる。

「スカンダー、上！」ボビーの声が、三メートルほどうしろからきこえた。ヘルメットのバイザーを通して上をみる。デモニック・ニンフがこちらに向かって降下《こうか》してくる。マリッサのてのひらが青く光っている。空中戦をしかけてくるつもりらしい。死《し》に物狂《ものぐる》いになっているのがわかる。マリッサも水の石がほしいのだ。

しかし、スカンダーは戦いたくなかった。ひたすら先頭を進んでいきたい。マリッサと戦えば、貴重《きちょう》な時間とエネルギーを消費《しょうひ》してしまう。せっかくみんなをリードしているのに、台無《だいな》しだ。そこで、スカンダレルを降下させ、風車の羽根めがけて進んでいった。

うしろから、翼が空を切る音がきこえる。マリッサが追ってきているんだろう。氷の破片《はへん》が飛んできて、チェーンメイルに当たって音をたてた。宣戦布告《せんせんふこく》だ。

「わかったよ」スカンダーはつぶやいた。「追いかけっこをしたいなら、つきあってやる。スカンダレル、いいな？」

さらに低く飛んで、風車の鋭《するど》い羽根にぎりぎりまで近づいた。いまだ！　タイミングが合っていますように。スカンダーはそう祈《いの》りながら、ハヤブサ隊でおぼえた得意技《とくいわざ》を披露《ひろう》した。回転する矢という技だ。スカンダレルが全力ではばたき、弾丸《だんがん》のように前進した。そして翼をたたんで胴体《どうたい》に密着《みっちゃく》させる。スカンダーは両脚《りょうあし》でスカンダレルの胴体をはさみ、鞍から落ちないように体を安定させた。手綱を操《あやつ》って、左に、右に、そしてまた左に回転する。うまくいった。風車に近づくたび、羽根から数センチのところをかすめていく。最後の風車も通過すると、スカンダレルが再び翼を広げて空高く舞いあがり、レースにもどった。

肩ごしに振《ふ》り返《かえ》ってみると、マリッサはまだ最初の風車のところにいる。うまく進めないようだ。スカンダレルは草原の上を飛び始めた。あらゆる方向から風が吹きつけてくる。四人組の仲間たちの歓声《かんせい》がうしろからきこえた。心が弾《はず》む。仲間たちといっしょに飛んでいる。しかも、レースに勝てそうだ。

草原をあとにしたスカンダーとスカンダレルは、トップで中間地点にやってきた。空の森だ。火花で描かれたコースラインが、少しだけ内側《うちがわ》に寄っている。ここは注意が必要だ。木々があまりにも高い。スカンダレルはいらだちの声をあげた。スピードを落として、木々を縫《ぬ》うように進まなければならないからだ。耳をそばだてていると、ほかのユニコーンたちが森に入るのがわかった。ひづめが当たって枝《えだ》が折《お》れる音や、翼が木の葉をこする音がきこえる。ここでは戦闘をしたくない。心のどこかで、黒いマントをつけたライダーと野生のユニコーンの姿や、ライトニング・ミステイクが攻撃されて、ニーナが悲鳴をあげるシーンを想像《そうぞう》してしまう。

やがて、とうとうあたりが明るくなり、うっそうとした森を抜《ぬ》けることができた。うしろをさっと振り返り、スカンダーはほっとした。ファルコンも森からでてきた。レッドもいる。ブレードは――

いない。

フローの悲鳴が響いた。ブレードも痛《いた》みを訴えて甲高い声をあげる。身をよじり、みえない敵《てき》と戦っているようだ。

スカンダーはスカンダレルをUターンさせて、再び森に近づいた。ボビーがフローに向かって叫んでいる。フローは必死《ひっし》にブレードにしがみついている。ファルコンはじたばたともがくブレードのすぐそばでホバリングしている。ミッチェルとレックス・マニングは地面近くまで降下して、ブレードがなにに攻撃されているのかを確かめようとした。そのあいだにも、ほかのユニコーンたちが薄暗《うすぐら》い森からでてきて、スカンダーたちには目もくれず、空を疾走《しっそう》していく。

「なにがあった？」スカンダーは叫んだ。

「フローに近づけないの！」ボビーが答える。「ブレードがなにかの元素の檻《おり》に捕《つか》まってる。フローが振りおとされそう！」

スカンダレルがさらに近づくと、渦《うず》を巻《ま》く炎でできた檻にブレードとフローが閉《と》じこめられているのだとわかった。炎は稲妻に変わり、さらに氷の結晶《けっしょう》に変わる。ブレードが痛みを訴えている理由もわかった。逃《のが》れようとするたび、脚《あし》に元素のバリアがぶつかるせいだ。

ミッチェルとレッドに加わって、スカンダーとスカンダレルもあたりを高く低く飛びまわり、魔法の源《みなもと》を必死に探《さが》した。ほかのユニコーンたちがさらに飛んでいく。みんな、前しかみていない。アメリカスギの木立を抜けたところでは、アノーシュカとスカイ・パイレートが、アートとフューリアス・インフェルノと戦闘を繰《く》りひろげている。

「助けて！　ブレードが、わたしが乗ってることも忘れてる！」フローが叫ぶ。ブレードは元素のバリアに向けて魔法を爆発させている。バリアに触《ふ》れれば触れるほどおびえ、悲鳴をあげる。ボビーも必死になって、檻を攻撃し始めた。元素の種類《しゅるい》を順番《じゅんばん》に変えて、魔法を無力化《むりょくか》しようとする。

「この魔法、なんなの？」ボビーは叫んだ。なにをやっても効《き》かない。

「ウィーヴァーが森にいるんだ！」まわりを飛びながら、ミッチェルがスカンダーにいった。

スカンダーは恐怖に包まれた。ウィーヴァーはフローを殺す気なのか？　アメリカスギの木立の中で、ニーナを殺したように。ターゲットはぼくじゃないのか？

バーン！

突然《とつぜん》、元素の魔法がフローとブレードのまわりで爆発し、オレンジ色の光を放った。ブレードは横に飛ばされ、ぐるぐるまわりながら落下し始めた。鞍を離れたフローも、地面へまっさかさまだ。ブレードはけがの痛みがひどくてフローをキャッチできない。片方《かたほう》の翼をだらんとのばして、落ちていく。

スカンダーは呆然《ぼうぜん》として、考えることも、呼吸《こきゅう》をすることもできなかった。**フロー。だめだ、フロー。**

しかしスカンダレルはすでに空中ダイブを始めていた。スカンダーにとってフローがどれほど大切な存在であるかを、スカンダレルは理解していた。そして、友情《ゆうじょう》の大切さをなによりよく知っている。スカンダレルにとって、スカンダーが世界でいちばんの親友なのだ。

ファルコンとレッドも、落ちていくフローを追って急降下《きゅうこうか》し始めた。しかし、スカンダレルが早かった。フローの下に入って、その体を受けとめる。

うわっ！　アーマーをつけたフローの体が、スカンダーの体を直撃《ちょくげき》した。フローは片手でスカンダーの腕《うで》をつかみ、片手でスカンダレルのたてがみをつかんだ。半分泣いていた。衝撃《しょうげき》で止まった息がなかなか復活《ふっかつ》しない。シルヴァー・ブレードはすでに地面にいた。悲しそうな顔で、空中を旋回《せんかい》するスカンダレルをみあげている。銀の翼が片方、体の横に垂れている。

「だいじょうぶ、だいじょうぶだよ」スカンダーはフローの髪に何度も語りかけた。

「だいじょうぶじゃないわ、スカー」フローは苦しそうだ。

「いったい――」スカンダーの言葉がとぎれる。フローはスカンダーの顔をみた。そして、なにが起こったのかを知った。

フローは風の石をなくしていた。

ANOTHER SHORE

第21章
もうひとつの岸

スカンダーは驚《おどろ》いて、フローの風の石があった場所をみつめた。

「落ちたんだわ！」フローは必死《ひっし》で訴《うった》えた。

しかしスカンダーは事実に気づいていた。ウィーヴァーに盗《ぬす》まれたのだ。これでウィーヴァーは、元素《げんそ》のパワーをこめることのできる石を四種《しゅ》類《るい》手に入れたことになる。パニックを鎮《しず》めようと、ジャケットのポケットに入れてある気の石に指をあてた。**五つそろったわけじゃない。**スカンダーは懸命《けんめい》にそう考えた。**気の石はこれひとつだけ。絶対《ぜったい》に奪《うば》われない。**

ボビーとミッチェルも、スカンダレルの背中《せなか》でぺしゃんこになっているスカンダーとフローのところにやってきた。さらに三人のフレッジリングが、空をかけていく。

「スカンダー、ミッチェル、先にいって」ボビーがいった。

「なにをいってるんだ？」ミッチェルがいった。スカンダーはまだ木陰《こかげ》をのぞきこみ、敵《てき》がでてこないかと気をつけていた。ウィーヴァーはみつかるだろうか。フローの石を取り返せるだろうか。

「フローレンス」ボビーは真剣《しんけん》な顔でいった。「ファルコンに乗って」

ボビーはファルコンをスカンダレルのとなりでホバリングさせた。フローはどうしたらいいのかわからない、という顔をしている。スカンダレルもファルコンも、地上五十メートルほどのところにいた。

ボビーが手を大きく三回叩《たた》き、みんなに活を入れた。「レースだよ！　風のトライアルだよ！時間をむだにしちゃだめ。いまからいけば、報酬《ほうしゅう》の石がもらえるかも。水と風の石が必要《ひつよう》なの！」

ミッチェルは首を振《ふ》った。「ロバータ、きみのほうがぼくより速い。きみがいくといい」

「だめ。助けがくるまで、あたしはフローといっしょにいる」ボビーはブレードに目をやった。ブレードは地面で後足立ちになり、上をみているが、飛《と》びたくても飛べないらしい。

「マニング教官《きょうかん》」フローは声にならない声でいった。「あの人ならブレードを助けてくれるかも」

「ウィーヴァーがもどってきたらどうする？」スカンダーがいうと、フローはファルコンの背《せ》に乗った。

「フローはもう、救助《きゅうじょ》を要請《ようせい》したの」ボビーがいう。「教官たちがすぐくると思う。議論《ぎろん》してる暇《ひま》はない。あたし、四人組が半分になっちゃったら、ルーキーになんかならなくていい。ミッチエルとあたしのふたりでツリーハウスにいたら、きっと殺《ころ》し合《あ》いになっちゃうしね」

「たしかにな」ミッチェルがつぶやいた。「石が必要だ」

「フローとブレードが無事《ぶじ》に保護《ほご》されたら、すぐに追いかける。さあ、早くいって！」ボビーはそれだけいうと、ファルコンをブレードの近くに着地させた。

　スカンダーとミッチェルはレースにもどった。

　前をみると、たくさんのフレッジリングたちがいた。少し先のカーブに沿《そ》って飛んでいくところだ。スカンダレルとレッドは最後尾《さいこうび》ではないが、かなりうしろのほうなのはまちがいない。

「できるだけ速く飛べ！」ミッチェルが叫《さけ》ぶ。黒と赤のユニコーンたちの影《かげ》が、広い草原を突《つ》っ切《き》っていく。「ぼくを待たなくていいから！」

「本当にいいの？」スカンダーは声を張《は》りあげた。

「いけ！」

　スカンダレルのはばたきのペースが二倍になった。前足が大きく空を掻《か》く。絆《きずな》には、ほかのユニコーンたちに追いつくぞという決意がみなぎっている。眼下《がんか》にはまた風車が並《なら》び始《はじ》めた。

　最後《さいご》の風車の上で、激《はげ》しい空中戦《くうちゅうせん》が起きていた。スカンダーは迂回《うかい》して進んだが、立ちのぼる煙《けむり》や元素の破片《はへん》の中に、アンバーとワールウィンド・シーフの姿《すがた》がみえた。戦闘《せんとう》の相手はメィイーとローズブライア・ダーリン、アラステアとダスク・シーカー。四人組の仲間同士《なかまどうし》で戦《たたか》っているのだ。スカンダーは先を急いだ。スピードを落とすわけにはいかない。

ハヤブサ隊《たい》の訓練《くんれん》が、確実《かくじつ》に役に立っている。コースも残《のこ》り三分の一というあたりで、イライアス、アイヴァン、アイシャの三人を抜《ぬ》いた。三人のユニコーンは疲《つか》れてしまったらしい。

「いくぞ、スカンダレル」スカンダーはささやき、シェコニ工房《こうぼう》の鞍《くら》の上で、さらに身を低《ひく》くした。「ぼくたちが勝つ」

渓谷《けいこく》に入った。両側《りょうがわ》の斜面《しゃめん》が段々畑《だんだんばたけ》になっている。突風《とっぷう》に吹《ふ》かれたトウモロコシが激しく揺《ゆ》れる。しかしスカンダーとスカンダレルは、風の読みかたを知っていたので、早め早めに対処《たいしょ》することができた。スカンダーが左に右にと体重を移動《いどう》させ、スカンダレルも翼《つばさ》を傾《かたむ》ける。渓谷を切《き》り裂《さ》くような強風をやりすごす。そのとき――

しゅうっ！

シルフが現《あらわ》れた。スカンダレルのまわりの空気が、何十もの顔の形になった。その叫《さけ》び声《ごえ》のせいで耳がおかしくなりそうだ。スカンダレルは頭を左右に動かした。近づいてくる風の精《せい》をみて混乱《こんらん》しているようだ。風向きがころころ変《か》わる。糖蜜《とうみつ》の中を飛んでいるみたいだ。シルフの叫び声が大きくなると、スカンダレルも低くうなった。突風に翼があおられる。スカンダーは鞍にしっかりしがみつき、迫《せま》ってくる空気の渦《うず》にのまれないよう踏《ふ》んばった。

風ともみ合ううちに、ハヤブサ隊の訓練で鍛《きた》えた筋肉《きんにく》も、さすがにこわばってきた。スカンダレルが翼を打つ速度も鈍《にぶ》る。するとようやくシルフは後退《こうたい》し、次のターゲットに狙《ねら》いを定めた。

もうだいじょうぶ。またスピードをあげた。ロミリーとミッドナイト・スターを追《お》い越《こ》し、アノーシュカとスカイ・パイレートをかわす。さらにはファルークとトキシック・タイムを追《お》い抜《ぬ》いたとき、渓谷を抜けることができた。前方の空に、四つの元素の輪《わ》が浮《う》いている。その下はゴールラインだ。

しかし、前方にはまだライバルたちがいる。

風の使い手のザックとイエスタデイ・ゴーストは、すでに元素の輪に近づいている。そのうしろには、火の使い手のウォーカーとサヴェッジ・サラマンダー。ウォーカーは水の石を狙っているはずだ。

どうしよう。スカンダーはスカンダレルを急《せ》かし、サラマンダーの薄茶色《うすちゃいろ》のしっぽに追いつこうとした。水の輪を最初《さいしょ》にくぐるには、ウォーカーと戦わなければならない。

ゴールすることで頭がいっぱいのウォーカーは、スカンダレルに追われていることに気づいていない。スカンダーは、この状況《じょうきょう》を利用《りよう》しようと考えた。気の元素をてのひらに呼《よ》びだし、自分とスカンダレルを結《むす》ぶ絆に神経《しんけい》を集中させる。互《たが》いの鼓動《こどう》を合わせるイメージだ。すると、もう一対《いっつい》のスカンダーとスカンダレルがとなりに現れた。動きもまったく同じだ。

「ウォーカー！」スカンダーが叫ぶと、ウォーカーは振《ふ》り返《かえ》った。

その顔がたとえようもないほどの恐怖《きょうふ》に包《つつ》まれた。元素の輪を目指して飛ぶのも忘《わす》れ、空中でサラマンダーをUターンさせると、ふたりいるスカンダーを交互《こうご》にみた。

幻《まぼろし》のスカンダーとスカンダレルに、ウォーカーとサラマンダーとの戦闘をまかせられたらいいのに、とスカンダーは思った。それができれば、ウォーカーより先に水の輪をくぐることができる。幻のスカンダーが気の投《な》げ槍《やり》を投げられるなら——

「ああっ！」ウォーカーは砂《すな》の盾《たて》をあわてて作り、自分の心臓《しんぞう》めがけて飛んできた投げ槍を防《ふせ》いだ。スカンダーはふと横をみて、願《ねが》っていたとおりのことが起こっているのを知った。偽物《にせもの》のスカンダーが放った気の投げ槍を防いだあと、ウォーカーは盾を手放した。てのひらを赤く光らせて炎《ほのお》の剣《けん》を作る。反撃《はんげき》にでるつもりだ。

スカンダーはためらわなかった。ウォーカーが戦闘に気を取られているあいだに、スカンダレルを前進させた。すでにザックが迷《まよ》いなき信念《しんねん》をみせたらしい。火の輪からは、もう石が消えている。でも、水の石はまだ、水の輪の中央に浮かんでいる。

スカンダーの目に、風の石が入った。フローが必要としている石だ。火花を散《ち》らす電気の輪の中に浮いている。四つの輪の下のほうをみると、歓声《かんせい》をあげる人々の中に、父さんの顔がみえた。愛《あい》する父さん。愛し続けるのが難《むずか》しいときもあったけど、大切な父さんだ。そのときスカンダーは、風の元素そのものに魅入《みい》られたような気がした。**おまえのケンナは世界にひとりしかいないんだからな。父さんは、ケンナみたいな娘《むすめ》がいてラッキーだ。おまえも、ケンナみたいな姉さんがいてラッキーだ。そうだろう？** 父さんの言葉を思いだすと、頭の中がすっきりしてきた。ここ数か月間、なかったことだ。スカンダレルは四つの輪の上でホバリングしている。

ケンナはぼくといっしょにいたいといっている。この一年、ずっとそうだった。ぼくも、ケンナのためにエアリーでがんばってきた。ケンナを偽《にせ》の絆から解放《かいほう》することで、いっしょにいられるようにしよう、そう心に決めていた。でも、ニーナ・カザマはもういない。シルヴァー・サークルが島の実権《じっけん》を握《にぎ》ったいま、ケンナの運命にも、ぼくの運命にも、すべての気の使い手の運命にも、アスペン・マグラスと約束《やくそく》を交わしたときより暗い影が差《さ》している。レックスが気の使い手を島にもどしてくれるかどうかはわからない。エアリーだって、どこまで信《しん》じていいのかわからない。でも、ケンナのことは信じられる。それがなにより大切なことだというのを、ずっと忘れていた。ケンナとゴショーク・フュアリーとの偽の絆を解《と》くことについては、これからもケンナを説得《せっとく》していこうと思うが、ケンナにはゆっくり時間をかけて考えてもらいたい。ケンナがいやだというなら、その気持ちを尊重《そんちょう》しよう。ふたりで解決《かいけつ》していく。昔からそうだったんだから。

そして、フローは、いま目の前で輝《かがや》いている風の石を必要としている。フローがエアリーにもどれないなんて——銀の要塞《ようさい》に閉《と》じこめられて、友だちとも離《はな》ればなれになってしまうなんて——そんなことがあってはならない。井戸《ウエル》のダンスパーティーの夜、ふたりで雪遊びをしたことが思いだされる。フローの笑《わら》い声《ごえ》がよみがえる。黒い髪《かみ》の中に銀色の髪が光っていたこと。口角をちょっとあげて小さくほほえみ、朝食に誘《さそ》ってくれたこと。お父さんのことを心配するミッチエルに、いつも優《やさ》しい言葉をかけてあげていたこと。ボビーの中に、何年も前に封印《ふういん》してしまった面倒《めんどう》みのいい側面《そくめん》があるのをみつけたこと。そう、あの三人は、ぼくがいなくてもだいじょうぶ。でも、フローはいないとだめなんだ。

頭にかかっていた靄《もや》がすっきり消えていった。ひとつの石で、ふたつの選択《せんたく》を得《え》ることができる。エアリーがライダーに求《もと》めるものとは別次元《べつじげん》の選択。エアリーはいつも、なにがあっても勝て、感情《かんじょう》のない戦士《せんし》になれ、という。でも、それには従《したが》わなくていい。フローを助け、ケンナにふさわしい弟になる。自分自身を誇《ほこ》れるような人間になる。カオスカップで勝てるようなライダーには、なれなくてもいい。

あと数秒もたてば、ほかのフレッジリングたちがやってくるだろう。スカンダーはスカンダレルを風の輪の上でホバリングさせた。

「スカンダレル、受け止めてくれよ？」スカンダーは黒いユニコーンの耳にささやき、首をなでてやった。

そのとき――臆病風《おくびょうかぜ》に吹かれて気が変わる前に――スカンダーは左足を鞍の上から右側《みぎがわ》に移《うつ》し、横ずわりになった。そして、飛びおりた。

落ちていく。すごい速さで空気が流れていく。まわりのすべてがぼやけた青色にみえる。絆の中で、スカンダレルのパニックと自分のパニックが入《い》り混《ま》じる。スカンダレルが急降下《きゅうこうか》してくれていますように。どこまでもどこまでも落ちていく。思わず目を開けて、確《たし》かめてしまった。頭がくらくらする。しかし、自分の足が風の輪を通ったのがみえた。

夏至《げし》の石。フローの石を取ってやろう。

手をのばして、元素のケージに入れられた黄色い石をつかんだ。もう一度下をみて、すぐに後《こう》悔《かい》した。地面がすぐそこまで迫っている。ユニコーンに乗った教官たちの姿がみえる。アガサの白いマントも。このスピードで地面にぶつかったら、命が助かる可能性《かのうせい》はあるんだろうか。治療《ちりょう》師《し》たちが手を施《ほどこ》す余地《よち》はあるか。それとも——

ひゅうっ！

すぐ下で、黒い翼が広がった。スカンダーは、シェコニ工房の鞍の上にうつぶせに落ちた。スカンダレルは勝利《しょうり》の雄叫《おたけ》びをあげてホバリングし、スカンダーが体を起こすのを待った。

「ずいぶんのんびりしてたじゃないか！」スカンダーはいったが、スカンダレルはきいていなかった。空に向かってうれしそうにいなないている。スカンダーも顔をあげた。四つの輪の上にライダーの渋滞《じゅうたい》ができている。みんな、ユニコーンから飛びおりるのが怖《こわ》いんだろう。ウォーカーとサラマンダーは、まだ上空を旋回《せんかい》している。

そのときスカンダーは、スカンダレルの視線《しせん》の先にだれがいるのか、気がついた。

ミッチェル・ヘンダーソンとレッド・ナイト・ディライトが、元素の輪に向かって空を疾走《しっそう》している。レッドの炎のしっぽが煙《けむり》の筋《すじ》となって、ためらっているライダーたちの横を通り過ぎていった。ミッチェルが脳《のう》みそをフル回転させているのが、スカンダーには手にとるようにわかった。残る夏至の石が水と土だけだということに、ミッチェルはもう気づいただろう。両肩《りょうかた》が落ちる。大きなため息をついたときのような動きだった。そして眼鏡《めがね》をはずし、ジャケットのポケットに入れた。片足《かたあし》を鞍の上にまわして……

動きが止まった。

ミッチェルはレッドの翼ごしに地面をみた。恐怖に取りつかれたような顔をしているのが、輪の下にいるスカンダーの位置《いち》からも、はっきりみてとれた。

「ミッチェル、がんばれ！　飛ぶだけだ！」アイラの声が空気を切り裂いた。

ミッチェルは父親のほうをじっとみた。大きくみひらいた目は恐怖に染《そ》まっている。そのとき、どういうわけか、ジェイミーが人々を押《お》し分《わ》けるようにして、仮設《かせつ》スタンドの最上段《さいじょうだん》にのぼっていった。ミッチェルの父親のところにいこうとしているのだ。振り返ったアイラ・ヘンダーソンの三《み》つ編《あ》みにした髪が、スカンダーの目に入った。

「お願いです、ヘンダーソンさん。ミッチェルは、自分がいいときも悪いときも、お父さんに認《みと》めてほしいと思ってるんです」ジェイミーはそういって、アイラの肩《かた》にそっと手を置《お》いた。「飛んでも飛ばなくてもおまえは自慢《じまん》の息子《むすこ》だ、お父さんからそういわれたいんですよ」

スカンダーは息を詰《つ》めて待った。

「ミッチェル、よくやった！」アイラの声が空に響《ひび》きわたる。堂々《どうどう》とした口調なのに、どこかぎこちない。

「ヘンダーソンさん、もっと！」ジェイミーがウインクした。「飛ばなくても愛している、そういってやってください」

アイラ・ヘンダーソンのはっとしたような顔が、ちょうどスタンドの高さでホバリングしているスカンダーの位置からもよくみえた。「ミッチェルは……失敗《しっぱい》したらわたしに愛してもらえないと思っているのか？」

ジェイミーは肩をすくめた。

「ミッチェル、飛ばなくてもいいぞ！」アイラが叫んだ。「わたしのためであれ、だれのためであれ、飛ばなくてもいい。飛んでも飛ばなくても、おまえはわたしの大切な息子だ。愛してい
る！」

「やった！」ジェイミーはうれしそうだ。「ミッチェル、きみは最高《さいこう》だよ！　飛んでも飛ばなくても！」

「おまえは最高《さいこう》の息子だ！」ジェイミーの叫び声にアイラも加わった。

ミッチェルはレッドの背中にすわったまま、身を低くした。すでに両足が、水の輪の内側《うちがわ》に入っている。さすがはミッチェルだ。スカンダーよりずっと確実な方法《ほうほう》を取ろうとしている。そして、両手を広げると、そのまま飛んだ。

スカンダーの胸《むね》が誇らしさでいっぱいになった。ミッチェルは高所恐怖症《こうしょきょうふしょう》だ。まだたくさんのライダーが、迷いなき信念をみせる勇気《ゆうき》をだせずにいる。レッド・ナイト・ディライトは、赤い煙のようになって、水の輪の下に下降《かこう》し、最愛《さいあい》のライダーを受け止めた。勝利と痛《いた》みの声をあげながら、ミッチェルは鞍に倒《たお》れこんだ。

「やったぞ、スカンダー！」ミッチェルは叫んだ。レッドとスカンダレルは、着地してゴールラ

インを越《こ》え、観客《かんきゃく》の拍手喝采《はくしゅかっさい》を浴《あ》びた。「スカンダー、なんで風の石を取ったりしたんだよ？　水の石を取れっていっただろ？　ウォーカーがすぐそばにいたんだぞ。ぼくより先にあいつがジャンプしてたら、石は取れなかった」ミッチェルはこぶしを振った。ぎゅっと握った手の中には、青い夏至の石があった。

「ミッチェルの姿がみえなかったし、ぼく、フローにはノマドになってほしくなかったんだ。どっちかを選《えら》ばなきゃいけなかった。それで――」

「フローを選んだのか。自分より」ミッチェルは、半ばいらだち、半ば感心したような口調でいい、にっこり笑《わら》った。

真実はそれだけじゃない。フローを選んだのはたしかだが、同時にケンナも選んだのだ。うれしそうに笑いかけてくれるミッチェルの顔をみていると、ケンナを選んだことをどう考えたらいいのかわからなくなる。ミッチェルは大切な友だちだ。飛ぶのが怖いのに、飛んでくれた……ぼくのために。四人組を離れることが、急につらくなってきた。四人組の三人は、初《はじ》めてできた友だちだ。でも、空の上で、ぼくはたしかに選択をした。もうもどれない。

ミッチェルは笑っている。スカンダーの表情《ひょうじょう》をみて、なにか誤解《ごかい》しているようだ。「そう照《て》れるなよ。そんなこと、ずっと前からわかってるんだからさ。バレバレだったよ」

「え、なにが？」

「フローが好《す》きなんだろ？　恋愛対象《れんあいたいしょう》として」ミッチェルがはっきりいった。

第21章　もうひとつの岸

頬《ほお》が熱《あつ》くなる。どうしてミッチェルはわざわざ〝恋愛対象として〟なんて言葉を使ったんだろう。でも、いわれてみると――」

「なんだ、やっと自覚《じかく》したの？」うしろから声がきこえた。「だれかのために雪まで降《ふ》らせておいて、それでも気づいてなかったなんてね」ボビーはファルコンの背中に乗ったまま、満面《まんめん》の笑《え》みをみせた。「まったく、どういうことよ」

　スカンダーの脳みそが、やっとまともに動きだした。「ボビー！　どうして……どうやって……？」言葉がうまくでてこない。ボビーとフローとは、何キロも前に別《わか》れてきたのだ。

　答える代わりに、ボビーはてのひらを開いた。きらきら光る緑色の石があった。報酬のうち、最後のひとつだ。

「けど、どうやって追いついたの？」ミッチェルはうれしそうだが、不思議《ふしぎ》そうでもある。

　それと同時に、スカンダーはきいた。「フローはだいじょうぶ？」

「だいじょうぶ。じゃなかったら置いてこないって。レックスがブレードを銀の要塞に連《つ》れていった。翼をけがしたみたいね」

　スカンダーはほっとして、体から力が抜けるようだった。

「ねえ、ロバータ、どうやってここまできたの？」ミッチェルはもう一度きいた。「だいぶ後《おく》れを取ってたじゃないか」

「すっごく急いだの。そうよね？」ボビーは自分のユニコーンの首をなでた。「ハヤブサ隊って、名前を変えたらいいんじゃない？　ファルコン隊。あたしが首長になったら、そういいはってみる」ボビーは大まじめな顔でいった。スカンダーには、本気なのか冗談《じょうだん》なのかわからなかった。

ミッチェルが笑い声をあげる。三人はユニコーンからおりて、待っている人々のところへユニコーンを引いていった。アイラ・ヘンダーソンが息子に駆《か》け寄《よ》ってくる。いつもの堅苦《かたくる》しさはどこかにいってしまったようで、ミッチェルを骨《ほね》がくだけそうなほど強く抱《だ》きしめた。

大喜《おおよろこ》びの父さんが近づいてくると、スカンダーは興奮《こうふん》しているふりをした。しかし、気分が乗らない。風のトライアルには合格《ごうかく》したし、ウィーヴァーに襲《おそ》われることもなかった。でも、ウィーヴァーは風の石を盗んだ。さまざまな不安《ふあん》が再《ふたた》び押《お》し寄《よ》せてくる。ウィーヴァー。ニーナの死。盗まれた卵《たまご》。五十人分の偽の絆。四人組はカオス・トライアルを勝《か》ち抜《ぬ》いたけど、島はこれからどうなっていくんだろう。孵化《ふか》の儀式《ぎしき》もなく、新しいライダーたちが断層線《だんそうせん》を歩くこともない。ウィーヴァーが盗んだ夏至の石にパワーを注入できないとしても、あるいは、四つの元素では足りないとしても、島は待っている。ウィーヴァーがつくった偽の絆を持つライダーの新世代を。ケンナの未来《みらい》は、そこにかかっている。ケンナの未来は、ぼくの未来でもある。決意したんだから。恐《おそ》ろしい決断《けつだん》。大切な決断。すべてを変えてしまう決断。

「スカンダー！」アガサの声がして、スカンダーは我《われ》に返った。力強い両手がスカンダーの肩をつかみ、強く揺さぶった。「やったな！　ルーキーになれるぞ！」そして声を低くして続《つづ》けた。

「エアリーの中にいれば安全だ」

「ぼくたちもだよ」ミッチェルが笑顔《えがお》でいった。ジェイミーの腕《うで》が腰《こし》にしっかりまわされている。

「スカンダー、どうして風の輪を選んだの？」ジェイミーが不思議そうにきいた。「きみがほしいのは水の石だっただろう？」

ボビーは意味ありげな顔をした。「スカンダーは無鉄砲《むてっぽう》で、私利私欲《しりしよく》がないの。正直、そのふたつって最悪《さいあく》の組み合わせだと思うけどね。よく生《い》き残《のこ》れたと思う」

アガサはため息をついた。「わたしも、何年も前からそういっているんだが」

「おい！」スカンダーは抗議《こうぎ》した。「うまくいったんだから、いいじゃない」

「だけど、風の石って、だれのために取ったんだ？」ジェイミーがきく。

「わたしよ」フローが突然《とつぜん》現れた。褐色《かっしょく》の目をきらきらさせている。両手でスカンダーに抱きついた。アーマー同士がぶつかって、金属音《きんぞくおん》をたてた。スカンダーが息を吸《す》いこむと、フローの香《かお》りがした。なんだか頭がくらくらする。いつもとちがう感じだ。フローを離したくなかった。

「え、フロー？」ジェイミーがいった。「なるほどね。納得《なっとく》」

しかし、仲間たちが喜《よろこ》び合《あ》うのをみながら、スカンダーは考えずにはいられなかった。いまは納得がいくことばかりだ。でも同時に、納得がいかないことばかりでもある。

家族に別れを告《つ》げたあと、フレッジリングたちは、風のゾーンに建《た》てたテントで眠《ねむ》ることになった。カオス・トライアルで合格したライダーは、翌日《よくじつ》――夏至の日に――石をみせることでエアリーに入ることができる。そしてルーキーになる。早い時間に寝《ね》てしまった四人組もいる。ノマドを宣告《せんこく》されることが決まったライダーたちだ。だれかから余分《よぶん》の石をもらって生き残る可能性について、夜遅《よるおそ》くまで話し合う四人組もいた。また、進級が決まったことを祝《いわ》ってパーティーを楽しむライダーたちもいた。自分たち四人組が安泰《あんたい》だとわかったボビーは大喜びで、勝利のダンスを教えるといってきかなかった。ヒーローやドラゴンや群衆《ぐんしゅう》のでてくる本土の歌を歌い、踊《おど》った。ミッチェルとフローは、消灯後《しょうとうご》もずっと鼻歌を歌っていた。

スカンダーはちがった。

あたりが暗くなると、ユニコーンに乗ってフレッジリングのキャンプを離れ、どこかに消えてしまった。四人組にもなにもいわなかった。いつか時期がきたらいおうとは思っていたが、今夜はみんながお祝い気分なので、それを台無《だいな》しにしたくなかった。胸が苦しくてたまらない。仲間たちの顔をみていると、決意が揺らいでしまいそうだ。スカンダレルが空に飛びたつと、スカンダーはキャンプファイヤーを振り返った。仲間たちの笑い声が風に乗ってついてくる。

遠くまで飛ぶ必要はなかった。アメリカスギの木立がみえる。スカンダーは反射的《はんしゃてき》にウィーヴァーのことを考えた。しかし、森は静《しず》まりかえっていた。ウィーヴァーにも考える頭があるということだ。いまごろはとっくにこの森を去り、卵や失《うしな》われた気の使い手たちを隠《かく》している場所にもどっているのだろう。そのなかには、ゴショークの運命のライダーもいる。そのことだけはあきらめたくない、とスカンダーは思った。ウィーヴァーの計画を止めること。ゴショークのライダーと、ケンナのまだら模様《もよう》のユニコーンをみつけること。ケンナといっしょにそれをやる。ひとりでやるより、そのほうがいい。

放浪者《ほうろうしゃ》に渡《わた》されたツバメの笛は、手元にない。でも、ケンナとアルバートに会ったあの木は、みればわかるのではないかと思った。しかし、闇《やみ》の中にそびえる巨木《きょぼく》は、どれも同じようにみえる。それに、風のトライアルでの疲れが骨身《ほねみ》にしみている。スカンダレルの感情にも、それは伝《つた》わっている。

「わかったよ」スカンダーはささやき、地面におりた。「少し休もうか」

二本の巨木のあいだの、苔《こけ》におおわれたくぼみに体を横たえた。あたたかなたき火や柔《やわ》らかいクッションのあるテント――仲間たちのいるテント――のことは考えないようにした。スカンダレルの翼の下に入りこみ、少しだけ眠るつもりで目を閉じた。すると、夢《ゆめ》が始まった。

自分のものではない目に、断片的《だんぺんてき》な風景《ふうけい》が映《うつ》る。ぱちり。まばたきをすると、視点《してん》が変わる。ぱちり。さっきよりよくみえる。ぱちり。みえづらくなった。ぱちり。眼鏡をかけている。感情が遠慮《えんりょ》なく押《お》しよせてくる。恐怖、興奮、期待、疑念《ぎねん》。ひとつの体に長くいられないので、だれがなにをみているのかがわからない。目に映るもののスナップショットを次々にみているような感じだ。高波。灰色《はいいろ》の石。

ここはどこだろう？　必死に考えた。ぼくはどこにいるの？

そのとき、驚いたことに、だれかが助けてくれた。その瞬間《しゅんかん》、感情の万華鏡《まんげきょう》をみているようだった。さまざまな感情が、ひとつの思いに集約《しゅうやく》されている。彼女《かのじょ》がくる。

その人の目を、五秒間使うことができた。視界《しかい》はくっきりしている。パズルのピースがはまり始めた。

広い水域《すいいき》がみえる。

胸を引《ひ》っ張《ぱ》られる感じがした。絆がみえる。

スカンダレル？　ここにいるの？　きいてみようとしたが、そのときにはもう、白く輝く絆に沿って、別の場所に移動していた。

野生のユニコーンになった。島の海岸線に立っている。フォーポイントの向こう、ゾーンの向こう、文明の向こう。ひどい傷《きず》のある首をひねると、不毛《ふもう》なモノクロの荒野《こうや》が背後《はいご》にみえた。腐《くさ》りつつあるひづめが、ぼろぼろ崩《くず》れる崖《がけ》の端《はし》を踏んでいる。波が眼下の岩場に押し寄せ、砕《くだ》ける。そしてスカンダーは、野生のユニコーンからは感じたことのなかった思いを感じとった。

希望《きぼう》。

悲鳴をあげた。その野生のユニコーンの体から、次のユニコーンの体に意識《いしき》が移る。次へ、次へ、次へ。すると、喜びがわきあがってきた。もてあましてしまうくらいの大きな喜びだ。長いこと待ち続けたあとで、どうしてこんなに幸せになれるんだろう。

運命のライダーがすぐそばにいるからだ。

ユニコーンの野生の中で、スカンダーは自分を失い始めた。視界がぼやける。血走った目から目へと移っていくうち、理解《りかい》した。

みえているのは、島。海を隔《へだ》てたところにある島。

忘《ぼう》我《が》の前のその瞬間、ウィーヴァーの居《い》場《ば》所《しょ》がはっきりわかった。

どうしていままでウィーヴァーを、卵を、失われた気の使い手たちを、みつけられなかったのか。その理由もはっきりわかった。

ウィーヴァーがいるのは、この島でもないし、本土でもない。

ウィーヴァーは別の島にいる。

NOSTALGIA

ケンナ

郷愁《きょうしゅう》

ケンナ・スミスは、突然《とつぜん》の郷愁におぼれていた。

郷愁は、家族とビーチで過《す》ごした思い出。砂《すな》の城《しろ》の作りかたをスカンダーに教えた。父さんがアイスクリームとカオスカードをふたりに買ってくれた。

郷愁は、逃亡《とうぼう》。絆《きずな》ができる前の日々に逃《のが》れること。いまもまだ故郷《こきょう》だと思える海沿《うみぞ》いの町に逃《に》げかえること。かつては、もう二度と目にしたくないと思っていた場所に、逃げかえること。

郷愁は、姉さんはぼくのヒーローだよ、とスカンダーにいわれること。有名な木を倒《たお》すことじゃなく、弟のいじめっ子を倒すこと。そして、弟にとって世界で最高《さいこう》の友だちになること。

郷愁は、思いだすこと。いちばん怖《こわ》いのは予備《よび》試験《しけん》に落ちることだったと、思いだすこと。ちがう未来《みらい》への希望《きぼう》にすがって生きていたんだと、思いだすこと。善《ぜん》と悪のちがいを理解《りかい》していた頃《ころ》の自分を思いだすこと。

スカンダーの寝顔《ねがお》をみつめた。体はユニコーンの翼《つばさ》に半ば隠《かく》れている。目を閉《と》じていると、実《じっ》際《さい》より子どもっぽくみえる。思い出の中のスカンダーと同じ。奇妙《きみょう》なことだが、弟の成長《せいちょう》を目《ま》の当《あ》たりにしているくせに、なかなかそれに気づけないものだ。スカンダーのことを考えるとき、その姿《すがた》は八歳《さい》のときのまま。

八歳のスカンダーは、学校でいじめられていると打ち明けてくれた。もう小さい子じゃないから、弟であると同時に親友にもなってくれた。父さんの問題や、父さんの調子の悪い日のことをスカンダーが理解し始めたのも、八歳のとき。家のことを姉がどんなにやっているかをわかってくれたのも、八歳のとき。そのときから、ふたりは本物のチームになれた。

おかしなものだと思う。ふたりとも、早くおとなになりたくてしかたがなかったから。早く十三歳になりたかった。厳密《げんみつ》にいうと、十三歳になってから最初《さいしょ》の夏至《げし》の日が待ち遠しかった。でもあの頃は、いつかカオス・ライダーになるという夢《ゆめ》が本当に実現可能《じつげんかのう》なものだと思っていたんだろうか。自分たちは島に住むことにこだわりすぎているんじゃないかと思ったこともある。それは、ふたりの生活の一部であり、ふたりで共有《きょうゆう》できる話題でもあった。ふたりの秘密《ひみつ》。ふたりの夢。島への逃亡。

スカンダーの寝顔をみているうちに、ふたりとも夢なんてかなわなければよかったんじゃないか、と初《はじ》めて思った。予備試験の日がそのまま過ぎていってくれればよかった。母さんが生きてるなんて知らずにいられればよかった。ずっと求《もと》めていた未来を、ほかの気の使い手と同じように、でたらめな理由で奪《うば》われてしまえばよかった。

子どものままでいられればよかった。心からそう思う。

SISTER SORROW

第22章

姉の悲しみ

「スカンダー！　きこえる？」ぼんやりとした痛《いた》みに、鋭《するど》い声がかぶさった。

「息をしてる」同じ声が、だれかほかの人に報告《ほうこく》している。

「ユニコーンも元気みたいね」

耳になじんだいななき。スカンダレルだ。

「だれか、ケンナには知らせた？　スカンダーがここにいるって」最初《さいしょ》にきこえた声は、エローラだろう。スカンダーは目をぱちぱちさせた。日差《ひざ》しがまぶしすぎて、目がくらむ。いったいどれくらい眠《ねむ》っていたんだろう。

「ケンナはゴショークとでかけて、まだもどってないんだ」二番目の声はアルバートか。

スカンダーは体を起こそうとしたが、エローラに胸《むね》を押《お》さえられた。「まだ寝《ね》ていたほうがいいわ」

でも、いつまでも横になっているわけにはいかない。今日は夏至《げし》。それに、ウィーヴァーが卵《たまご》をどこに隠《かく》しているかもわかった。野生のユニコーンは、荒野《こうや》のはずれで待っている。気の使い手の運命のユニコーンは、ウィーヴァー率《ひき》いる新世代に組みこまれることになる。ケンナのまだら模様《もよう》のユニコーンが頭に浮《う》かぶ。体を起こした。あんなことが二度とあってはならない。ウィーヴァーには、偽《にせ》の絆《きずな》を二度と作らせない。

先導者《せんどうしゃ》のアメジストの目に見守られて、スカンダーはよろよろと立ちあがり、スカンダレルの脇《わき》腹《ばら》にもたれて体を支《ささ》えた。「スカンダー、そんな体でどこかへいってはいけないわ。あなたは――」

スカンダーは彼女《かのじょ》の言葉をさえぎり、ぼろぼろになった黄色いジャケットのしわをのばした。

「ぼく、卵のありかを知ってるんだ。ウィーヴァーは別《べつ》の島にいる。風のゾーンの外側《そとがわ》の荒野、そこから海をはさんで向こう側《がわ》にある島だよ。お願《ねが》いだ、ケンナに伝《つた》えてほしい――」言葉を切り、唾《つば》を飲んだ。「ぼくがすべてを解決《かいけつ》する。そしてもどってくる、と」

「スカンダー、むりだよ！」アルバートの声はかすれていた。

「わたしもいっしょにいくわ」エローラが真剣《しんけん》にいった。

「だめです」スカンダーはいった。エローラにけがをさせたくない。エローラは戦闘《せんとう》では絶対《ぜったい》に魔法《まほう》を使わない。でもウィーヴァーはなんの躊躇《ちゅうちょ》もなく相手を攻撃《こうげき》する。「アガサのところへいってください。あなたのことは信頼《しんらい》してるから。どうしたらいいか、話してくれるはずです」自分ひとりでやりとげたいと思うのには、ほかにも理由がある。母親としっかり向き合ってみたい。ウィーヴァーがケンナにやったことを考えると、この戦《たたか》いはほかの人にはまかせられない。

スカンダーはスカンダレルの背中《せなか》にやっとのことでまたがった。エローラにもアルバートにも、止めるチャンスを与《あた》えなかった。スカンダレルは木々を縫《ぬ》うように森の中を進み、空の森の外にでると、段畑《だんばた》の渓谷《けいこく》の上空高く舞《ま》いあがった。

一度だけ、フレッジリングのキャンプ地に目をやった。フロー、ボビー、ミッチェルの三人は、まだぐっすり眠っているだろう。おりていって起こしてやりたい、という思いにかられて、せつなくてたまらない。でも、とにかく時間がない。質問攻《しつもんぜ》めにされたり、いくのを止められたりしたらどうする？　やっぱり今日はひとりでいくしかない。

キャンプ地のはずれまでくると、あとはスカンダレルに道案内《みちあんない》を頼《たよ》るしかない。風のゾーンの外側の荒野は広大で、太陽はすでに昇《のぼ》っている。海岸線をくまなく調べるのと、ウィーヴァーが偽の絆を作り始めるのと、どっちが早いだろう。いや、絆作りはもう始まっているかもしれない。

「スカンダレル、探《さが》してくれるか？」スカンダーはスカンダレルの首をなでながら、ひんやりした朝の空気の中を進んだ。スカンダレルは荒野全体に響《ひび》きわたるほどの咆哮《ほうこう》をあげた。わかってくれたんだろう、とスカンダーは思った。

まもなく、野生のユニコーンたちの鳴き声がきこえてきた。距離《きょり》はありそうだが、まちがいない。それに、何十頭もいるようだ。

スカンダレルが甲高《かんだか》い声をあげ、急降下《きゅうこうか》した。翼《つばさ》の動きが土埃《つちぼこり》を掻《か》きたてる。待てよ、土埃……？

まだら模様のユニコーンが低《ひく》く鳴いて、歓迎《かんげい》してくれた。スカンダレルも鳴き声を返す。まだら模様のユニコーンは、ほかのユニコーンたちを従《したが》えて、荒野に向かって駆《か》けだした。スカンダレルはその右側《みぎがわ》に降下《こうか》したり、左側《ひだりがわ》に降下したりしている。二頭は友だちなんだろうか。いつもこんなふうに遊んでいるのかもしれない。いつのまにか、スカンダーの頰《ほお》を涙《なみだ》がぬらしていた。この一年、スカンダレルがしょっちゅう姿《すがた》を消していたのは、ここにくるためだったんだろう。だからいつも、土埃《つちぼこり》で体が汚《よご》れていたんだ。反抗《はんこう》していたわけじゃなかった。ぼくはメンダーの夢《ゆめ》でケンナの運命のユニコーンを探《さぐ》っていたけど、スカンダレルは実際《じっさい》に会いにきていたんだ。

まだら模様のユニコーンの上をしばらく飛《と》んでいくと、野生のユニコーンの群《む》れがみえてきた。崖《がけ》の縁《ふち》ぎりぎりのところに集まっている。スカンダレルが海の上へと飛びだした。野生のユニコーンたちはついてくるだろうか。野生のユニコーンは飛ぶのがうまくないし、もしかしたら、もうひとつの島までは距離がありすぎるかもしれない。あるいは、海岸線を守る衛兵《えいへい》たちに止められるかもしれないし、運命のライダーがこんなに近くにいることに疑念《ぎねん》を持つかもしれない。希望《きぼう》を持ったあとに失望《しつぼう》させられるのは、永遠《えいえん》に死に続けること以上《いじょう》につらいことだと思う。

野生のユニコーンたちがなにを考えているのかはわからないが、スカンダーは、海に向かって叫《さけ》ぶ彼《かれ》らの姿を永遠に忘《わす》れることはないだろう、と思った。島がしでかした罪《つみ》そのものだ。元素《げんそ》のひとつを違法《いほう》なものと決めつけた結果《けっか》、こんなことになってしまった。これらの野生のユニコーンは、気の元素とつながりがある。運命のライダーといっしょに冒険《ぼうけん》を楽しむはずだった。愛《あい》するライダーと結《むす》ばれるはずだった。

まだ手遅《ておく》れではない。まだ間に合う。

スカンダーとスカンダレルは飛び続けた。野生のユニコーンたちの透明《とうめい》な角がみえなくなった。スカンダーとスカンダレルと海を飛ぶのは初《はじ》めてだ。空気に含《ふく》まれる塩気《しおけ》を感じる。風もどんどん予測《よそく》がつかなくなる。なによりきついのは、夢にでてきた島がなかなかみえてこないことだ。広大な海に目をこらしながら、メンダーの夢の中、野生のユニコーンたちの目を通してみた景色《けしき》を思いだそうとした。

「あそこにあるはずなのに！」スカンダーはいらだちのあまり、声を張《は》りあげた。すると、視界《しかい》の端《はし》のほうに、海が白く光っているところがみえてきた。一瞬《いっしゅん》、それは緑色に光った。そこから横に視線《しせん》をずらす。まるで……気の魔法みたいだ。幻覚《げんかく》、隠遁《いんとん》、混乱《こんらん》――そんな魔法を使われているような気がしてくる。

ウィーヴァーは、島の存在《そんざい》そのものを隠してしまったんだ。スカンダーはそれに気づいてはっとした。**だから、ニーナも卵をみつけられなかった。だれにだってむりだろう。**でも、メンダーの夢にはでてきた。野生のユニコーンの目を通して、その姿をみることができた。なにもない海をみつめ、神経《しんけい》を集中させた。そこにあるはずだ。スカンダレルも確信《かくしん》している。

やがて、小さな緑の島が、視界に突然《とつぜん》現《あらわ》れた。もうひとつの島だ。

失《うしな》われた気の使い手たちは、夢にでてきたのと同じ場所にいるものと思っていた。でも、スカンダレルが空高く舞いあがり、崖をみおろしたとき、彼らがもうそこにはいないとわかった。不《ふ》安《あん》が襲《おそ》ってくる。ウィーヴァーはもう作業を始めたのか？

大きな円を描《えが》くように飛び続ける。ハヤブサ隊《たい》で習ったやりかただ。島はほぼ全体が木々におおわれているから、地面はほとんどみえない。しかし、三周目《しゅうめ》の飛行《ひこう》で、木々のない場所をみつけた。円形の草地が朝日を受けて輝《かがや》いている。そのまん中に、だれかが立っている。

森に着陸《ちゃくりく》するのは簡単《かんたん》ではない。スカンダレルの翼が枝《えだ》にひっかかってしまう。しかし、知らない人にいきなり近づくのは気が進まない。さっきみえたのはウィーヴァーではない。背《せ》がそこまで高くないし、黒いマントもつけていなかった。野生のユニコーンもいなかった。それでも、危険《きけん》な人物には変《か》わりないかもしれない。

スカンダーは地面におりた。左手をスカンダレルの背に置《お》いて、いつでも身を守れるようにする。うっそうとした茂《しげ》みをかきわけて進んでいく。そのうちスカンダレルがいらだってきて、大《おお》枝《え》を一本燃《も》やしてしまった。そして、木々のない空き地のそばまでやってくると、スカンダーとスカンダレルは木陰《こかげ》に身を隠した。

草地のまん中に立っている人物は、フードのついた青いマントをつけ、草を焦《こ》がした円形の土地の中心に立っている。外周《がいしゅう》の四か所に木の杭《くい》が立っていて、まるでコンパスのようだ。杭の一本一本のてっぺんに、夏至の石がくくりつけてあるのがはっきりみえる。土、火、水、風。ガラスのような石の側面《そくめん》が朝日を反射《はんしゃ》している。

杭はもう一本。円の中心に立っている。フードつきのマントを着た人物が、もうひとつの石をそのてっぺんに取りつけた。真っ白な石だ。

嘘《うそ》だ。どうしてここに気の石が？　アガサは、気の石はひとつしか残《のこ》っていないといっていた。

ジャケットのポケットを探《さぐ》った。白い袋《ふくろ》を取りだして、振《ふ》ってみた。ぎざぎざの黒い石が、てのひらに転がりでた。

フードの人間がこちらを向いたとき、ふたつのことがわかった。

気の石が盗《ぬす》まれていた。

目の前にいるのはケンナだ。

「ケン？」隠れていた場所から一歩前にでた。スカンダレルが警告《けいこく》の声をあげる。しかし、耳の奥《おく》で血がたぎっていて、どうしようもない。ここにケンナがいるなんて、夢にも思わなかった。

「ケン？」もう一度いった。声が震《ふる》える。「ここでなにをしてる？」

「そっちこそ、なにをしてるの？　スカー、きちゃだめだったのに」

「ケン、よくきいて。ここにはウィーヴァーがいる。卵をみつけなきゃならないんだ！　今日ならまだ間に合う。卵を孵《ふ》化場《かじょう》にもどせば、運命のライダーと結ばれる。力になってくれ！　そうしたら、きっとみんなが……」

ケンナは首をかしげた。「わたしが悪人じゃないってわかってくれるってわけ？」

言葉が宙《ちゅう》に浮いたかのようだった。受け入れられない。

ケンナは口笛を吹《ふ》いた。ゴショーク・フュアリーが木々のあいだから現れて、ケンナに近づいた。スカンダレルが警告のうなり声をあげる。スカンダーは、だいじょうぶだよ、というメッセージを絆に返した。相手はケンナだ。ぼくを傷《きず》つけたりはしない。

「気の石、どうやって手に入れたの？」スカンダーはきいた。

「いうまでもないでしょ」ケンナは肩《かた》をすくめた。青いフードがうしろに落ちる。口調にとげがある。泥棒《どろぼう》と呼《よ》びたいなら呼びなさい、とでもいうようだ。ケンナとゴショークは一歩スカンダーに近づき、中央の杭から離《はな》れた。

「スカーはトライアルで、風の石を取った」ケンナはスカンダーを責《せ》めるような口調でいった。

「必要《ひつよう》なのは水の石だったのに、どうして風の石を取ったの？」

いまここで起こっていることと、なんの関係《かんけい》があるんだろう。ケンナは気の石を盗んだ。ケンナは気の元素におおわれた島にいる。ケンナは焼《や》けた円形の土地の中央にいる。スカンダーはわけがわからず、笑《わら》いだしそうになった。

「ケン、そんなことどうでもいいじゃないか。どうして――」

「どうでもよくなんかない！」急に声が大きくなった。「ノマドを宣告《せんこく》されるリスクもあったのに。どうして？」

どうしてあんなに怒《おこ》っているんだろう。スカンダーはケンナのほうに手をのばした。ケンナはゴショークのほうにあとずさり、スカンダーの答えを待った。ケンナはこのあいだ、はっきりとはいわないが、怒っていた。いまも同じ理由で怒っているんだろうか。理解《りかい》できない。

「ケンナのためだよ」スカンダーは静《しず》かにいった。「そしてフローのため。フローがノマドを宣告されないように、と思った。ぼくはノマドになっても、ケンナといっしょに暮《く》らせばいい。でも、ぼくが風の輪《わ》をくぐったこと、どうして知ってるの？」

「はっきりさせて」ケンナはゆっくりいった。「わたしといっしょにアウトサイダーとして暮らそうと決めたのは、友だちを助けたかったから？　わたしの悲しみをみたから、大切なエアリーでの暮らしを捨《す》てようと思ってくれたわけじゃないのよね？　フローレンス・シェコニを助けることができないなら、状況《じょうきょう》はまたちがっていた――そういうこと？　わたしは寂《さび》しかった。わたしは苦しかった。わたしはとても怖《こわ》かった。どうしていいかわからないのよ」ケンナの視線が夏至の石をうかがった。「でも、スカーはいつもわたしを置いていく。そうでしょ？　島がわたしを悪人扱《あつか》いして探してるのに、スカーは島の味方をする」

「島の味方をしたわけじゃないよ！　正しいことをしてただけだ。ぼくは、気の元素を島に復活《ふっかつ》させたかった。そうすればケンナが――」

「ごまかさないで、スカンダー。エアリーでずっと暮らしてたのは、わたしのためなんかじゃない。島に気の使い手を迎《むか》えいれるため、なんていうご立派《りっぱ》な目的《もくてき》のためでもない。自分がエアリーにいたかったから、そうしたんでしょ？　友だちがいるから。学校のときはいなかった友だちが、エアリーではできたから。飛ぶのがうまい人たちのグループに入れたから。カオス・ライダーになりたかったから。むかしから夢だっていってたもんね。そして、わたしが島にやってきてからは、なにをするにもわたしがじゃまだった」

「それはちがう！」スカンダーの頭はパニックを起こしていた。「ぼくはエアリーをでたんだ、ケンナ！　決意したんだ！」しかし、予選会《よせんかい》の日、フローにいったことを思いだした。ケンナが島にいるから大変《たいへん》なんだ。

「そしてまた、あんたはやってきた。いってることがめちゃくちゃだった。ぼくにエアリーを捨ててほしいのか、ってきいてきた。わたしに優《やさ》しくて寛大《かんだい》なお姉さんでいてほしかったんでしょ？　友だちといっしょにいなさいっていってほしかったんでしょ？」最後《さいご》の言葉は絶叫《ぜっきょう》に近かった。

スカンダーは思い切り息を吸《す》い、反論《はんろん》しようとした。「ぼくの話を全然《ぜんぜん》きいてないじゃないか！　ぼくは決心したんだ。友だちを置いてきた。エアリーにはもどらない。ケンナがそうしてほしいといったんだ。だから——」

「そうしてほしいといったわたしの気持ちをわかってよ！」

しかし、いまは別の恐怖《きょうふ》がスカンダーの意識《いしき》を支配《しはい》しつつあった。ケンナは魔法円の中にいて、五つの夏至の石に囲《かこ》まれている。ほかの質問に答えてくれていない。もう一度きいてみた。

「ぼくが風の輪をくぐったこと、どうして知ってるの？」

「まだわからないの？」

第22章　姉の悲しみ

わかっていた。ただ、まちがいだと思いたかった。生まれて初めて、姉が怖いと思った。息苦しくて、次の言葉を発せない――そんな恐怖を姉から感じる。

「ケンナは風のゾーンにいたんだね」声がかすれる。「ケンナがフローを攻撃したんだ。あの元素のケージは、ケンナが作ったのか。風の石を盗んだのもケンナだ」

「風の石だけじゃないけどね」ケンナは誇《ほこ》らしげにいった。学校のテストでいい点を取ったときや、おもしろいジョークを考えたときに、よくみせていた表情《ひょうじょう》だ。「火の石は難しかったわ。みんな、隠れちゃってて。でも、闇《やみ》のおかげでうまくいった。まわりのみんなを攻撃しまくってるライダーがいたでしょ、アラステアだっけ？　あの子を狙《ねら》ってみた。あの子が石を失っても、だれも気にしてなかったわね」

「ぼくが盗んだっていわれたよ！」スカンダーは叫んだ。「ケンナをみて、ぼくだと思ったんだろうな」

「昔から、いつもいわれてたじゃない。よく似《に》たきょうだいだって」ケンナはいって、肩をすくめた。「水の石は――」

「あれはぼくのだった」スカンダーは、猛烈《もうれつ》に腹《はら》が立ってきた。ケンナに向けて指を突《つ》きだすと、ゴショークがうなった。「水のゾーンでは、だれかにあとをつけられてると思ってた」

「スカー、人を指差《ゆびさ》すのはマナー違反《いはん》よ」ケンナは片方《かたほう》の眉《まゆ》をつりあげた。「いったでしょ、わたしはスカーにカオス・トライアルを失敗《しっぱい》してほしかった。だったらスカーの石を盗むのが手っ取り早いじゃない。それに、簡単だった。あんたたち四人組ってば、水上マーケットで、声も落とさずにしゃべってるんだもん」

「けど、土のトライアルのときはウィーヴァーがいた。あれはまちがいなくウィーヴァーだった」

「それは……」ケンナが初めてためらうような表情をみせた。「あのときはまだ、母さんに協力《きょうりょく》する覚悟《かくご》ができてなかった。母さんがなにをするつもりなのか、わかってなかったの。母さんは、わたしをエアリーで暮らさせたがった。そのほうが情報《じょうほう》を集めやすいし、トライアルにも潜《せん》入《にゅう》しやすいから。でも、わたしが同意したのはそういうことのためじゃない。スカーといっしょにいたかったからよ。ライダーとして受け入れてもらえるかもしれないと思ったし、訓練《くんれん》を受けることも、ニーナが認《みと》めてくれるかもしれないと思った」呼吸《こきゅう》が不安定《ふあんてい》になっていた。「でも、みんなはわたしに反感を持った。そうなるだろうって、母さんにもいわれてたけど。みんな、わたしが卵泥棒に関《かか》わってると決めつけてたけど、その頃《ころ》は無関係《むかんけい》だったんだよ。衛兵たちは、放《ほう》浪者《ろうしゃ》たちを——わたしの友だちを——攻撃した。みんな、わたしのパワーに恐《おそ》れをなした。そしてニーナが殺《ころ》され、レックス・マニングが首長になった。そして弟が、わたしと、わたしの愛するユニコーンの絆を断《た》ち切《き》るっていいだした。そしてわたしを置いていってしまった。わたしはひとりぼっちになった。そのとき、わかったの。最初からウィーヴァーのいうことが正しかった、すべてはかなうことのない夢なんだって。偽の絆でゴショークと結ばれた瞬間《しゅんかん》から、わたしはあの島を我《わ》が家《や》とは呼べなくなった」

「これから我が家にすることだってできるじゃないか！」スカンダーはもう一歩ケンナに近づいた。「わからないのか？　ケンナには運命のユニコーンがいる。わざわざみんなから反感を持たれるような生きかたをする必要はないんだよ。ケンナだけじゃない、みんなにいえることだ。ゴショークの運命のライダーは、たぶんウィーヴァーが集めた人たちの中にいる。それに、ぼくが気の使い手たちを島に連《つ》れて帰ったら――」

　ケンナはゴショークにまたがった。ケンナの青いマントが、野生のユニコーンの腐《くさ》った脇腹や浮《う》きでた骨《ほね》を隠している。スカンダーは一歩下がった。そしてふと気がついた。スカンダレルとのあいだに距離がありすぎる。

「スカー、島の人たちが気の使い手を受け入れるなんて、ありえない。まだそれがわからないの？　銀のライダーが首長になった。あの男は、権力《けんりょく》を手に入れるためならなんだってするわ。それに、あの男は、わたしたちの母さんが気の魔法を使ってやったことのせいで、自分の母親を失ったの。スカンダーがエアリーの訓練を最後まで受けるなんてこと、レックス・マニングが許《ゆる》すはずがない。気の使い手が孵化場の扉《とびら》を試《ため》す日は永遠にこないのよ。スカーはこれまでずっと島になじもうとしてきたけど、スカーが島に受け入れられることなんて、絶対にないの。それに、本土にいた頃の夢にこだわり続けてるようね。ユニコーンのライダーになるとか、エアリーの住人になるとか。でも、そんなことに執着《しゅうちゃく》してどうなるの？　スカーのことは責められない。わたしだって、最初はそうだった。だけど、そんなの現実的《げんじつてき》じゃないのよ。わたしたちの進む道じゃない。できることがあるとすれば、自分たちの未来《みらい》を自分たちでつくるってこと」

「でも、未来をつくるって……」スカンダーははっとした。「卵か」

「これから、だれもがわたしのことを悪者だというでしょうね。というか、すでにそうなのよ。みんな、わたしを悪者だと決めつけている。だったら、いまさらいい人ぶったって意味がない。得るものがない。そうでしょ？　スカーだって、そのうちそれがわかると思う。まわりのみんなの決めつけや思いこみを変えることなんかできない」

「だからって、あきらめるだけなのか？　暗黒側に落ちていくだけでいいのか？」

「わたしたち、新しい道をいくの」ケンナはゴショークの背中からいった。「スカーにそれをじゃまされたくない」

スカンダレルがうなった。なにが起ころうとしているのか、察知《さっち》したのだろう。スカンダーは激《はげ》しい突風《とっぷう》を受けてうしろにはね飛ばされた。息ができないほどの衝撃《しょうげき》だった。痛みとショックのなか、草地のはずれまできたことに気がついた。ケンナのてのひらが緑色に光っているのがぼんやりみえる。スカンダーの体にはつるが巻《ま》きついて、気の幹《みき》につながれている。

スカンダレルが元素の猛烈な爆風《ばくふう》をゴショークに放った。スカンダレルの激しい怒《いか》りが絆を震わせる。もがくスカンダーの心にも、怒りは満《み》ちていく。そのとき、ケンナのてのひらから影《かげ》に縁《ふち》どられた光が放たれた。痛みの声が響きわたる。

スカンダレルの体が、草地の反対側《はんたいがわ》まで吹き飛ばされていた。うなり声が消えた。

黒いユニコーンは、地面に横向きに倒《たお》れ、翼をだらりと垂《た》らしていた。スカンダーは、恐怖のせいで全身がまひしたようになっていた。そのうち、スカンダレルの思いが絆から伝わってきた。みると、スカンダレルの脇腹が上下している。生きているのだ。

「スカンダレルになにをした？　この拘束《こうそく》を解《と》いてくれ！」スカンダーは叫んだが、ケンナはきいていない。焦げた地面にもどり、ゴショークを五番目の杭の横に立たせると、気の石を手にした。

「ケン！　頼《たの》む！　ウィーヴァーにそんなことをさせちゃいけない！」スカンダーは再《ふたた》び叫んだ。

ケンナは唇《くちびる》に指をあてた。**黙《だま》って。ウィーヴァーはなにもしないわ。**

ケンナの声がスカンダーの左耳に響く。そのとき、スカンダーにはわかった。スカンダーが二年かけて会得《えとく》した気の魔法を、ケンナはもう使いこなしているのだ。ウィーヴァーはなにもしない、それはどういう意味だろう。心の中に、小さな希望の灯《ひ》がともった。ケンナの背後《はいご》にある夏至の石に目をやる。ウィーヴァーは、石にパワーをこめることができなかったのか？　アガサのいうとおりだったのか？

くるわ。

葉がかさかさこすれ、枝が折《お》れる。何十人もの人々が一列になり、うっそうとした森からでてきた。みんな、ユニコーンの卵をひとつずつ持って、わずかに背中を丸めている。卵の重さのせいでもあるが、卵を守ろうという気持ちが彼らをそうさせるのだろう。知った顔も何人かいる。

サイモン・フェアファクス、ジョビー・ウォーシャム。一部にみおぼえがある人もいる。眼鏡《めがね》のレンズ、ピンクの爪《つめ》、ビーズ飾《かざ》りをつけた三《み》つ編《あ》み、そばかすの散《ち》った手。メンダーの夢にでてきた人々だ。孵化場の扉を試すことができなかった気の使い手。または、シルヴァー・サークルの死刑執行人《しけいしっこうにん》によってユニコーンが殺された人たち。最後にでてきたのがタイラー・トムソンだ。ゴショーク・フュアリーの運命のライダー。

「タイラー！」スカンダーは叫んだ。「タイラー、話がある！」

しかし、でてきた人々からはなんの反応《はんのう》もない。彼らは焦げた魔法円を取りかこむように並《なら》んで、内側《うちがわ》を向いて立つと、地面に片《かた》ひざをついた。全員の右手が同時に動き、卵のてっぺんに当てられた。

スカンダーが声をかけても、だれひとり振《ふ》り向《む》きもしない。野生のユニコーンにまたがった黒いマントの人物が森からでてきても、無反応《むはんのう》だ。ユニコーンの骨が朝日を浴《あ》びて輝いた。その両《りょう》側《がわ》に衛兵がいる。銀の要塞《ようさい》を裏切《うらぎ》った衛兵たちだ。

ウィーヴァーはやはりここにいた。

エリカの顔の真ん中にある白い線をみると、落ち着かない気持ちになる。不休《ふきゅう》の山でみたときと同じだ。その線のせいで顔立ちがゆがんでみえ、人間ばなれした印象《いんしょう》を受けるからだろう。黒いマントをはためかせて、ウィーヴァーは魔法円に近づく。ひどくやせているので、揺《ゆ》れるマントが戦場《せんじょう》の黒煙《こくえん》のようにみえる。ユニコーンの肩のところにはぱっくり割《わ》れた傷があり、半開きの口からは汚《きたな》いよだれが滴《したた》っている。

ウィーヴァーはケンナの前までやってきた。スカンダーは必死《ひっし》に拘束から逃《のが》れようとした。ただ、ケンナの身を案《あん》じる必要はなかった。母と娘《むすめ》はそれぞれの野生のユニコーンの、ぼろぼろになった翼ごしに、固《かた》く手を握《にぎ》り合《あ》った。友だち同士《どうし》のようでもあり、家族のようでもある。スカンダーは全身を震わせた。

ウィーヴァーは骨の透《す》けた手をのばし、中央の杭に取りつけられた気の石に触《ふ》れた。

「わたしたちの計画を知ったら、アガサがくるだろうと思っていた」狂気《きょうき》じみた喜《よろこ》びが、声に表れている。「わたしがアガサの石のことを知っていたとわかって、アガサは驚《おどろ》いていたか？　わたしに隠しごとができると思っていたとはな」

ケンナは首を振った。「わたし、アガサのところにはいってないわ」

ウィーヴァーの目に困惑《こんわく》の色が浮かんだ。

「スカンダーから盗んだの」ケンナはスカンダーのほうに首をかしげた。

スカンダーがここにいることを、ウィーヴァーは最初から知っていたはずだ。しかし、このとき初めて息子《むすこ》の存在に気づいたような顔をした。「なるほど」声に表れていた喜びが失望に変わった。そして、焼けた石炭から蒸気《じょうき》が立つときのような音をもらした。「スカンダー、おまえがここにきて、これからの儀式《ぎしき》を見届《みとど》けてくれるとはな。おまえの姉にたくさんの家族ができる。同じ絆を持った仲間《なかま》ができる」

スカンダーは焦《あせ》るばかりだった。ウィーヴァーの計画を一秒でも遅《おく》らせるために、思いついたことを片《かた》っ端《ぱし》から口にした。

「あなたの力じゃ、一回の儀式でこれだけ多くの人に偽の絆を与えるのはむりだ。あなたが死んでしまう！　こんな――」

ウィーヴァーは笑った。高く冷《つめ》たい笑い声だった。そしてケンナをみる。「スカンダーは石がなんのためにあるかを知らないらしい」

ケンナは首を振った。ウィーヴァーはまた笑い声をあげた。スカンダーはさらに激しくもがいた。

「おまえはわたしたちの計画に反対なのか」ウィーヴァーがいう。

スカンダーには、ウィーヴァーをにらみつけることしかできなかった。スカンダレルが地面に倒れていて物理的《ぶつりてき》な接触《せっしょく》ができない以上、無力《むりょく》だった。これから起こることを止めようがない。

ウィーヴァーが続《つづ》ける。「おまえが反対するのは、真実を理解していないからだ。偽の絆を持つことで、元素という暴君《ぼうくん》の支配から逃れることができる。運命を変えることができる。はてしない力を秘《ひ》めた新しい時代をつくるのだ。わたしがつくる新世代のライダーたちは、五つの元素の魔法をすべて学び、不死身《ふじみ》である野生のユニコーンの強大な力を得ることになる。娘もそのひとりとなる。まわりから避《さ》けられるのではなく、祝福《しゅくふく》される存在になる」

「けど、卵には本当の持ち主がいるんだ！」スカンダーは全力で叫ぶと、気の使い手たちに目をやった。五十人いるはずだ。全員の力を合わせれば、ウィーヴァーに勝てる。それに、エリカはトライアルのあいだに息子を殺すつもりではなかったとわかったが、だからといって、息子が計画実行のじゃまにはならないとみくびっていたわけではないだろう。メンダーの力を使えば、これら五十人のライダーの考えを変え、救《すく》うことができるかもしれない。

「ケンナが孵化場の扉を試すチャンスを与えられなかったのは、気《き》の毒《どく》だと思うよ」スカンダーはケンナに視線を送った。「けど、こんなことをしても解決になんかならない。ぼくはメンダーだ。これまで、この人たちの運命のユニコーンが、ぼくに呼びかけてきた。ユニコーンたちは、島の海岸で、運命のライダーを待っていた。彼らは、自分のライダーがここにいるのを知っているんだ」何人かが顔をあげてスカンダーをみた。「ぼくは、あなたたちと運命のユニコーンとのあいだに、本物の絆を作ることができる。まだ遅《おそ》くない。こんな方法《ほうほう》をとる必要はない。まちがってるんだ！」

「まちがってたらいけないの？　どうしてそんなに正しさにこだわるの？」ケンナがいった。

「島はあんたを拒絶《きょぜつ》するばかりだったのに、あんたは島を守ろうとしてきた。それがずっと続くことになるんだよ。あんたはこの先もずっとはみだし者でいなきゃならないんだよ。けど、わたしたちはそんな仕打ちをしない」自分とウィーヴァーを手で示《しめ》す。「母さんとわたしと——そして父さんと——いっしょにいたいと思わない？　わたしたちが新しいルールをつくる。わたしたちのもとでなら、あんたは気の使い手でいられる。自由になろうよ、わたしたちみたいに」

スカンダーは、二年前のことを思いだした。まったく同じ理由で、ウィーヴァーの仲間になりたいと思ったものだ。でも、いまのぼくはちがう。ハッチリングのスカンダーじゃない。いいものと悪いものをいろいろみてきた。その境界線《きょうかいせん》は、ときにはぼやけてあいまいなこともあると、よくわかっている。

しかし、いま頭の中にあるのは——失われた気の使い手たちが持つ卵をみて思うのは——荒野にいる野生のユニコーンたちの、苦悩《くのう》に満ちた叫びだった。そして、自分の心臓《しんぞう》からのびる絆の絶対的《ぜったいてき》な美しさ。透明な角を持つ野生のユニコーンたちが、反対側の岸で待ち続けている。まだら模様のユニコーンも、そこにいるだろう。ウィーヴァーがケンナにやったことのせいで、あのユニコーンは、永遠に死に続ける。しかも、ケンナ自身がそれを選択《せんたく》したのだ。

スカンダーの決意を裏打《うらう》ちしようとでもいうように、ゴショーク・フュアリーが、魔法円を取《と》り巻《ま》く気の使い手たちに近づいた。特《とく》に、その中のひとりに惹《ひ》かれているようだ。タイラーが自分の両手をみつめている。皮膚《ひふ》の下で、骨が光りだしたのだ。光の色は、気の元素の白。光は手から腕《うで》、首、顔へと広がった。やがて全身の骨が輝いて、まぶしくてみていられないほどになった。

「ケン、お願いだ！」スカンダーはいった。「彼はゴショークの運命のライダーなんだ。いま起こっていることをよくみてくれ。運命で結ばれているからこそ、こうなるんだ！」

タイラーがゴショークに近づこうとしたとき、ひとりの衛兵が森から現れて、タイラーをその場に押さえつけた。タイラーは、もう気づいた。運命のユニコーンと結ばれるのがどういうものなのか、感じとったはずだ。

「こんなの、なんの意味もない」ケンナがいって、ゴショークを引きもどした。放っている光が弱くなる。「ゴショークは、わたしのユニコーンよ。これからもずっと」

「ちがうよ、ケンナ」スカンダーは声を振りしぼるようにいった。「ケンナが望《のぞ》んでゴショークとのあいだに偽の絆を作ったなんて、ぼくは知らなかった。ケンナはいつも、自分は犠牲者《ぎせいしゃ》だといってたけど、それはちがうよね？」

ケンナは笑った。ケンナらしくない笑い声だった。「スカンダー、ずっとわたしといっしょにいたんだから、わかるでしょ。わたしがいつ、なにかの犠牲《ぎせい》になったというの？」

ああ、そうか、とスカンダーは思った。一年前のあの日から、すべては演技《えんぎ》だったんだ。ケンナが孵化したばかりの野生のユニコーンといっしょにエアリーにやってきた、もう会えないと思っていたケンナに会えたのだ。あの瞬間がすべての始まりだった。問題にちゃんと向き合えばよかった。ケンナが訓練を受けるのを、エアリーが認めていたら、どうなっていただろう。ほかのライダーたちから差別《さべつ》されることがなかったら？　放浪者たちが攻撃されなかったら？　ぼくがもっと早くエアリーをでて、ゾーンでケンナと暮らしていたら、ケンナはこの道を選《えら》ばなかっただろう。夏至の石をウィーヴァーに渡《わた》さなかっただろう。でも、ケンナは弟よりも母親を選んだ。そう思うと胸がはりさけそうになる。スカンダレルが近くの地面で身をよじった。スカンダーの痛みを感じとったのだろう。

「始めようか」ウィーヴァーがかすれた声でいい、魔法円の外にでた。ケンナとゴショークは石のそばに残っている。

どうしてだろう、とスカンダーは思った。ウィーヴァーが魔法円の外、ケンナは魔法円の中。なにか意味があるのか？

ケンナが気の元素を呼びだし、まわりの気の使い手たちを順《じゅん》にみた。何人かに笑いかけ、同年代のライダーには手を振った。スカンダーは、父さんからのクリスマスカードに書かれていた言葉を思いだした。**おまえの友だちが何人か訪《たず》ねてきて、いまどこにいるのか知りたがっていた。メッセージは伝わっているか、と気にしていたよ。**スカンダーが島にいったあと、ケンナはオンラインで友だちをつくった。なかには、ライダーになりたかったのになれず、その事実を受け止めきれずに苦しんでいる人もいただろう。ケンナのような、失われた気の使い手もいただろうか。ケンナがウィーヴァーの力を借《か》りて、そういう人たちをここに連れてきたのかもしれない。

「ケンナ！」スカンダーは叫んだ。「なにをしてるんだ？」

沈黙《ちんもく》。ウィーヴァーの気の声が耳にしのびこんでくる。夜のクモみたいに不気味《ぶきみ》だ。**おまえの姉は忙《いそが》しい。おまえの読みは正しかった。わたしのこれまでの力では、これだけの数の絆は作れない。**

ケンナの少し前の言葉を思いだして、スカンダーはぞっとした。**ウィーヴァーはなにもしない**

わ。

ライダーの新世代をつくるのは、ケンナなのだ。

気の元素の邪悪《じゃあく》な友、その真の後継者《こうけいしゃ》。

真実の歌は、やはり正しかった。

ケンナは、白いてのひらを気の石の上に置いた。石が輝きだす。やがて、純白《じゅんぱく》の光線が宙に放たれた。高い上空に達《たっ》した光線は、そこから滝《たき》のように流れおちてきて、魔法円の上に光のドームを作った。ドームはケンナとゴショークだけでなく、失われた気の使い手たちがのばした右手と、ユニコーンの卵を包《つつ》みこんだ。

ドームの縁を彩《いろど》るように、四つの石が輝く。気の魔法に触れたことで、輝きを増《ま》したのがわかる。深緑、燃えるような赤、鮮《あざ》やかな青、きらめく黄。ケンナがやろうとしていることの恐ろしさを知らなかったら、元素の花火のようなこの光景《こうけい》をうっとりと眺《なが》めていたことだろう。それぞれの石が放つ光は、脈打《みゃくう》ちながら広がって、光のドームにアーチをかける。やがてドームは魔法の糸で紡《つむ》がれたタペストリーのようになり、最終的《さいしゅうてき》には、元素の大聖堂《だいせいどう》の丸屋根になった。命と歴史《れきし》と美が集約《しゅうやく》されている。

ケンナは気の石から手を離し、その手を自分の胸にあてた。偽の絆に包まれた心臓のある場所だ。そして胸から手を離す。すると、胸から気の魔法があふれだし、気の石に流れこんでいった。続いて、あふれんばかりの水の魔法、激しく吹きつける風の魔法、燃えさかる火の魔法、安定した土の魔法が、それぞれの石に流れこむ。ほかのライダーたちの持つ絆がみえるようになったときのことが思いだされる。ただ、いまみている魔法のほうが、ずっと色鮮《いろあざ》やかだ。でも、どうしてもわからない。元素のパワーがケンナの体から流れだしているのは、どういうわけなんだろう。

ウィーヴァーの声がまた耳に響いて、スカンダーははっとした。こちらの困惑を読み取ったかのような言葉だった。

スカンダー、おまえは誤解《ごかい》している。わたしたちが石を集めたのは、パワーの源《みなもと》としてではない。ケンナには、百人以上のライダーに絆を作るだけのパワーがあるのだ。石を集めたのはバランスのため。安定と制御《せいぎょ》のため。気をつけなければ、ケンナの魔法の力にすべてがのみこまれてしまうかもしれない。

だから、石にパワーがこめられているかどうかは関係なかったんだ。むしろ空っぽなほうが都合がよかったということか。

ケンナの胸からほとばしる光がつくる元素のドームの向こうに、母親の姿がみえる。猛烈な喜びのせいで、顔がいつもとは別人《べつじん》のようだ。そして、いつも以上にパワフルにみえる。

ケンナの胸からあふれだしていた魔法がようやく止まった。しかし、光線はまだきらめいていて、ドームも消えずに残っている。ケンナはゴショークにまたがり、ひとり目の気の使い手の前で止まった。

サイモン・フェアファクスだ。

ケンナはてのひらを前にだした。赤く光っている。それが黄、緑、青と変わり、それから白くなった。魔法が渦《うず》を巻いて流れ、サイモンと卵に向かっていく。色がどんどん変わる。

スカンダーの右側から、血も凍《こお》るような悲鳴がきこえた。ユニコーンの怒りの声だ。木々のあいだから目を凝《こ》らしたが、なにもみえない。悲鳴は肩のすぐそばからきこえたような気がしたのに。

サイモン・フェアファクスは、覚悟を決めたような顔をしていた。ケンナの魔法は、サイモンの体と盗まれた卵を包むように流れ続ける。悲壮《ひそう》な声はまだきこえているが、スカンダーがどうしても考えてしまうのは、いまこの瞬間、孵化場の扉の前にいるであろう若《わか》いライダーのことだ。運命のユニコーンと結ばれるチャンスを、永遠に失ってしまった。

絆を通してスカンダレルに呼びかけようとしたが、スカンダレルは地面に横たわったままで、生きてはいるが、動かない。パニックのなか、必死に考えたが、自分にできるのは、助けを呼ぶ声をあげることくらいだ。ケンナの魔法が強さを増し、朝日の中でいっそう明るく輝くのをみながら、ひたすら叫んだ。声が涸《か》れるまで。だれかが——だれでもいいから——応《こた》えてくれるまで。

やがて、それは報《むく》われた。

THE EVERHARTS

第23章

姉と妹、姉と弟

アガサ・エヴァーハートとアークティック・スワンソングがやってきて、カラフルな光のドームめがけて急降下《きゅうこうか》した。気の使い手たちにも、ウィーヴァーにも、木につながれているスカンダーにも目をくれず、偽《にせ》の絆《きずな》を作っている人間だけをみすえて、その体を蹴《け》散《ち》らすように着地した。

ケンナはゴショークの背中《せなか》から落ちた。偽の絆をつむいでいた魔法《まほう》も、しゅうっと音をたてて消えてしまった。年配の気の使い手たちから怒《いか》りの声があがる。じゃまをしたのが死刑執行人《しけいしっこうにん》のアガサ――彼《かれ》らのユニコーンを殺《ころ》した張本人《ちょうほんにん》だと気づいたからだ。

ケンナがゴショークの背中から落ちたちょうどそのとき、スカンダレルがやっとのことで立ちあがった。スカンダーに駆《か》け寄《よ》り、きつく巻《ま》きつけられていたつるを噛《か》みきった。

自由になったスカンダーはスカンダレルの背中

第23章　姉と妹、姉と弟

にとびのった。

ケンナは動揺《どうよう》をあらわにしてゴショークのもとにもどった。目に怒りをたぎらせて、叔母《おば》であるアガサにいった。「こんなところで会えるとはね」

ウィーヴァーがふたりのうしろから近づいた。落ち着きはらっているのは、娘《むすめ》は自分の身を守れると信《しん》じているからだろう。

「ケンナ、おまえはなぜウィーヴァーの手下になっているんだ?」アガサは純粋《じゅんすい》にショックを受けているようだ。

「じゃましないで!」

「おまえはまだ子どもだ」アガサは悲しそうにいった。「自分がどんなに忌《い》まわしいことをしているか、わかっているのか。わたしは止めるべきときは止める」アガサのてのひらが光った。骨《ほね》のように白いスピア「馬上槍《ばじょうやり》より短く軽い槍。先《せん》端《たん》に鋭利《えいり》な刃《は》がついている」が現《あらわ》れる。

「やめて!」スカンダーはスカンダレルを焦《こ》げた魔法円の中に進めた。スカンダレルが後足立ちになり、前足で宙《ちゅう》を掻《か》く。スカンダーは、炎《ほのお》の盾《たて》をアガサとケンナのあいだに投げた。「お願《ねが》いだよ。ケンナにひどいことをしないで!」

ケンナは混乱《こんらん》した面持《おもも》ちでスカンダーをみた。てのひらの光がランダムに変《か》わる。だれを攻撃《こうげき》したらいいのかわからなくなっているのだ。

「スカンダー、さがっていろ!」アガサが叫《さけ》んだ。「こんなこと、許《ゆる》せるものではない!」

「アガサ、子どもたちを巻きこむのはやめにしないか」ウィーヴァーがかすれた声でいい、ユニコーンに乗ったまま、魔法円の中心に進みでた。「そろそろ、わたしたちの問題はわたしたちで片《かた》をつけよう」

話しているあいだ、エリカのてのひらは黄色く光っていた。スカンダレルとゴショークは、これまでに経験《けいけん》したことがないほどの強風に吹《ふ》かれて、うしろに押《お》しもどされた。さらに、強風は壁《かべ》を作り、魔法円を取りかこんだ。スカンダーとケンナは壁の外に押しだされ、中にはエヴァーハート姉妹が残《のこ》った。

アガサはまばたきもほとんどせずにいった。「エリカ、あなたの多くのまちがいを、わたしはこれまで許してきた。だが、自分の娘に偽の絆を作るとは、いったいどういうことだ？」アガサはケンナに顔を向けた。「その上、こんなことまでさせるとは。欲《よく》のために偽の絆を作ることでどのような代償《だいしょう》を支払《しはら》うことになるのか、あなたはだれよりよく知っているはずなのに」

エリカの目は、アガサの白いマントに向けられた。「おまえには生死をともにするほどの仲間《なかま》が新しくできたようだな。シルヴァー・サークルにも、そしてエアリーにも。おもしろいではないか。おまえは自分勝手な欲求《よっきゅう》ばかり満《み》たそうとして、わたしには見向きもしなかった」

「そんないいかたはあんまりだ」アガサの声には悲しみがにじんでいた。「わたしはいつでもあなたを守ってきた。それがまちがいだったのではないか、と思えるほどに。第二のチャンスも与《あた》えた。だが、あなたは変わってしまった。わたしに偽の絆を作ったときから。あの野生のユニコーンに、あなた自身をむしばまれてしまったんだろう。いまのあなたはあなたではない。わたしがいっしょに育ってきた姉さんではない。こんなことはもう終わりにするべきだ」

ウィーヴァーは軽く首をかしげた。危険《きけん》な動きだ。「おまえはいつも、わたしの行動を、野生のユニコーンとの絆のせいにする。だが、いまのわたしこそ本当のわたしかもしれない、とは思わないのか？」

最後《さいご》の言葉とともに、エリカはてのひらを白く光らせた。そして口を開き、無言《むごん》の鬨《とき》の声《こえ》をあげた。

アガサは両手で耳をおおい、苦痛《くつう》の悲鳴をあげた。気の言葉だ、とスカンダーは思った。アガサを混乱させておいて、全力の攻撃を繰《く》りだそうとしているのだ。

「気をつけて！」スカンダーは叫んだ。エリカのてのひらの光が黄色に変わる。その手に現れたのは、みたこともないような弓矢。それを五つの元素《げんそ》の色に輝《かがや》かせながら、エリカはアガサの胸《むね》を狙《ねら》って、次々と矢を放つ。氷の矢、火の矢、ダイヤモンドの矢、雷《かみなり》の矢。

氷の矢はアガサの肩《かた》をかすめた。しかしアガサはそれを気にすることもなく、次々に盾を作っては、矢をはねのけた。

「ここを去れ！」ウィーヴァーは魔法を使う合間に、金属《きんぞく》をひっかくような声をあげた。変異《へんい》の白い線が表れた顔に、滝《たき》の汗《あせ》が流れている。「これは必要《ひつよう》な儀式《ぎしき》なのだ」

「必要なものか、こんな野蛮《やばん》なものが！」アガサはどなり返し、火の盾で水の矢を蒸発《じょうはつ》させた。

「この人たちのユニコーンは、いまも荒野《こうや》にいる。あなたの息子《むすこ》はメンダーだ。あなたが盗《ぬす》んだ卵《たまご》は、それぞれの運命のライダーと結《むす》ばれることになっている。いまこの瞬間《しゅんかん》に。あなたもわかっているはずだ！」

「そして、わたしたちエヴァーハート姉妹はどうなった？」エリカがいった。呼吸《こきゅう》が荒《あら》い。「伝《でん》統《とう》を守り、ルールを守り、そしてどうなった？　わたしの娘は、今年一年ずっと追われる身だった。安全などどこにもない。だから今日、すべてをやり直す」

「あなたの息子はどうなる？　これまでずっと、状況《じょうきょう》をよくしようとがんばってきた。悪くしようとしていたわけではない」

「息子は弱い。弱い息子に興味《きょうみ》はない」

スカンダーは、その言葉をきいていまも傷《きず》ついてしまう自分がいやだった。

「スカンダーは、勇敢《ゆうかん》で強くて優《やさ》しい子だ」アガサはいった。その頭上に巨大《きょだい》な雲が現れた。

「あなたはこれまで、世界を自分のものにしようという欲にかられていた。そんな欲を忘《わす》れて、息子を理解《りかい》しようという努力《どりょく》をしていたら、それに気づいていただろうに」

白い雲が形を変え、きらきら輝く巨大なアルバトロスになった。全身が気の魔法でできている。スカンダーがみたことのないものだった。それに、こんなことができるなんて思ってもみなかった。それはエリカめがけて急降下した。大きなクチバシは、まるで生きている本物みたいだ。しかしエリカはエリカで、別《べつ》の生き物を作りだしていた。巨大な白いオオカミが、飛《と》んできたアルバトロスに飛びかかる。口を大きく開けて、鋭《するど》い爪《つめ》をアルバトロスの翼《つばさ》に叩《たた》きつける。鳥は粉々《こなごな》の輝く破片《はへん》になった。するとオオカミは、アークティック・スワンソングに襲《おそ》いかかった。しかし、アガサのアルバトロスの破片は再《ふたた》びひとつにまとまり、今度は白い縞模様《しまもよう》のトラになった。アルバトロスの二倍の大きさだ。トラとオオカミが死闘《しとう》を繰りひろげ、最終的《さいしゅうてき》にはどちらも消滅《しょうめつ》した。

「もういい！」エリカは息を弾《はず》ませた。「こんなこと、時間のむだにしかならない」てのひらを白く光らせる。突然《とつぜん》、エリカがふたりになった。どちらも野生のユニコーンに乗っている。そしてどちらも、気の元素で作った投《な》げ槍《やり》を構《かま》えている。

「申《もう》し訳《わけ》ないが、わたしは姉を取りもどしたいだけなんだ」アガサは悲しそうにいった。白い閃《せん》光《こう》が、片方《かたほう》のエリカとユニコーンを直撃《ちょくげき》した。大昔、エリカがその卵を孵《ふ》化場《かじょう》に返すべきだったユニコーン。ほかのだれかと運命の絆で結ばれるはずだったユニコーン。

　色の変わり続ける絆に、魔法の糸がぐるぐるとからみつく。そのとき、スカンダーは気《き》がついた。ウィーヴァーが分身の魔法を使ったのは致命的《ちめいてき》なミスだった。どちらが本物なのか、妹にはみやぶれないと信じていたのだろう。しかし、ウィーヴァーには忘れていたことがひとつあった。妹に深く深く愛《あい》されていたということ。いまも変わらず愛されているということ。人間は、だれかを長いこと愛し続けていると、その人のどんな些細《ささい》な特徴《とくちょう》もおぼえてしまうものだ。

　ウィーヴァーの分身が消え、持っていた気の投げ槍も、黒っぽい煙《けむり》になって霧散《むさん》した。本物のエリカは心臓《しんぞう》のあたりをつかんだ。アガサがエリカの偽の絆を切《き》り裂《さ》いたのだ。偽の絆なんかを作ったせいで、姉は昔の姉ではなくなってしまった、アガサはそう信じていた。アガサが死刑執行人として気のユニコーンたちを殺したときも、同じように絆を切り裂いたのだった。

ケンナが悲鳴をあげ、ゴショークに乗ったまま風のバリアに突進《とっしん》しようとした。

「だめだ！」スカンダーは叫んだ。ケンナの偽の絆をただ断《た》ち切《き》るのはよくないかもしれない、そう考えたのには理由があった。絆を入《い》れ替《か》えたらどうか、という考えにこだわり始めたのも、その理由のためだ。何か月も前、エローラにいわれた言葉が、いままたよみがえってきた。

ケンナを傷つけることになるかもしれない。命を落とすおそれだってあるのよ。

命を落とす……。現時点《げんじてん》ではわからないことがたくさんあるが、ひとつはっきりしているのは、アガサが自分の姉を殺すつもりはないということだ。ぼくも、母さんに死んでほしくない。母さんがこんなことをしたあとでも。このことだけじゃない。母さんはいままで、いろんなことをしてきたけど、それでも死んでほしくない。

「アガサ、やめて！」スカンダーはもう一度叫んだ。しかし、あたりにはさまざまな恐《おそ》ろしい魔法が飛びかっていて、手のだしようがない。失《うしな》われた気の使い手たちも、怯《おび》えて泣《な》いている。激《はげ》しい混乱に、すべてが包《つつ》まれている。そのとき――

風がやんだ。

ケンナがこの世のものとは思えないような悲鳴をあげた。スカンダーとケンナは魔法円に突入《とつにゅう》

第23章　姉と妹、姉と弟

した。スカンダレルとゴショークが通り過ぎると、気の使い手たちが散《ち》らばっていく。

スカンダーが円の中心にきたとき、ケンナはすでにゴショークからおり、アガサを押しのけようとしていた。草の上に倒《たお》れている黒い人影《ひとかげ》からアガサを引《ひ》き離《はな》そうとしているのだ。ウィーヴァーの野生のユニコーンが、少し離れたところに立って、それをみている。

アガサの両手ががたがたと震《ふる》えている。自分でも止められないようだ。アガサはすがるような目でスカンダーをみた。「こんなつもりじゃなかった。絆だけを断ち切るつもりだった。姉さんを取りもどしたかった。わたしはただ――」まるで小さな子どものようだった。

「わかってる」スカンダーはかすれた声でいった。「殺そうとしてやったんじゃないことくらい、わかってるよ」

ケンナがすすり泣いている。スカンダーは母親をはさむ位置《いち》にひざをついた。まちがいない――ウィーヴァーは死ぬ。

エヴァーハート家の二世代のきょうだいが、夏至《げし》の石に囲《かこ》まれていた。一瞬《いっしゅん》、平穏《へいおん》に似《に》たものが訪《おとず》れたようにみえた。

エリカ・エヴァーハートは、両手をのばした。片方は息子に、片方は娘に。「ふたりにユニコーンを与えると約束《やくそく》した」そういって、並《なら》んで立っているスカンダレルとゴショークに目をやった。一方は本物の絆を持ったユニコーン。もう一方は野生のユニコーン。「その約束だけは果《は》たした」

エリカの褐色《かっしょく》の目は、もう焦点《しょうてん》が合っていない。どこか遠くのほうをみているかのようだ。遠くにありすぎて理解できないようななにかを。「ああ」声にならない声でいう。「ブラッドムーン……そこにいたのか」

エリカの体が白く光った。エアリーの入り口の木のようだ。まぶしくて、これ以上《いじょう》みていられない。その光が消えたとき、その場には黒いマントだけが残されていた。

ケンナが悲嘆《ひたん》の声をあげた。刺《さ》すような声。スカンダーは、体をナイフで切りさかれたような痛《いた》みをおぼえた。アガサは、地面に残されたマントを凝視《ぎょうし》している。

結局《けっきょく》、恐ろしいほどシンプルな事実がわかった。偽の絆を断ち切るために気の使い手がやるべきことは、ふたつの心臓を結びつける糸をほどくだけでいい。そうすることで、もともと結ばれる運命ではなかった者たちを引き離すことができる。ただ、その代償は……不死身《ふじみ》のユニコーンの命ではなく、人間の命なのだ。

スカンダーはスカンダレルの体に寄《よ》りかかり、いま起こったことを理解しようとした。そのとき、ケンナのてのひらが気の元素をまとい、白く光った。ケンナは目を血走らせ、激しい怒りを全身にたぎらせていた。闇《やみ》に縁《ふち》どられた白い光が、ケンナの足元の草を枯《か》らしていく。

スカンダーには理解できなかった。ケンナの体はゴショーク・フュアリーに触《ふ》れるどころか、かなり離れている。なのにどうして魔法を使えるんだろう。

ケンナはてのひらを前に突《つ》きだした。白い光が破壊《はかい》の破片《はへん》となった。

アガサが苦しそうに叫び、自分の心臓のあたりをつかんだ。「ケンナ、やめてくれ！　許《ゆる》してほしい！　頼《たの》むからやめてくれ！」アークティック・スワンソングが繰《く》り返《かえ》しいななく。ライダーに近づきたいのに、ゴショーク・フュアリーに阻《はば》まれている。ゴショークのひづめから、元素の爆風《ばくふう》が放たれる。

　スカンダーははっとした。ケンナは、アガサとスワンを結ぶ絆を攻撃しているんだ。アガサがまた悲鳴をあげる。絆が傷つき始めたのかもしれない。ふたつの心臓のそばにできた傷が、絆を伝《つた》って広がっていく。川の水面をおおう氷が、端《はし》からだんだんひび割《わ》れていくように。

　スカンダーはあわててスカンダレルにまたがった。「ケンナ、だめだ！」火の球をひとつ、ケンナの足元に放つ。次は稲妻《いなずま》。どうにかしてケンナの攻撃をゆるめたい。

　ケンナはなにも考えていないかのようだ。気の盾で自分の体のまわりにバリアを張《は》り、アガサの絆を攻撃し続ける。「なんでだめなの。母さんが死んだのに。この女が母さんを――」

　そのとき、すべてがスローモーションになった。地面が振動《しんどう》する。アークティック・スワンソングが、すごい力で地面を蹴《け》っている。

　ケンナが攻撃をやめた。アガサがスワンの体にすがりつく。

　ケンナは望《のぞ》んでいた復讐《ふくしゅう》を果たしたのだ。

　スカンダーはアガサに駆け寄り、アークティック・スワンソングをみおろした。初めて会ったユニコーン。初めてまたがったユニコーン。島に連《つ》れてきてくれた――そして運命を授《さず》けてくれた——ユニコーン。アガサはすっかり打ちのめされている。なぐさめの言葉が喉《のど》に詰《つ》まってでてこない。かける言葉なんかない。ユニコーン・ライダーのひとりとして、この痛みがどんなものか、わかっているからだ。

「ああ——！」ケンナの苦痛の声をきいて、スカンダーはスワンから顔をあげた。ケンナはゴショークにまたがっていた。ゴショークは後足立ちになり、翼を広げている。ケンナは自分の顔の右側《みぎがわ》をつかみ、悲鳴をあげ続けた。スカンダーはなにも考えず、苦しむケンナに近づいた。ケンナがまた叫んだ。ゴショークは前足を地面におろした。

「ケン、いったい——」スカンダーはきこうとしたが、ケンナが顔から手を離したとき、なにが起きたかを知った。五つ目の変異だ。ケンナの顔の右半分が透《す》けていた。スカンダーの腕《うで》のように、骨や腱《けん》や筋肉《きんにく》がすべて透けてみえている。この変異のせいで、ケンナの見た目はモンスターのようになってしまった。いや、今日やったことを考えれば、実際《じっさい》にモンスターになったといっていい。

スカンダーとケンナの目が合った。スカンダーにはわかった。ケンナがどこかにいこうとしている。どこへ？　いや、いまはどうでもいい。きっとケンナも、すべてがどうでもよくなっているんだ。

最初《さいしょ》のライダーと墓《はか》で戦《たたか》ったとき、いわれた言葉がよみがえってきた。**スカンダー・スミス、おまえはおまえの最《もっと》も愛する者に裏切《うらぎ》られる。**

ケンナはなにもいわず、ゴショークの手綱《たづな》を握《にぎ》って空に飛びだした。いつもとちがって、スカンダーはあとを追いたいと思わなかった。

倒れたアークティック・スワンソングに近づいたとき、スカンダーは、まわりにいる気の使い手たちが大声をあげているのに気がついた。混乱、怒り、失望《しつぼう》の声。それでも、魔法円には怖《こわ》くて近づけないらしい。

「どうするつもりなんだ？　ウィーヴァーがいなくなってしまった」

「いなくなった？　いや、死んだんだ！　そいつが殺した！」

「死刑執行人はこの代償を……」

「絆を作ってもらう約束だったのに！」

「何か月も——何年も——待っていたのに」

「それだけを待って生きてきたのに」

タイラーの姿《すがた》もある。ゴショーク・フュアリーが消えていった空をみつめている。

アガサは彼らのことなど気にも留《と》めず、悲しみに暮《く》れてスワンに寄りそっている。

スカンダーは、怒りの声をあげる人々に向かって、できる限《かぎ》り声を張りあげた。「ぼくはメンダーだ。あなたたちの運命のユニコーンの多くは、いまも荒野にいる。ぼくはみたんだ。あなたたちを島に連れかえったら、ぼくが絆を繕《つくろ》ってあげる」

そのとき、スカンダーの肩を力強い手がつかんだ。指の一本に指輪《ゆびわ》がはめられている。指輪はオレンジから赤へと色を変えた。「そんなことをさせると思うか？」

さっと振《ふ》り返《かえ》ると、そこにはレックス・マニングの顔があった。

銀の仮面《かめん》をつけた衛兵《えいへい》たちが、草地に押《お》し寄《よ》せてきた。オサリヴァン教官《きょうかん》、ウェブ教官、アンダーソン教官も、空からおりてきた。島の崖《がけ》を見張《みは》っていた衛兵たちが、スカンダーが海に飛んでいくのをみて、レックスに知らせたのだろう。ウィーヴァーが死んだとき、こちらの島を隠《かく》す魔法も消えたのだ。

次々に指令《しれい》が飛ぶ。気の使い手たちが抱《かか》えていた卵が奪《うば》われる。抵抗《ていこう》した者は、問答無用《もんどうむよう》とばかりに、元素の魔法で倒された。ジョビーも地面にのびてしまった。ほかの衛兵たちは森に入り、来年以降《いこう》に孵化する卵を探《さが》し始《はじ》めた。

「孵化場の扉《とびら》を試《ため》す子どもたちを、鏡《かがみ》の崖で待たせている。どんなことをしてでも卵を回収《かいしゅう》して、できるだけ早く安全に、孵化場に卵をもどすように」レックスの命令《めいれい》がきこえる。「だれか、ウィーヴァーの野生のユニコーンを捕《と》らえろ。なにをするかわからない」

「承知《しょうち》しました」衛兵の一団《いちだん》が叫ぶ。

レックスは完璧《かんぺき》に整った笑顔《えがお》をスカンダーに向けてから、別の衛兵に指示《しじ》した。「卵を回収したら、気の使い手たちを捕らえろ。アガサ・エヴァーハートもだ」

「レックス、そこまでする必要はない！」スカンダーはいった。「アガサはぼくを助けてくれた。みんなを助けてくれたんだ！」

「だがアガサは、訓練場以外《くんれんじょういがい》の場所で気の魔法を使った。こうなったのは自業自得《じごうじとく》だ。約束を破《やぶ》ったんだから」

「そうだよ！」スカンダーは大声で訴《うった》えた。「だけどそれは、ウィーヴァーを止めるためだった。それくらいは例外《れいがい》にしてもいいじゃないか」

レックスは肩をすくめた。「アガサがウィーヴァーを倒したといわれても、その証拠《しょうこ》がどこにある？　それに、決まりに例外なんかない。ああ、例外といえば――衛兵たち！」レックスは声を大きくして、スカンダーを指差《ゆびさ》した。指輪が光る。「ここにも気の使い手がいるぞ。こいつも、ウィーヴァーの計画に一枚《いちまい》噛んでいたようだ」スカンダレルがいなないた。スカンダーは突《とつ》然《ぜん》、恐怖《きょうふ》に包まれた。指輪にみおぼえがあったからだ。あれは、ニーナ・カザマがつけていたものだ。

「そんなに驚《おどろ》くことじゃない」レックスはスカンダーの表情《ひょうじょう》に気づいて、いった。「ぼくは、チャンスを逃《に》がさない人間なんでね。おまえとアガサを消すチャンスを、ずっと待っていた。気の使い手など、島にはいらない。気の使い手は、ぼくの母のユニコーンを殺した。そうしてぼくの母を殺したんだ。ぼくと同じ立場だったら、おまえならどうしていた？」レックスの目がぎらりと光る。スカンダーがみたことのない、恐ろしい表情だった。きのう今日生まれたものではない、すさまじい恨《うら》みがこもっている。危険だ。

アガサのいうとおりだった。レックスは気の使い手を憎《にく》んでいる。全員を――スカンダーも含《ふく》めて——刑務所《けいむしょ》に放りこみたいと思っているのだ。ケンナのいっていたとおり、レックスがニーナを殺したのか？　たしかに、そうでなければ、ニーナの指輪をレックスがはめているはずがない。

衛兵が五人、スカンダーに駆け寄ってきた。銀の仮面がぎらつく。逃げようとしても、もう遅《おそ》い。衝撃《しょうげき》を覚悟《かくご》して身構《みがま》えたとき、オサリヴァン教官、アンダーソン教官、ウェブ教官の三人がユニコーンに乗って現れ、スカンダーとスカンダレルの盾になってくれた。

「こんなことはやめなさい、レックス」オサリヴァン教官が声に力をこめて警告《けいこく》した。「スカンダー・スミスはエアリーに保護《ほご》されています。彼がカオス・トライアルに合格《ごうかく》したのを忘れたのですか」

レックスの整った顔が怒りにゆがむ。しかし、すぐに笑《え》みが浮《う》かんだ。「たしかにそうでしたね、ペルセポネ。あなたのいうとおり、スカンダーはエアリーのライダーだ。少なくともいまのところは」

レックスはシルヴァー・ソーサレスにまたがり、さらに指示をだし始めた。島のすべてを支配《しはい》する首長然《ぜん》とした態度《たいど》だ。ユニコーン・ライダーの新世代づくりを阻んだ英雄《えいゆう》を気取っている。

ついさっき——あれから一時間もたっていない——きいたばかりのケンナの言葉が、スカンダーの耳によみがえる。**スカンダーがエアリーの訓練《くんれん》を最後《さいご》まで受けるなんてこと、レックス・マニングが許すはずがない。**

第23章　姉と妹、姉と弟

スカンダーの体がぐらついた。いろんなことがありすぎた。母さんが死んだ。アガサが打ちのめされた。アークティック・スワンソングが死んだ。ケンナがいなくなった。スカンダレルが近づいてきて、スカンダーの体を翼で支《ささ》えた。

オサリヴァン教官も反対側《はんたいがわ》からスカンダーを支えた。「あなたをここから連《つ》れださなければ。このままだと、レックスになにをされるか」アンダーソン教官とウェブ教官にいう。「アガサをお願いします。衛兵たちから守って」

唇《くちびる》が塩辛《しおから》い。自分が泣いていることに、スカンダーはそのとき気がついた。

「なにがあったんです？」オサリヴァン教官が、いつもとちがう優しい声でいった。「ウィーヴァーがここに？」

スカンダーは、本土で学校に通っていたときの自分にもどったような気がした。きみのお母さんはどこにいるの？　と友だちにきかれたものだ。「母さんは――母さんは――もう――」答えようとしても、声が声にならない。昔もそうだった。ただ、昔は、母さんは生きていた。いまは……。

「死んだ。ウィーヴァーは死んだ」ウェブ教官がいった。声を落として続《つづ》ける。「アークティック・スワンソングも死んだ」

アンダーソン教官がアガサとともに近づいてきた。アンダーソン教官の幅広《はばひろ》の肩に、アガサの手がかけられている。スカンダーは涙《なみだ》を流しながら叔母をみた。ふたりが同じことを考えているのがわかる。**この気持ちを、だれもわかってくれない。わかるはずがない。**

悪者が死んだのに、なにが悲しいんだ？　人はそういうだろう。それがだれかの親友だろうと、姉だろうと、母親だろうと、それを悲しむのはおかしい、と。しかし、いまのスカンダーの望みはひとつだけだった。地面にもぐってどこかに消えてしまいたい。母親を亡《な》くしただけでなく、もっとずっとたくさんのものを失ったのだ。いまとなっては、本当の悪者がだれだったのかもわからない。悪者はひとりなのか、ふたりなのか、それとも何十人もいるのか。

アガサが手をのばし、スカンダーを抱《だ》きよせた。

「四人組の仲間たちに会いたい」激しくすすり泣きながら、スカンダーはやっとのことでそういった。「フローとボビーとミッチェルに会いたい。三人の力がほしい」

アガサはスカンダーの頭に顔を寄せたままうなずき、背《せ》すじをのばした。

スカンダーはスカンダレルにまたがった。それだけで両腕《りょううで》が震えるほど疲弊《ひへい》していた。アガサはオサリヴァン教官とともにセレスティアル・シーバードに乗り、ムーンライト・ダストとデザート・ファイヤーバードといっしょに島に向かった。

ユニコーンたちが海上にでると、アガサがポケットに手を入れ、五つの石を取りだすのが、スカンダーの目に入った。あの石のせいで、島はあやうく一世代ぶんのライダーを失うところだった。石にはいま、ケンナの圧倒的《あっとうてき》な元素のパワーが吹きこまれている。アガサは五つの石をぎゅっとつかんで、なにごとか考えているようだった。やがてその手を開くと、シーバードの背中の上で、その手を返した。夏至の石は落ちていき、飢《う》えた海にのみこまれるように、波の中に消えていった。

スカンダーは最後に一度だけ、もうひとつの島を振り返った。野生のユニコーンが一頭空に飛びあがるのがみえた。森の上を飛んでいる。荒野に向かっているのだろう。ウィーヴァーと結ばれていたユニコーンだ。スカンダーは悲しくてたまらず、ユニコーンから目をそらした。あのユニコーンはいま、だれとの絆も持っていない。何年も前にウィーヴァーが欲のために作った偽の絆は、もう存在《そんざい》しない。あのユニコーンに、得《え》るものなどなにもなかったはずだ。おそらく、マントをまとったライダーのことなど思いだすこともなく、これから永遠《えいえん》に生きていくのだろう。でも、そのライダーは、もう生きてはいない。

もう二度と帰ってこない。

HOME AGAIN

第24章
帰還《きかん》

数時間後、エアリーの入り口のカラフルな木の前に、フレッジリングたちが集まっていた。木の低《ひく》いところにある枝《えだ》からは、三十六個《こ》の金の輪《わ》がつりさげられている。王冠《おうかん》のような形をした輪のひとつひとつに、フレッジリングの名前が刻《きざ》まれた札《ふだ》がついている。側面《そくめん》にはくぼみが四つあって、各《かく》ライダーが集めた石をはめこめるようになっている。土の石をはめるくぼみのまわりには、エメラルドグリーンのつるがからみあった模様《もよう》。水の石をはめるくぼみのまわりには氷のようなサファイヤの波。火の石のくぼみはルビー色の炎《ほのお》に包《つつ》まれ、風の石のくぼみは、黄色いダイヤを並《なら》べた渦《うず》の中にある。金の輪は四人の教官《きょうかん》たちに提出《ていしゅつ》され、教官たちは入り口の木を監視《かんし》することになる。石がひとつでも足りないフレッジリングは、エアリーにもどることができない。即時《そくじ》ノマドを宣告《せんこく》される。

第24章　帰還

多くのフレッジリングは、熱《ねつ》のこもったおしゃべりをしていた。トライアルで石を余分《よぶん》に勝《か》ち得《え》たライダーは、そのぶんの石を袋《ふくろ》に入れて手渡《てわた》された。それを仲間《なかま》のライダーに譲《ゆず》ってからエアリーにもどるのだが、石を譲る相手は自由に選《えら》ぶことができる。ニーヴの四人組は、全部で四つの石が余《あま》っていて、石が足りないライダーたちからしつこく声をかけられている。トライアルの最中《さいちゅう》に友だちを裏切《うらぎ》り、いまになって許《ゆる》しを請《こ》う者もいる。仲間割《なかまわ》れした四人組もある。信頼《しんらい》関係《かんけい》が崩《くず》れて以来《いらい》、互《たが》いに口もきかない状態《じょうたい》だ。

しかし、スカンダー・スミス、ボビー・ブルーナ、フロー・シェコニ、ミッチェル・ヘンダーソンの四人は、この上なく落ち着いていた。四人で腕《うで》を組んで、横一列に並んでいる。

凪のゾーンのテントにもどったあと、スカンダーは仲間たちに、もうひとつの島で起こった出来事を話した。もうひとつの島のことを、ボビーは〝悪意の島〟と呼《よ》ぶようになった。スカンダーは、途中《とちゅう》で言葉を切っては泣《な》き、また話し始める――その繰《く》り返《かえ》しだった。これがただの作り話だったらいいのに、と思わずにはいられなかった。こんな悪夢《あくむ》をみて怖《こわ》かったよ、といえるのなら、それもいい。でも、すべて本当のことだ。なんとか乗《の》りこえていかなければならない。

スカンダーが話しおえたとき、三人は言葉を失《うしな》っていた。そんなことはめったにない。ひざを抱《かか》えてすわるスカンダーを黙《だま》ってみつめていたが、次の瞬間《しゅんかん》には三人でスカンダーを取りかこみ、きつくハグした。おかげで、スカンダーの傷《きず》ついた心は少しだけ癒《いや》された。ケンナが飛《と》びさったときは、もうなにも感じることはないだろうと思っていた。ケンナの裏切りのせいで心が粉々《こなごな》に砕けちったのだ。もうこれ以上壊《いじょうこわ》れることはできないくらいに。

ボビーは「だからそういったじゃない」とはいわなかった。それがボビーのいいところだ。しかしスカンダーは、耳を貸《か》さなくて悪かった、と謝《あやま》った。ボビーは「気の使い手くん、あたしたちも連《つ》れてってくれればよかったのに」というだけだった。

「四人で計画を立ててもよかったよな」ミッチェルもいう。

「そんな大変《たいへん》なことがあったのなら、わたしたちがそばについていてあげたかった」最後《さいご》にフローがいった。

スカンダーは頭を下げた。「そうだよね。みんなにそばにいてほしかった。ごめん」

「謝らないで」ボビーは指を一本立てて、スカンダーの顔の前で振《ふ》った。「同じことを二度とやらないでくれればいい」

スカンダーはかすかにほほえんだ。そしてまた泣きだした。

「だいじょうぶ？」フローがきいた。そのとき、教官たちがエアリーの入り口を封鎖《ふうさ》した。

スカンダーは力なくうなずいたが、その目はレックス・マニングの姿《すがた》を追っていた。レックスは得意満面《とくいまんめん》だ。いまや、島で最高《さいこう》のポジションを三つ、手に入れたのだ。首長、シルヴァー・サークル代表、エアリーの教官。大混乱《だいこんらん》を未然《みぜん》に防《ふせ》ぎ、盗《ぬす》まれた卵《たまご》をすべて孵化場《ふかじょう》に返すという手柄《てがら》をあげた。ウィーヴァーを倒《たお》したのもレックスだといううわさも流れていた。

首長になった銀のライダーは、その日の午後、満面《まんめん》の笑《え》みをみせていた。しかしスカンダーは、そんな顔にはもうだまされなかった。緑色の目に悪意に満《み》ちた光が宿るのを、みてしまったからだ。ニーナの指輪《ゆびわ》をはめているのもみた。フローはそれを、ニーナに対する敬意《けいい》の表れだと主張《しゅちょう》したが、スカンダーはそうは思わない。レックスは、スカンダーを捕《と》らえろと、なんのためらいもなく衛兵《えいへい》たちに命じた。気の使い手たちを〝安全のために保護《ほご》〟してからのレックスは、危険《きけん》きわまりない人物にみえてきた。だれひとり想像《そうぞう》もしていなかったことだ。いや、ケンナはそれをいいあてていた。

ケンナ。考えちゃだめだと何度も自分にいいきかせているのに、やっぱり考えてしまう。ケンナは無事《ぶじ》だろうか。きっとこれからも考えるだろう。

「ボビー、土の石が余ってるんだよね。だれにあげるの？」スカンダーは小声でボビーにきいた。ケンナとは別《べつ》のことを考えたかった。

ボビーは肩《かた》をすくめた。

「夏至《げし》の石って、来年まで銀の要塞《ようさい》で保管《ほかん》されることになるんだろうけど、金の輪だけは手元に残《のこ》せないのかな？」フローが期待をこめていった。

「それはないよ」ミッチェルが答えた。「アンダーソン教官がいってた。金の輪も、何百年も前からカオス・トライアルで使われてるものなんだって」

オサリヴァン教官が笛を吹《ふ》いた。「さあ、始めます。みなさんは勇敢《ゆうかん》に戦《たたか》いましたが、一部のライダーにとっては、エアリーでの訓練《くんれん》はこれで終わりとなります。こちらの決めた順番《じゅんばん》で、ひとりずつ呼びだします」

ゲイブリエルが最初《さいしょ》に呼ばれ、自分の名前のついた金の輪を、入り口の木からはずした。スカンダーをはじめ、多くのフレッジリングが首をのばし、輪にはめられた石の数を確《たし》かめようとした。ゲイブリエルはクイーンズ・プライスを連れて教官たちのところにいった。頭を下げて金の輪を差《さ》しだす。変異《へんい》で石になった巻《ま》き毛《げ》だけが動かなくて、妙《みょう》な感じだった。

「火の石がないわ」フローが心配そうにいった。

「まあ、待って」ミッチェルがいった。「ザックが助けてくれるさ」

アンダーソン教官の大声が響《ひび》き渡《わた》った。耳のまわりの炎が揺《ゆ》れる。「火の石が足りない。ゲイブリエルは現状《げんじょう》、エアリーにもどることができない。だれか、彼《かれ》が訓練を続《つづ》けることができるよう、助けたいという者は？」

「ぼくが！」ザックが叫《さけ》んだ。ゲイブリエルとは同じ四人組のメンバーだ。転がりでるようにして前にでて、ゲイブリエルとアンダーソン教官に近づいた。袋から余った石を取りだす。ゲイブリエルは仲間に笑《わら》いかけ、受け取った石を金の輪にはめると、それをウェブ教官に差しだした。ゲイブリエルと同じ元素《げんそ》の使い手であるウェブ教官をはじめ、教官全員が、入り口の木までの道をあけた。

ゲイブリエルはクイーンズ・プライスを連れて木の幹《みき》へと急いだ。てのひらを幹にあてると、砂《すな》の渦の中に通路ができた。集まったフレッジリングたちから喝采《かっさい》が起こる。入り口の内側《うちがわ》に集

第24章　帰還

まったほかのライダーたちが、フレッジリングの帰還を歓迎《かんげい》する。

石がすべてそろっていて、余った石がひとつもないザックとイエスタデイ・ゴースト、サリカとイクウェイター・コナンドラム、メイベルとシーボーン・ラメントが呼ばれ、ゲイブリエルに続いてエアリーに入った。次はイライアスがアイシャに水の石を譲った。アイシャとアジャイとアイヴァンはエアリーにもどった。

しかし、マリッサとデモニック・ニンフは石が三つも欠《か》けていた。喜《よろこ》んで石を譲ってくれる友人が三人もいるとは思えない。ノマドを宣告される状況《じょうきょう》としては、これまで以上に残酷《ざんこく》なものだったかもしれない。復活《ふっかつ》がみこめないほどひどく破壊《はかい》されたノマドの木は、ベテランの土の使い手たちの手で、再建《さいけん》されていた。しかしマリッサは、自分のピンバッジが木の幹に打ちつけられるところをみることはできなかった。オサリヴァン教官がマリッサから水のピンバッジを受け取ると、エアリーの入り口の外で石に打ちつけた。アジャイとアイシャとアイヴァンは、マリッサにちゃんとした別《わか》れの言葉を送ることもできなかった。マリッサとデモニック・ニンフは、寂《さび》しそうにエアリーの丘《おか》をおりていった。

マリッサが今後の居場所《いばしょ》を早くみつけられますように、とスカンダーは願《ねが》った。友だちや家族のところでもいいし、放浪者《ほうろうしゃ》のところにいってもいい。マリッサとはあまり親しくなかったが、こんな結果《けっか》になったことに憤《いきどお》りをおぼえる。マリッサとニンフはがんばっていた。仲間たちを守り、勇敢に戦った。なのにエアリーを去らなければならないなんて。エアリーはライダーたちの家なのに。

「カオス・トライアルはライダーとユニコーンの結《むす》びつきを強くするためのものなんだろうけど、もっといい方法《ほうほう》はないのかなって思うよ」ミッチェルがスカンダーの気持ちを代弁《だいべん》してくれた。

「もっと優《やさ》しい方法があるはず」フローもいう。

「この島は変わらなきゃだめだ」スカンダーは同意した。

次はいじわる四銃士《じゅうし》。コビーとアイス・プリンスは、四つの石で金の輪を完成《かんせい》させていた。余りの石はない。入り口が開いて、水の渦の中を通過《つうか》していった。

アンバーは、フレッジリングたちの後方からでてきた。アラステアやメィイーとは離《はな》れて立っていたらしい。肩を落とし、栗色《くりいろ》の髪《かみ》で顔半分を隠《かく》している。スカンダーは、アンバーのこれほど打ちひしがれた姿をみたことがなかった。両手が震《ふる》えているせいで、教官たちのところにいく途中、金の輪を落としてしまった。あわててひざをついて輪を拾ったが、エメラルドグリーンのつるの中にあるべき石がないのを、スカンダーはみてとった。

アンバーは頭を下げて、不完全《ふかんぜん》な金の輪を差しだした。ウェブ教官が大きな咳払《せきばら》いをした。頭をおおう変異の苔《こけ》が、六月下旬《げじゅん》の日差《ひざ》しを浴《あ》びて青々と萌《も》えている。「土の石がない。アンバーは、現状ではエアリーに入れないが、訓練を続けることができるよう、石を譲る者はいるだろうか？」

「はい。あたしが」

一瞬《いっしゅん》、スカンダーは、それがだれの声なのかわからなかった。進みでたのはボビーだった。

「冗談《じょうだん》だよね」ミッチェルが変な声でいった。「ボビーがアンバーを助けるって？　ふたりは天敵同士《てんてきどうし》じゃないか。アンバーには――」

「その価値《かち》はない」ボビーが振《ふ》り返《かえ》り、言葉を続けた。

ボビーが余った緑色の石をアンバーのてのひらに置《お》く。そのときのアンバーの驚《おどろ》いた顔は、みていると笑えてくるほどおもしろかった。

「恩《おん》に着てよね」ボビーがいった。

そのとき、一瞬前まではスカンダーが想像もしていなかったことが起こった。アンバーがボビーに両手をまわし、ハグしたのだ。

「ちょ！」ボビーはアンバーの髪を顔から押《お》しやった。「あんたのおかげで、あたしはがんばれた。あんたに勝ちたいって気持ちがなかったら、訓練はどうしようもなく退屈《たいくつ》だったと思う」

「後悔《こうかい》はさせない」アンバーは涙《なみだ》を流し、むせぶ声でいった。

「後悔？　するに決まってる。あんたはどうせ、すぐにいつものムカつく女に変《か》わるから」ボビーはそういうとすぐ、フローとスカンダーとミッチェルのところにもどってきた。

アンバーはしゃくりあげて泣いていたが、急いで石を金の輪にはめた。

「ボビー、すごくいいことをしたわね」フローがいって、ボビーの腕をぎゅっとつかんだ。

「あんたがほめてくれると思ってた」ボビーはウインクをした。全員に見守られて、アンバーとワールウィンド・シーフは、エアリーの入り口を抜《ぬ》けていった。

次はアラステア。

「これはおもしろくなるぞ」ミッチェルがスカンダーに耳打ちした。「土と火がないんだ」

いじわる四銃士の中で余分な石を持っているのはメィイーただひとりだった。アラステアにとっては幸運なことに、それは土の石だった。みんなが予想していたとおり、メィイーは教官からたずねられる前に石を差しだした。その石を金の輪にはめると、アラステアは胸《むね》を張《は》り、平気な顔で教官たちに近づいた。頭をろくに下げもせず、不完全な金の輪を差しだした。

「だれかが助けてくれると確信《かくしん》してるんだわ」フローが小声でいった。

「……アラステアが訓練を続けることができるよう、石を譲る者はいるだろうか？」ウェブ教官がいった。少し飽《あ》きてきたようにみえる。

だれも動かない。

アラステアはにやにや笑った。「いいから早く、ニーヴ。そんなに待たせるなよ。水のトライアルでもらった火の石が余ってるんだよな？」

ニーヴは首を横に振った。右耳に生えた氷のとげが光を受けてきらめいた。「あなたにあげる石はない」

アラステアは笑《わら》い声《ごえ》をあげたが、その声には不安《ふあん》が混《ま》じっていた。「おれは計算したんだ。ニーヴ、おまえの火の石で助けられるフレッジリングは、おれのほかにいないはずだ。迷《まよ》う余地《よち》もない」

「だったら、迷わずあなたをみすてるわ」ニーヴは冷《つめ》たくいいはなった。

スカンダーは、アラステアがニーヴの四人組を何度も攻撃《こうげき》したのを知っていたが、それだけではないとも思っていた。水の使い手であるニーヴは、いじわるやわがままが大きらいなはずだ。それがまさにアラステアのやってきたことなのだ。

「冗談だろ」アラステアは不機嫌《ふきげん》そうにいうと、教官たちに訴《うった》え始《はじ》めた。「そんなのだめですよね。余った石があるなら――」

「だれかに譲らなければならないというわけではありません」オサリヴァン教官がいった。「余った石でほかのライダーを助けるも助けないも、ニーヴの自由です。これもカオス・トライアルの一部といえます」

ニーヴはつかつかと前に歩みでて、余った火の石をアンダーソン教官に渡《わた》した。そんなわけで、いじわる四銃士は、四人組ではなくなった。メイイーがエアリーにもどったとき、アラステアのピンバッジが砕《くだ》かれて、アラステアはその場を追われた。それをみて、スカンダーの胸にわずかな希望《きぼう》が生まれた。**あんな人間になれとかこんな人間になれとか、人にいわれても気にしないこと。**夕陽《ゆうひ》のベランダで、ニーナはそういった。結局《けっきょく》、カオス・ライダーにもいろんなタイプの人がいる。非情《ひじょう》な人がいつも勝利《しょうり》するとは限《かぎ》らないのだ。

最後に、スカンダーたち四人組の番になった。金の輪を取り、まずはフローとシルヴァー・ブレードがエアリーにもどった。悲しみのなかにあるスカンダーも、風のトライアルで手に入れた黄色い石をフローに譲るときは、自分が誇《ほこ》らしく思えた。

「よくやったな、スカンダー」レックス・マニングがこわばった顔でいった。あたたかさなどみじんも伝《つた》わってこない。

スカンダーはどきりとした。背《せ》を向けて、何千キロも離れたところまで走っていきたくなった。ポケットの中ではアガサがくれたメッセージが熱《あつ》く燃《も》えていた。

短いメッセージだった。アガサは無事。アークティック・スワンソングの亡骸《なきがら》は、放浪者たちがもうひとつの島から回収《かいしゅう》してくれた。明日埋葬《まいそう》を行い、その場所からは気の元素の木が生えてくるだろう。スカンダーはくるな、と書いてあった。いつかいっしょにスワンの墓《はか》にいこう。だがそれはもう少し先、すべてが片《かた》づいてからにしよう、とのこと。最後にこんな言葉があった。

あの男には負けるな、スカンダー・スミス。

スカンダーはレックスに背を向けた。

負けないよ。スカンダーは心の中で、叔母《おば》に――そして自分自身に――約束《やくそく》した。

フローがエアリーに入ったとき、待っていた人々から大きな歓声《かんせい》があがった。銀のライダーがカオス・トライアルを通過したのだ。

スカンダーは自分の金の輪を手に取った。スカンダレルが好奇心《こうきしん》いっぱいにそのにおいを嗅《か》ぐ。そのとき、スカンダーは気がついた。金の輪の中央にはもうひとつ、石をはめこむためのくぼみがある。ディヴァイドと同じだ。四本の金の線が中央で交わったところに円がある。大量《たいりょう》のマヨネーズを賭《か》けてもいい。ここには気の石をはめることになっていたのだろう。

スカンダーが金の輪を差しだすと、オサリヴァン教官の目がぐるぐると渦を巻《ま》いた。サファイヤのくぼみに石がはまっていない。「スカンダーが訓練を続けられるよう、石を譲る者はいないか？」

「はい、ぼくが！」ミッチェルがぴったり三秒後にやってきて、青い石をスカンダーのてのひらに落とした。

「素晴《すば》らしい」オサリヴァン教官はあたたかい声でいった。「スカンダー、あなたはあなたの元素で立派《りっぱ》に戦いました。スカンダーとスカンダレル・ラックがエアリーにもどることを許します」スカンダーにウインクした。

急にどきどきしてきた。これまで、アガサや四人組の仲間たちの前でしか、エアリーの入り口を開けたことがなかった。気の使い手がどうやってそれを開けるのか、ほかのライダーたちは、何十年もみたことがないのだ。

節《ふし》くれだった樹皮《じゅひ》にスカンダーがてのひらを当てたとき、まわりのみんながはっと息をのんだ。てのひらの下で、樹皮のへこんだところが輝《かがや》きだし、白くまばゆいクモの巣《す》が現れた。何百もの細かい網目《あみめ》はどんどんまばゆさを増《ま》し、やがてその光がぱっと消えた。ランタンの光が嵐《あらし》のせいで消えるときのようだった。

スカンダーはスカンダレルを連れて暗い穴《あな》を通った。待っていてくれた仲間たちをみたとき、目に涙がこみあげた。もしかしたら、いつかはエアリーに気の元素をよみがえらせることができるかもしれない。そう信《しん》じていいんじゃないか。ものごとは変わっていくんだ。ぼくが変えることだってできるだろう。気の使い手のぼくがエアリーにもどってきたのを、みんながこんなに喜んでくれている。ぼくの力ですでに変わった面もあるかもしれない。

スカンダレルが歓喜《かんき》のいななきをあげ、ハヤブサ隊《たい》のメンバーたちがスカンダーに駆《か》け寄《よ》ってきた。リケシュ、プリム、マーカスは強烈《きょうれつ》なハグを、フェンは氷のこぶしで全力のパンチを背中《せなか》にくれた。アデラ、リアム、パトリックの三人は、おめでとうと叫んでいる。うしろからミッチエルがやってきた。レッドがお祝《いわ》いとばかりに猛烈《もうれつ》なおならをした。ファルコンがエントランスから入ってくると、フローはみんなにほほえんだ。ボビーがスカンダーの髪をくしゃくしゃとなでて、こういった。今夜は妹が断層線《だんそうせん》を歩くのを見届けるんだ。

妹。姉。きょうだい。

この光景《こうけい》をケンナがみていたら、気の使い手の帰還を祝うみんなの歓声をきいていたら、きっとわかってくれたんじゃないか、スカンダーはそう思った。ケンナがいつかエアリーにもどれるように、ぼくががんばっていた理由を。エアリーの中に変化《へんか》をもたらしたかったら、壁《かべ》の外からじゃなく、壁の中で努力《どりょく》したほうがいい。でも、もう手遅《ておく》れなんだろう。

姉。泥棒《どろぼう》。裏切者《うらぎりもの》。敵《てき》。ケンナは本当にそんな存在《そんざい》になってしまったのか。

フレッジリングたちの帰還を祝う歓声《かんせい》があまりに大きくて、スカンダーは疲《つか》れてしまった。それに気づいた仲間たちが、エアリーの森の静《しず》かなところへと誘《さそ》ってくれた。

マツの木立の中に入りこむと、さっきまで抑《おさ》えていた不安が一気に爆発《ばくはつ》した。「ケンナはものすごいパワーを持ってる。次になにをやるかわからない」

「なにが起こるとしても、ぼくたち四人は力を合わせて立ち向かおう」ミッチェルが自信《じしん》たっぷりな声でいった。

「心配しないでよ、気の使い手くん」ボビーもいう。

アーマーをつけた木々の陰《かげ》で、フローがスカンダーの手を握《にぎ》った。

その瞬間、スカンダーは信じることにした。どんな試練《しれん》が襲《おそ》ってきても、ぼくたちならきっと乗りこえられる。

Epilogue

エピローグ

エアリーのランタンの光や、ツリーハウスに置《お》かれたストーブから遠く離《はな》れたところで、ケンナ・エヴァーハートは悲しみに暮《く》れていた。

しかし、心に決めていた。悲しみなんかに負けるものか。

ケンナ・エヴァーハートは、白いペンキで満《み》たしたバケツに片手《かたて》を入れ、顔の真ん中をその手でゆっくりなぞった。

これで少しは元気になれる。

ケンナ・エヴァーハートは、不毛《ふもう》の荒野《こうや》をみわたした。自分の心の寂《さび》しさを映《うつ》すような景色《けしき》だ。

ここにいれば、少しは元気になれる。

ケンナ・エヴァーハートは、砂埃《すなぼこり》におおわれた地面にひざをつき、最初《さいしょ》のライダーの杖《つえ》の破片《はへん》を積《つ》みあげた。

この作業を始めてから、だいぶ元気になった。

ケンナ・エヴァーハートは、積みあげたものを崩《くず》し、またちがう順番《じゅんばん》で積みあげ始めた。

もうすっかり元気になった。

なぜなら、ウィーヴァーは死んだけれど……

ケンナ・エヴァーハートはどこにもいかないから。

スカンダーたちの冒険は
思わぬ方向へ……

登場するユニコーンの名前の意味

ユニコーンの名前	名前の意味	結ばれているライダー
スカンダレル・ラック	悪漢《あっかん》の幸運	スカンダー・スミス
ファルコンズ・ロース	ハヤブサの怒《いか》り	ロバータ（ボビー）・ブルーナ
レッド・ナイト・ディライト	赤き夜の歓喜《かんき》	ミッチェル・ヘンダーソン
シルヴァー・ブレード	銀の刃《やいば》	フローレンス・シェコニ
ライトニング・ミステイク	稲妻《いなずま》の過《あやま》ち	ニーナ・カザマ
ブラッドムーン・エクウィノクス	血濡《ちぬ》れた月の分点	エリカ・エヴァーハート
ゴショーク・フュアリー	大鷹《おおたか》の怒り	???
セレスティアル・シーバード	天空の海鳥	オサリヴァン教官
シルヴァー・ソーサレス	銀の魔術師《まじゅつし》	レックス・マニング
ニューエイジ・フロスト	新時代の霜《しも》	アスペン・マグラス
ミッドナイト・スター	深夜の星	ロミリー
マローディング・マグネット	略奪《りゃくだつ》の磁石《じしゃく》	イライアス
トキシック・タイム	毒《どく》の麝香草《じゃこうそう》	ファルーク
デモニック・ニンフ	鬼神《きしん》の精霊《せいれい》	マリッサ
シーボーン・ラメント	海を漂《ただよ》う嘆《なげ》き	メイベル
クイーンズ・プライス	女王の代償《だいしょう》	ゲイブリエル
イクウェイター・コナンドラム	赤道の謎《なぞ》	サリカ
アークティック・スワンソング	北極《ほっきょく》の白鳥の歌	アガサ・エヴァーハート
ムーンライト・ダスト	月光のちり	ウェブ教官
ダガーズ・エメラルド	敵意《てきい》のエメラルド	アイシャ
スノウ・スイマー	雪を泳ぐ者	ニーヴ
イエスタデイ・ゴースト	昨日《きのう》の亡霊《ぼうれい》	ザック
オールド・スターライト	古き星明かり	マリアム
サヴェッジ・サラマンダー	野蛮《やばん》な山椒魚《さんしょううお》	ウォーカー
アイス・プリンス	氷の王子	コビー
ローズブライア・ダーリン	イバラの恋人《こいびと》	メイイー
ダスク・シーカー	夕暮《ゆうぐ》れの探求者《たんきゅうしゃ》	アラステア
ワールウィンド・シーフ	つむじ風の盗賊《とうぞく》	アンバー・フェアファクス
スモールダー・メニス	燻《くすぶ》る脅威《きょうい》	アジャイ
デザート・ファイヤーバード	砂漠《さばく》の火の鳥	アンダーソン教官
イーグル・ドーン	鷲《わし》の黎明《れいめい》	アルバート
ヒンターランド・マグマ	奥地《おくち》の岩漿《がんしょう》	チャーリー
シルヴァー・ソルジャー	銀の兵士	エローラ・スコット
スクリーチアウル・ストライク	メンフクロウの一撃《いちげき》	オットー
サンドストーム・オービット	砂嵐《すなあらし》の軌道《きどう》	マーカス
ハリケーン・ホークス	暴風《ぼうふう》の悪戯《いたずら》	パトリック
エターナル・ホアフロスト	永遠《えいえん》の霧氷《むひょう》	フェン
ウィンター・ワイルドファイア	冬の野火《のび》	プリムローズ
タイドル・ウォリアー	潮汐《ちょうせき》の戦士《せんし》	リケシュ
コースタル・クルセイダー	海岸沿いの十字軍騎士《きし》	リアム
スウィフト・サボタージュ	迅速《じんそく》な破壊《はかい》工作	アイヴァン
フューリアス・インフェルノ	荒《あ》れ狂《くる》う灼熱《しゃくねつ》地獄《じごく》	アート
オックスボウ・リベンジ	くびきの復讐《ふくしゅう》	ヘイデン
リヴァーリード・プリンス	川辺《かわべ》の葦《あし》の王子	アロディ・バーチ
カーナウ・クラーケン	カーナウの巨大蛸《きょだいだこ》	ライアン・ヘルナンデス
マウンテン・フィア	山の恐怖《きょうふ》	エマ・テンプルトン
ローズ・デヴィル	バラの悪魔《あくま》	カディージャ・マリク
サンセット・ブラッド	夕焼けの血	フェデリコ・ジョーンズ
アシディック・アーケインジェル	皮肉《ひにく》な大天使	トリスタン・マクファーレン
ハロウド・ハサール	聖《せい》なる軽騎兵《けいきへい》	ピーター・ウィテイカー
スカイ・パイレート	空の海賊《かいぞく》	アノーシュカ

A・F・ステッドマン

A.F.Steadman

イギリス、ケント州出身。幼いころからファンタジーが大好きで、ノートにいくつも物語を書いて育った。法律関係の仕事に就くが、日々の生活に魔法が足りないことに気づき、ファンタジーを書き始める。『スカンダーと奪われたユニコーン』がデビュー作となる。

訳者

金原瑞人

かねはら・みずひと

岡山県生まれ。法政大学教授。翻訳家。様々な分野の翻訳を数多く手掛ける。訳書に『月と六ペンス』(新潮文庫)、『バーティミアス』(静山社文庫)、『青空のむこう』(求龍堂)、『パーシー・ジャクソンとオリンポスの神々』(ほるぷ出版)、『国のない男』(中公文庫)、『リンドバーグ 空飛ぶネズミの大冒険』(ブロンズ新社) など。

西田佳子

にしだ・よしこ

愛知県生まれ。東京外国語大学英米語学科卒業。訳書に「キンケイド警視」シリーズ (講談社)、『赤毛のアン』(西村書店)、『わたしはマララ』(共訳、学研パブリッシング)、『夢をあきらめなかった13人の女の子の物語』『グレタの真実』(共に潮出版社) など。

スカンダーと裏《うら》切《ぎ》りのトライアル

2024年 6 月 20 日　初版発行

著者
A・F・ステッドマン

訳者
金原瑞人、西田佳子

発行者
南 晋三

発行所
株式会社潮出版社
〒102-8110 東京都千代田区一番町六　一番町SQUARE
電話 03-3230-0781（編集） 03-3230-0741（営業）
振替口座　00150-5-61090

日本語版デザイン
桐畑恭子

印刷・製本
中央精版印刷株式会社

カバー印刷
株式会社太陽堂成晃社

ISBN978-4-267-02323-1 C0097
www.usio.co.jp

世界各国で絶賛！

A・F・ステッドマン著
スカンダー・シリーズ 好評既刊

第１巻
スカンダーと奪われたユニコーン
金原瑞人・吉原菜穂 訳

第２巻
スカンダーと幻のライダー
金原瑞人・吉原菜穂 訳

スカンダー・スミスの夢は、ユニコーンライダーになることだった。一生の絆で結ばれたユニコーンと、厳しい訓練に耐え、レースに出て勝利をつかむ。そんなライダーになりたかった。勇敢なヒーローになりたかった。
ようやく夢が叶うと思ったとき、スカンダーは想像もしていなかった危険な事件に巻き込まれていき――。

ヒーローらしくない個性的なヒーローたち、魅惑の元素魔法、スピード感あふれる空中戦、ひたすらに隠されてきた島の真実、手に汗にぎる熾烈なレース、凶暴なユニコーン……。さあ、いまこそ壮大な冒険に羽ばたく準備を！

第１巻『スカンダーと奪われたユニコーン』は、2022年にウォーターストーンズ・チルドレンズ・ブックオブザイヤー、23年にインディ・ブックアワードを受賞。第２巻『スカンダーと幻のライダー』は、23年に「サンデー・タイムズ」紙の「子どものためのベストブック」に選出。実写映画化が決まり、世界各国で話題を呼んでいる。